P9-DVU-329

D0037876

፨ | FJB

*Jana Oliver*

# ENGELSFEUER

## RILEY BLACKTHORNE –
## DIE DÄMONENFÄNGERIN 4

*Roman*

Aus dem Amerikanischen
von Maria Poets

Erschienen bei FISCHER FJB

Die amerikanische Originalausgabe erschien unter dem Titel
›Foretold‹ bei St. Martin's Griffin, New York.
© 2012 by Jana Oliver

Für die deutschsprachige Ausgabe:
© S. Fischer Verlag GmbH, Frankfurt am Main 2013
Dieses Werk wurde im Auftrag von St. Martin's Press LLC durch die
Literarische Agentur Thomas Schlück GmbH, 30827 Garbsen, vermittelt.
Satz: Druckerei C. H. Beck, Nördlingen
Druck und Bindung: CPI books GmbH, Leck
Printed in Germany
ISBN 978-3-8414-2159-3

*Für Tyra Mitchell Burton, die ihren eigenen Georgia-Jungen gefunden hat.*

*Die zwei wichtigsten Tage in deinem Leben sind der Tag, an dem du geboren wirst, und der, an dem du herausfindest, warum.*

Mark Twain

# 1. Kapitel

2018
*Atlanta, Georgia*

»Was kann da schon schiefgehen?«, murmelte Riley Blackthorne leise vor sich hin. Solche Fragen sollte sie sich eigentlich nicht stellen, wenn sie gerade in einer U-Bahn-Station von Atlanta unterwegs war, um Dämonen zu fangen.

*Was kann da schon schiefgehen?* Alles.

Zusammen mit zwei anderen Dämonenfängern war sie hinter einem Pyro-Dämon her, einem Dämon zweiten Grades, dessen Höllenjob es war, Brände zu legen. Bis jetzt hatte er sich damit begnügt, beeindruckende Feuerbälle vor U-Bahn-Züge zu schleudern, Müllcontainer in Brand zu stecken und einmal sogar einen U-Bahn-Waggon in Flammen aufgehen zu lassen.

Normalerweise fand Riley es klasse, Dämonen zu fangen. Ihr verstorbener Vater, Paul Blackthorne, war ein legendärer Meisterfänger gewesen, sie hatte es also im Blut, und dieser Jagdausflug sollte sie eigentlich ganz kribbelig vor Aufregung machen.

*Geht so.* Nicht, wenn sie mit zwei Typen unterwegs war, die auf keinen Fall auch nur in ihre Nähe kommen wollten.

Beide waren Anfang zwanzig, blond und sahen gut aus,

doch damit hatte es sich schon mit der Ähnlichkeit. Derjenige, der rechts von ihr lief, ihr Exfreund mit den blauen Augen, war nicht mehr ganz so feindselig wie zuvor. In den letzten zwanzig Minuten, seit sie auf dem Gelände waren, hatte Simon Adler noch nicht versucht, sie mit Weihwasser zu bespritzen, oder sie beschuldigt, für die Hölle zu arbeiten.

Simon war in einem Kampf mit einem gefräßigen Dämon tödlich verletzt worden, und wenn Riley keinen Deal mit dem Himmel abgeschlossen hätte, läge er jetzt unter der Erde. Anschließend hatte einer der betrügerischsten Erzengel der Hölle Hockey mit Simons Verstand und seinem tiefen katholischen Glauben gespielt. Als ihr Ex schließlich herausfand, wer ihn manipuliert hatte, und von ihrem Deal mit dem Himmel erfuhr, war er ins Bodenlose abgestürzt. Das Ergebnis war ein völlig verwirrter Kerl, der nicht mehr wusste, was er glauben oder wem er vertrauen sollte.

*Wenigstens schreist du mich nicht mehr an.*

Dieses Privileg gebührte dem Typen links von ihr: Denver Beck, dem muskulösen Ex-Soldaten aus Süd-Georgia, der bis zu dessen Tod der Partner von Rileys Vater beim Dämonenfangen gewesen war. Normalerweise war es ziemlich cool, mit Beck zusammenzuarbeiten. Heute allerdings hatte er beschlossen, auf Arschloch zu machen.

Er blickte die beiden anderen finster an. »Worauf wartet ihr noch?«, blaffte er. »Meint ihr, der Dämon kommt anspaziert und stellt sich euch vor?«

»Irgendwann wird er schon auftauchen. Das tun sie immer«, erwiderte Riley und versuchte, nicht die Beherrschung zu verlieren. Dann hätte Beck gewonnen.

»Wie kommst du denn darauf?«

»Weil ich hier bin«, sagte sie. »Dämonen können der Versuchung, mich umzubringen, nicht widerstehen.«

Das brachte ihr einen misstrauischen Seitenblick von Simon ein.

»Hey, das stimmt. Und zwar nicht, weil ich für die Hölle arbeite, okay?« *Na ja, nicht so richtig jedenfalls.*

»Ich habe doch gar nichts gesagt«, murmelte er.

»Aber gedacht.«

»Seid ihr zwei fertig?«, wollte Beck wissen.

Riley bedachte den älteren Fänger mit einem vernichtenden Blick, der umgehend zu ihr zurückgeschickt wurde. So war Beck, seit er sie in einem Anfall von Märtyrertum aus seinem Haus geschmissen hatte. Gerade als sie einander nahegekommen waren, hatte irgendetwas aus seiner Vergangenheit ihn dazu veranlasst, sie wegzustoßen. Doch dieses Mal würde Riley nicht still und leise verschwinden, nicht seit sie wusste, dass sie diesen Mann liebte.

Sie schob sich vor die anderen und bahnte sich ihren Weg durch die Menge. Es war eine gute Zeit, um hier unten zu sein – in ein paar Tagen würden die Züge gedrängt voll mit Leuten sein, die von oder zu Basketballspielen unterwegs waren, herausgeputzt in den Farben ihrer Lieblingsteams. Oder im Fall der Clemson University mit orange-schwarzen Tigerschwänzen.

Die Leute, die auf den nächsten Zug warteten, warfen ihr

beunruhigte Blicke zu. Das überraschte sie nicht sonderlich, nachdem ihr Gesicht in den letzten Wochen ständig im Fernsehen und in den Zeitungen zu sehen gewesen war. Es könnte auch an der kleinen, weißen Kugel liegen, die sie trug.

»Seid ihr Dämonenfänger?«, rief jemand laut.

»Klaro«, erwiderte Beck.

»Ich nehme lieber den Bus«, sagte der Typ, der gefragt hatte, machte auf dem Absatz kehrt und steuerte auf den Ausgang zu.

Riley seufzte. Vielleicht wäre es besser gewesen, die U-Bahn-Station zu evakuieren, aber wenn sich das hier als falscher Alarm erwies, würde man ihnen im Rathaus die Hölle heiß machen.

Als sie den Bahnsteig weiter entlangging, fuhr ein Zug ein, und die Fahrgäste stiegen aus, darunter ein Mann mit einem riesigen Plüschpanda, der einen Footballhelm trug.

Aus einem Mülleimer in der Nähe stieg eine dünne, kringelige Rauchsäule empor und erregte Rileys Aufmerksamkeit. Könnte das der Pyro-Dämon sein? Sie warf Beck einen Blick zu, doch der zuckte nur die Achseln.

Die Dämonenfänger bauten sich um den Mülleimer herum auf.

»Fertig?«, fragte Beck. Als die anderen beiden nickten, stieß er den Eimer mit einem Tritt um, und der Müll rollte heraus, zusammen mit einem Haufen schwelender Taschentücher. Offensichtlich hatte jemand eine brennende Zigarette hineingeworfen, und jetzt durften sie den Dreck

wieder einräumen. Und sich von den Fahrgästen aus-
lachen lassen.

Riley trampelte das Feuer aus und schob den Müll mit den
Schuhen zurück in den Eimer. Während sie sich nützlich
machte, fluchte Beck leise vor sich hin, dass dieser ganze
Trip vermasselt war. Als sie sich vorbeugte, um eine leere
Donut-Schachtel in den Mülleimer zu schubsen, spürte
sie das Prickeln, als etwas sie im Geiste zu berühren
schien. Etwas Dämonisches.

*Blackthornes Tochter*, rief die Stimme.

Mit einem Ruck richtete sie sich auf. »Er ist ganz in der
Nähe. Er hat meinen Namen gerufen.« Zu ihren Füßen
raschelte Papier, und ein roter Dämon kroch aus dem
Müll. Er war etwa zwanzig Zentimeter groß, hatte einen
gespaltenen Schwanz und scharfe Zähne. Eine Flamme
züngelte aus seiner rechten Hand empor.

»Fänger!«, schrie er und schleuderte einen Feuerball direkt auf Simon. Der ließ sich fallen und presste sich gegen
den schmutzigen Beton, während die Flammen über seinen Kopf hinweg schossen.

»Hey, Blödmann!«, schrie Beck, aber der Dämon ignorierte ihn und schuf eine neue Flamme, um sie auf Simon zu
schleudern.

Riley stellte sich ihm in den Weg, warf eine weiße Kugel
in die Höhe und wartete darauf, dass es anfing zu schnei-
en. Doch stattdessen hörte sie ein Splittern, und ein
Graupelschauer ging auf sie nieder – die Magie im Inneren der Kugel hatte versagt. Kalter Regen prasselte herunter, und der Dämon begann zu heulen. Abgelenkt ließ der

Höllendiener seinen Flammenball fallen, der daraufhin wie ein glühender Tennisball über den Bahnsteig rollte, vorbei an einer hölzernen Bank und zwei verdutzten Zuschauern.

*Dämon oder Flamme?* Riley setzte dem Feuer nach, aus Furcht, es könnte die Station in Brand setzen, wenn sie es nicht unter Kontrolle bekäme. Über ihr öffnete sich mit einem splitternden Geräusch eine weitere Kugel, und der Inhalt wirbelte herum wie ein Schneesturm in North Dakota. Vom herunterfallenden Schnee wurde der Boden glatt, so dass sie ausrutschte und unsanft auf den Knien landete. Der Flammenball rollte auf die offene Tür eines U-Bahn-Wagens zu.

*O Mist.*

Voller Panik riss sie sich die Jacke vom Leib und warf sie auf den Flammenball. Der Stoff begann von der intensiven Hitze sofort zu glühen, und Riley klopfte mit den Händen darauf herum. Die Flammen wurden schwächer und erstarben schließlich ganz.

Ungeachtet des Dramas gingen die Leute einfach an ihr vorbei. Jemand versetzte ihrem Ellenbogen einen Knuff, als er an ihr vorbeikam. Ein Paar lachte darüber, wie sie dort mit nassen Haaren über ihrer qualmenden Jacke im Schnee kniete. Ein anderer begann, Schneebälle zu werfen. Nachdem die Zugtüren sich geschlossen hatten, presste ein kleines Kind seine Nase gegen das Fenster, die Augen weit aufgerissen, und beobachtete sie eindringlich. Sie zwinkerte ihm zu, und zu ihrer Überraschung winkte es schüchtern zurück, als die U-Bahn abfuhr.

*Vielleicht ist das Leben am Ende doch nicht nur doof.*

Nachdem sie sich wieder aufgerappelt hatte, stellte Riley fest, dass Simon eine Köderbox mit dem Pyro-Dämon in den Händen hielt. Ausreichend Trockeneis würde ihn davon abhalten, sich als Brandstifter zu betätigen, bis sie ihn an einen Dämonenhändler verkauft hatten. Wie erwartet, beschallte das Ding die gesamte Station mit seinen Flüchen.

Ein rascher Blick bestätigte, dass der Bahnsteig frei von Gaffern war, bis auf einen einsamen Typen mit einem Handy, der den Einsatz eifrig gefilmt hatte. Wahrscheinlich hatte er das Video schon ins Internet gestellt, ehe sie die Station verließen.

»Das war schlampige Arbeit«, meckerte Beck, die Hände in die Hüften gestemmt. Das war seine Ich-bin-echt-sauer-und-du-hörst-besser-zu-Pose. »Was ist mit euch los?«

Riley hätte ihm liebend gerne erklärt, was los war, wenn der Typ mit dem Handy nicht daneben gestanden hätte.

Simon brachte ein schwaches »Sorry« heraus.

Als Beck sie finster anstarrte und erwartete, dass sie sich ebenfalls entschuldigte, schüttelte Riley den Kopf. Sie stopfte ihm ihre verkokelte Jacke unter den Arm und flüsterte: »Du kannst mich mal.«

Sobald sie oben auf der Straße und außer Sichtweite des Typen mit dem Telefon waren, suchte Riley ihre Hände nach Verbrennungen ab.

Neben ihr schnappte Simon hörbar nach Luft. »Wo kommen die denn her?«, fragte er mit weit aufgerissenen Augen.

*Ups.* Sie hatte die dunklen Male in ihren Handflächen völlig vergessen. In diesem Moment war es ihr egal, ob die anderen Dämonenfänger erfuhren, was sie bedeuteten. Riley hob die linke Hand und deutete auf die schwarze Krone. »Dies hier ist vom Himmel.« Sie hob die andere Hand. »Und das flammende Schwert stammt von der Hölle«, erklärte sie. »Ja, ich weiß, es ist echt schräg, beide zu haben.«

Als Simon die Stirn runzelte, wappnete sie sich für einen Sturzbach aus Beschuldigungen, sie sei Luzifers Favoritin des Monats.

Doch stattdessen wurden die Furchen auf seiner Stirn nur noch tiefer. »Lassen die uns denn nie in Ruhe?«, fragte er mit zitternder Stimme.

»Eines Tages vielleicht«, log sie.

Riley passte nicht richtig auf, als sie zu ihrem Auto ging, weil sie so schnell wie möglich von Beck und seiner anmaßenden Haltung wegkommen wollte, ehe sie sich vor den Augen ihres Exfreundes gegenseitig anbrüllten. Das wäre die ultimative Blamage.

Sie hatte gerade ihren Wagen erreicht, als jemand laut ihren Namen rief. Als Riley sich umdrehte, näherten sich ihr zwei Mädchen. Sie waren etwa in ihrem Alter, trugen schlichte Kleider und dem kalten Februar angemessene

Mäntel, die Haare hatten sie sittsam in festen Knoten hochgesteckt. Doch vor allem verrieten sie sich durch die Bibel, die große Flasche Weihwasser und das Kreuz, die sie wie Waffen vor sich hertrugen.

Es war nicht das erste Mal, dass Riley sich jemandem gegenübersah, der ganz scharf darauf war, ihre Seele zu retten.

Obwohl der Vatikan und seine Dämonenjäger versucht hatten, nichts von der Schlacht auf dem Friedhof an die Öffentlichkeit dringen zu lassen, vor allem von dem ganzen Himmel-gegen-Hölle-Teil, wussten die Bürger von Atlanta, dass etwas Bedeutendes geschehen war. Manche behaupteten, sie hätten Engel gesehen, was wahrscheinlich tatsächlich der Fall war. Man konnte nicht haarscharf am Weltuntergang vorbeischlittern, ohne dass ein paar schwerbewaffnete göttliche Wesen durch die Gegend flogen. Dazu kamen die Dämonenangriffe in der letzten Zeit auf das Tabernakel und den Terminus-Markt, und aus irgendwelchen Gründen schien alle Schuld an den Dämonenfängern hängengeblieben zu sein. Da Riley ständig wegen irgendetwas in den Nachrichten zu sehen gewesen war, stand sie nun im Zentrum des allgemeinen Zorns.

Dieses Duo gehörte wahrscheinlich zu dem Team weiblicher Exorzisten, das vor ein paar Tagen in Atlanta eingetroffen war. Nach allem, was Riley gehört hatte, versuchten sie rund um die Uhr, Dämonen auszutreiben, wozu auch ein versuchter Exorzismus mitten auf einer Bowlingbahn gehörte.

»Du verkehrst mit der Hölle, und deine Seele ist in Gefahr«, verkündete eines der Mädchen, eine zierliche Brünette, feierlich.

Rileys Seele gehörte bereits einem gewissen gefallenen Engel, vorausgesetzt, Ori war noch am Leben. Sie beschloss, diesen Umstand besser nicht zu erwähnen.

Als sie keine Antwort gab, versuchte das Mädchen es erneut. »Wir sind gekommen, um dich zu retten. Wir werden deinen Teufel exorzieren und dich noch heute Abend von ihm befreien.«

»Seht mal«, begann Riley, »ich finde es echt toll, was ihr macht, aber ich habe heute vier Dämonen gefangen. Leute, die für die Hölle arbeiten, machen so etwas nicht, okay?« *Na ja, sie können schon …*

»Der Feind hält dich von Gottes Gnade fern«, erwiderte das Mädchen und hob ihr Kreuz.

Rileys Feind, Sartael, hockte zurzeit als Luzifers Gefangener in der Hölle, aber das würden ihr diese Mädchen niemals abkaufen. Sie gönnte den beiden ihren Job, aber sie wollte nichts mit ihnen zu tun haben.

»Tut mir leid, ich muss los«, sagte sie.

Das kalte Weihwasser traf sie einen Augenblick später und benässte ihr Gesicht. Das Kreuz befand sich direkt vor ihren Augen, zusammen mit ein paar Wörtern, die wenig Sinn ergaben. Latein war das ganz sicher nicht.

*Diese Möchtegern-Teufelsaustreiber. Die sind ja nicht einmal echt.*

Als Riley sich das Wasser aus den Augen wischte, packte jemand ihre linke Hand, diejenige mit dem Symbol des

Himmels, und das Kreuz wurde dagegen gepresst. Keine Reaktion. Sie wollte nicht herausfinden, was geschah, wenn sie das auf dem Kennzeichen der Hölle versuchten, also riss sie sich los und wich zurück. »Hört sofort auf damit!«

Die Mädchen wirkten verblüfft. Offenkundig hatten sie angenommen, dass der kombinierte Einsatz von Weihwasser und Kreuz ihr den Teufel austreiben würde wie in irgendeinem Horrorfilm, der spätabends im Fernsehen lief.

*Eindeutig Möchtegern-Exorzisten.*

»Riley?«, rief Beck laut, als Simon und er herbeigeeilt kamen. »Was ist hier los?«

Als eines der Mädchen zu einer Erklärung ansetzte, schnitt Simon ihr das Wort ab. »Lasst sie einfach in Ruhe. Kümmert euch um eure eigenen Seelen.«

»Ihr arbeitet für den Teufel. Wisst ihr das nicht?«, rief eines der Mädchen.

»Nicht mehr als ihr auch«, erwiderte Beck. »Und jetzt verschwindet.«

Rileys Quälgeister dampften ab, sichtlich enttäuscht, weil ihre Mission fehlgeschlagen war.

Riley ließ sich gegen ihren Wagen sinken und wischte sich die Wimperntusche aus dem Gesicht. Wenn das so weiterging, würde sie sich noch das teure wasserfeste Zeug besorgen müssen.

»Danke, Jungs.«

»Tut mir leid«, sagte Simon, als sei er verantwortlich für das Geplänkel.

»Gehört vermutlich zum Job«, erwiderte sie, noch immer mit ihrem Make-up beschäftigt.

Becks Handy klingelte, und er trat beiseite, um den Anruf anzunehmen. Während er zuhörte, verfinsterte sich seine Miene. »Verstanden. Ich sorge dafür, dass sie sicher nach Hause kommt.«

Ehe Riley fragen konnte, was los war, hielt er Simon die Schlüssel für seinen Truck hin. »Fährst du uns bitte zu Stewarts Haus nach?«

»Warte, du musst nicht …«, begann Riley.

»Doch, ich muss«, gab Beck zurück. »Steig in deinen Wagen und spar dir die Mühe, mit mir zu streiten.«

Simon nahm die Schlüssel und verkrümelte sich.

*Ich wünschte, ich könnte das auch.*

Beck fuhr, vor allem, weil ihre Augen immer noch brannten und tränten.

»Alles in Ordnung?«, fragte er.

»Ja. Aber ich habe langsam keinen Bock mehr auf diesen Mist.«

»Du warst es doch, die sich mitten hineingestürzt hat, Mädel.«

Wenn er »Mädel« sagte, bedeutete es, dass er sauer war. Aber sie war ja auch wütend.

Riley starrte ihn finster an. »Warum bist du so ein Arsch?«

»Ich fahre dich zu Stewart, oder nicht?« Dann schwieg er und starrte mürrisch auf den Verkehr.

*Das schon wieder.* Riley wusste genau, was ihr gemeinsa-

mes Problem war, und sie war es nicht: Es war seine Exfreundin, diese Reportertussi, und irgendwelcher Dreck,
den sie über seine Vergangenheit ausgegraben hatte.

»Justine hält sich ja nicht gerade zurück«, sagte sie. »Weißt
du, wenn du nicht mit ihr geschlafen hättest, würdest du
jetzt nicht in dieser Situation stecken.«

Sie wusste, dass es falsch gewesen war, kaum, dass sie
ihre Eifersucht von der Leine gelassen hatte. Beck reagierte auf der Stelle, er stieg hart auf die Bremse, als sie
ein Stoppschild erreichten. Nur der Sicherheitsgurt ver-
hinderte, dass sie gegen das Armaturenbrett knallte.

»Du bist genau wie sie und versuchst andauernd, mich zu
manipulieren«, sagte er. Die Adern an seinem Hals traten
deutlich hervor. »Langsam verfluche ich den Tag, an dem
ich dich kennengelernt habe.«

Das tat weh, nach allem, was sie durchgemacht hatten.

»Du. Lügst. Doch. Erzähl mir, was Justine weiß, dass du
solche Angst hast. Komm schon, spuck's aus.«

»Das geht dich verdammt nochmal nichts an«, sagte er,
raste über die Kreuzung und verfehlte knapp einen langsam fahrenden Kombi. »Lass es einfach gut sein, kapiert?«

Riley starrte aus dem Seitenfenster, überrascht, dass ihre
Wut das Glas nicht zum Schmelzen brachte.

*Eines Tages werde ich die Wahrheit erfahren.*

## 2. Kapitel

Beck hielt auf Stewarts Auffahrt an und stieg aus, obwohl der Motor noch lief. Kaum hatte Simon am Bordstein geparkt, wurde er auch schon vom Fahrersitz verscheucht. Eine Sekunde später wendete Beck seinen Wagen auf der Straße und fuhr davon, ohne Riley noch eines Blickes zu würdigen.

*Was zieht der denn für eine Show ab?*

Riley schaltete den Motor aus und nahm sich etwas Zeit, um sich zu beruhigen. Mit solchen Feindseligkeiten würde es weitergehen, bis einer von ihnen zusammenbrach. Wenn sie Glück hatte, würde Beck als Erster nachgeben. Wenn nicht …

Sie blickte an Meister Stewarts Haus empor, während das Auto komische tickende Geräusche machte, als der Motor abkühlte. In dem prächtigen, viktorianischen Gebäude war nicht jedes Fenster erleuchtet, aber diejenigen, in denen Licht brannte, strahlten einen herzlichen Willkommensgruß aus. Jetzt, wo ihr Dad tot war, wirkte ihre Wohnung furchtbar leer, und im krassen Gegensatz dazu wirkte dieser Ort voller Leben. Mit der kunstvollen Schnitzerei am Giebel und dem mehrstöckigen Türmchen hätte Riley schwören können, dass dieses Gebäude aus einem anderen Jahrhundert nach Atlanta transportiert worden war. Hier konnte Liebe gedeihen, und der Ort wirkte wie ein Versprechen, dieses Gefühl zu hegen und vor einer brutalen Welt zu schützen.

Bis die Dämonenjäger des Vatikans ihre Auflagen änderten, musste sie unter den Fittichen von Großmeister Stewart bleiben. Das war gar nicht mal so schlecht, denn Stewart war nett, sein Haus war riesig und seine Haushälterin eine phantastische Köchin.

Der Meister war in den Sechzigern, hatte silbriges Haar und eindringliche, dunkle Augen. Hinter seinem wohlwollenden Lächeln verbargen sich ein scharfer Verstand und ein schlagfertiger Geist. Als Mitglied der Internationalen Zunft der Dämonenfänger lebte er seit zehn Jahren in Atlanta. Er sprach mehrere Sprachen, und sein Wort hatte sowohl bei der örtlichen Dämonenfängerzunft als auch bei den Dämonenjägern des Vatikans Gewicht. Rileys Vater war von Stewart ausgebildet worden und hatte stets mit aufrichtiger Zuneigung von ihm gesprochen. Jetzt wusste sie, warum.

Nachdem sie die Tür hinter sich geschlossen hatte, kickte Riley ihre Schuhe weg und warf die angekokelte Jacke darauf. Sie wusste echt nicht, warum sie die behalten hatte.

»Hallo?«, rief eine laute Stimme in vollem Timbre mit einem leichten schottischen Akzent.

»Ich komme«, sagte sie.

Es war schon zur Gewohnheit geworden, dass sie abends, wenn sie nach Hause kam, noch einige Zeit mit Stewart

verbrachte, ehe sie ins Bett ging. Sie saßen in diesem großen Arbeitszimmer neben dem Feuer im überdimensio-
nierten steinernen Kamin und sprachen über die Schule
und alles Mögliche. Dasselbe hatte ihr Vater immer während des Frühstücks getan, und nachdem er gestorben
war, hatte sie es sehr vermisst. Obwohl es nun nicht mehr
ihr Vater war, der ihr Fragen stellte oder sie sanft durch
die Geheimnisse des Lebens führte, freute sie sich jedes
Mal auf diesen Moment.

Wie an den vorangegangenen Abenden fand sie den Haus-
herrn in seinem Lieblingssessel mit der Ausgabe einer
schottischen Zeitung im Schoß und einem Glas Whisky
auf dem Tisch neben sich. Neben einem dicken Tabak-
beutel ruhte eine Pfeife in ihrem Ständer.

Obwohl Riley eigentlich Meister Harpers Lehrling war,
war es Stewart gewesen, der ihr zur Hilfe gekommen war,
als die Dämonenjäger sie verhaftet hatten, und sich mit
dem ganzen Gewicht seines Rangs innerhalb der Internationalen Zunft für sie eingesetzt hatte. Als die »Inquisition«
vorbei war, traf man eine Vereinbarung – Stewart war für
ihr Betragen verantwortlich und würde mit seinem Leben
dafür einstehen, wenn sie zu sehr aus der Spur geriet.

Riley setzte sich in einen der überaus bequemen Sessel
und stellte ihren Rucksack neben den Füßen ab.

»Guten Abend, Riley.«

»Meister Stewart«, sagte sie höflich. »Gibt es einen bestimmten Grund, warum Sie Beck befohlen haben, mich
nach Hause zu fahren?«

»Aye. Die Zunft hat heute eine Morddrohung erhalten.«

Wenn sie sich gegen die gesamte Zunft von Atlanta richten würde, hätte Stewart nicht Beck angerufen.

»Sie gilt mir, stimmt's?«

»Aye.«

Was sollte sie dazu sagen? Jemand hasste sie genügend, um zu drohen, sie umzubringen, und das nur, weil sie zwischen den Armeen des Himmels und der Hölle gestanden und ihnen den Großen Krieg ausgeredet hatte.

»Ein paar Leute haben herausgefunden, was passiert ist, und sie reden. Manche glauben, du hättest den Dämonen geholfen, das Tabernakel anzugreifen. Du bist im Moment ziemlich prominent.«

»Ich werde mich nicht verstecken«, protestierte Riley. »Ich muss arbeiten, um meine Rechnungen zu bezahlen.«

»Aye. Wir haben den Brief der Polizei übergeben, und die finden hoffentlich heraus, wer dahintersteckt.« Stewart füllte Tabak in die Pfeife und stopfte sie sorgfältig. »Erzähl mir, wie der Auftrag gelaufen ist«, fuhr er fort. »Harper ist bei einem Treffen der Anonymen Alkoholiker, ich werde es ihm später ausrichten.«

Es würde zu nichts führen, wegen der Drohung in Panik zu geraten, also erstattete sie Stewart Bericht.

»Es ist nicht alles glattgelaufen«, erklärte sie, »aber wir haben diesen Pyro in der U-Bahn-Station Five Points gefangen.«

»Wie hat Simon sich gemacht?«

»Ganz gut. Er stand nicht wie gelähmt rum oder so.«

»Und Beck? Benimmt er sich immer noch wie ein Bär, dem der Hintern weh tut?«

Eine absolut treffende Beschreibung für den Dorftrottel.
»Allerdings.«

»Willst du mir nicht erzählen, was zwischen euch beiden vorgefallen ist, dass er sich so aufführt?«

*Ich schwöre, der Typ ist ein Hellseher.* »Woher wissen Sie, dass es etwas mit uns zu tun hat?«, fragte sie verwirrt.

»Ich bin gut darin, Menschen zu durchschauen. Das gehört zum Job eines Großmeisters.«

Riley hätte versuchen können, der Frage auszuweichen, doch das würde nicht funktionieren, da Stewart die Antwort schließlich doch aus ihr herausbekäme. Und vielleicht konnte er ihr helfen, herauszufinden, wie sie Becks Schutzwall durchbrechen könnte.

»Nach dem Leichenschmaus hatten wir einen gewaltigen Streit. Ich dachte, zwischen uns liefe alles gut, nachdem wir …«, bei dem Gedanken daran bekam Riley heiße Wangen, »… uns auf dem Friedhof geküsst haben.«

Überzeugt, dass sie beide sterben würden, war Beck unachtsam geworden und hatte zugegeben, dass er ohne sie nicht leben konnte. Dann hatte er Riley so geküsst, dass ihr Herz dahingeschmolzen und ihre Welt vollkommen auf den Kopf gestellt worden war.

»Ich war derjenige, der ihm riet, den Moment nicht zu verpassen«, sagte Stewart. »Ich sagte ihm, dass er möglicherweise nie wieder die Gelegenheit dazu haben würde.«

»Ach, deswegen hat er das gemacht«, sagte sie. Enttäuschung machte sich in ihr breit. »Ich dachte …«

»Er hat diesen mutigen Schritt gewagt, weil er dich sehr

mag, Mädchen. Das war kein Kuss zwischen Freunden, und das weißt du auch.«

»Nein …« Es war unglaublich gewesen. Alles, worauf sie je gehofft hatte.

Ihr Gastgeber wartete immer noch auf eine Erklärung.

»Am Morgen nach dem Leichenschmaus fuhr ich zu ihm. Als ich zu seinem Haus kam, brach diese bescheuerte Schreibertussi gerade auf. Irgendetwas, was sie zu ihm gesagt hat, muss ihn furchtbar aufgeregt haben. Er war auf hundertachtzig.«

»Aha, Justine Armando mal wieder. Weißt du, warum sie bei ihm war?«

»Beck meinte, sie würde einen weiteren Artikel über ihn schreiben und dass er sich deswegen Sorgen macht.« Riley schüttelte entmutigt den Kopf. »Dann sagte er, ich solle verschwinden und dass er mich nie wiedersehen will. Zuerst dachte ich, es läge an irgendetwas, was ich getan hatte. Aber dann meinte er, ich verdiente jemand Besseren als den unehelichen Sohn einer Trinkerin, der weder lesen noch schrei…«

*Mist.* Sie hatte vor dem Meister eines von Becks größten Geheimnissen ausgeplaudert. Ganz schlecht. »O Mann, das haben Sie gerade nicht gehört.«

»Ich weiß, dass er nur schlecht lesen und schreiben kann«, erwiderte Stewart. »Dein Vater hat es mir erzählt.« Riley seufzte erleichtert. »Er würde ausflippen, wenn er wüsste, dass ich es Ihnen erzählt habe.« Dann verdrehte sie die Augen. »Als ob das etwas ausmachen würde. Er hat sowieso die Nase voll von mir.«

»Aye, und das macht mir Sorgen. Da ist noch irgendetwas anderes, sonst würde Beck dich nicht auf diese Weise behandeln. Nicht, nachdem er dir auf dem Friedhof so zugetan war.«

»Vielleicht hat es etwas mit seiner Mom zu tun.«

»Ich bin sicher, dass er sich sorgt, weil sie krank ist, aber da steckt noch mehr hinter.« Stewart zündete seine Pfeife an. »In seinem Innersten ist Beck ein Kämpfer, und er wird immer diejenigen beschützen, die ihm nahe sind und die ihm etwas bedeuten. In deinem Fall geht es sogar um noch mehr, weshalb ich glaube, dass die Reporterin etwas weiß, von dem er das Gefühl hat, es könnte dir schaden. Oder dich veranlassen, deine Meinung über ihn zu ändern. Egal was, aber das hat seinen Beschützerinstinkt ausgelöst.«

Es war eine scharfsinnige Analyse der Situation, und er hatte wesentlich freimütiger über Gefühle geredet, als Riley ertragen konnte.

»Er will mir nichts über sein Leben aus der Zeit vor Atlanta erzählen. Als wäre es ihm peinlich oder so.«

»Paul hat mir ein bisschen erzählt, aber selbst er hat nie die ganze Geschichte erfahren.« Stewart knipste sein Feuerzeug an und zog ein paar Mal paffend an der Pfeife. Der süßliche Duft von Karamell und Limone erfüllte den Raum. »Sonst noch was?«

Riley erzählte ihm von dem Beinahe-Exorzismus außerhalb der U-Bahn-Station. Er wirkte nicht überrascht.

»Du bist im Moment zu oft zu sehen. Nach dieser Morddrohung möchte ich, dass du eine Weile von der Bildfläche verschwindest. Der Gesundheitszustand von Becks Mutter hat sich verschlechtert, und er bricht morgen früh nach Sadlersville auf. Harper und ich sind uns einig – wir möchten, dass du mit ihm fährst.«

Riley schüttelte den Kopf. »Ich bin nicht die beste Wahl. Er ist so sauer auf mich, dass ich alles nur noch schlimmer machen würde.«

»Beck hat dir mehr anvertraut als allen anderen Menschen, die ich kenne. Auch wenn er sich vielleicht wie ein totaler Depp verhält, er sorgt sich aufrichtig um dich.« Stewart hielt inne. »Auf seine Weise liebt er dich sogar.«

Riley stockte der Atem. Vielleicht hatte sie sich das doch nicht nur eingebildet.

»Im Moment ist er nicht ganz beieinander, und wenn seine Mutter stirbt, wird es noch schlimmer werden. Er braucht dich an seiner Seite, Riley, auch wenn er es abstreitet.«

Sie wusste, dass der Meister recht hatte. Es würde heftig werden, aber sie hatte das zuvor schon durchgemacht. Außerdem wäre sie aus Atlanta raus, bis sich die Wogen hier wieder geglättet hatten.

»Also gut, ich fahre.« Zum Glück hing ihr schwarzes Kleid für Beerdigungen oben im Schrank anstatt in ihrer Wohnung. Die Trauer schien niemals zu enden.

»Gott segne dich«, rief Stewart. »Das mindert meine Sorgen ein wenig. Halte da unten im Süden die Augen offen. Ich will mehr über Becks Vergangenheit wissen und darüber, was ihm solche Angst einjagt.«

*Jetzt bin ich eine Spionin.* »Er wird ausrasten, wenn ich ihm sage, dass ich mitkomme.«

»Genau deshalb werde ich das übernehmen.«

Als er sich in einer stockfinsteren Gasse in der Dämonenhochburg materialisierte, weinte der Engel vor Verzweiflung.

»Nein!«, schrie Ori und hob trotzig die geballte Faust. »Verdammt seist du, Luzifer! Warum?«

Es war nicht vorgesehen, dass er überlebte. Er war bereit gewesen für die Reise in das Nichts, das auf die gefallenen Engel wartete, sobald sie ihren letzten Atemzug taten. Er hatte sogar Riley Anora Blackthornes unverschämten Bedingungen für ihre Seele zugestimmt, einfach, weil er überzeugt war, dass er an jenem Tag sterben würde und sie somit von den Ketten der Hölle befreit wäre.

Doch sein Gebieter hatte ihm diesen Trost verwehrt. Obgleich Luzifer kein neues Leben zu erschaffen vermochte, konnte er doch diejenigen erhalten, die ihm hörig waren, und er hatte Ori geheilt, obwohl er ihn angefleht hatte, sterben zu dürfen. Er hörte noch immer die Stimme des Höllenfürsten, als er aus dem, was er für seine letzte Ruhe gehalten hatte, erwachte.

*»Du wirst sterben, wenn ich es gestatte, und keinen Moment eher. Wage es nicht noch einmal, dich gegen mich zu stellen, denn der Frieden des Todes wird nicht deine Belohnung sein.«*

»Wie kannst du es wagen?«, schrie Ori und ballte die

Fäuste. Er war Luzifer bereitwillig ins Exil gefolgt, hatte sich selbst den Weg zum Licht und zur Liebe des Himmels versperrt, und jetzt wurde er behandelt, als bedeute dieses Opfer gar nichts.

Als Ori die Augen aufschlug, ließ er die Arme sinken und vergewisserte sich, dass seine Schwingen nicht länger zu sehen waren. Im Moment waren keine Sterblichen in der Nähe, die ihn hätten sehen können, aber das würde sich ändern. Sie waren neugieriger, als gut für sie war. Wenn er jetzt auf einen träfe, auf jemanden, der ihn herausforderte, würde er ihn möglicherweise töten müssen.

Ori drehte sich um und schlenderte die Gasse entlang, bis er eine von Atlantas Hauptstraßen erreichte, wo das Gesindel der Stadt ihn umwogte, ohne zu ahnen, was er war oder wem er diente oder dass die Düsternis in ihm heranreifte. Er kam an einem Nekromanten vorbei, der vor Magie überquoll, dann an einem Straßenprediger, der die Menschen dazu anhielt, die Stadt von Teufeln zu befreien.

Er hatte keine Wahl, sondern musste sich dem Befehl seines Gebieters beugen und abtrünnige Dämonen jagen, die die Regeln des Höllenfürsten missachteten. Solange Luzifer in der Hölle herrschte, würde Ori niemals jene Ruhe finden, die allein der Tod gewährte.

*Vielleicht wird es Zeit, das zu ändern.*

## 3. Kapitel

Da sie wusste, dass Beck ein Frühaufsteher war, quälte Riley sich um sieben Uhr aus dem Bett und eilte zum Frühstück nach unten. Mrs Ayers, die Haushälterin ihres Gastgebers, füllte sie prompt mit einem Käseomelett, französischem Toast und Schinken ab. Obwohl die Frau sich gewaltige Mühe gegeben hatte, konnte Riley die Mahlzeit nicht so genießen, wie sie es verdient hätte. Sie war zu nervös.

Beck und sie waren sich ziemlich ähnlich – es gefiel ihnen nicht, gesagt zu bekommen, was sie tun sollten, selbst wenn es zu ihrem eigenen Besten war. Er würde auf die Palme gehen, wenn Stewart ihm die Neuigkeiten mitteilte, und sie wusste, wem er dafür die Schuld geben würde – es würde nicht der Meister sein.

Sie versuchte, sich mit der Zeitung abzulenken. Der größte Artikel war einem Kerl namens Reverend Lopez vorbehalten, einem Exorzisten, der verkündete, nach Atlanta zu kommen und die Stadt ein für alle Mal von ihrem Dämonenproblem zu erlösen. Soweit sie es sagen konnte, war er ein echter Profi, nicht einer dieser Pseudo-Exorzisten, die im Moment die Straßen unsicher machten. Wenn sie Glück hatte, würde er herkommen und wieder verschwunden sein, ehe sie wieder aus Sadlersville zurück war.

Kurz vor acht kam Beck und beschwerte sich umgehend bei der Haushälterin, es würde ihm gar nicht passen, dass Stewart darauf bestand, ihn vor seiner Abreise aus der Stadt noch zu sehen. Riley lauschte, wie er in seinen schweren Stiefeln zum Arbeitszimmer polterte, dann begann sie zu zählen. Bei sechzehn ertönte Becks überraschte und empörte Stimme. Der Dorftrottel hatte soeben erfahren, dass er bei seinem Ausflug nach Süd-Georgia nicht allein sein würde.

Sein Gebrüll hallte durch das große Haus. »Ich kann verdammt nochmal kein kleines Mädchen auf diesem Trip gebrauchen. Sie wird nichts als Ärger machen.«

Riley zuckte zusammen. *Auf geht's.* Sie rannte die Treppe hoch, schnappte sich ihren kleinen Koffer und eilte hinaus ins frühe Morgenlicht. Sein Pick-up hatte einen Aufbau bekommen, doch er schien nicht neu zu sein. Sie hatte gar nicht gewusst, dass er so ein Ding besaß.

Der Aufbau war abgeschlossen, also stellte sie ihr Gepäck ab und wartete. Kurz darauf stürmte ein Beck mit puterrotem Gesicht aus dem Haus, und einen Moment lang sah es so aus, als wollte er die Eingangstür zuknallen, ehe er es sich anders überlegte. Während er die Vordertreppe herunter und zu seinem Ford hastete, blickte er sie die ganze Zeit finster an.

Wortlos schloss er den Truckaufbau auf, hob ihren kleinen Koffer auf und schleuderte ihn auf die Ladefläche des Pick-ups, wo er mit einem schrillen Kreischen landete.

Sie argwöhnte, dass er dasselbe mit ihr getan hätte, wenn er ungestraft davonkommen würde.

Riley stieg ein, und los ging's mit quietschenden Reifen, als er rückwärts aus der Auffahrt setzte, als wären ihm sämtliche Dämonen der Hölle auf den Fersen. Hastig schnallte sie sich an und biss die Zähne zusammen, als sie beim plötzlichen scharfen Beschleunigen in den Sitz gepresst wurde.

»Spielst du Köder für die Cops, oder was?«, beschwerte sie sich.

Kurz darauf kam er an einem Stoppschild kreischend zum Stehen, sah sie finster an und bog mit einem Hauch mehr Vernunft um die Ecke.

»Wie lange dauert die Fahrt?«, fragte Riley.

Ohrenbetäubendes Schweigen. Sie kannte diese Masche, doch es nervte sie nicht mehr so sehr wie früher.

Beck hatte einen seiner Schmollanfälle, aber irgendwann würde er schon wieder drüber hinwegkommen – hoffentlich, bevor es Zeit war, nach Atlanta zurückzukehren.

Zum Zeitvertreib schrieb Riley ihrem besten Freund Peter eine SMS, erzählte ihm von ihrem Ausflug und stellte ihm die Wann-sind-wir-endlich-da-Frage. Die Antwort kam prompt, denn er saß vor seinem Computer: Sadlersville, dessen Bevölkerung knapp die Zweitausend-Seelen-Marke erreichte, war fünfeinhalb Stunden von Atlanta entfernt. Nur einen Teil der Strecke konnten sie auf der Autobahn zurücklegen.

WIE GEHT'S?, fragte ihr Freund.

BECK TUT SO, ALS WÜRDE ICH NICHT EXISTIEREN, DAS KÖNNTE EIN SEGEN SEIN

Sie musste lachen, was ihr prompt einen finsteren Blick des Fahrers einbrachte.

HEY, ACHTE AUF FEUERAMEISENHÜGEL, BAUM-WOLLFELDER UND SÜSSE ZWIEBELN

Peter war schon wieder am Surfen.

THKX! WIR REDEN SPÄTER

VIEL GLÜCK. DU WIRST ES BRAUCHEN

Sobald sie auf der Dekalb Avenue stadtauswärts Richtung Autobahn fuhren, lockerte Beck endlich die verkrampften Finger, mit denen er das Lenkrad umklammert hielt. Stirnrunzelnd warf er ihr einen Blick zu und sah dann wieder auf den Verkehr.

»Ich habe Stewart gesagt, dass ich dich nicht dabeihaben will. Die Beerdigung von deinem Daddy ist noch nicht lange her und überhaupt ...«

Riley war so klug, seine Flunkerei unkommentiert zu lassen. Obwohl sie Peter bereits über ihr Ziel befragt hatte, versuchte sie erneut, eine Unterhaltung in Gang zu bringen.

»Wo liegt Sadlersville?«

Dieses Mal erhielt sie eine Antwort. »Ein paar Stunden südlich und östlich von Macon. Ganz in der Nähe vom Okefenokee-Sumpf.«

»Was hast du mit Rennie gemacht?«, fragte sie und überlegte, wer wohl auf Becks Kaninchen aufpasste.

»Ich habe ihn zur Nachbarin gebracht. Ms Merton passt auf ihn auf.«

Dann verfiel er erneut in Schweigen, tief in Gedanken versunken.

Nachdem sie auf der I-75 den Flughafen hinter sich gelassen hatten, wurde der Truck schneller. Sie fragte sich, wie viel diese Fahrt wohl kosten würde, so ein Truck verbrauchte immer noch jede Menge Treibstoff. Hoffentlich nützte der Sonnenkollektor auf dem Dach etwas.

Sie stopfte sich die Ohrhörer in die Ohren und schaltete ihren altersschwachen MP3-Player ein. Meistens funktionierte er, und wenn nicht, musste sie nur einmal kräftig mit der Hand draufschlagen, und er sprang wieder an. Jetzt, wo sie an das Geld von der Lebensversicherung ihres Vaters herankam, hätte sie sich einen neuen kaufen können, aber irgendwie kam ihr das nicht richtig vor. Dieses Ding war wie ein alter Freund, und man servierte ja auch keinen Kumpel ab, nur weil er einem plötzlich blöd kam. Wenn es so wäre, hätte Beck schon längst weg vom Fenster sein müssen.

Riley überprüfte erneut ihren Rucksack, um sich zu vergewissern, dass der Umschlag mit dem Bargeld noch dort war, wo sie ihn hingestopft hatte. Bald würde sie eine eigene Kreditkarte bekommen, denn gestern hatten Beck und sie ein Girokonto eingerichtet, mit dem Geld aus der Lebensversicherung als Startkapital. Ebenfalls im Rucksack befand sich ihr neuer Laptop, bei dessen Anschaffung Peter sie beraten hatte. Er war nicht so schick wie seiner, aber es war der beste, den sie für weniger als dreihundert Dollar bekommen hatte. Er war noch so neu, dass sie nicht genau wusste, wie alles funktionierte, doch

immerhin hatte Peter das E-Mail-Programm für sie eingerichtet. Schritt für Schritt veränderte sich ihr Leben,
und manche der Veränderungen waren durchaus posi-
tiv.

Beck schaltete das Radio ein, und die Kabine des Trucks
wurde von einem Country-Song erfüllt, der einzigen Mu-
sik, die er hörte. Um dem entsetzlichen Mischmasch aus
Carrie Underwood und den Gnarly Scalenes zu entgehen,
schaltete Riley ihren MP3-Player aus und verstaute ihn in
ihrem Rucksack.

Es war Zeit, Beck wieder zum Reden zu bringen.

»Was meinst du, wie es werden wird?«, fragte sie.

Zu ihrer Überraschung stellte er das Radio leiser. »Nicht
gut.«

»Nicht gut wie eine Horde randalierender Dämonen
oder …«

Er runzelte die Stirn. »Die Leute in Sadlersville haben
mich nicht in bester Erinnerung, und sie werden annehmen, dass wir, na ja …«

»Dass wir was miteinander haben?« Ein Nicken. »Dann
erzählen wir ihnen eben, dass das nicht stimmt.«

»Was man ihnen erzählt und was sie glauben, sind zwei
verschiedene Dinge.«

»Werden wir im Haus deiner Mutter wohnen?«

Ohne Zögern schüttelte er den Kopf. »Nein. Wir gehen in
ein Motel. Das ist schon in Ordnung. Da wohne ich
immer, wenn ich dort zu Besuch bin.«

Interessant. »Hast du noch andere Verwandte dort unten?«

»Nur sie.«

Das Radio wurde wieder lauter gestellt und die Unterhaltung damit beendet.

Von diesem Moment an verharrte Beck bis auf einen kurzen Tankstopp im Schweige-Modus. Schließlich verließ er die Autobahn und fuhr auf einer Landstraße in Richtung Süden. Als Peters prophezeite Ameisenhügel und Baumwollfelder in Sicht kamen, wurde die Landschaft in Rileys Augen interessanter. Sie entdeckte sogar eine Pfirsichplantage, aber keine Zwiebelfelder. Die Häuser auf beiden Seiten des Highways waren entweder richtig nett oder total heruntergekommen, dazwischen schien es nur wenig zu geben. Aus irgendeinem Grund lagerten die Leute ihr altes Zeug im Vorgarten, darunter schrottreife Autos, kaputte Gartenstühle, Kinderspielzeug, einen Gartentraktor, Lattenroste, was auch immer man sich vorstellen kann.

»Warum machen die das?«, fragte Riley und deutete auf einen Garten, der mit altem Kram zugemüllt war.

»Das ganze Metall ist wie ein Bankkonto. Eines Tages könnte man es vielleicht noch mal gebrauchen, und im Vorgarten kann man es am besten im Auge behalten.«

*Ohhhkay …*

Riley hatte gehofft, dass sie unterwegs vielleicht irgendwo zum Essen anhalten würden, und als sie durch einen Ort namens Waycross fuhren, nahm sie an, Beck würde kurz an einem Burger-Laden Pause machen. Pustekuchen. Zum Glück hatte sie ausgiebig gefrühstückt.

»Wann sind wir da?«, fragte sie hippelig.

»Viel zu bald«, erwiderte er. Seine Finger waren bleich, so fest hielt er das Lenkrad umklammert.

*Er hat Angst. Aber wovor? Er fährt nach Hause.*
Vielleicht bedeutete das für ihn nicht dasselbe wie für sie.

Als Riley endlich das Ortsschild von Sadlersville sah, wappnete sie sich innerlich dafür, einen Blick in Becks Vergangenheit zu werfen. Als sie in die Einfahrt des Motels einbogen und unter dem Vordach anhielten, wusste sie, dass sie eine andere Welt betrat. Der Ort sah ganz anständig aus, ein langer, weißer Ziegelbau mit flammend roten Türen an der Längsseite. Das Dach war ebenfalls rot. Offensichtlich hatte der Besitzer etwas für diese Farbe übrig.

Kurz nachdem Beck in der kleinen Rezeption des Motels verschwunden war, klingelte sein Telefon auf dem Sitz des Trucks. Riley überprüfte das Display und rümpfte angewidert die Nase. Die Reportertussi hatte Beck eine SMS geschickt mit der Warnung, dass sie plane, den Artikel am nächsten oder übernächsten Tag abzugeben. Falls er noch etwas dazu sagen wollte, wäre jetzt der richtige Zeitpunkt.

Die eifersüchtige Bestie, die in Riley wohnte, verlangte, dass sie die SMS löschte. Er sei ja ohnehin gar nicht fähig, sie zu lesen.

*Der. Anruf. Ist. Nicht. Für. Dich.* Sie zwang sich, sich zu benehmen.

Als Beck zurück in den Truck kletterte, bemerkte er ihre säuerliche Miene. »Was ist los?«

Riley deutete auf sein Telefon. »Justine. Sie vermisst dich.«

Er schnaubte und löschte die SMS ohne Umschweife. »Ich hasse nichts mehr als eine Frau, die nicht weiß, wann es vorbei ist.«

War das irgendwie als Botschaft für sie gemeint?

Er parkte am westlichen Ende des Gebäudes, und kurz bevor er ausstieg, warf er ihr einen Schlüssel zu. Sie würde also ein eigenes Zimmer haben.

»Das wird die Gerüchte nicht verstummen lassen, aber so gehört es sich nun mal.«

Als sich die Tür zu ihrem Zimmer knarrend öffnete, bereitete Riley sich auf das Schlimmste vor. Doch sie hatte Glück, und der Raum war besser als erwartet: Unter dem Fenster hing eine uralte Wandheizung, dicht an der Wand stand ein kleiner Schreibtisch, und es gab zwei Doppelbetten mit grünen Tagesdecken. Der Teppich war unauffällig braun. Als Riley eintrat, atmete sie eine Lunge voll von dem Raumspray ein, das die Reinigungskraft versprüht hatte. Sie musste husten. Sie legte ihren Rucksack auf eines der Betten und hüpfte probeweise auf dem Bett nahe der Tür auf und ab.

*Nicht schlecht.*

Im Badezimmer gab es eine Dusche und auf der Ablage genügend Platz für ihre Sachen. Es gab sogar einen Fön.

»Na, geht doch«, sagte sie.

»Freut mich, dass es dir gefällt«, sagte Beck hinter ihrem Rücken. Er warf ihren Koffer auf das zweite Bett und ließ sich daneben auf die Matratze sinken. Riley ignorierte seine Anwesenheit und begann, auszupacken und ihre paar Klamotten in den Schrank zu hängen. Wenn sie ein eigenes Zimmer hatte, würde er sich wenigstens nicht beschweren, weil sie alle Bügel in Beschlag nahm.

»Wir müssen ein paar grundsätzliche Regeln klären«, sagte er.

*Jetzt kommt's.*

»Du gehst nicht an die Tür, es sei denn, ich bin hier, und du gehst auch nicht alleine weg. Sei vorsichtig, mit wem du redest, und vertrau niemandem.«

In Atlanta war er nicht ganz so verrückt gewesen. »Warum bist du so nervös?«

»Ich bin einfach vorsichtig.«

Es war Zeit, diesen Regeln einen Riegel vorzuschieben. »Aber wir sind hier mitten in der Pampa. Du musst mir schon einen Grund für deine Paranoia nennen.«

Beck holte tief Luft, ehe er antwortete. »Es gibt hier ein paar Leute, die mich nicht mögen. Manche könnten auf die Idee kommen, es wäre eine gute Möglichkeit, sich zu rächen, indem sie dir etwas antun.«

*Boah* … »Verrätst du mir, was für ein grässliches Verbrechen du begangen hast, oder soll ich warten, bis der Film rauskommt?«

Er ignorierte sie, ging zur Verbindungstür zwischen ihren Zimmern und sperrte sie auf. »Lass die Tür offen. Dann bin ich schneller bei dir, falls es Ärger gibt.«

»Werden wir jetzt belagert?«, fragte sie. Sein Unbehagen nährte ihres.

»Nein, aber trotzdem … wir müssen vorsichtig sein.«

»Was ist mit Dämonen?«

»Es gibt ein paar. Sadlersville teilt sich einen Dämonenfänger mit Waycross. Meistens fängt er die kleineren, aber hin und wieder taucht hier auch ein Dreier auf. Die Probleme, die auf uns zukommen, haben mit unserer eigenen Art zu tun, nicht mit Dämonen.«

Krachend fiel die Zimmertür hinter ihm ins Schloss. Kurz darauf entriegelte er die Verbindungstür von seiner Seite aus und öffnete sie.

Als sie ihren Koffer ausgeräumt und im Schrank verstaut hatte, hatte er seine Klamotten auf einem Ende des Bettes aufgereiht, ordentliche Stapel mit Jeans, T-Shirts, Socken und Unterwäsche. Seine Unterhosen waren schwarz oder marineblau, nichts mit Feinripp. Sein Anzug hing im Schrank, bereit für die Beerdigung seiner Mutter. Es war derselbe, den er auch beim Trauergottesdienst für ihren Vater getragen hatte.

Während er seine Sachen in die Kommode stopfte, warf sie sich bäuchlings auf sein Extrabett und scrollte durch ihre SMS. Nichts Neues, außer dass Peter versuchte, seinen Mut zusammenzukratzen, um ihre Freundin Simi zu fragen, ob sie mit ihm ausgehen würde. Riley schickte ihm eine SMS, um zu melden, dass sie sich in Gesellschaft eines geistesgestörten Dorfdeppen in der Mitte von Gott-weiß-wo befand.

Sie spürte, dass sie beobachtet wurde, und sah auf. Beck stand vor seinem Badezimmer. »In einer Minute können wir aufbrechen.«

Riley verstand den Wink und ging in ihr Zimmer. Beim Gehen tippte sie die SMS zu Ende. Da sie noch etwas Zeit hatte, ging sie in ihr eigenes Badezimmer, um sich selbst etwas zurechtzumachen. Sie kämmte ihr langes, braunes Haar und frischte ihr Make-up auf, wobei sie erfreut feststellte, dass die blauen Flecken von der Schlacht auf dem Friedhof gut verborgen und die dunklen Ringe unter den Augen fast verschwunden waren. Sie fühlte sich bereit, Becks Mom gegenüberzutreten.

Als im anderen Zimmer die Toilettenspülung rauschte, schlang Riley ihren Rucksack über die Schulter und trat hinaus in die warme Nachmittagssonne. Sobald sich ihre Augen an das helle Licht gewöhnt hatten, sah sie den Cop, der an der vorderen Stoßstange von Becks Truck lehnte. Sein Streifenwagen parkte direkt dahinter, so dass der Truck blockiert war. Die Beschriftung auf der Seite besagte, dass es der Sheriff war, der auf einen Sprung vorbeigekommen war.

Wenn Riley einen stereotypen Cop vom Land erwartet hätte, wäre sie enttäuscht worden. Dieser Mann war hochgewachsen, geschmeidig, muskulös und hatte offenkundig kein Gramm Fett am Leib. Das dunkelblonde Haar war kurz geschnitten. Er trug eine Sonnenbrille, einen Hut mit breiter Krempe und hatte die Arme vor der Brust verschränkt, als wollte er sagen: *Wenn Sie mich nerven, dann auf eigenes Risiko.*

Als Beck sein Zimmer verließ, blieb er wie angewurzelt stehen. Seine Miene wurde auf einen Schlag undurchdringlich.

*Oh oh.*

Der Cop nahm die Sonnenbrille ab und schob sie in die Hemdtasche. »Hab gehört, dass du wieder in der Stadt bist«, sagte er mit einem weichen Akzent, der genauso klang wie Becks.

»Bin gerade angekommen«, erwiderte ihr Kollege und stellte seinen Rucksack neben die Füße.

»Warst du schon bei deiner Mom?«

»Wollte gerade hin.«

»Wie ich gehört habe, wird es nicht mehr lange dauern.«

»Das habe ich auch gehört«, sagte Beck, das Kinn angespannt.

*Hallo? Bin ich etwa unsichtbar?*

Als hätte der Cop ihre Gedanken gelesen, richtete er seine Aufmerksamkeit auf sie und tippte sich respektvoll an den Hut. »Ich bin Sheriff Tom Donovan.« Er schaute kurz zu Beck. »Denver und ich kennen uns schon lange.«

Beck schnaufte verärgert.

»Ich bin Riley … Blackthorne.«

»Irgendwie verwandt mit dem Meisterfänger in Atlanta?«, fragte der Cop.

»Er war mein Dad.«

Der Mann nickte, als er die Verbindung hergestellt hatte. »Nett, Sie kennenzulernen, Miss Riley. Da Denver hier einfach keine Lust hat, ans Telefon zu gehen, hatte ich gelegentlich das Vergnügen, mich mit Ihrem Vater unterhalten zu dürfen.« Ein weiterer Blick auf Beck, dann sah er sie wieder an. »Mein Beileid zu Ihrem Verlust.«

»Danke.«

»Wie alt sind Sie?«

»Was? Ich bin siebzehn. Warum?«

»Reine Routine«, erwiderte der Mann. »Die Leute werden

mitkriegen, dass Denver wieder in der Stadt ist und dass er jemanden mitgebracht hat. Ein paar Mädchen hier im Ort erinnern sich noch gut an ihn, also wird es Gerede geben. Ein bisschen davon kann ich unterbinden, wenn ich die Wahrheit kenne.«

Beck trat einen Schritt vor, eine klare Kampfansage. »So eine ist Riley nicht. Sie ist hier, um mir … mit *ihr* zu helfen.«

Donovan blieb ruhig. »Du wirst dir schon keinen Zacken aus der Krone brechen, wenn du Sadie deine Mom nennst.«

»Den Teufel werde ich tun.«

Der Sheriff schüttelte den Kopf und ging zu seinem Wagen. Nachdem er die Tür geöffnet hatte, schaute er noch einmal zu Riley. »Willkommen in Sadlersville, Miss Riley.«

»Danke«, sagte sie, immer noch unsicher, was gerade passiert war.

Der Streifenwagen fuhr vom Parkplatz und bog auf die Straße ein.

»Was sollte das denn gerade eben?«, fragte Riley.

Beck warf seinen Rucksack auf die Sitzbank im Truck.

»Er wollte mich nur zu Hause willkommen heißen«, erwiderte er.

# 4. Kapitel

Das Stadtzentrum von Sadlersville war eine merkwürdige Mischung aus Alt und Neu. Während Beck auf der Jagd nach einem Parkplatz herumkurvte, erspähte Riley einen Jugendlichen mit einem Laptop auf einer Parkbank, der im Takt zu irgendetwas wippte, das aus seinen Kopfhörern kam. Direkt hinter ihm war ein Friseurladen mit einem dieser altmodischen rot-weißen Pfosten. Der Wasserturm des Ortes war das höchste Bauwerk weit und breit, und die meisten der Gebäude waren alt. Ein Tante-Emma-Laden reihte sich an den anderen, hier und da schob sich das Geschäft einer Ladenkette dazwischen. In den Parklücken gab es keine Mini-Shops wie in Atlanta. Es gab auch keine Parkuhren, so dass die Straße voller Autos und Pick-ups war. Ein Fahrzeug hatte ein riesiges Schild im Rückfenster, das verkündete, dass Jesus' Ankunft kurz bevorstünde.

*Er wird echt enttäuscht sein.*

Beck merkte, dass sie das Schild betrachtete. »Die Leute hier unten nehmen die Religion sehr ernst.«

»Und die Leute in Atlanta nicht?«, erwiderte sie.

Achselzuckend gab er in diesem Punkt nach. »Hier unten ist es anders.«

»Das habe ich auch schon gemerkt.«

Sobald sie geparkt hatten, zog Beck eine Riesenshow ab, als er den Wagen abschloss, stets in Alarmbereitschaft, als erwarte er mit jedem Schritt Ärger. Er winkte ihr zu, ihm zu folgen, und sie gingen an einem vollen Friseurgeschäft vorbei, in dem man sich die Hälse verrenkte, um einen Blick auf sie zu erhaschen. Dann an einem Blumenladen, dessen Auslage noch mit Angeboten zum Valentinstag dekoriert war, und einem Gebrauchtwarenladen.

Riley zupfte Beck am Ellenbogen. »Ich brauche eine neue Jacke. Ich will nicht die Gute von meiner Mom tragen, wenn ich Dämonen fange.«

Er widersprach nicht, sondern folgte ihr in den Laden und wartete an der Tür, bis sie einen Ersatz für die Jeansjacke gefunden hatte, die der Dämon angekokelt hatte. Während sie zahlte, behielt Beck die Straße aufmerksam im Auge.

Sobald das erledigt war, kehrten sie zum Truck zurück, damit sie die Jacke ihrer Mom gegen die neue austauschen konnte. Dabei entdeckte sie eine merkwürdige, kleine Holzfigur, die jemand unter einen der Scheibenwischer geklemmt hatte. Mit grünem Garn zusammengebundene Stöcke bildeten eine Menschengestalt.

Als Beck die Figur sah, spannte er das Kinn an.

»Was ist das?«, fragte Riley. »Eine Art Warnung?«

»Nein, jemand versucht, den Truck zu beschützen.« Vorsichtig entfernte er das Stockmännchen, schloss die Tür auf und hängte es an den Rückspiegel.

»Ziemlich unheimlich«, sagte Riley.

»Nicht, wenn man daran gewöhnt ist. Es gibt ein paar Weise Frauen in der Stadt, und irgendwie mögen die mich. Wahrscheinlich glauben sie, dass jemand den Truck zerdeppern könnte, sobald sich die Gelegenheit bietet, also lassen sie denjenigen wissen, dass das keine gute Idee wäre.«

»Es gibt also nicht nur Baptisten hier unten«, stellte Riley fest.

»Nein, ganz und gar nicht. Der Sumpf hat seine eigene Magie, und die Leute haben gelernt, sie anzuwenden.«

Sie gingen denselben Weg zurück. Gerade im richtigen Moment blieb Beck vor einem Diner stehen, setzte sein Pokergesicht auf und öffnete die Tür, um Riley zuerst eintreten zu lassen.

Das Restaurant sah aus, als würde es einem alten Film entstammen. An der Wand neben der Tür hingen Notizzettel – jemand wollte sein Auto verkaufen, ein anderer suchte ein gutes Zuhause für ein paar Kätzchen. Beck und sie hatten gerade den »Tag des Kranichs« in Sandhill verpasst. Der Fußboden aus schwarzweiß gescheckten Linoleum war ziemlich in die Jahre gekommen. Ein langer Tisch nahm die Wand zur Linken ein, bedeckt mit einer blauen Vinyltischdecke und besetzt mit alten Männern mit Zeitungen und halbleeren Kaffeetassen. Ihr Durchschnittsalter schien bei etwa siebzig Jahren zu liegen.

Die Bänke der Sitznischen an den Wänden hatten hohe Rückenlehnen, und fünf Tische standen ordentlich aufgereiht in der Mitte des Raumes, an dessen Decke Ventilatoren träge die Luft umwälzten. An der schwarzen Wand standen Regale mit aufgereihten Bechern. Einige davon trugen Namen.

Kaum hatte sich die Tür hinter ihnen geschlossen, wandten sich die Köpfe zu ihnen um, und die Gespräche erstarben. Jeder Blick war auf sie gerichtet. Während einer der alten Männer einen anderen mit dem Ellenbogen anstieß und ihm etwas zuflüsterte, ignorierte Beck die Aufmerksamkeit und wählte die Nische aus, die am nächsten zum Fenster und zur Tür lag. Riley ließ sich auf die Bank ihm gegenüber gleiten.

Eine Kellnerin kam zu ihnen geschlendert. Sie war schon älter, vielleicht vierzig Jahre, hatte riesige Brüste, die eindeutig einen besseren BH brauchten. Sie war viel zu stark geschminkt, und ihr schwarzer Rock endete knapp über den Knien, so dass die langen, gebräunten Beine, die pinkfarbenen Socken und roten Tennisschuhe voll zur Geltung kamen.

»Ich hab gehört, dass du zurück bist«, sagte die Frau, den Blick auf Beck gerichtet. Dann wanderte der Blick zu Riley. »Ich hab gehört, dass du nicht allein bist.«

»Karen. Wie geht es dir?«, fragte er höflich.

»Nicht schlecht. Und dir?«

Ein Achselzucken. Er machte sich nicht die Mühe, die Speisekarte aufzuklappen, wahrscheinlich, weil er sie ohnehin nicht lesen konnte. »Ich hätte gerne einen Burger und eine doppelte Portion Pommes. Ach ja, und schwarzen Kaffee, bitte.«

Riley musste sich beeilen, um die Angebote zu lesen. Wer

weiß, was für ein Essen man in so einem Laden bekam?
Sie beschloss, auf Nummer Sicher zu gehen.

»Einen Burger, etwas Käse und ein Glas ungesüßten Eistee.«

Die Frau sah sie an, als hätte sie einen Teller voll Würmer bestellt. »Ungesüßt? Hm. Woher kommst du?«

»Atlanta.«

»Hab ich mir doch gedacht. Alles Yankees da oben.« Die Kellnerin verschwand im hinteren Bereich des Diners und durch die Schwingtür, die in die Küche führte.

Riley beugte sich über den Tisch und senkte die Stimme.

»Wir sind, wie lange, zwanzig Minuten hier, und jeder weiß bereits Bescheid? Was ist mit den Leuten hier los?«

»Sobald irgendetwas Interessantes passiert, spricht es sich herum wie ein Lauffeuer.«

»Wir sind nicht interessant, Beck.«

»Da irrst du dich, Mädel, vor allem, da du mit mir gekommen bist.«

Er sprach bereits anders, war zurückgekehrt zu seinen Wurzeln und zog die Vokale noch deutlicher in die Länge.

»Hat dieses Interesse irgendetwas mit deiner Vergangenheit hier unten zu tun?«

Er nickte. Mit einer Handbewegung ermunterte sie ihn, damit herauszurücken. Er schüttelte den Kopf.

»Also gut, dann werde ich die fehlenden Teile einfügen.«

Sie senkte erneut die Stimme, damit niemand sie hörte.

»Du warst ein total geiler Bock, stimmt's? Nichts, was einen Rock trug, war vor dir sicher.«

Zu ihrer Überraschung tauchte ein schiefes Grinsen auf

Becks Gesicht auf. »Man könnte auch sagen, ich war sehr … gesellig.«

»Mit wie vielen warst du zusammen?«

»Nur mit zweien. Mit den anderen habe ich nur ein bisschen rumgemacht.«

*Ohhhkay* … Dieser Typ gehörte eindeutig in die »Bloß-keine-Verpflichtungen«-Kategorie.

Die Kellnerin kam zurück, setzte Beck einen Becher Kaffee vor und Riley ein hohes Glas mit Eistee.

»Ungesüßt«, sagte die Frau kopfschüttelnd. Ihre Tennisschuhe quietschten auf dem Linoleum, als sie zur nächsten Nische ging.

»Mit der Kellnerin warst du also auch … gesellig?« Beck schüttelte den Kopf. »Gut. Dann wird sie uns also nicht ins Essen spucken.«

Ehe er darauf antworten konnte, schwang die Tür zum Diner auf. Er schaute zum Neuankömmling hoch und spannte umgehend sämtliche Muskeln an, als er ihn erkannte. Erst jetzt begriff Riley, warum er diesen Platz gewählt hatte: Wenn es Ärger geben sollte, wären sie schnell draußen.

Der Neuankömmling steuerte direkt auf ihre Nische zu. Er war über einsachtzig groß und trug Jeans und ein Lederhemd. Seine Haare waren grau, und der Schnurrbart hätte mal wieder gestutzt werden müssen. Er kniff die wässrigen braunen Augen zusammen, als bräuchte er eine Brille.

Der Mann feixte. »Denny Beck, ich will verdammt sein. Ich hab gehört, dass du zurück bist, und hier steckst du, der Teufel höchstpersönlich.«

»Mr Walker«, sagte Beck ohne jede Wärme in der Stimme. Er nippte bedächtig an seinem Kaffee, aber an der Art, wie er die Tasse hielt, merkte Riley, dass er mit Ärger rechnete.

»Es ist lange her. Wo warst du? Im Gefängnis?«

»Nein, in Atlanta.«

Als Beck sich nicht provozieren ließ, versuchte der Mann sein Glück bei Riley. »Wie ich sehe, findest du immer noch genug Dummchen, die nicht kapieren, dass du nur Ärger bringst.«

Wenn dieser Typ so weitermachte, würde Beck sich noch auf ihn stürzen. Glücklicherweise bot die Kellnerin die perfekte Unterbrechung.

Riley starrte Walker unverwandt an. »Können Sie bitte ein Stück zur Seite gehen?«

»Was sagst du da?«

Sie deutete auf Karen und ihr Tablett hinter ihm. »Ich hätte mein Essen gerne heiß.« *Und dich aus meinen Augen.*

Der Kerl starrte sie finster an, zog sich jedoch leise murrend zurück.

Die Kellnerin stellten ihnen die Teller hin und unterdrückte ein Lächeln. »Sonst noch etwas?«, fragte sie.

»Im Moment nicht. Danke«, sagte Beck.

Walker hatte sich einen Platz an einem Tisch in der Nähe gesucht, so dass er ihnen weiterhin finstere Blicke zuwerfen konnte. Beck ignorierte ihn und verteilte Ketchup, Senf und scharfe Soße auf seinem Burger. Sorgfältig arrangierte er die Gurken neu, dann nahm er den Burger und betrachtete ihn bewundernd, als wäre er ein Kunstwerk.

»War es seine Tochter?«, fragte Riley leise.

Ein Kopfschütteln. »Seine Frau.«

*Kein Wunder, dass der Typ sauer ist.* »Wie alt warst du?«

»Sechzehn.« Er nahm einen großen Bissen von seinem Burger. Nachdem er mit Kauen und Schlucken fertig war, fügte er hinzu: »Das war, kurz bevor ich die Stadt verlassen habe.«

»Bist du freiwillig gegangen oder wurdest du rausgeekelt?«

Er tupfte sich den Mund mit der Serviette ab. »Darüber ist das letzte Wort noch nicht gesprochen.«

Riley fasste im Geiste noch einmal ihre Lage zusammen – sie befand sich in irgendeiner bescheuerten Kleinstadt, zusammen mit einem Mann, der anscheinend mit so ziemlich jedem Mädchen und jeder Frau geschlafen hatte, zumindest mit denen, die volljährig waren. Die Chancen standen nicht schlecht, dass jeder Vater, Bruder oder Ehemann liebend gerne die Gelegenheit am Schopfe packen würde, um mal ein ernstes Wörtchen mit Denver Beck zu reden. Und sie würde zwischen den Fronten stehen.

*Na super.*

Riley wandte ihre Aufmerksamkeit dem Burger zu, und nachdem sie ein wenig daran herumgezupft hatte, biss sie endlich davon ab.

*O mein Gott.* Es war unglaublich, saftig und kräftig gewürzt, nicht so was Lasches, Pappiges, das man in einem Fast-Food-Restaurant vorgesetzt bekam. Sie konzentrierte sich auf ihre Mahlzeit, ignorierte den Kerl einen Tisch weiter, der sie anstarrte, und die geflüsterten Unterhaltungen an einigen anderen Tischen. Wenn jemand ging, verabschiedete er sich laut von Karen oder der anderen Kellnerin und nahm die lange Route durch das Diner, damit er an ihrem Tisch vorbeikam.

»Ignorier sie einfach«, sagte Beck.

»Dir fällt das leichter.«

»Ich tu nur so.« Als er den Riesenberg Pommes verdrückt hatte, lehnte er sich zufrieden auf der Bank zurück.

»Wie kannst du nur so viel essen?«, fragte sie, während sie immer noch in ihrem eigenen Essen herumstocherte. Der Burger war riesig und der Käse besonders cremig gewesen.

»Ich wachse noch.«

»Das wirst du auf jeden Fall, wenn du das Essen weiterhin so in dich hineinstopfst.«

»Besser als zu verhungern, so wie du.« Beck senkte die Stimme. »Du musst nicht morgens kotzen oder so was?«, fragte er und beobachtete sie aufmerksam.

Dieses Thema hatte er bisher gemieden – ob sie womöglich seit der Nacht mit Ori, dem gefallenen Engel, schwanger war.

»Nein, da gibt's kein Problem.«

Sein tiefer Seufzer verriet ihr, dass er sich Sorgen deswegen gemacht hatte. »Das ist ja zur Abwechslung mal eine gute Nachricht«, sagte er und nahm einen großen Schluck Kaffee.

Jemand kam auf ihren Tisch zu, und im ersten Moment dachte Riley, Walker wäre wieder da, um sie weiter zu nerven. Doch es war nicht Walker. Dieser Kerl war nur ein paar Jahre älter als Beck und einen Tick größer. Er hatte dunkelbraune Haare und dunkle Augen, trug ein marineblaues T-Shirt, das seine Muskeln gut zur Geltung brachte, und Jeans, die enger waren, als die Polizei erlaubte. Das Grinsen in seinem Gesicht war wie eine Reklametafel mit der Aufschrift *Ich weiß, dass ich scharf bin*. Beck hatte manchmal denselben Ausdruck im Gesicht, aber dieser Typ sah aus, als sei es seine Standardeinstellung.

Das kalte Feuer in Becks Blick verriet ihr, dass das kein Freund war. »Hadley«, sagte er.

»Hey, Denny. Ich hab gehört, dass du wieder zurück bist.«

*Wie alle anderen Einwohner von Sadlersville.*

Als Riley sich den Neuankömmling noch einmal ansah, lächelte er zurück. *Nett.*

Ihr Blick ging zurück zu Beck, und sie entdeckte etwas Neues in seiner Miene: pure Eifersucht. Vielleicht war es falsch, aber einem Teil von ihr gefiel das sehr.

»Ich bin Cole«, sagte der Typ und streckte die Hand aus.

Sie schüttelte sie, um nicht unhöflich zu sein, obwohl sie wusste, dass Beck nicht glücklich darüber sein würde. »Riley.«

Mit einer einzigen flinken Bewegung war Beck von der Bank aufgestanden. Einen Moment lang glaubte sie, er würde den Kerl herausfordern, doch stattdessen holte er die Rechnung und übergab sie zusammen mit dem Geld Karen, als sie vorbeikam.

»Wir müssen weiter«, sagte er und nahm seinen Rucksack.

Zu Becks offensichtlichem Missfallen folgte Cole ihnen hinaus auf die Straße. Die Ausstrahlung von diesem Kerl machte sie wild, und sei es nur, weil Becks Lunte noch kürzer war als normal.

»Was führt dich hier in die Provinz?«, fragte Cole.

Beck antwortete nicht, also übernahm sie das. »Seine Mom.«

»Kennst du sie?« Als Riley den Kopf schüttelte, fuhr er fort: »Na, dann lass dich mal überraschen.«

Argwöhnisch warf sie ihrem Kollegen einen Blick zu. Die Furchen auf der gerunzelten Stirn reichten mittlerweile bis auf den Knochen. Riley richtete ihre Aufmerksamkeit wieder auf den Kerl neben sich. Da Beck nichts sagte, konnte sie genauso gut auch höflich sein. »Und woher kennt ihr beide euch?«

»Wir haben zusammen rumgehangen, bevor er weggezogen ist.«

Vermutlich schloss *zusammen rumhängen* all die Sünden mit ein, von denen der Dorftrottel nicht wollte, dass sie davon erfuhr.

*Warum also redest du mit mir? Versuchst du, Beck aus der Reserve zu locken? Oder steckt da noch etwas anderes hinter?*

Mittlerweile hatten sie den Truck erreicht, und Cole lehnte sich gegen einen Laternenpfahl. Das Grinsen war wieder da.

»Bis später, Riley«, sagte er laut. »Und lass dich nicht von Denny in den Sumpf mitnehmen. Das wäre ein Trip ohne Wiederkehr.«

Becks Knurren drang rau aus seiner Kehle. »Steig in den Truck, Mädel.« Seine Körperhaltung riet ihr, ihm besser nicht zu widersprechen.

Was immer zwischen diesen beiden Kerlen lief, war ziemlich persönlich.

»Klar, wieso auch nicht?«, grummelte sie. Riley nahm seine Schlüssel und kletterte in den Pick-up, wobei sie absichtlich die Tür zuknallte, um Beck klarzumachen, dass seine Diktatormasche ihr absolut nicht passte.

Sie versuchte zwar, zu verstehen, was die beiden sagten, aber sie blieben ruhig. Riley könnte wetten, dass Beck Cole sagte, er solle die Finger von ihr lassen, und dass Cole seinem alten Freund vorschlug, sich selbst zu ficken.

Sie wusste, dass sie mit ihrer Vermutung richtig lag, als dieser Cole lachte, ihr zuzwinkerte und davonging.

*Du bist echt süß, Alter, aber total auf dem Selbstmordtrip.*

Als Beck in den Truck kletterte und seinen Rucksack auf den Sitz zwischen ihnen schleuderte, schien er kurz davor, zu explodieren.

»Was ist denn mit dem los?«, fragte sie.

»Nichts, was du wissen willst«, lautete die knappe Antwort.

»Erzähl es mir, oder ich frage Cole selbst. Du kennst mich, ich werde es tun«, warnte sie.

Er seufzte schwer. »Er ist ein arroganter Schnösel, der den netten Jungen spielt und dich dann hängenlässt. Oder, in deinem Fall ...« Er schüttelte den Kopf. »Halt dich einfach von ihm fern. Er ist ein Scheißkerl.«

»Könntest du bitte etwas genauer werden?«

»Nein, das kann ich nicht. Du musst mir einfach glauben.«

Und seltsamerweise glaubte sie ihm. Becks Beschützerinstinkt war schon immer ziemlich ausgeprägt gewesen, aber wenn es um Schwierigkeiten ging, hatte er einen regelrechten sechsten Sinn. Wenn er sagte, der dunkeläugige Cole sei ein Scheißkerl, dann glaubte sie ihm das.

»Ich hab's kapiert. Ich werde ihm aus dem Weg gehen.«

Beck sah sie verunsichert an, als hätte er mit Schwierigkeiten von ihrer Seite gerechnet. »Okay ...«

»Du hast schon genug um die Ohren, auch ohne dass du dir um diesen Kerl Sorgen machen musst. Ich bin deinetwegen hier, nicht wegen irgendjemand anderem.«

Etwas in seiner Miene änderte sich. »Tut mir leid, dass ich so ... ätzend war. Ich komme mit der Situation hier unten nicht so gut klar. Zu viel Scheiß von früher.«

»Echt? Wäre mir gar nicht aufgefallen«, spottete sie, dann wurde sie wieder ernst. »Es ist mir egal, was du mit sechzehn getan hast oder mit wem du es getrieben hast. Das spielt keine Rolle für mich.«

»Das würde ich gerne glauben. Wirklich.«

»Dann kannst du mich ja, wenn das alles vorbei ist und wir zurück nach Atlanta fahren, fragen, ob ich dann anders von dir denke.«

»Abgemacht«, sagte er, legte den Rückwärtsgang ein und lenkte den Truck auf die Straße.

## 5. Kapitel

Beck bestand darauf, sie ein wenig herumzufahren, damit sie »ein Gefühl für Sadlersville« bekam, was ihr nicht viel verriet, außer, dass er nicht scharf darauf war, ins Krankenhaus zu fahren. Ein weiteres Indiz dafür, dass seine Beziehung zu seiner Mutter ziemlich problematisch war.

Wie viele Ortschaften in Georgia war Sadlersville nicht sehr alt und erst im frühen zwanzigsten Jahrhundert gegründet worden. Der Gründungsvater, Joseph Sadler, war Eisenbahner gewesen, und noch immer rumpelten die Züge in einem stetigen Strom durch die Stadt. Obwohl sie nicht groß war, gab es mehrere Kirchen – fast alle davon gehörten den Baptisten. In Atlanta hätten sie sich alle zu einer einzigen Megakirche zusammengeschlossen, aber hier unten hatte jedes Grüppchen seine eigene kleine Kirche und Gemeinde. Man musste nur noch eine Schule, ein Krankenhaus, einen Waschsalon, Lebensmittelgeschäfte und das Bestattungsunternehmen hinzufügen, und schon hatte man Becks Heimatstadt erfasst.

»Ich könnte hier nicht leben«, sagte Riley. »Auf keinen Fall. Viel zu klein. Nichts los.«

Beck schnaubte. »Du wärst überrascht, was für Ärger man sich in einer Stadt wie dieser einhandeln kann.«

»Ach, du meinst Ärger wie Bräute sammeln, die zu dumm sind, um dein Spiel zu durchschauen?«

Beck runzelte die Stirn. »Tut mir leid, dass Walker das gesagt hat. Das war nicht richtig.«

»Ist seine Frau noch mit ihm zusammen?«

»Nee. Zwei Monate nach meinem Umzug nach Atlanta ist sie mit einem Kerl abgehauen, der Swimmingpools baut. Ist nie zurückgekommen.«

»Warum hast du eigentlich die Stadt verlassen?«, fragte sie.

»Mir blieb nichts anderes übrig. Walker lief mir eines Abends über den Weg, als ich betrunken war. Er hat sich auf mich gestürzt, und ich habe ihn mit meinem Messer verletzt. Am Ende bluteten wir beide.«

Er verzog das Gesicht bei der Erinnerung. »Donovan steckte Walker in den Knast, damit er sich beruhigte. Nach einem Ausflug zur Notaufnahme zwang er mich, meine Sachen zu packen, und beförderte meinen Arsch zu meinem Onkel nach Atlanta. Er befahl mir, dort zu bleiben, wenn ich nicht im Knast enden wollte, denn wenn ich nach Hause käme, ehe ein Jahr um sei, würde er dafür sorgen, dass ich dort lande.«

»Deswegen bist du also nach Atlanta gekommen. Das habe ich mich schon immer gefragt.«

Er stieß einen tiefen Seufzer aus. »Wird Zeit, dass ich mal nach der alten Dame schaue. Ich kann es nicht noch länger hinauszögern.«

»Wird sie sich nicht freuen, dass du hier bist?«

»Darauf würde ich nicht zählen.«

Was Riley über Becks Mom wusste, war ziemlich dürftig –

Sadie war nie verheiratet gewesen, sie hatte ein Alkohol-problem und behandelte ihr Kind wie Dreck. Und ihr Sohn hasste sie dafür. Oder vielleicht auch nicht, das konnte man bei Beck nie so genau sagen. Eines war allerdings sicher, er nannte Sadie nie seine Mutter. Das allein sprach schon Bände.

Beck bog auf die Hauptstraße ein, wie er es nannte, und fuhr in Richtung Norden. Sie kamen an einem weiteren kleinen Restaurant, einer Zahnarztpraxis und einem Reifengeschäft vorbei und bogen schließlich auf eine lange Zufahrtsstraße ein, die zu einem einstöckigen Rotklinkerbau führte.

»Nicht so groß wie die Krankenhäuser in Atlanta, aber sie machen ihre Sache gut«, sagte er. Er hatte nicht gesagt, wie die Krankenhäuser zu Hause. Das bedeutete, dass er Sadlersville immer noch als sein Zuhause ansah, auch wenn die Einwohner anscheinend nicht damit einverstanden waren.

Beck parkte auf dem Parkplatz, sprang aus dem Truck und blieb wie angewurzelt stehen. Riley versperrte ihre Tür und ging zu ihm. Er hatte sich an die Seite des Pickups gelehnt und starrte ins Nichts.

»Alles in Ordnung?«

Er schüttelte den Kopf. »Du solltest hierbleiben.«

Becks Aussprache klang wieder verwaschen. Der Besuch stresste ihn ganz offensichtlich.

»Sadie ist nicht so, wie deine Mom war, Riley.« Nervös rieb er sich mit der Hand übers Gesicht. »Überhaupt nicht wie sie.«

»So schlecht kann sie nun auch nicht sein.«

Beck schaute sie an. »Sie ist eine gemeine, alte Giftnudel, der es Spaß macht, andere zu verletzen, vor allem mich. Wenn sie das schafft, indem sie jemandem weh tut, den … ich mag … dann ist sie glücklich.«

»Warum tut sie das?«

»Manche Leute klammern sich an ihren Hass, auch wenn es besser wäre, endlich loszulassen.«

Das erklärte immer noch nicht, warum solch ein böses Blut zwischen Sadie und ihrem Sohn herrschte. Diese Frage auszusprechen würde ihr mit Sicherheit eine Menge Kummer bescheren, also hob sie sich das für später auf.

Beck bat sie ein weiteres Mal eindringlich, im Truck zu warten, aber Riley weigerte sich. »Ich komme schon damit klar, egal was passiert.«

»Wir werden es beide bedauern, ich schwöre es«, murmelte er.

»Es ist meine Entscheidung«, erwiderte sie. *Sie kann unmöglich so schlecht sein, wie du sagst.*

Sie stießen die Doppeltüren zur Lobby des Krankenhauses auf, und Beck ging zum Empfangstresen, um herauszufinden, in welchem Zimmer seine Mutter lag. Das Wartezimmer war leer, Zeitschriften lagen in ordentlichen Stapeln auf den Beistelltischen. Rechts führten ein paar Türen in die Cafeteria, in der ein paar Krankenschwestern saßen, Kaffeetassen in den Händen hielten und quatschten.

Beck kam zurück. »Sie rufen ihren Arzt aus. Ich will zuerst mit ihm reden.«

Riley nickte, obwohl die Sache ihr mehr zusetzte als erwartet. Ihre Mutter hatte unzählige Stunden für ihre Chemotherapie im Krankenhaus verbracht, Therapien, die nichts gebracht hatten, bis ihr Körper aufgegeben hatte. Auch nur in so einem Gebäude zu sein rief viele unglückliche Erinnerungen in ihr wach.

Ein hochgewachsener, grau werdender Mann näherte sich ihnen. »Denver?«

Sie schüttelten sich die Hände. »Dr. Hodges. Danke, dass Sie kommen konnten.«

»Tut mir leid, dass es unter diesen Umständen sein muss.«

Beck stellte Riley vor, dann führte der Arzt sie den Korridor entlang in ein kleineres Wartezimmer, wo er ihnen bedeutete, sich zu setzen. Nachdem er die Tür geschlossen hatte, nahm Hodges ebenfalls Platz. Jetzt, wo Riley ihn ausgiebig betrachten konnte, sah er eigentlich gar nicht wie ein Arzt aus. Mit dem faltigen, gebräunten Gesicht und den schwieligen Händen wirkte er eher wie ein Farmer.

»Wie viel hat Ihre Mutter Ihnen erzählt?«, fragte der Arzt.

»Nichts. Donovan hat mich informiert, dass sie Krebs hat.«

Der Arzt schüttelte den Kopf. »Ich habe versucht, sie dazu zu bringen, Sie anzurufen, aber Sie wissen ja, wie sie ist.«

»Wie lange?«, fragte Beck heiser.

»Ein paar Tage, vielleicht weniger. Ich glaube, sie ist nur deswegen noch nicht gestorben, weil sie auf Sie gewartet hat.«

»Ich bin ihr doch egal.«

»Manchmal ist das, was die Leute sagen, und das, was sie empfinden, nicht dasselbe.« Der Arzt richtete sich auf. »Wohnen Sie hier in der Stadt?«

»Wir wohnen draußen im Motel.«

»Bitte hinterlassen Sie unbedingt Ihre Telefonnummer im Stationszimmer.« Er stand auf. »Es tut mir leid, dass wir nicht mehr tun können. Schließen Sie Frieden mit ihr, wenn Sie können. Ihre Zeit neigt sich dem Ende zu.«

Beck nickte, erhob sich und schüttelte dem Mann die Hand. Nachdem der Arzt gegangen war, schloss Beck die Tür hinter ihm, ließ sich auf seinen Stuhl sinken und stützte den Kopf in die Hände. Riley erinnerte sich, wie es gewesen war, als der Arzt ihrem Vater und ihr gesagt hatte, dass es zu Ende ging. Dieses Gefühl vollkommener Hilflosigkeit. Sie legte Beck die Hand auf die Schulter, und sie spürte, wie er unter ihren Fingern bebte.

»Ich hatte immer gehofft … dass wir … einen Weg finden würden, miteinander klarzukommen.« Er blickte auf, seine Augen waren randvoll, bis er die Tränen mit dem Handrücken fortwischte. »Aber jedes Mal, wenn ich es versuchte, wollte sie nichts mit mir zu tun haben. Sie sagt, ich bin ein totaler Versager und bin es nicht wert, dass sie ihre Zeit mit mir verschwendet.«

*Was für eine Mutter ist das denn?*

Riley legte den Kopf an seinen, schlang die Arme um seine breiten Schultern und drückte ihn. »Sie irrt sich. Du bist kein Versager, Beck. Du bist ein total cooler Typ.«

Er schniefte einmal und entzog sich ihrer Umarmung, dann stand er langsam auf. Noch einmal die Tränen weggewischt, und er hatte sein steinernes Gesicht aufgesetzt, das der Welt nicht verriet, wie verletzt er war.

»Komm. Es wird Zeit, dass du meine Mutter kennenlernst.«

Sadie Beck lag allein im Zimmer, ihr Bett stand neben dem Fenster. Ehe Beck um den Vorhang herumging, hielt er kurz inne, als würde er einen zusätzlichen Schutzschild anlegen, bevor er dem Feind gegenübertrat.

Sie sah mindestens zehn Jahre älter aus als fünfzig. Ihre Haut war fahl und faltig, das schulterlange Haar hatte dieselbe Farbe wie Becks, war jedoch mit grauen Strähnen durchzogen. In ihrer Nase steckte ein Sauerstoffschlauch, und jeder Atemzug schien sie ungeheuer anzustrengen. Aus blutunterlaufenen, braunen Augen musterte sie die Besucher misstrauisch. Ihr Hauptaugenmerk lag nicht auf Riley, sondern auf ihrem Sohn.

»Verdammt, ich muss tot sein und das hier die Hölle«, sagte sie. »Wieso solltest du sonst hier aufkreuzen?«

Riley starrte die Frau an. War das vielleicht irgendein seltsamer Witz zwischen den beiden? Sie warf Beck einen raschen Blick zu, und der schmerzliche Ausdruck in seinem Gesicht verriet ihr, dass das kein Witz war.

»Sadie«, sagte er leise. »Fang nicht damit an. Nicht jetzt. Nicht in deinem Zustand.«

Die Patientin begann zu husten, ein heftiger Krampf, der sie im Bett zusammenzucken ließ. Als Beck sich nicht rührte, trat Riley näher, nahm eine Handvoll Papiertaschentücher aus einer Schachtel und reichte sie der Frau. Sadie spuckte hellrotes Blut in das saubere Weiß.

Die Patientin musterte sie scharf. »Und wer ist das? Deine neueste Schlampe?«

*Wie bitte?* »Nein«, erwiderte Riley. »Ich bin eine … Freundin.« *Vielleicht mehr als das.*

Ein Schnauben. »Du lügst. Er hat keine Freunde. Stimmt doch, oder Denver?«

»Riley und ich sind gekommen, um dich zu besuchen und …«

Sadie winkte mit einem knochigen Arm ab. »Ich brauche dich nicht. Hab dich nie gebraucht.«

»Ich weiß. Aber jetzt brauchst du mich.«

Sie schüttelte den Kopf. »Keine Sorge. Ich bin schon noch früh genug weg. Das ist doch alles, was du willst.«

»Du weißt, was ich will«, sagte er. Seine Stimme zitterte. »Du hast es gewusst, seit ich alt genug war, um zu sprechen.«

»Das ist jetzt sowieso egal.« Sie hustete erneut, noch heftiger dieses Mal.

»Mr Beck?«, rief jemand. Die Krankenschwester winkte ihn zu sich, und er wirkte nicht sehr erfreut über die Unterbrechung.

Riley war sich nicht sicher, ob sie ihm folgen sollte oder nicht. Unfähig, sich zu entscheiden, blieb sie wie angewurzelt stehen. Von der Tür warf er ihr einen besorgten Blick zu.

»Geh schon«, drängte Riley, und widerstrebend folgte Beck der Krankenschwester auf den Korridor.

Sadie stieß ein kehliges Lachen aus. »Du bist hübscher als die meisten, mit denen er es getrieben hat.«

»Wir sind nicht zusammen. Wir jagen zusammen Dämonen.«

»Ich weiß. Hab's in der Zeitung gelesen.«

*Wenn Sie lesen können, wieso haben Sie es dann nicht Ihrem Sohn beigebracht?*

»Dann wissen Sie auch, dass Beck einigen anderen Fängern das Leben gerettet hat.«

Die Frau zuckte die Achseln. »Er hat schon immer den Helden gespielt. Hat ihm nie was gebracht.«

Es war, als hätte sie plötzlich eine außerirdische Spezies entdeckt. Riley runzelte die Stirn und versuchte zu begreifen, wie jemand so hartherzig, so auf sich selbst bezogen sein konnte, dass er nichts wahrnahm außer sich selbst. Es wäre einfach, zu behaupten, es läge an der Krankheit, aber die Bosheit ging so tief, dass Riley spürte, dass es nicht der Fall war.

»Ich finde, Sie sollten stolz auf ihn sein«, sagte sie.

»Ach nee, wie hübsch. Du setzt dich für ihn ein. Du bist genauso dämlich wie ich früher. Ich hab alles geglaubt, was die Kerle mir erzählt haben, und es waren alles Lügen. Das wirst du schon noch früh genug lernen.«

»Diese Lektion habe ich bereits gelernt«, erwiderte Riley.

»Beck ist nicht so einer.«

»Er hat dir nicht alles erzählt. Das wird er nie tun. Der vertraut niemandem.« Sadie hatte Mühe, zu atmen. »Frag ihn mal, wieso ich ihn wohl im Sumpf ausgesetzt habe.« Die Frau schüttelte den Kopf. »Erst acht Jahre alt, aber ich wusste, dass er nichts als Ärger machen würde.«

»Sie haben ihn im Sumpf ...« Rileys Finger umklammerten das Bettgestell. »Wie konnten Sie das tun? Er ist Ihr Kind!«

»Irgendwie muss man sie ja loswerden.« Sie scheuchte Riley mit einer Handbewegung fort. »Und jetzt verpiss dich und lass mich in Ruhe sterben.«

Schockiert eilte Riley aus dem Zimmer. *Das sind die Schmerzmittel. Es kann gar nicht anders sein.*

Sie fand Beck beim Stationszimmer, wo er einer Krankenschwester seine Kontaktdaten gab. Er sah völlig fertig aus, als hätten die wenigen Minuten, die er in Gegenwart seiner Mutter verbracht hatte, ihn irgendwie seiner Lebenskraft beraubt. Riley fühlte sich genauso.

Mit einer gemurmelten Entschuldigung eilte sie an ihm vorbei und auf den Haupteingang des Gebäudes zu. Sie brauchte dringend frische Luft. Vielleicht konnte sie dann ihren Eindruck von der sterbenden Frau besser einsortieren.

Beck holte sie ein, als sie das Gebäude verließ. »Riley? Was ist passiert?«

Sie ging weiter. Sadie war einfach nur gemein gewesen, hatte versucht, sie fertigzumachen.

»Was hat sie gesagt?«, fragte Beck und hielt sie am Arm fest. Er klang panisch.

Riley drehte sich zu ihm um, blickte hoch in das Gesicht des Mannes, den sie zu lieben glaubte. Was wusste sie wirklich über ihn, außer, dass er hier in dieser Stadt aufgewachsen, im Krieg gewesen und als Held zurückgekommen war? Dass er keine Verpflichtungen eingehen wollte und ein Kaninchen besaß? Was noch? Er hielt so vieles aus seiner Vergangenheit vor ihr geheim. Vor jedermann.

Gab es eine Seite an ihm, die sie noch nicht kannte, eine, die seine Mutter nur zu gut kannte?

»Riley?«, drängte er. »Sprich mit mir!«

Sie schüttelte den Kopf, versuchte all die widerstreitenden Gedanken auf die Reihe zu bekommen. »Deine Mutter sagte, sie hätte dich im Sumpf ausgesetzt und versucht, dich loszuwerden. Ist das wahr, Beck? Hat sie das getan?«

Er senkte den Blick zum Boden.

»Beck?«

Er trat zurück, seine Miene war ausdruckslos. »Nur eine ihrer verrückten Geschichten«, sagte er.

*Er lügt.* Es war genauso, wie seine Mom gesagt hatte. Aber warum leugnete er das?

Während Riley darauf wartete, dass er die Türen des Trucks aufsperrte, schien ein Teil von ihr innerlich zu erfrieren. Sadies vergiftete Worte hatten sich in ihren Gedanken eingenistet.

*Was, wenn sie recht hat und ich den echten Beck wirklich nicht kenne?*

# 6. Kapitel

Über die Nebenstraßen fuhr Beck zu Sadies Haus, besorgt, weil Riley schwieg, seit sie das Krankenhaus verlassen hatten. Das war Sadies Trick, sie drang in deinen Kopf ein, und plötzlich fiel es dir schwer, Wahrheit von Lüge zu unterscheiden. Egal, was man der alten Dame sagte, sie sog es auf und spuckte es zurück wie Säure aus Worten. Darin war sie besser als irgendeiner von Luzifers Dämonen.

*Warum versucht sie, alles Gute in meinem Leben zu zerstören?*

Er hatte ihr niemals weh getan. Er hatte nur versucht, sie zu lieben, doch von ihr bekam er nichts, seit dem Moment seiner Geburt.

Als er am Straßenrand vor seinem Elternhaus anhielt, spürte er, wie seine Spannung allmählich nachließ. Für ihn war es nicht mehr als ein weißes Haus mit verblichenen schwarzen Fensterläden, an das nur wenige gute Erinnerungen geknüpft waren. Die Fensterläden hätten mal wieder gestrichen werden müssen, doch das würde er dem neuen Eigentümer überlassen. Das Haus war in nahezu jeder Hinsicht klein und wirkte auf dem verwahrlosten Grundstück, auf dem es stand, geradezu winzig. Auf der einen Seite des Hauses befand sich ein alter

Brunnen, der mit verzogenen Brettern abgedeckt war, auf der anderen Seite ein bejahrter Magnolienbaum, dessen dicke Äste auf das Dach hingen. Es gab keine Blumen oder Sträucher, nichts, das darauf hingewiesen hätte, dass Sadie das hier als ihr Zuhause ansah.

Beck förderte einen Schlüssel zutage und schloss die Eingangstür auf. Kaum hatte Riley das Haus betreten, fing sie auch schon an zu husten. Jetzt wusste sie, warum sie nicht hier wohnten: Der penetrante Gestank alten Zigarettenrauchs legte sich mit jedem Atemzug auf die Schleimhäute.

»Früher war es noch schlimmer. Vor einem Jahr hat sie mit dem Rauchen aufgehört«, sagte er.

Als Riley sich vorsichtig in das vordere Zimmer vortastete, versuchte Beck, den Raum mit ihren Augen zu sehen: ein abgewetztes Sofa, ein dazupassender Sessel, ein Beistelltisch. Auf den Holzdielen lagen hier und da kleine Teppiche, in der Ecke stand ein alter Fernsehapparat. An den Wänden hingen Bilder, aber es waren keine Familienfotos.

Das war Sadies selbstgewähltes Exil. Wenn sie fair zu ihm gewesen wäre, hätte er sie öfter besucht. Familie war für ihn das Wichtigste.

*Selbst wenn sie dich hassen.*

Beck starrte auf das Sofa. Dieses verdammte Ding mit dem karierten Bezug stand immer noch hier und schien ihn zu verhöhnen. Er erinnerte sich, wie Sadie lang ausgestreckt darauf gelegen hatte, wenn sie mal wieder bis zur Besinnungslosigkeit betrunken war, und meistens war sie dann nicht allein gewesen. Er nahm sich vor, das Ding zu verbrennen, sobald sie tot war.

Er riss sich vom Anblick des Sofas los und überflog den Rest des Zimmers. Viel hatte sich nicht verändert, bis auf den leeren Aschenbecher, in dem jetzt Bonbonpapier lag. Wenn er ihr eher das Geld für die Zigaretten gestrichen hätte, läge sie jetzt vielleicht nicht im Sterben.

Als Sadie jünger war und noch ein Auto besessen hatte, verbrachte sie viel Zeit in einer der Bars in St. Marys oder Florida. In Sadlersville gab es keine Kneipen, aber das hatte sie nicht davon abgehalten, eine Alkoholikerin zu werden.

Riley hatte ihre Stirn in tiefe Falten gelegt, und er wusste, dass ihr das, was sie sah, nicht gefiel. *Verdammt, Mädel, wieso bist du nicht in Atlanta geblieben?* Er fühlte sich nackt, als hätte er sich komplett entkleidet, so dass sie jede seiner Schwächen sehen konnte.

»Hier hast du als Kind gelebt?« Ihre Stimme zitterte.

»Ja. Mein Granddad hat das Haus für Sadie gekauft, als sie mit mir schwanger war. Ich glaube, er hatte gehofft, dass sie endlich vernünftig werden und heiraten würde. Und aufhören zu trinken.« Er schüttelte den Kopf. »Reines Wunschdenken.«

Schweigend spähte Riley in die heruntergekommene Küche und ging dann in den Flur auf die beiden Schlafzimmer zu. Vor dem zweiten blieb sie stehen.

»War das dein Zimmer?«

Er nickte. Zumindest, als er älter war und jemand ihm endlich ein Bett schenkte. Als Kind hatte er auf dem Boden im Badezimmer geschlafen, auf dem Stapel mit der

Schmutzwäsche, weil es der wärmste Platz im Haus war. Aber das brauchte Riley nicht zu wissen.

»Ich hatte auch ein Chris-Hemsworth-Poster«, sagte sie und lächelte, als sie den Schauspieler erkannte. »Er war ein total scharfer nordischer Gott.«

Beck murmelte zustimmend. Er hatte das Poster hiergelassen, als er in den Norden ging. Er hätte es mitnehmen können, aber er hatte nicht viel Zeit zum Packen gehabt. Aus irgendeinem Grund hatte Sadie es nie abgerissen.

»Ich fand ihn ziemlich cool«, sagte Beck. Vielleicht, weil der Typ stark war, gut aussah und selbst über sein Leben bestimmte – alles, was Beck sich immer gewünscht hatte. Riley kehrte in die Küche zurück, zog die Jacke aus und legte sie über einen Stuhl. Als sie in die Spüle schaute, verzog sie das Gesicht zu einer Grimasse.

»Sorry«, sagte er.

»Nicht deine Schuld«, antwortete sie und ließ das Wasser laufen. »Was willst du mit dem Haus machen, sobald …«

»Vermutlich verkaufe ich es, wenn ich es sauber bekomme.«

»Ich helfe dir«, sagte sie und begann, das dreckige Geschirr aus dem Spülbecken auf die Arbeitsplatte zu räumen.

»Riley, ich …«

Mit tropfnassen Händen drehte sie sich zu ihm um. »Es ist nicht so schlimm, Beck. Ein bisschen unordentlich, aber kein totaler Horror. Es ist nur so … traurig, verstehst du?«

Er wusste, was sie meinte und dass es nichts mit dem Abwasch zu tun hatte. Dieses Haus war niemals ein Ort der Liebe gewesen wie bei ihrer Familie. Selbst nach dem

Tod von Rileys Mom hatte ihr Dad dafür gesorgt, dass ihre winzige Wohnung zu einem Zuhause wurde.

Beck hatte keine Ahnung, wie so etwas war. Sobald ihm klargeworden war, dass er Sadie egal war, hatte er sein eigenes Leben gelebt, getrennt von ihrem. Er hatte sich niemals ganz von ihr losgesagt – das konnte er nicht –, aber er versuchte, sich, so gut es ging, vor ihr zu schützen. Sie fand immer einen Weg, um ihn zu verletzen.

Er sammelte einen Stapel Briefe vom Sofa auf, nahm sie mit in die Küche und verteilte sie auf dem Tisch. Er hätte sich gerne eingeredet, dass dies der beste Platz war, um sie zu sortieren, doch in Wahrheit ging es ihm darum, in Rileys Nähe zu sein.

Beck legte seine Jacke über ihre, zog einen Stuhl heran und ließ sich darauf sinken. Während sie das saubere Geschirr auf ein Handtuch auf der Arbeitsfläche stellte, summte Riley leise vor sich hin. Das Lied klang wie ein Song von Carrie Underwood. Er musste grinsen.

Aus Gewohnheit musterte er jeden Umschlag sorgfältig, in der Hoffnung, es könnte der entscheidende sein. Er hatte immer davon geträumt, einen Brief von seinem Vater zu bekommen, und als Kind rannte er jeden Tag zum Briefkasten, sobald der Briefträger da gewesen war. Er war sich nie sicher, ob Sadie nicht jede Nachricht von diesem Absender verbrennen würde, so dass er es nicht darauf hatte ankommen lassen.

Doch dieser Brief war nie gekommen, zumindest nicht, als er noch in Sadlersville lebte.

Beck verfluchte sich im Stillen. Er hätte diesen Traum

74

schon vor Jahren aufgeben sollen, aber jetzt stand er hier und ging wieder die Briefe durch, genau wie damals als Kind, als er kaum an den Briefkasten heranreichte.

Als er aufblickte, stellte er fest, dass Riley die Arbeitsplatte abschrubbte. Sie widmete sich dieser Aufgabe mit wütendem Eifer, wahrscheinlich war das ihre Art, ihren Abscheu über die Frau im Krankenhaus auszudrücken.

Als er mit der Post durch war, wusste er, dass Sadie mit ein paar Rechnungen im Rückstand war, einschließlich der Telefonrechnung. Die Leitung war tatsächlich tot. Offensichtlich war das Geld, das er ihr geschickt hatte, nicht an den richtigen Stellen angekommen.

*Noch mehr, um das ich mich kümmern muss.*

Riley wischte jetzt eine der Schranktüren ab, wofür sie sich auf die Zehenspitzen stellen musste. Für einen Moment vergaß er seine Probleme und lehnte sich zurück, um den Anblick zu bewundern. Sie war echt ein tolles Mädchen. Es würde der schlimmste Tag seines Lebens werden, wenn sie ihm den Rücken zukehrte und ihn verließ.

Eine Stunde später war die Küche bis auf den Herd und den Fußboden sauber.

»Schaust du mal, ob ich die hier richtig einsortiert habe?«, fragte Beck und deutete auf die Briefe auf dem Tisch.

Riley sah sie rasch durch, die Fingerspitzen waren vom Wasser ganz runzelig. Die Male auf ihren Handflächen wirkten aufgrund ihrer Schlichtheit umso stärker – schwarze Zeichen auf weißer Haut. Sie sah, dass er sie anstarrte.

»Du hast alles richtig einsortiert«, sagte sie und reichte ihm die Umschläge.

»Gut. Ich bezahle die Rechnungen schon eine ganze Weile, so dass ich sie normalerweise wiedererkenne.«

»Warum bezahlst du ihre Rechnungen?«

Bei dieser Frage blinzelte er. »Wieso nicht?«

»Weil sie dich hasst?«, schlug Riley zaghaft vor.

»Das ist egal. Sie ist meine Familie. Du würdest es doch genauso machen.«

Riley öffnete den Mund, um zu widersprechen, doch dann schloss sie ihn wieder. Er hatte recht – wenn ihre Tante Esther Hilfe bräuchte, würde sie für sie da sein, auch wenn sie die Frau nicht ausstehen konnte.

»Ich fahre heute Abend noch mal zum Krankenhaus, um nach ihr zu sehen«, sagte Beck. »Sie wird es nicht lange aushalten, dass ich da bin, aber für diese Zeit kann ich sie zumindest sehen.«

»Möchtest du, dass ich …«

»Nein. Es wäre mir lieber, wenn du im Truck bleibst. Du bist nicht an sie gewöhnt, so wie ich.«

»Okay.« *Zumindest heute Abend.* Irgendwann würde sie der Frau erneut gegenübertreten müssen, und dann wollte sie vorbereitet sein auf alles, was Sadie möglicherweise über die Lippen kommen könnte. Becks Mom hatte sie einmal kalt erwischt. Das nächste Mal würde sie ihr das nicht durchgehen lassen, auch wenn diese Frau unheilbar krank war.

Riley gähnte, dann entschuldigte sie sich.

»Ach komm, es war ein langer Tag«, sagte Beck. »Morgen

fangen wir an, den Rest von dem Kram hier durchzu-
gehen.«

»Weiß sie, dass du das machst?«

»Ich werde es ihr heute Abend sagen. Das ist ein weiterer
Grund, weshalb ich dich nicht dabeihaben will. Sie wird
nicht gerade begeistert sein.«

Als Beck auf den Haupteingang des Krankenhauses zuging, schaltete Riley ihr Telefon ein und stellte erfreut fest,
dass der Empfang ganz anständig war. Er war sogar besser
als an manchen Stellen in Atlanta.

»Hey, Riley, wie läuft es so im Niemandsland?«, rief
Peter.

»Ziemlich schräg, aber heute zum Lunch hatte ich den
besten Hamburger, den ich je probiert habe.«

»Echt? Und, wie ist es da unten?«

»Eine Miniausgabe von Atlanta mit jeder Menge *Yeahs*.
Das Komische ist, dass hier jeder jeden kennt und weiß,
was sie machen. Nicht wie zu Hause. Ach ja, und die
meisten Leute mögen Beck nicht, weil … na ja, sie mögen
ihn eben nicht.«

»Klingt ja nicht so prickelnd. Und was treibt ihr beide
heute Abend?«

»Beck besucht gerade seine Mutter. Er wird fertig sein,
wenn er rauskommt. Wahrscheinlich werden wir irgendwo was essen und dann fernsehen.«

»Um acht kommt *Dämonenland*. Das darfst du nicht verpassen.«

»An dieser Serie ist so viel verkehrt, dass ich gar nicht weiß, wo ich anfangen soll.«

»Dann lass es bleiben«, sagte Peter. »Lass mir meine Illusionen, okay? Und wie läuft es zwischen dir und Beck?«

»In der einen Minute scheint er froh zu sein, dass ich hier bin, und in der nächsten benimmt er sich wie ein Arsch. Aber ich bin nicht so streng mit ihm wegen seiner Mom – die übrigens echt ein harter Brocken ist –, aber irgendwann werde ich noch mal richtig ausrasten.«

Peters Lachen hallte im Telefon wider. »Nun denn. Du verpasst übrigens eine ziemlich schräge Geschichte hier oben. Irgendein Reverend hat verkündet, er würde jeden einzelnen Dämon in Atlanta exorzieren, und zwar alle gleichzeitig. Unglaublich, was?«

»Ich hab's in der Zeitung gelesen. Alles, was er schaffen wird, ist, dass sie richtig sauer werden, und rate mal, wer dann den Dreck wegmachen kann?« *Ich und die anderen Dämonenfänger.*

Vom Krankenhaus näherte sich eine Gestalt mit forschen Schritten.

»Äh, da kommt Beck. Er sieht nicht gut aus. Ich lege besser auf.«

»Warte kurz, Riley. Ruf an, wenn du dich auskotzen musst. Oder wenn du aussteigen willst.«

Sie lachte. »Mach ich. Bis später.«

Beck kletterte in den Truck, knallte die Tür zu und stopfte den Schlüssel ins Zündschloss. Dann hieb er mit der Faust aufs Lenkrad. Einmal, zweimal, dreimal.

Riley hielt den Atem an.

»Warum gebe ich mich überhaupt mit ihr ab?«, knurrte er.

»Willst du darüber reden?«

»Nein, verdammt.«

Sobald sie im Motel waren, folgte Riley ihm in sein Zimmer, in der Hoffnung, dass er doch reden würde, wenn sich die Gelegenheit dazu bot. Beck warf seinen Rucksack auf das leere Bett und begann, sich die Kleider vom Leibe zu reißen, als hätte er vergessen, dass sie da war. Kurz bevor er seine Jeans auszog, räusperte sie sich, und das bremste ihn kurz. Er nahm saubere Sachen aus der Kommode und ging ins Badezimmer. Die Tür schloss sich, und kurz darauf wurde die Dusche aufgedreht.

Riley begriff, dass gerade keine tiefschürfenden Gespräche angesagt waren, und zog sich in ihr Zimmer zurück. Sie brauchte ebenfalls eine Dusche. Seit dem Zusammentreffen mit seiner Mutter hatte sie das Gefühl, von einer dicken, klebrigen Schicht Teer bedeckt zu sein, und das Haus hatte die Sache auch nicht gerade besser gemacht.

*Wie es wohl war, mit ihr zusammenzuleben?* Es war so gut wie sicher, dass nichts, was irgendjemand tat, Sadies Anerkennung fand. Vielleicht hatte gerade das das Interesse ihres Vaters geweckt – die Tatsache, dass der junge Mann nie eine Chance gehabt hatte. Jetzt hatte ihr Vater Beck ihrer Obhut überlassen, obwohl der Dorftrottel natürlich glaubte, es sei genau anders herum.

*Ich verspreche dir, Dad, ich werde nicht zulassen, dass er scheitert, koste es, was es wolle.*

Zu ihrer Erleichterung war der Wasserstrahl in der Dusche

ganz ordentlich. Nachdem sie sich angezogen hatte, setzte sie sich aufs Bett und rubbelte ihre Haare trocken.

Beck steckte den Kopf durch die Tür. »Wenn du magst, können wir Pizza essen gehen.« Sein breiter Akzent war verschwunden, also ging es ihm wieder besser.

»Gerne. Ich habe echt Hunger.«

»Ich bestell schon mal, damit wir nicht so lange warten müssen. Gibt's irgendwas, was du hasst?«

»Grüne Paprika. Total eklig.«

Er kramte im Nachttisch nach der Karte der Pizzeria im Ort und tippte die Nummer in sein Handy ein. Dann legte er auf. Zu ihrer Überraschung brachte er ihr den Werbezettel.

»Besser, du bestellst«, sagte er. »Lass es zum Mitnehmen fertigmachen, und bestell es unter deinem Namen.«

Sie wollte sich nach dem Grund erkundigen, aber seine Miene lud nicht gerade dazu ein, Fragen zu stellen. Sie rief das Restaurant von ihrem eigenen Telefon an und gab die Bestellung auf, Pizza und ein Sechserpack Limo.

»Danke«, sagte er, dann ging er nach draußen, um zu telefonieren, als wollte er sie nicht hören lassen, was er zu sagen hatte. Es war wieder so ein Ich-vertrau-dir-nicht-ganz-Moment, und ihr Geduldsfaden wurde wieder ein Stückchen dünner.

»Bald bist du fällig, Alter«, murmelte sie.

Riley hätte es kommen sehen können: Beck gab ihr Geld und schickte sie los, um die Bestellung abzuholen. Nachdem sie die Rechnung beglichen hatte, sammelte sie die Pizza und die Tüte mit der Limo ein, und der Restaurantbesitzer hielt ihr die Tür auf. Dann entdeckte er Becks Truck.

»Zum Teufel, wenn ich gewusst hätte, dass es für diesen Mistkerl ist, hätte ich die Bestellung nie angenommen.«

Sie sah ihn finster an. »Warum?«

»Frag ihn. Vielleicht erzählt er dir, wo sie sind.«

»Wo wer ist?« Krachend fiel die Tür hinter ihr ins Schloss.

## 7. Kapitel

Riley schob die heißen Pizzaschachteln auf ihrem Schoß hin und her. Der Duft machte sie wahnsinnig. Vielleicht konnte sie Beck nach dem Essen fragen, was der Typ aus der Pizzeria gemeint hatte.

»Wo fahren wir hin?«, wollte sie wissen.

»In die Nähe vom Sumpf.«

Genau dahin, wohin sie laut Cole nicht mit dem Dorftrottel fahren sollte.

*Leichte Paranoia, oder was?*

Er suchte keinen Picknickplatz aus, sondern eine Straße, die mitten in die Pampa führte. Wenn er nicht Beck wäre, würde sie jetzt ziemlich nervös werden.

»Wo sind wir?«

»Südlich der Stadt auf einer der Straßen, die am dichtesten am Nationalpark vorbei führen. Okefenokee liegt etwa da drüben«, sagte er und deutete Richtung Westen auf die untergehende Sonne.

»Warum sind wir hierher gefahren?«, fragte sie und öffnete den Sicherheitsgurt.

»Weil es nicht in der Stadt ist«, sagte er. »Für heute habe ich genug davon, von den Leuten angestarrt zu werden.«

Riley wusste genau, was er meinte. Sie öffnete die Tür

und spähte hinaus auf weißen Sand. Das war anders. Sie vertraute darauf, dass er wusste, was er tat, wartete, bis er eine Decke hinter der Sitzbank hervorgeholt hatte, und folgte ihm zur Rückseite des Trucks. Dort schuf er etwas Platz für sie, damit sie sich zum Essen auf die Heckklappe setzen konnten.

»So was Ähnliches wie ein Picknick«, sagte sie und versuchte, das Beste daraus zu machen.

»Ja«, erwiderte er, aber sie merkte, dass er nicht bei der Sache war.

Riley kletterte auf die Klappe und öffnete hungrig die Pizzaschachtel. Auf der Stelle lief ihr das Wasser im Mund zusammen. Sie nahm eine Serviette und ein dickes Stück Pizza. Beck tat es ihr gleich.

Während sie kaute, betrachtete Riley die Landschaft um sie herum. In einiger Entfernung standen hohe Pinien, und überall entdeckte sie diese seltsamen Pflanzen mit den stacheligen Blättern. Sie waren etwa einen Meter zwanzig hoch und hatten seltsamerweise alle dieselbe Höhe.

»Was ist das?«, fragte sie und deutete mit der freien Hand darauf. »Sie sehen aus wie Babypalmen oder so etwas.«

»Das sind Sägepalmen. Sie wachsen überall in diesem Teil des Landes.«

»Warum sind sie alle gleich hoch?«

»Es muss ein Feuer gegeben haben, bei dem alles niedergebrannt ist. Jetzt wachsen sie wieder nach.« Ein schiefes Lächeln tauchte in seinem Gesicht auf. »Als ich elf war, hat Donovan mich mit in den Sumpf genommen. Er sagte, es sei höchste Zeit, dass ich lerne, allein zu überleben, denn selbst ein Blinder konnte sehen, dass Sadie sich nicht um mich kümmerte.«

»Was habt ihr im Sumpf gemacht?«

»Wir waren für ein Wochenende draußen und haben gezeltet, nur wir beide. Er brachte mir bei, wie man es anstellt, sich nicht von den Alligatoren fressen zu lassen, wie man Schlangen fängt, häutet und kocht. Er hat mir alles Mögliche beigebracht. Ich fand's echt klasse, mit ihm zusammen zu sein. Er hat mich nicht verurteilt, so wie alle anderen.«

»Das ist cool.«

»Ach ja, und einmal habe ich einen Angelwettbewerb gewonnen. Ich habe einen Schlammfisch gefangen, einen richtig fetten. Donovan hat ein Bild davon gemacht. Ich habe dreißig Dollar Preisgeld bekommen.«

»Was hast du dir davon gekauft?«

»Stiefel. Ein richtig geiles Paar Stiefel. Davor hatte ich noch nie vernünftige Schuhe.«

»Es gab also doch ein paar gute Dinge in deinem Leben.« Die meisten davon schienen irgendwie mit dem Sheriff zusammenzuhängen. *Und wieso würdet ihr euch jetzt am liebsten prügeln?*

»Aber sie haben die schlechten nicht wettgemacht.«

In den Büschen rechts von ihnen hörte Riley etwas davonhuschen. »Gibt es hier … Alligatoren?«

»Könnte sein, aber sie halten sich lieber näher beim Wasser auf.« Beck grinste. »Du bist echt eine Stadttussi.«

»Natürlich«, erwiderte sie trotzig. »Ich mag Gebäude

und Bürgersteige. Ich mag Sachen, die ich verstehe. Das hier …«, sie machte eine ausschweifende Handbewegung, »… ist hübsch, aber ich fühle mich hier fehl am Platze.«

»Ich mag das Land«, sagte er mit weicher Stimme. »Es ist ruhig, und ich kann nachdenken. Die Stadt verstopft mir manchmal das Hirn.«

Sie öffnete eine Dose Limo und nahm einen tiefen Schluck. »Jetzt, wo dein Hirn unverstopft ist, kannst du mir ja von Cole erzählen.«

Prompt runzelte er die Stirn. »Warum willst du etwas über ihn wissen?«

Riley konnte nicht widerstehen. »Weil er total scharf ist und ich mit ihm durchbrennen und jede Menge Babys von ihm haben will.«

Becks Augen weiteten sich vor Überraschung. »Riley …«

»Sieh dich nur an!«, sagte sie und boxte ihn spielerisch gegen den Arm. »Du bist so leicht aus der Fassung zu bringen.«

Das Stirnrunzeln verschwand nicht, aber sie merkte, dass sie ins Schwarze getroffen hatte.

»Du kennst ihn nicht so wie ich«, erwiderte er.

»Dann ist jetzt der richtige Zeitpunkt, um daran etwas zu ändern. Erzähl mir, warum du ihn nicht ausstehen kannst.«

Er schnaubte. »In der Schule war ich mit einem Mädchen namens Louisa befreundet. Lou und ich waren richtig fest zusammen. Cole hat dafür gesorgt, dass es zwischen uns zu Ende ging. Er ist ein paar Mal mit ihr ausgegangen, dann hat er sie sitzenlassen. Das war seine Art zu sagen, dass er mir jedes Mädchen wegschnappen kann, das mir etwas bedeutet.«

»Okay, Cole ist also ein totaler Schleimscheißer. So weit kann ich dir folgen. Aber das ist lange her. Bist du ihm deswegen immer noch sauer?«

»Ja, bin ich«, gab er zu. »Lou war etwas Besonderes, und sie war zu diesem Zeitpunkt das einzig Gute in meinem Leben. Jetzt hat er dich aufs Korn genommen, und das gefällt mir überhaupt nicht.«

*Ups. Er ist eifersüchtig.* »Hattest du danach noch andere Freundinnen?«

»Wieso willst du das wissen?«

»Weil ich dich gerne besser kennenlernen möchte?«

Er sprang vom Truck und ging ein paar Schritte die Straße hinunter. »Warum zum Teufel tust du mir das an?«, wollte er wissen.

»Was?«, fragte Riley verwirrt.

»Du kannst kein Teil meines Lebens sein. Wann kapierst du das endlich?«

Sie schleuderte die Getränkedose zu Boden und sprang ebenfalls von der Heckklappe des Trucks. Es gärte seit langem in ihr, und wenn dieser Moment vorbei war, würde er entweder akzeptieren, dass sie auf seiner Seite stand, oder sie würde zusehen, dass sie von hier wegkam.

»Du bist doch derjenige, der dauernd rumjammert, niemand würde dir eine Chance geben, weil du so ein Bauerntrampel von Versager bist. Aber kaum ist da jemand, dem du nicht egal bist, kannst du nicht damit umgehen.«

»Du hast keine Ahnung, wie übel es hier unten werden kann«, sagte er und schüttelte den Kopf.

»Ach nein?«, sagte sie und ging auf ihn zu. »Ist es so schlimm, wie zwei tote Eltern zu haben oder mit dem Vatikan und seinem Inquisitionsmist fertig zu werden? Und was ist mit diesem ganzen Weltuntergangsscheiß? Wie schlimm also kann das hier sein, Beck? Sag mir, was noch schlimmer sein kann!«

Er starrte sie mit offenem Mund an. »Das verstehst du nicht«, stotterte er.

Sie holte tief Luft, in dem Versuch, ihre überbordenden Gefühle in den Griff zu bekommen. »Dann sag mir die Wahrheit. Ich will wissen, warum alle dich hassen und warum ich die Pizza bestellen muss. Ich will wissen, warum Cole mich gewarnt hat, nicht mit dir in den Sumpf zu fahren.«

»Vergiss es einfach.«

»Erzähl es mir, Beck! Was für ein dunkles Geheimnis hat Justine aufgedeckt? Hast du irgendein Mädchen ge-schwängert? Oder jemanden überfahren, als du betrunken mit dem Truck unterwegs warst? Was macht dir solche Angst?«

Beck schwieg. Um sie herum begannen die Vögel, sich in den Bäumen niederzulassen, als die Sonne unterging.

»Es geht hier allein um Vertrauen«, sagte sie etwas ruhi-ger. »Ich habe meine dunkelsten Geheimnisse mit dir geteilt. Jetzt ist es Zeit für dich, es genauso zu machen.«

Er wandte den Blick ab, beide Hände zu Fäusten geballt.

*Komm schon. Lass es raus. Du willst es, ich spüre es.*

Becks Fäuste lösten sich, und sein Gesicht bekam einen gehetzten Ausdruck.

»Alle glauben, ich hätte … zwei Jungs im Sumpf … getötet. Und ihre Leichen versteckt, damit sie nie gefunden werden.«

*O Gott.* Das hatte sie nicht erwartet.

Um Zeit zu gewinnen, zog Riley sich zum Truck zurück, innerlich völlig aufgewühlt. Könnte Beck jemanden getötet haben? *Nein.* Zumindest nicht der Mann, den sie heute kannte. Aber was war mit dem jungen Beck? Er hatte eingeräumt, ein Hitzkopf gewesen zu sein, und dass er versucht hatte, Mr Walker mit einem Messer anzugreifen. *Könnte er …*

»Wann war das?«, fragte sie, lehnte sich gegen die Heckklappe und versuchte, ihre plötzlich zittrigen Beine zu beruhigen.

»Vor sieben Jahren, gleich nach Weihnachten.«

Riley hielt den Atem an und wartete auf den Rest.

»Es waren die Keneally-Brüder, Nate und Brad. Nate war ein Jahr älter als wir, und er war ziemlich wild. Er hatte etwas Whisky und Dope besorgt und mich gefragt, ob ich mit in den Sumpf komme, um zu feiern.«

»Ist das nicht ziemlich … idiotisch? Der Sumpf ist gefährlich.«

»Ja, es war total idiotisch, aber wegen Sadie haben nicht viele Jugendliche mit mir gesprochen, also fand ich es cool, dass sie mich dabeihaben wollten.«

»Du warst … wie alt …«, sie rechnete kurz nach, »… fünfzehn?«

Er nickte. »Wir haben das Boot von ihrem Dad genommen und fanden einen Platz, wo wir unser Lager aufschlagen konnten. Und dann haben wir uns total die Kante gegeben. Die Drogen hab ich nicht angerührt – hab das Zeug nie gemocht.« Er zögerte.

»Hör jetzt nicht auf. Ich will alles wissen.«

Beck räusperte sich nervös. »Erst war alles in Ordnung. Nate gab damit an, dass er einen Treffer gelandet hätte und für den Rest seines Lebens keine Geldsorgen mehr haben würde. Dann fingen sie an, mich wegen Sadie aufzuziehen, und sagten Sachen über Lou, die mir nicht gefielen. Also sagte ich ihnen, sie sollten – na ja, du weißt schon – und ging zurück zum Boot.« Nachdenklich rieb er sich das Kinn. »Es war fast dunkel, und mir war megaübel. Nachdem ich mich ausgekotzt hatte, kletterte ich ins Boot, zog eine Plane über mich und pennte ein.«

Beck kehrte zum Truck zurück und setzte sich auf die Heckklappe. Nachdem er einen Schluck von seiner Limo genommen hatte, sprach er weiter, als sei er ganz begierig darauf, die Geschichte loszuwerden, jetzt, wo die Schleusen geöffnet waren.

»Am nächsten Morgen trieb das Boot auf dem Kanal. Ich fand das merkwürdig, aber manchmal rissen sich die Boote einfach los. Es dauerte eine Weile, bis ich wieder an unserem Lagerplatz war, und ich ging los, um die beiden zu suchen. Ich fühlte mich immer noch scheiße und hoffte, sie wären so weit, nach Hause zu fahren.«

»Aber du hast sie nicht gefunden.«

»Nein. Ihr ganzes Zeug lag noch an der Lagerstelle, aber Nates Gewehr war verschwunden, also nahm ich an, sie würden etwas wildern. Über drei Stunden zog ich herum und rief ihre Namen. Keine Spur von ihnen.«

»Glaubst du, ein Alligator hat sie sich geschnappt?« Der Gedanke ließ Riley erschaudern.

»Vielleicht, aber der hätte nur einen von beiden erwischt. Außerdem hätte Nate auf ihn schießen können. Dasselbe gilt für einen Bären oder so etwas.«

»Und was ist mit einem Dämon?«, fragte sie.

»Schön möglich. Da draußen gibt es ein paar richtig üble Viecher, wenn man allein unterwegs ist. Wie dem auch sei, ich nahm das Boot und fuhr zurück zum Anleger, schloss Nates Truck kurz und fuhr zum Büro des Sheriffs. Sie suchten fünf Tage nach ihnen, aber sie haben keinen von beiden gefunden.«

Jetzt wusste sie, warum die Leute in Sadlersville Denver Beck hassten. Sie glaubten, er sei ein Doppelmörder.

»Na los, stell mir die Frage«, sagte er herausfordernd. »Jeder tut es.«

»Ich nicht«, sagte sie fest.

»Du willst nicht fragen? Dann werde ich es tun.« Er richtete sich auf, gequält von grausamen Erinnerungen. »Hast du diese Jungs getötet, Denny Beck? Was hast du mit ihren Leichen gemacht? War es irgendein satanisches Ritual oder ein perverses Kannibalenspielchen?«

*Mein Gott.*

»Wenn es kein Tier war«, sagte sie und hielt ihre Stimme absichtlich ruhig, um ihn in seiner Wut nicht noch zu bestärken, »muss es ein Mensch gewesen sein. Was glaubst du, wer es getan hat?«

»Warum nicht ich?«, gab er zurück und starrte sie finster an, als hätte sie gegen ihn Anklage erhoben. »Ich hätte die beiden mit Leichtigkeit umbringen können.«

Riley schüttelte den Kopf. »Das ist nicht dein Stil. Wenn du richtig sauer gewesen wärst, dann hättest du sie vielleicht verprügelt, aber du hättest sie nicht umgebracht.«

»Vielleicht habe ich den einen aus Versehen umgebracht und musste dann auch den anderen als Zeugen ausschalten«, wandte er ein.

Beck plapperte nur nach, was man ihm jahrelang vorgehalten hatte.

»Du hättest die Leiche ins Boot geschleppt und sie zusammen mit dem Bruder zum Sheriff gebracht. Selbst mit fünfzehn hättest du die verdiente Strafe auf dich genommen. Du hättest nicht zugelassen, dass die Eltern der Jungen nicht wissen, was ihren Söhnen zugestoßen ist.«

Er machte Anstalten, zu protestieren, doch sie schnitt ihm das Wort ab.

»Wer immer das getan hat, war eiskalt, Beck, und das bist du nicht.«

Er schnaubte. »Kommt drauf an, mit wem du redest.«

Ein Gedanke tauchte in ihrem Kopf auf, der absolut verräterisch war. »Ich hasse es wirklich, das zu sagen, aber möglicherweise tut Justine dir einen Gefallen.«

»Was? Wie kannst du so etwas denken?«, fragte er zornig.

»Sie hat die Leute dazu gebracht, über die vermissten

Jungen zu reden. Ich weiß, das ist nicht das, was du wolltest, aber jetzt solltest du dich dahinterklemmen und darauf bestehen, dass der Sheriff den Fall noch einmal aufrollt und herausfindet, was wirklich passiert ist.«

»O Mann, du bist verrückt«, antwortete Beck, schüttelte heftig den Kopf und sprang erneut vom Truck, um ein paar Schritte zu gehen. »Sie könnten mich wegen Mordes anklagen.«

»Sieben Jahre später?«

»Das spielt keine Rolle. Ich könnte für den Rest meines Lebens ins Gefängnis kommen … oder hingerichtet werden«, erwiderte er, wobei er ihr den Rücken zukehrte. Es war, als versuchte er, sich selbst vor der Wahrheit zu schützen.

»Auf der Grundlage welchen Beweises sollte man dich verurteilen?«, sagte sie. »Sie haben keinen, oder du säßest schon längst im Knast.«

»Das ist mir egal. Lass die Leute denken, ich sei ein Mörder. Es ist völlig egal.«

*Nein, es ist nicht egal. Das ist es, was dich all die Jahre zurückgehalten hat.*

Dies war der Augenblick in Becks Leben, in dem sich alles zum Besseren wenden konnte. Wenn er weiterhin vor seiner Vergangenheit davonrannte, würde er niemals eine Zukunft haben.

Riley wappnete sich für das, was jetzt kam. Es würde ihnen beiden weh tun.

»Eines Tages wirst du genau so sein wie deine Mutter, weißt du das? Ich sehe es schon vor mir.«

Außer sich vor Zorn wirbelte Beck herum. »Wage nicht, so etwas zu sagen.«

»Nicht? Du hast mir gesagt, dass sie alles Gute nimmt und es verdreht, bis es böse ist. Du machst es genauso. Es gibt Menschen, denen du etwas bedeutest, aber du stößt sie fort, weil du nicht willst, dass dir irgendjemand zu nahe kommt. Du hast Angst, um Hilfe zu bitten, weil du überzeugt bist, dass jeder dein Feind ist.«

Seine Augen funkelten. »Vorsicht, Mädel. Du gehst zu weit, selbst für Pauls Tochter.«

Er musste alles hören. »Du tust alles, damit du ja scheiterst. Wenn du wegen Justines Artikel kein Meister werden kannst, dann wirst du behaupten, dass sich die Welt gegen dich verschworen hat. Du wirst alles und jeden hassen.«

Riley zitterte so heftig, dass es ihr schwerfiel, die Worte auszusprechen. »Dann wird es ganz leicht sein, den ganzen Ärger zu ersäufen, es hat ja ohnehin niemand jemals geglaubt, Sadies unehelicher Sohn sei auch nur einen Penny wert. Und du wirst allen beweisen, dass sie recht hatte.«

Sie holte zum letzten Schlag aus. »Du wirst genauso sterben wie sie – alt und verbittert und einsam.«

Beck zitterte ebenfalls, aber, wie sie glaubte, vor Wut. Langsam näherte Riley sich ihm, unsicher, ob das, was sie vorhatte, klug war. Es wurde Zeit, Worte nicht länger als Waffen einzusetzen.

Behutsam legte sie eine Hand auf seine sich hektisch hebende Brust. »Hier drinnen schlägt das Herz eines guten Mannes, eines ehrlichen Mannes. Eines Helden«, sagte sie mit gedämpfter Stimme. »Er stürzt sich in die

Flammen und riskiert sein Leben, um andere zu retten.«
Sie blickte auf zu den gequälten Augen. »Wird es nicht
langsam Zeit, dass er sich selbst rettet?«

Beck schnappte nach Luft, als hätte sie ihn in den Magen
geschlagen.

»O Mann, du gehst einem ja echt an die Gurgel, was?« Er
schaute über ihren Kopf hinweg in die Ferne. »Und du
meinst, dieser sogenannte Held sei es wert, gerettet zu
werden?«

»Natürlich«, sagte sie und lächelte ihm zaghaft zu. »Aber
er muss derjenige sein, der die Wahrheit einfordert, egal,
was für ein Risiko das birgt. Er muss daran glauben, dass
er es wert ist, gerettet zu werden.«

»Ich weiß nicht, wo ich anfangen soll«, gab er zu.

Widerstrebend nahm Riley ihre Hand fort. Sie mochte das
Gefühl, seinen Herzschlag unter ihr zu spüren, doch jetzt
kam ihre praktische Seite wieder durch. »Irgendjemand
weiß, was geschehen ist. Komm schon, die Leute hier
können dir erzählen, wie viele Scheiben Toast der Nach-
bar zum Frühstück gegessen hat. Irgendjemand hat bestimmt irgendetwas gesehen. Wir müssen nur ein paar
Steine umdrehen und abwarten, was darunter hervorge-
krochen kommt.«

»Wenn jemand die beiden umgebracht hat, könnte es
böse enden«, sagte Beck.

»Ich weiß, aber jetzt hast du die Chance, es richtigzustellen. Du hast die Chance, dafür zu sorgen, dass die Eltern
der Jungen die Wahrheit erfahren.«

Beck senkte den Blick, sagte aber nichts.

»Hör zu, wenn du das echt nicht machen willst, dann haue ich ab. Ich packe meinen Kram und fahre morgen nach Hause. Es liegt allein bei dir. Schon immer.«

»Ich … ach, verdammt«, sagte er und bohrte seine Stiefelspitze in den Sand. Ein weiterer seiner Schutzwälle bekam Risse und fiel mit tiefem Grollen in sich zusammen. »Ich möchte, dass du hier bei mir bleibst.«

Beck hob den Blick, um sie anzusehen. »Aber ich habe Angst, Riley. Ja, du hast richtig gehört. Ich habe Angst vor dem, was auf uns zukommt, und irgendwas kommt da. Ich spüre es in den Knochen. Und ich will nicht, dass dir etwas zustößt.«

»Was immer kommt, wir werden es gemeinsam durchstehen. Das haben wir zuvor schon geschafft, und wir werden es wieder schaffen.«

Ein scheues Lächeln bildete sich in seinem Gesicht. »Du bist genauso unerschütterlich wie deine Mom. Paul sagte, er wusste, dass er alles überleben würde, solange er sie an seiner Seite wusste.«

»Ich bin nicht meine Mom«, sagte sie wehmütig. »Ich wünschte, ich wäre es, aber ich werde tun, was ich kann, um dir zu helfen.«

»O Gott … Okay, dann setzen wir alles auf eine Karte. Alles oder nichts.«

»Das ist der Beck, den ich kenne«, sagte sie lächelnd.

Stirnrunzelnd stapfte er mit dem Fuß auf. »Verdammt, ich habe Sand in den Stiefeln. Ich hasse es.«

Schlagartig löste sich die Spannung, und sie kickte noch mehr Sand auf ihn.

»Hey, lass das!«, rief er und kickte eine Sandwolke auf sie.

Dann hielten sie inne und musterten einander.

»Du könntest es bedauern, hier bei mir geblieben zu sein«, sagte er ernst.

»Schon möglich. Aber wenn ich in Atlanta wäre, würde ich mich pausenlos um dich sorgen, bis du nach Hause kommst.«

»Du ... so viel bedeute ich dir?«

»Mehr.«

»Ich habe keine Ahnung, wieso«, sagte er, ruhiger als vorher.

»Ich auch nicht«, erwiderte sie, »aber so ist es nun einmal.« Mit dieser Erklärung gab er sich zufrieden.

Als sie zurück zum Truck gingen, spürte Riley, wie ihre Anspannung nachließ. Ihr Ausbruch hätte böse nach hinten losgehen können, doch stattdessen schien Beck genau das gebraucht zu haben, damit sie an ihn herankam.

Als das Zwielicht um sie herum stärker wurde, aß Beck schweigend ein Stück Pizza, ohne Zweifel ließ er sich ihre Worte noch einmal durch den Kopf gehen. Dann wischte er sich seine Hände an der Serviette ab.

»Es gab da noch eine andere Frau, in die ich verliebt war. Wir haben uns bei der Army kennengelernt. Sie hieß Caitlin.«

Er hatte sie zuvor schon einmal erwähnt. »Diejenige, der man nicht anhörte, dass sie aus dem Süden stammte.«

»Genau. Caitie war echt klasse.« Er sah Riley an. »Wir haben uns ziemlich schnell ineinander verliebt. Ich habe sie sogar gefragt, ob sie mich heiraten will, aber es klappte nicht.« Er schüttelte den Kopf. »Sie entschied, dass ich nicht der Richtige für sie bin.«

Riley hatte nicht gewusst, dass es ihm mit der Frau so ernst gewesen war.

»Warum nicht? Was stimmt nicht mit dir?«, fragte sie entrüstet. »Du schnarchst nicht, wenn du schläfst. Zumindest nicht allzu sehr.«

»Das war es nicht. Ich nahm sie mit hierher, damit sie Sadie kennenlernt, und das war's. Was immer die alte Dame ihr erzählt hat, danach war Caitie weg. Sie hat mir nie erzählt, warum.«

Riley hatte eine ziemlich genaue Vorstellung von dem, was passiert war: Sadie hatte dasselbe Spielchen mit der Verlobten ihres Sohnes gespielt, das sie auch bei Riley probiert hatte. In Caitlins Fall hatte es funktioniert.

»War da noch eine, bei der es dir richtig ernst war?« Es war ihr wichtig, zu wissen, wie oft er sein Herz verschenkt hatte.

Beck schüttelte den Kopf. »Es ist leichter für mich, einfach jemanden abzuschleppen, wenn mir danach ist. Auf diese Weise, na ja ...«

»Wirst du nicht verletzt«, sagte sie.

Er musterte sie eindringlich. »Du weißt, wohin das führt, oder?«

»Diese ständige Abschlepperei? Nein.« Das war nicht ihr Stil. »Oder meinst du das mit dem Verletztwerden?«

*Das kannte sie nur zu gut.*

Als Beck durch die zunehmende Dunkelheit fuhr, kreisten seine Gedanken um alles, was Riley gesagt hatte. Sie hatte ihn zur Weißglut getrieben, hatte ihn wahnsinnig gemacht, aber egal, wie sehr er es leugnen wollte, sie hatte die Wahrheit ausgesprochen. Wenn ihm seine Zukunft wirklich egal wäre, warum versuchte er dann, Lesen und Schreiben zu lernen, und arbeitete so hart daran, sich ein neues Leben aufzubauen?

Der Sheriff würde ihm helfen. Donovan konnte nicht mehr ruhig schlafen, seit die beiden Jungs verschwunden waren. Und Riley war gut darin, Geheimnisse aufzudecken, die Menschen lieber geheim halten wollten. Er hatte das erlebt, als sie den Betrug mit dem Weihwasser enttarnt hatte. Damit hatte er zwei starke Mitstreiter auf seiner Seite, Menschen, die an ihn glaubten. Vielleicht war es an der Zeit, herauszufinden, was Brad und Nate tatsächlich zugestoßen war. Dann würde er nachts wahrscheinlich auch besser schlafen.

*Was, wenn wir es nicht herausfinden?* Was, wenn die Wahrheit verborgen blieb und der Bundesverband ihm deswegen die Zulassung zum Meister verweigerte?

Er spürte heftigen Trotz in sich aufsteigen. Falls die Zunft ihm blöd kam, würde er eben als Freiberufler arbeiten. Es war nicht so ehrenhaft wie für die Zunft zu arbeiten, aber von irgendetwas musste er schließlich leben. Vielleicht würde Riley sich ihm anschließen, und sie könnten zusammen auf Dämonenfang gehen.

Er warf Riley einen raschen Blick zu und schaute dann wieder auf die Straße. Er war sich nicht ganz sicher, wie er mit dem Mädel – er berichtigte sich, der jungen Frau – umgehen sollte, die so bedingungslos an ihn glaubte. Aber zuerst war da noch Sadie, mit der er fertig werden musste, und dann musste er versuchen, ein altes Unrecht wiedergutzumachen – sowohl um seinetwillen als auch für die vermissten Jungs.

## 8. Kapitel

Nachdem Riley sich ihr Schlafzeug angezogen hatte – sie hatte sich für T-Shirt und Shorts entschieden, da sie nicht wollte, dass Beck sie in ihrem Panda-Schlafanzug sah –, fand sie ihren Kerl in seinem eigenen Bett unter der Decke, ein Buch im Schoß. Es war dasselbe Buch, das sie an dem Abend in seinem Haus entdeckt hatte, als er in der Dämonenhochburg verletzt worden war. Dem Lesezeichen nach zu urteilen, war er noch nicht sehr viel weitergekommen.

*Zu beschäftigt damit, die Bösewichter zu bekämpfen.*

Gewissenhaft formte Beck beim Lesen jedes Wort mit den Lippen nach, und mit dem Finger folgte er dem, was er las. Hin und wieder hielt er inne und zog ein Blatt Papier zu Rate, das ihr Vater ihm gegeben hatte, das mit den Wortbeschreibungen. Dann las er weiter. Als er merkte, dass sie ihm zusah, klappte er das Buch verlegen zu.

»Mach weiter«, sagte sie. »Das Buch ist gut.«

»Woher weißt du das?«, fragte er und war sofort wieder auf der Hut.

»Ich sah es in deinem Schlafzimmer, in der Nacht, als ich bei dir war. Dad hat dir dabei geholfen, oder?«

Becks Skepsis verschwand, als sie ihren Vater erwähnte.

»Ja. Er hat mir die Wörter erklärt, die ich nicht verstand, und hat sie für mich rausgeschrieben. Dann musste ich sie immer wieder abschreiben, bis ich sie richtig buchstabieren konnte.«

»So habe ich es auch gelernt«, sagte sie und setzte sich auf die Bettkante.

»Du bist klüger als ich.«

»Das glaube ich kaum.« Sie deutete auf das Buch. »Kann ich dir dabei helfen?«

»Ich glaube, ich habe alles«, sagte er. »Dieses Buch ist viel schwieriger als die, die ich normalerweise lese. Es dauert ewig.«

»Aber du schaffst es schon«, sagte sie.

»Ich nehme es an. Ich glaube nicht, dass ich jemals so lesen werde wie die meisten Leute.«

»Zumindest versuchst du es. Das ist es, was zählt.«

Er widmete sich nicht wieder der Geschichte, sondern starrte ins Nichts. Das Buch lag vergessen in seinen Händen.

»Beck?«

»Hmmm?«

»Hat deine Mutter dich echt im Sumpf ausgesetzt? Ich muss die Wahrheit wissen.«

*Damit ich weiß, ob sie nur eine Lügnerin oder wirklich bösartig ist.*

Er sank gegen das Kopfbrett und rieb sich die Augen. »Sobald ich einmal damit anfange, gibt es kein Halten mehr, Riley. Da ist so vieles.«

»Damit komme ich klar«, drängte sie. »Sprich mit mir,

Beck. Das alles frisst dich auf, wie der Krebs deine Mutter auffrisst.«

Er blickte zu ihr auf. »So habe ich es noch nie gesehen.« Beck legte das Buch auf den Nachttisch, sein Kinn war angespannt. »Ich war acht. Sie hatte getrunken, und wir haben uns tierisch gestritten. Es war das erste Mal, dass ich mich gegen sie gewehrt habe.« Er seufzte.

Riley biss sich auf die Lippen.

»Ich dachte immer, mein Dad würde eines Tages nach Hause kommen, und wenn er sie dann so sehen würde …«

*Dann würde er gleich wieder abhauen.*

»Am nächsten Nachmittag steckte sie mich direkt nach der Schule ins Auto. Wir waren ziemlich lange unterwegs, und ich hatte keine Ahnung, wohin wir fuhren. Als ich sie fragte, sagte sie, es sei ein Test, ob sie mir vertrauen könne.«

Nur mit Mühe konnte Riley verbergen, dass sie am ganzen Leib erschauderte.

»Sadie fuhr rüber bis zum westlichen Rand von Okefenokee, in den Nationalpark und dann in den Sumpf. Sie schien genau zu wissen, wohin sie fuhr, also sagte ich nichts. Ich dachte, es könnte zur Abwechslung mal Spaß machen, immerhin war es Freitagnachmittag und so.«

Riley konnte sich gut vorstellen, wie es für ihn gewesen sein musste, mit seiner Mom zusammen einen Ausflug zu machen. Er musste ganz aus dem Häuschen gewesen sein, vor allem nach so einem heftigen Streit. Vermutlich hatte er gedacht, die Dinge zwischen ihnen würden sich zum Guten wenden.

»Sadie parkte den Wagen, und dann wanderten wir los. Ich wusste nicht, wie weit wir liefen, aber es war echt anstrengend. Wir gingen immer tiefer in den Sumpf hinein. Nach einer Weile bekam ich Angst, aber sie scheuchte mich weiter. Schließlich blieb sie stehen.«

Er nestelte an seinem Bettzeug herum.

»Ich kann mich noch an ihren Gesichtsausdruck erinnern. Er war so … grausam.« Er räusperte sich. »›Bleib hier, Denver‹«, sagte sie. »›Wenn du genau hier bleibst und nicht weinst, verrate ich dir den Namen von deinem Dad.‹«

Riley starrte ihn mit offenem Mund auf. »Und du hast ihr geglaubt?«

»Zum Teufel, ja«, schnauzte Beck. »Ich war ein Kind. Ich wollte nur, dass sie mich liebt, und wenn das bedeutete, dass ich dort draußen bleiben musste, dann würde ich das tun.«

»O mein Gott«, sagte Riley und begann zu frösteln. Sadie hatte den einzigen Köder benutzt, dem ihr Sohn niemals widerstehen könnte. Diese Frau *war* bösartig.

Becks zu Fäusten geballte Hände lagen neben ihm. Als er es merkte, zwang er sich, sie zu lockern und schlaff auf die Decke fallen zu lassen.

»Sadie sagte, sie würde mir beibringen, mich um mich selbst zu kümmern, weil kein anderer das tun würde.«

»Wie lange warst du …« Riley brachte die Frage kaum heraus.

»Zwei Tage und drei Nächte. Am zweiten Morgen wusste ich, dass sie nicht zurückkommen würde, um mich zu holen, also bin ich selbst losgezogen. Kurz vor Sonnenuntergang fand mich der Park-Ranger.«

»Woher wusste er, wo er nach dir suchen soll?«

»Das wusste er nicht, aber zu dem Zeitpunkt wusste Donovan bereits, dass ich verschwunden war, also war er in Alarmbereitschaft.« Beck strich erneut mit der Hand über die Decke und glättete die Falten.

»Warum zum Teufel sitzt sie nicht im Gefängnis?«, wollte Riley wissen. Als er nicht antwortete, wusste sie Bescheid. »Du hast ihnen nicht erzählt, was wirklich passiert ist, oder?«

Beck schüttelte den Kopf. »Ich hab gesagt, ich wäre weggelaufen. Donovan wusste es besser, aber er hatte keinen Beweis. Sie hatten nichts gegen Sadie in der Hand.«

»Aber sie hat dich zurückgelassen, damit du stirbst!«, protestierte sie, außer sich vor Zorn, dass so etwas Entsetzliches ungestraft blieb.

»Ich weiß«, sagte er mit bebender Stimme. »Aber wenn du willst, dass jemand dich liebt, würdest du alles dafür tun. Sogar für denjenigen lügen.«

*Dann hat sie dir nie von deinem Vater erzählt. Was für ein kaltherziges Miststück.*

Jetzt verstand Riley, wo diese abgrundtiefe Traurigkeit in seinem Blick herrührte. Er war von dem Menschen verraten worden, der immer für ihn hätte da sein sollen.

Als hätte die Beichte ihn erschöpft, knipste Beck die Leselampe aus und rollte sich mit dem Rücken zu ihr zusammen. So würde sie es machen, wenn sie nicht wollte, dass er ihre Tränen sah. Er mochte zwar fast dreiundzwanzig Jahre alt sein, er war im Krieg gewesen und zurückgekehrt, aber tief im Innersten war er immer noch der kleine Junge im Sumpf. Er würde immer danach lechzen, von der einen Frau angenommen zu werden, die sich keinen Deut um ihn scherte.

»Beck?«

»Ja?« Seine Stimme klang dumpf.

»Sadie hasst dich, weil du vom Moment deiner Geburt besser warst als sie.«

Er drehte sich um, in seinen Augen schimmerte es.

»Meinst du das wirklich ernst?«

»Ja. Und ich werde jedem das Maul stopfen, der etwas anderes behauptet«, sagte sie trotzig. Sie hatte die Fäuste geballt.

»Möglicherweise wirst du diese Worte belegen müssen, wenn wir sehr viel länger in dieser Stadt bleiben.«

»Dann lass uns tun, was wir tun müssen, und nach Hause fahren«, sagte sie.

Mit einem gemurmelten »Yeah« drehte er sich wieder um und verkroch sich wieder in seinem Schneckenhaus.

Sie blickte zu ihm herunter, wie er mit zerstrubbeltem Haar im zerwühlten Bett lag. Er wirkte so verloren, dass sie ihn am liebsten in den Arm genommen und nie wieder losgelassen hätte. Jedes Mal, wenn er mehr von seinem Schutzschild fallen ließ, entdeckte sie mehr von seinen Hoffnungen, Träumen und dem versteckten Schmerz. Und jede Enthüllung verstärkte nur ihre Liebe für ihn.

Riley ließ die Türen zwischen ihren Zimmern offen, mehr um seinet- als um ihretwegen. Sie wollte nicht, dass Beck glaubte, sie würde ihm nicht vertrauen, vor allem jetzt nicht.

Als sie sich in ihrem eigenen Bett zusammenrollte, sammelten sich Tränen in ihren Augen. Ein paar galten ihren Eltern und der klaffenden Lücke, die ihr Tod bei ihr hinterlassen hatte. Die meisten galten jedoch dem kleinen, flachsblonden Jungen, der beinahe gestorben wäre, als er versuchte zu beweisen, dass er die Liebe seiner Mutter verdiente.

Riley wachte davon auf, dass jemand unablässig murmelnd sprach. Das Gemurmel wurde lauter, dann schrie Beck voller Entsetzen auf. Sie schwang die Füße aus dem Bett und eilte in sein Zimmer.

»Beck?«

Er saß kerzengerade im Bett, zitterte am ganzen Leib und atmete schwer. Auf seiner Stirn glitzerten Schweißperlen. *Ein Albtraum.* Sie wusste, wie das war.

Riley sank auf das Bett neben ihm und wartete, bis er ein wenig wacher war.

»Schlimm?«, fragte sie leise. Ein Nicken. »Dämonen?« Er schüttelte den Kopf. »Der Krieg?«

»Ja. Es ist immer derselbe Traum.«

»Willst du darüber reden?«

Er schüttelte erneut den Kopf. »Irgendwann vielleicht.«

Ohne zu zögern, schlang Riley ihre Arme um ihn und

drückte ihn. Als sie ihn nach einer Weile loslassen wollte, ließ er sie nicht. Es ging nicht nur um den Albtraum. Hier in der Stadt war er schutzlos, und er hatte Angst, genau, wie er gesagt hatte.

Riley war sich nicht sicher, ob sie wusste, wie sich die Finsternis vertreiben ließ, aber sie würde ihr Bestes geben und einfach da sein. Sie brachte ihn dazu, sich wieder hinzulegen, dann schmiegte sie sich an seinen Rücken, nahm ihn fest in die Arme und blieb so liegen, bis er in einen tiefen Schlaf fiel.

Der Morgen brachte allerlei Geräusche mit sich, das Rauschen der Dusche, dann das Brummen des elektrischen Rasierers. Schließlich öffnete Riley blinzelnd die Augen. Durch die Verbindungstür beobachtete sie, wie Beck vor einem großen Wandspiegel stand, nur mit einer engen, schwarzen Unterhose bekleidet, und den Stoppeln an seinem Kinn zu Leibe rückte. Wenn er sich Sorgen gemacht hätte, dass sie ihn in Unterwäsche sah, hätte er die Tür geschlossen.

Riley seufzte bewundernd, als sie die Szene auskostete, und ließ den Blick vom Scheitel hinunter bis zu seinen Waden und langsam wieder nach oben gleiten. Die lange, schartige Operationsnarbe an der linken Hüfte fesselte ihre Aufmerksamkeit. Das sah nicht nach einer Dämonenwunde aus.

*Wahrscheinlich vom Krieg.* Ihr Blick wanderte weiter. Der Dorftrottel hatte einen der schärfsten Hintern, die sie je gesehen hatte, und seine Brust und Schultern waren mit genau der richtigen Menge Muskeln gepolstert. Die genauere Betrachtung hatte sich eindeutig gelohnt.

Dann begegneten sich ihre Blicke im Spiegel.

»Gefällt dir der Anblick?«, grinste er.

*Ertappt.* »Es wäre mir lieber, wenn da ein paar mehr Klamotten wären«, sagte sie und zog sich die Decke über den Kopf, damit er nicht sah, wie rot sie wurde.

»Du lügst«, erwiderte er lachend. Kurz darauf sank das Fußende ihres Bettes ein. Sie spähte unter der Decke hervor und stellte fest, dass er auf der Bettkante saß und seine dicken Socken anzog.

»Wie spät ist es?«, murmelte sie.

»Kurz nach sieben.« Er zog einen Stiefel an und schnürte ihn fachmännisch zu. »Ziemlich spät für meine Begriffe.« Der zweite Stiefel folgte, und er machte genau wie beim ersten einen Doppelknoten. »Was hältst du davon, wenn ich was zu essen organisiere, während du dich fertig machst?«

»Klingt gut.« *Komm in ein paar Stunden wieder …*

»Reicht dir ein Sandwich zum Frühstück? Und Orangensaft?«

Es war geradezu unverschämt früh, um jetzt schon übers Essen zu reden. »Egal.«

»Kaffee?«

»Tee. Heiß.«

»Ich bleibe nicht lange weg, also schlaf nicht wieder ein, hörst du?«

Riley murmelte einen leisen Fluch vor sich hin. Selbst ihr

Dad hatte begriffen, dass sie morgens eine Weile brauchte, um in die Gänge zu kommen. Die Tür zu ihrem Zimmer wurde geschlossen, und kurz darauf erwachte Becks Truck röhrend zum Leben und machte sich auf den Weg zu irgendeiner Futterstelle. Sie drehte sich um, genoss den Frieden und die Ruhe. Sie driftete gerade wieder in den Schlaf, als ihr Telefon klingelte. Sie tastete auf dem Nachttisch danach und machte sich nicht die Mühe, auf das Display zu schauen.

»Hallo?«, knurrte sie.

»Willst du auch Kartoffelpuffer?«, fragte Beck. Er klang amüsiert. Das machte er mit Absicht. »Riley? Ich habe dich doch nicht etwa aufgeweckt?« Dann lachte er.

*Blödmann.*

Riley schaltete das Telefon aus und warf es auf den Nachttisch. »Also gut!«, fauchte sie. »Du hast gewonnen. Ich bin wach!«

Als sie sich in die Dusche schleppte, wusste sie eines ganz sicher: Wenn Beck heute Nacht wieder einen Albtraum haben sollte und auf ihr Mitgefühl zählte, dann hatte er sich schwer getäuscht.

Tief über das Buch gebeugt, dauerte es einen Moment, bis Stewart begriff, dass er nicht allein war. Er schaute auf, und sein Blick blieb an der Gestalt in der Tür zur Bibliothek hängen.

Der gefallene Engel, der Pauls Tochter verführt hatte, musterte ihn mit ernster Miene.

»Du lebst also«, sagte Stewart und schloss das Buch mit einem dumpfen Knall. »Und wagst es, das Haus eines Großmeisters ohne seine Erlaubnis zu betreten.«

Statt einer Antwort warf Ori ihm eines von Stewarts eigenen Schwertern zu, und der Meister fing es mit einer Hand auf. Trotz seines kaputten Beines erhob er sich mit einer flinken Bewegung.

»Falls du versuchen willst, mich zu töten, wird es nicht in diesem Raum geschehen. Ich werde nicht zulassen, dass dein blaues Blut meine kostbaren Bücher besudelt.«

»Ich bin nicht deinetwegen gekommen, Angus Niall Stewart.«

»Warum dann das Schwert?«

»Ich dachte, es würde dich beruhigen, solange ich in der Nähe bin.«

Stewart schnaubte spöttisch. »Gott, du bist genauso arrogant wie dein Gebieter.« Er machte eine Handbewegung. »Wenn du nicht gekommen bist, um zu kämpfen, dann nimm Platz, Engel.«

Ori zog einen Sessel heran und setzte sich dem Meister gegenüber. Im Großen und Ganzen sah er aus wie auf dem Friedhof, doch es gab eine leichte Veränderung. Die dunklen Augen wirkten kälter, animalischer. *Gehetzt.*

»Weiß dein Boss von diesem Plauderstündchen?«, fragte Stewart, während er das Schwert auf den Tisch zwischen ihnen legte.

Keine Antwort.

»Sieh mal, deine Zeit hier unten ist abgelaufen. Ich bin nicht besonders erfreut, dich in meinem Haus zu haben, also solltest du besser anfangen zu reden, oder ich werde von dem Schwert Gebrauch machen.«

»So viel zu der berühmten schottischen Gastfreundschaft«, erwiderte Ori. »In der Hölle herrscht Aufruhr. Sartael liegt immer noch in Ketten, aber seine Anhänger haben noch nicht aufgegeben.«

»Und?«

»Es ist nur eine Frage der Zeit, bis diese Anhänger ihren Herrn befreien.«

»Während der Höllenfürst nicht hinsieht? Das bezweifle ich. Wenn Sartael befreit wird, dann, weil Luzifer es wünscht.«

»Dem Höllenfürsten entgleitet die Kontrolle. Es gibt einige, die sich eine … Veränderung wünschen. Und manche meinen, ich solle an die Stelle meines Gebieters treten.«

»Tatsächlich?«, erwiderte Stewart. »Sieht so aus, als müsste ich heute tatsächlich noch jemanden töten.«

»Du kannst es ja versuchen«, erwiderte der Engel gleichgültig.

»Wenn wir schon die Karten auf den Tisch legen, bist du in Besitz von Riley Blackthornes Seele?«

»Ja. Ich habe sie während der Schlacht auf dem Friedhof angenommen. Die Tatsache, dass ich sie nicht Luzifer angeboten habe, ist Teil der Meinungsverschiedenheit zwischen uns.«

Das überraschte Stewart. »Warum hast du es nicht getan? So ist es doch üblich.«

»Riley hat ihre eigenen Bedingungen gestellt: Ihre Seele gehört mir, aber ich bin nicht befugt, sie jemand anderem zu übergeben, nicht einmal dem Höllenfürsten. Wenn ich vor ihr sterbe, sind ihre Schulden mit der Hölle beglichen.« Als der Meister ihn verwirrt ansah, fügte er hinzu: »Ich schwöre beim Licht, dass ich diesen Schwur nicht brechen kann.«

Nachdenklich lehnte Stewart sich in seinem Sessel zurück. »Kein Wunder, dass du jetzt Ärger mit deinem Boss hast. Aber das ist nicht alles.« Er runzelte die Stirn. »Da ist noch etwas.«

Oris Miene verfinsterte sich. »Ich ersehnte den Tod, doch er wurde mir nicht gewährt. Ich bin ein göttliches Wesen, und doch behandelt er mich nicht anders als irgendeinen seiner ruchlosen Dämonen.«

»Ich verstehe. Du hast mir aber immer noch nicht erzählt, warum du hier bist.«

»Weil ich jene richte, die Luzifer verraten, ist jede sterbliche Seele, die ich genommen habe, in Gefahr. Die Dämonen werden alles tun, diejenige Person zu zerstören, um Rache an mir zu üben. In der Vergangenheit habe ich jede Seele, die mir gehörte, umgehend meinem Gebieter überantwortet, um das Leben des Sterblichen zu retten, denn wenn Luzifer involviert ist, ist die Wahrscheinlichkeit geringer, dass die Dämonen ihnen etwas antun.«

»Aber das gilt nicht für Rileys Seele.«

»So ist es. Als sie ihre Bedingungen stellte, sah ich einen Ausweg. Ich würde sterben, und sie wäre frei. Doch da ich immer noch am Leben bin und die Bestimmungen unserer Abmachung es mir nicht gestatten, ihre Seele jemand anderem zu übergeben, ist sie in großer Gefahr.«

Stewart strich sich übers Kinn. »Wenn ich es nicht besser wüsste, könnte ich schwören, ich würde mit jemandem aus dem Team des Himmels reden anstatt mit einem gefallenen Engel. Euresgleichen seid bekannt dafür, dass ihr euer Wort nicht haltet.«

»Ich halte mein Wort«, erwiderte Ori hitzig. »Darum muss Riley …« Er seufzte. »Um am Leben zu bleiben, wird sie mehr opfern müssen als ihre Seele. Sie muss ihr Leben dem Überleben widmen, sie muss lernen, wie sie meine Feinde vernichten kann, wenn diese ihr nachstellen.«

»Ich könnte dich auch einfach töten. Dann wäre sie frei.«

»Selbst, wenn du es könntest, wäre sie immer noch in Gefahr. Sie muss wissen, wie man Luzifers Feinde bekämpft. Ich bin der Einzige, der es sie lehren kann.«

»Das ist also der wahre Grund für dein Kommen.« Stewart seufzte. »Wann soll die Ausbildung beginnen?«

Ori schloss die Augen, als versuchte er festzustellen, wie bedroht Rileys Leben war. »Sobald sie mit dem Dämonenfänger fertig ist. Vorausgesetzt, sie ist dann noch am Leben.«

## 9. Kapitel

»Möbelgeschäft und Bestattungsinstitut?«, fragte Riley und spähte hinauf zum verwitterten Schild an dem alten Backsteingebäude. »Man kann also einen Sarg und ein neues Sofa auf einmal kaufen?«

»Urteile nicht nach deinen Erfahrungen aus der Großstadt über uns«, sagte Beck ungehalten. »Die Leute hier unten müssen mehr als einen Job machen, um über die Runden zu kommen.«

»Ich urteile über niemanden, Beck. Ich versuche nur, es zu verstehen. Und du musst zugeben, dass es eine bizarre Kombination ist.«

»Aber nicht so ungewöhnlich. Vor ein paar Jahrhunderten hat derjenige, der die Möbel schreinerte, auch die Särge gezimmert.«

»Woher weißt du das?«, fragte sie verblüfft.

»Hab's in irgendeiner Fernsehsendung gesehen.«

Riley folgte ihm in das Gebäude und stellte fest, dass es ein Möbelgeschäft wie jedes andere war, mit einer ganz anständigen Auswahl an Sofas, Sesseln, Tischen und sogar ein paar großen Flachbildfernsehern. Alles, was man an Möbeln auch in Atlanta finden konnte, nur auf kleinerem Raum.

Der Besitzer, ein Mann mittleren Alters mit schweren Hängebacken, sah sie näher kommen.

»Denny. Ich hab gehört, dass du wieder in der Stadt bist.«

Riley seufzte stumm. *Wenn noch ein Mensch diesen Satz sagt, schreie ich.*

»Hey, Bert. Wie läuft's so?«

»Ganz gut. Wer ist denn diese junge Dame?«

Beck deutete auf sie. »Das ist Riley Blackthorne. Sie hilft mir bei Sadie.«

»Bert McGovern«, sagte der Mann und streckte die Hand aus. Riley schüttelte sie, weil sie nicht wusste, was sie sonst machen sollte. Kaum hatte sie ihn berührt, beschlich sie ein merkwürdiges Gefühl. Wahrscheinlich, weil er ein Leichenbestatter war.

McGovern richtete seine Aufmerksamkeit wieder auf Beck. »Was kann ich für dich tun?«

»Auf mich kommt demnächst eine Beerdigung zu.«

»Ich verstehe. Ich habe letztes Jahr meine Mutter verloren. Das ist hart«, sagte der Mann und nickte mitfühlend. »Denkst du eher an eine Beisetzung oder eine Einäscherung?«

»Erdbestattung. Sie hat eine Grabstelle auf dem Friedhof.«

»Okay, dann komm mit nach hinten, und ich zeige dir, was ich dahabe. Ich habe sowohl schlichte als auch ausgefallene Särge, kommt drauf an, was du glaubst, was ihr gefallen würde.«

»Schlicht«, sagte Beck. »Wir Dämonenfänger verdienen nicht so viel.«

115

Riley folgte den Männern durch die Teppichabteilung in einen Raum mit tristen, beigefarbenen Wänden und einem auf Hochglanz polierten Holzfußboden. Sieben Särge standen sorgfältig aufgebaut in einer ordentlichen Reihe, die Deckel waren offen, und das glänzende weiße Futter sah aus wie das Innere eines Kokons. Sie machte einen Schritt in den Raum hinein, doch dann waren ihre Beine plötzlich wie aus Blei und weigerten sich, sie weiterzutragen. Obwohl sie dagegen ankämpfte, drängten lebhafte Erinnerungen an die Beerdigung ihres Vaters in ihr Bewusstsein, gefolgt von Bildern seines aufgebrochenen Sarges, nachdem er aus seinem Grab gestohlen worden war.

Beck hatte recht gehabt – vielleicht war es zu früh für sie, um sich dem auszusetzen. Sie hatte einen großen Teil der Trauer verdrängt, um weiterleben zu können, und jetzt drohten diese Gefühle, sie zu überwältigen.

Ihre Blicke trafen sich, und er wusste, was los war, ohne dass sie einen Ton sagen musste.

»Ich bin hier gleich fertig, falls du draußen warten möchtest«, sagte er leise.

Dankbar nickte Riley ihm zu und zog sich hastig zurück. Prompt überfiel sie ein schlechtes Gewissen: Sie sollte hier sein, um ihm beizustehen, nicht umgekehrt.

Sie suchte sich einen Sessel neben dem Schaufenster, von dem aus sie die vorbeikommenden Einheimischen beobachten konnte, um sich von dem Geschäft mit dem Tod abzulenken. Ein paar Passanten musterten kurz Becks Truck, wiesen einander darauf hin und unterhielten sich darüber. Riley konnte sich diese Gespräche vorstellen, vermutlich begannen sie alle mit dem Satz »Ich hab gehört, dass Denver Beck wieder in der Stadt ist.«

Nach fünf Minuten waren Beck und der Ladeninhaber sich einig. Offenkundig würde es eine eher schlichte Beerdigung werden.

»Sag dem Krankenhaus, sie sollen mich anrufen, wenn es so weit ist«, sagte McGovern. »Keine Angst, ich werde dafür sorgen, dass sie einen guten Abschied bekommt.«

»Mehr verlange ich gar nicht«, antwortete Beck.

Nach seinem Besuch beim Bestatter wirkte Beck ziemlich niedergeschlagen. Anstatt ihn zu drängen, mit ihr zu reden, folgte Riley ihm in einen winzigen Supermarkt, wo sie Reinigungsmittel kauften. Als sie sich vorbeugte, um eine Packung Putzschwämme zu begutachten, spürte sie plötzlich ein Kribbeln zwischen den Schulterblättern. Dann wisperte eine leise Stimme: »Blackthornes Tochter.«

Sie blickte auf und starrte in zwei rote Augen, die hinter dem Griff eines Wischmopps hervorlugten und sie ansahen. Es war ein Klepto-Dämon, einer der kleinen Einbrecher der Hölle, aber nicht derjenige, der in ihrer Wohnung lebte.

»Hallo, Dämon«, murmelte sie. Als sie den Gang hinunterging, hätte sie schwören können, dass der Bösling ihr folgte. Wahrscheinlich einer von Luzifers Handlangern, der sie im Auftrag des Big Boss im Auge behalten sollte.

Als sie eine Flasche Abflussreiniger einpackte, hörte sie Becks Stimme, tief und gepresst. Als ihm jemand antwortete, erkannte sie den Grund dafür. *Cole*. Sie glaubte nicht, dass der freiwillig einen Supermarkt betrat, also musste er ihnen absichtlich gefolgt sein.

»Du bist ein totaler Widerling, Hadley.«

»Wieso benimmst du dich wie ein Idiot?«, fragte Cole. »Du kannst doch unmöglich immer noch sauer sein wegen Lou. Komm drüber hinweg, Mann«, fügte er hinzu.

»Das ist Jahre her.«

»Für mich nicht.«

»Das ist dein Problem. Wie steht's denn mit der hübschen Tussi? Sie ist ein bisschen zu jung für dich, meinst du nicht?«

Riley schüttelte angewidert den Kopf. Wieso nur verwandelte das Testosteron Männer regelmäßig in Deppen? Cole reizte Beck absichtlich, wie ein Kind, das das größte Hornissennest weit und breit gefunden hatte. Er konnte nicht widerstehen, mit einem Stöckchen darin herumzustochern, um zu sehen, was passierte. Es war Zeit, die Sache zu beenden, ehe es unangenehm wurde und jemand, nämlich Beck, wegen Körperverletzung im Knast landete.

Riley bog um die Ecke, als hätte sie nichts gehört.

»Ich habe Fensterreiniger und Papiertücher.« Sie schaute hinüber zu dem anderen Kerl. »Cole«, sagte sie und ging an ihm vorbei. Wenn sie sich desinteressiert gab, würde er vielleicht sein Stöckchen nehmen und woanders weiterspielen.

»Wie wär's, wenn du und ich zusammen Eis essen gehen, Riley?«, rief er laut.

*Im Februar?* »Nein, danke. Ich habe zu viel zu tun«, sagte sie, ohne stehenzubleiben.

Beck knurrte leise etwas in sich hinein und holte zu ihr auf. Nachdem sie gezahlt und die Einkäufe in den Truck geladen hatten, beobachtete Cole sie vom Gehweg aus.

»Er ist merkwürdig«, murmelte Riley leise.

»Mehr als das«, erwiderte Beck, knallte die Heckklappe zu und schloss ab. »Er macht nichts als Ärger.«

Als Beck im Krankenhaus anrief, um zu hören, ob es Neuigkeiten gab, erklärte die Krankenschwester, Sadie werde immer schwächer – aber er hatte Rechnungen zu bezahlen und musste dem Sheriff einen Besuch abstatten.

»Ich könnte doch bei deiner Mutter sitzen, während du den Kram erledigst«, bot Riley an. »Solange du nicht bei ihr bist, könnte ich wenigstens da sein.«

»Bist du sicher?« Sie nickte bestätigend.

Riley mochte sich vielleicht entschieden haben, aber er war sich gar nicht sicher, ob das eine gute Idee war. Man könnte es als ein Zeichen des Vertrauens sehen, Pauls Tochter noch einmal in ihre Nähe zu lassen. Oder als extreme Blödheit. Trotz Rileys Versicherungen bestand die Gefahr, dass sie, wenn er sie nach seinen Besorgungen abholte, weinte und zurück nach Atlanta wollte. Dass sie unbedingt von ihm wegkommen wollte, genau wie Caitlin. *Nein. Nicht wie Caitlin.* Riley war jünger als Caitlin, aber sie hatte mehr Höllen überlebt als jeder andere, den er kannte. Caitlin hatte in Beck ihren Prinzen und Ritter gesehen, der sie mit zu seiner Burg nehmen und für immer beschützen würde. Riley war anders. Sie war zäh und hatte Narben, sowohl innerlich als auch äußerlich, und sie hatte sich jede davon bitter verdient. Sie hatte gelernt, dass gute Jungs sie genauso verarschen konnten wie böse.

Widerstrebend ließ Beck sie am Krankenhaus aussteigen, wobei er die ganze Zeit vor sich hin schimpfte, dass sie diese freundliche Geste noch bereuen würde. Wahrscheinlich hatte er recht.

Riley verriet ihm nicht, dass sie ihre Gründe hatte, warum sie einige Zeit ungestört mit Sadie verbringen wollte. Seine Mutter war ihr ein Rätsel, und um Beck besser zu verstehen, musste sie dieses Rätsel lösen.

Als sie Sadies Krankenzimmer betrat, stählte Riley sich innerlich, ehe sie um den Vorhang herumging. Das hatte sie jedes Mal getan, wenn sie ihre eigene Mom in ihrer letzten Lebenswoche besucht hatte. Dieses Mal war es nicht sehr viel anders, außer dass diese Patientin nicht besonders erpicht darauf war, sie zu sehen.

Sadies keuchender Atem strömte aus einem Körper, der eher wie ein Skelett als ein Wesen aus Fleisch und Blut wirkte. Die Haut spannte über den Knochen wie ein blasses Stück Pergament.

»Was willst du hier?«, sagte sie und beäugte Riley. »Willst du wissen, wie jemand aussieht, der gerade am Sterben ist?«

»Nein«, sagte Riley und weigerte sich, den Köder zu schlucken. »Das weiß ich bereits. Meine Mom ist an Krebs gestorben.«

Sadies finstere Miene wurde milder. »Wieso bist du dann hier?«

»Sie sollten nicht allein sein.«

»Ich war immer allein. Das ist jetzt auch egal.«

*Nur, weil du niemanden nah an dich herankommen lässt.*

»Wieso gibst du dich mit dem Jungen ab? Er hat dir nichts zu bieten.«

*Bis auf seine Liebe.* Aber das würde sie seiner Mutter nicht erzählen.

»Er ist ein prima Kerl, der mich gut behandelt und nicht versucht, mich zu verschaukeln. Brauche ich einen anderen Grund, um mit ihm zusammen zu sein?«

»Er verbirgt etwas, hält Dinge geheim.«

»Das tun wir alle«, erwiderte Riley. »Sie auch.«

Ein Stirnrunzeln überzog das Gesicht der Frau mit tiefen Falten. »Ach, so ist das. Er hat dich hergeschickt, um zu sehen, ob ich dir den Namen seines Vaters verrate.«

»Ich bin hier, weil ich es will, nicht, weil er mich darum gebeten hat.« Als sie Zorn in sich aufsteigen spürte, holte Riley hastig Luft. »Sie benutzen den Namen seines Vaters wie eine Waffe. Das ist nicht richtig, sondern nur gemein.«

»Kein Respekt vor den Sterbenden, was?«

»Ich werde Sie respektieren, wenn Sie dasselbe für Ihren Sohn tun.«

»Du hast eine scharfe Zunge«, schnaubte die Frau. »Aber du kennst nur einen Teil der Geschichte. Mein Sohn hat einige böse Dinge getan, aber davon willst du natürlich nichts hören.«

Riley wusste, dass sie wahrscheinlich nicht so streng mit dieser Frau sein sollte, doch genau so hatten sich die Leute ein Leben lang Sadie gegenüber verhalten: Sie hatten sie nie für ihre Halbwahrheiten oder die grausame Behandlung ihres Sohnes zur Rede gestellt.

*Jemand muss ihr die Stirn bieten. Und sich für Beck einsetzen.*

»Sie versuchen es schon wieder«, sagte sie kopfschüttelnd. »Sie versuchen, mir Angst zu machen, damit ich abhaue. Das funktioniert vielleicht bei anderen Frauen, aber nicht bei mir.« Ehe Sadie darauf reagieren konnte, fuhr sie fort: »Ich kenne nicht sämtliche von Becks Geheimnissen, noch nicht, aber er hat mir bereits von den zwei Jungs im Sumpf erzählt. Ich werde Ihnen Ihre Lügen also nicht abkaufen.«

Die Frau hustete heftig und lange. »Du hast keine Angst vor mir. Wieso nicht?«

*Weil ich der Hölle ins Auge geblickt habe und du nicht in einer Liga mit denen spielst.*

»Einfach so.«

»Du bist nicht wie diese anderen, die er nach Hause gebracht hat.«

»Caitlin?« Ein Nicken. »Warum haben Sie sie verscheucht?«

Sadie hob den Blick und sah sie an. »Ich musste rausfinden, ob sie zäh genug ist. Ist sie nicht.«

»Zäh genug für was?«

»Denver braucht kein verdammtes Prinzesschen. Er braucht jemand Knallhartes, der auf ihn aufpasst und ihn davon abhält, schlecht zu werden.«

Anscheinend hatte Becks Mom seine Freundinnen auf ihre eigene sadistische Weise gründlich auf die Probe gestellt. Wahrscheinlich war es besser, wenn ihr Sohn das nie erfuhr.

Riley wechselte das Thema. »Was glauben Sie, was den Keneally-Brüdern zugestoßen ist?«

Nach einem langen Hustenanfall antwortete Sadie schließlich: »Ich glaube nicht, dass irgendein Viech sie geschnappt hat, es sei denn, es hatte zwei Beine.«

»Beck war es nicht«, sagte Riley rundheraus.

»Ich weiß.«

*Und warum hast du dich dann nicht für deinen eigenen Sohn eingesetzt?*

Ohne etwas von Rileys stummem Wutausbruch zu ahnen, justierte Sadie den Sauerstoffschlauch in ihrer Nase neu. »Rede mit Lou Deming. Sie lebt noch in der Stadt. Sie ist jetzt verheiratet und bekommt bald ihr erstes Kind.« Eine Pause. »Sie war ganz in Ordnung.«

Näher war diese Frau einem Lob noch nie gekommen.

»Sie meinen, bis Cole sie Beck weggenommen hat?«

Sadies Miene wurde ausdruckslos. »Ja. Sie hätte wissen müssen, dass dieser Mistkerl ihr nichts als Ärger machen würde. Danach wurde es mit Denver noch schlimmer.«

Riley nahm sich vor, Becks Verflossene aufzuspüren und zu sehen, was diese Exfreundin, die *ganz in Ordnung* war, ihr erzählen konnte.

»Cole Hadley ist seinem Dad sehr ähnlich«, fügte Sadie hinzu. »Der hat auch ständig Ärger gemacht. Ich hätte es wissen müssen. Vertrau diesem Burschen nicht. Er taugt nichts.«

»Das habe ich bereits gemerkt.«

Cole hatte keine Chance bei ihr, selbst wenn er sich ein Paar Flügel wachsen ließe und behauptete, sie sei die Liebe seines Lebens.

Sadie fielen die Augen zu, erschöpft von der anstrengenden Unterhaltung. »Wenn du Denver siehst, sag dem Jungen, er soll den Arsch hochkriegen … und zur Abwechslung mal etwas richtig machen. Die Zeit wird ihm knapp.«

»Zeit wofür?«

Keine Antwort.

Klüger, als sie gekommen war, verließ Riley das Zimmer. Sie war entschlossener denn je, zusammen mit Beck die Wahrheit herauszufinden.

## 10. Kapitel

Als Erstes suchte Beck das Büro des Sheriffs auf, doch Donovan war nicht in der Stadt, also hinterließ er beim griesgrämigen Deputy Martin eine Nachricht. Dann fuhr er zur Bank und anschließend zur Post, um die Rechnungen zu bezahlen. Jeder Halt wurde vom Getuschel der Einheimischen begleitet. Er ignorierte sie, so gut er konnte, und machte sich mehr Sorgen darum, wie Riley und Sadie miteinander klarkamen.

Zum Schluss fuhr er noch einmal zum Bestattungsinstitut, wo McGovern ihn sofort in sein Büro führte, einen einigermaßen sauberen Raum mit einer Auswahl an Urnen auf einem hohen Regal.

»Hier ist ein Riese als Anzahlung«, sagte Beck und legte den Scheck auf den Schreibtisch. »Ich brauche eine Quittung.«

»Kein Problem«, erwiderte McGovern. Er füllte ein Formular aus und schob Beck den Zettel zu.

Auf dem Tisch vor ihm landete ein weiteres Blatt Papier. Argwöhnisch beugte er sich vor und betrachtete es wie eine zusammengerollte Schlange. Er konnte es nicht lesen.

»Was ist das?«

»Eine Vollmacht für die Bestattung. Du musst nur noch hier und hier unterschreiben«, sagte McGovern und deutete auf zwei Linien.

Während er tat wie geheißen, räumte der Bestatter im Raum herum.

»Hast du gehört, dass eine Lady hier unten war, die Fragen über die Keneally-Brüder gestellt hat?«, fragte McGovern.

*Justine.* »Dasselbe macht sie auch in Atlanta.«

»Ich halte das für keine gute Sache. Man sollte keine schlafenden Hunde wecken.«

Beck war mit der zweiten Unterschrift fertig und warf den Stift auf den Schreibtisch. »Du hast gut reden, du bist ja auch nicht derjenige, dem man die Schuld gibt. Zum Teufel, ich kann mir in dieser Stadt nicht einmal eine Pizza kaufen, weil die Leute überzeugt sind, dass ich ein Mörder bin.«

McGovern ging zu einem Aktenschrank hinter ihm, zog eine der Schubladen auf und steckte seine Hand hinein. »Und was glaubst du, wer es getan hat?«

»Wer weiß? Vielleicht der Typ, von dem Nate das Geld für den Alkohol und die Drogen hatte. Er sagte, wenn der Typ nicht tut, was er will, würde er ihm gewaltig an die Eier gehen.«

»Hm. So ein Pech, dass Donovan nie rausgekriegt hat, wer das war.«

»Allerdings. Aber vielleicht hat er jetzt Glück«, erwiderte Beck. »Ich werde Donovan bitten, die Ermittlungen wieder aufzunehmen und die Sache ein für alle Mal zu klären.

Ich will diese verdammte Geschichte aus der Welt haben, egal, wer deswegen dran glauben muss.«

Mit zurückhaltender Miene drehte McGovern sich zu ihm um. »Ich halte das für keine kluge Idee, Denny.«

»Das ist nicht dein Problem. Sind wir fertig?«

McGovern schloss die Schublade. »Im Moment. Es … könnte allerdings sein, dass du später noch einmal vorbeikommen musst.«

»Okay. Wir sehen uns.«

Beck traf Riley im Eingangsbereich des Krankenhauses und suchte ihr Gesicht nach irgendwelchen Hinweisen ab. Sie schien nicht geweint zu haben, was schon einmal ein gutes Zeichen war.

»Wie geht es ihr?«, fragte er.

»Sie schläft. Es wird nicht mehr … sehr lange dauern, Den.«

»Das habe ich mir schon gedacht. Und? Wie ist es gelaufen?«, fragte er und fürchtete sich vor der Antwort. Wenn Sadie in ihrer üblichen garstigen Verfassung gewesen war …

»Es war okay«, erwiderte Riley, als sie hinaus in den Sonnenschein traten. »Keine von uns hat versucht, die andere umzubringen. Ich denke, das ist ein guter Anfang.«

Er warf ihr einen raschen Blick zu. »Hat sie ihre Spielchen bei dir probiert?«

»Sie hat es versucht. Ich habe sie auflaufen lassen. Deine

Mutter glaubt nicht, dass du die Jungen umgebracht hast.«

»Das hat sie mir nie gesagt«, antwortete er. »Kein einziges Mal.«

»Jetzt hat sie es dir gesagt, zumindest durch mich. Und sie sagt, du sollst den Arsch hochkriegen und zur Abwechslung einmal das Richtige tun.«

»Was soll das denn heißen?«

»Keine Ahnung.«

Da war noch etwas, das Riley ihm nicht erzählte, doch da sie nicht wirklich verstört war, war es zwischen ihr und Sadie vielleicht tatsächlich ganz gut gelaufen.

*Das ist ein verdammtes Wunder.*

Er konnte sich noch gut an Caitlins erschütterte Miene erinnern, als er zurückgekommen war, nachdem er etwas zum Abendessen eingekauft hatte. Sie war nur eine halbe Stunde mit der alten Dame allein gewesen, doch in dieser kurzen Zeit hatte Sadie tonnenweise Lügen über sie ausgeschüttet und damit alles ruiniert.

*Riley ist nicht Caitlin.*

Vielleicht hatte Sadie zum ersten Mal im Leben ihre Bezwingerin getroffen.

Kurz darauf parkten sie auf der Auffahrt des Hauses, und Beck stellte sich darauf ein, einen weiteren Schwung Zeug der alten Dame in Kartons zu verpacken. Mit jedem Zimmer, das sie ausräumten, hatte er das Gefühl, sein altes Leben würde sich ein Stückchen weiter auflösen.

Schicht um Schicht wurden die alten Erinnerungen abgewaschen oder in den Müll geworfen, bis seine höllische Kindheit hinter ihm lag. Falls er jemals selbst Kinder haben sollte, würde er auf Teufel komm raus dafür sorgen, dass sie für ihn nicht genauso empfanden.

Wie besessen machten sie sich ans Aufräumen, und als Riley auf die Uhr schaute, war es fast fünf Uhr am Nachmittag. Sie hatten gerade angefangen, Pläne für das Abendessen zu schmieden – Beck schlug einen kurzen Ausflug über die Staatsgrenze vor, da ihn dort niemand kannte –, als sein Handy klingelte. Er schaute auf das Display, und sein Gesicht wurde aschfahl.

»Beck.« Ein paar Sekunden später sagte er: »Wir kommen.« Er sammelte seinen Rucksack und die Jacke ein und ging ohne ein Wort zur Tür hinaus.

Es war nicht nötig, zu fragen, wohin sie fuhren – Sadie Beck würde in Kürze ihrem Schöpfer gegenübertreten.

Kaum war der Truck auf dem Krankenhausparkplatz zum Stehen gekommen, schaltete Beck den Motor aus und stürmte auf den Eingang zu. Riley zog die Schlüssel ab und vergewisserte sich, dass die Türen abgeschlossen waren.

*Bitte, lass seine Mutter sagen, dass sie ihn liebt. Nur ein einziges Mal.*

Riley hatte immer gewusst, dass sie der Mittelpunkt im Leben ihrer Eltern war, und sie hatte sich von Anfang an geliebt gefühlt. Beck hatte das nie gekannt. Er war immer nur ein Anhängsel gewesen, ein Plagegeist, ein Kind, das man im Sumpf abstellen konnte wie einen Sack Müll.

Riley fand den trauernden Sohn am Bett seiner Mutter. Sadies dünne, mit blauen Adern durchzogene Hand verschwand fast in seiner großen, gebräunten Pranke. Er schaute zu Riley hinüber, dann wieder zu seiner Mutter.

»Ich bin hier, Sadie«, sagte er. »Ich lasse dich nicht allein gehen.«

Die Frau murmelte etwas, dann schloss sie die Augen. Becks bedrückter Miene nach zu urteilen, war es nicht »Ich liebe dich«.

Mit jedem keuchenden Atemzug schien Sadie mehr Leben aus ihrem einzigen Kind zu saugen, als seien ihrer beider Leben irgendwie physisch miteinander verbunden. Die ganze Zeit über harrte Beck eisern neben dem Bett aus und weigerte sich, sich zu bewegen. Die Zeit kroch dahin. Fünf Minuten, dann zehn. Die Schwester kam, sah nach der Patientin und verschwand leise wieder.

Aus dem Bett ertönte ein Stöhnen, und Sadies Blick fiel auf Riley. In ihren Augen spiegelte sich eine wilde Panik wider, als sie endlich begriff, dass es zu Ende ging. Riley rückte näher und ergriff die andere Hand der Frau.

Ihre Mom war friedlich gestorben, umgeben von ihrer liebenden Familie. Sadie kämpfte bis zum letzten Atemzug, als sei sie zu stolz, um zuzugeben, dass ihre Zeit gekommen war. Oder zu beklommen vor dem, was auf sie zukäme, wenn sie nicht länger auf dieser Erde weilte.

Riley beugte sich zum Ohr der Frau vor. »Bitte, mach es richtig, für euch beide.«

Erschöpft schüttelte die Frau den Kopf, jeder Atemzug fiel ihr schwerer als der letzte. »Pass … auf … ihn … auf …«

Als Riley nicht antwortete, packte Sadie ihre Hand fester. »Versprich es.«

Riley senkte den Kopf. »Ich verspreche es.«

Sadie Beck tat ihren letzten Atemzug und starb.

Als Beck begriff, dass sie tot war, wurde er von einem Gefühl der Leere überwältigt, als würde es aus dem leblosen Körper herausströmen und Unterschlupf in seinem Inneren finden.

Er hatte nur um zwei Dinge gefleht – ihre Liebe und den Namen seines Vaters.

Sadie hatte beides mit ins Grab genommen.

Beschämt merkte er, dass ihm Tränen über die Wangen liefen, sichtbare Beweise für das, was er verloren und doch nie besessen hatte. Er hatte nicht mehr die Kraft zu stehen und brach auf dem Stuhl zusammen, während die bittere Feuchtigkeit sein Gesicht verbrannte. All die Jahre der Hoffnung, alle Gebete, dass er sich geirrt haben möge, waren vorüber. *Sie hat mich nie geliebt.*

Jemand berührte seine Hände, und als er durch den düsteren Schleier blickte, war Riley da und kniete neben ihm.

»Ich bin hier, Den«, sagte sie und berührte sanft sein Gesicht. Ihre Berührung war so zart, so liebevoll. Riley war an seiner Seite, und obwohl er Angst hatte, es sich einzugestehen, sorgte sie sich wirklich um ihn, liebte ihn vielleicht sogar. Sie würde auf ihn aufpassen, ihn beschützen. Sie würde die Finsternis in Schach halten.

»Es ist vorbei«, sagte sie und wischte eine seiner Tränen mit der Fingerspitze fort. »Du hast alles für sie getan, was du konntest.«

Er wusste, was sie in Wirklichkeit meinte. Sadie konnte ihm nicht länger weh tun.

»Es fühlt sich … nicht so an«, flüsterte er. »Warum hat sie mir nicht gesagt, wer er war?«

»Glaubst du, sie wusste es?«

Beck zuckte bei der Frage zusammen, dabei hatte er sich selbst diese Frage oft genug gestellt. »Ich weiß es nicht.« *Es hätte zu ihr gepasst, mich anzulügen.*

Zu seiner Überraschung küsste Riley ihn zögernd auf die Wange.

»Es tut mir leid, Den. Es tut mir aufrichtig leid.«

Riley brauchte eine Weile, um ihre eigenen Tränen zu trocknen. Sie galten nicht Sadie, sondern ihrem Sohn. Als Beck ihr anbot, den Truck zu nehmen, damit sie zum Motel zurückfahren konnte, und behauptete, irgendjemand würde ihn schon mitnehmen, sobald der Papierkram erledigt war, lehnte sie ab, denn sie hörte die falsche Tapferkeit hinter seinen Worten. Sie hatte dieselbe Taktik angewendet, nachdem ihr Dad gestorben war.

»Ich warte draußen auf dich«, sagte sie.

Sein dankbarer Blick bestätigte ihr, dass sie richtig entschieden hatte.

Als sie sich gegen den Truck lehnte, stieß Riley ein leises Stöhnen aus. *Ich habe versprochen, auf ihn aufzupassen.* Die Schwüre, die sie in der Vergangenheit geleistet hatte, waren immer wieder auf sie zurückgefallen, doch vielleicht würde es dieses Mal anders werden.

*Warum hat Sadie mir zugetraut, auf ihren Sohn aufzupassen?* Wenn sie ihn nicht geliebt hätte, warum war es ihr dann nicht egal, was nach ihrem Tod mit Beck passierte? *Vielleicht hat sie nicht gewusst, wie sie ihm sagen soll, dass er ihr nicht egal ist.* Oder sie hielt Liebe für eine Schwäche.

Riley wählte Stewarts Nummer, und er ging nach dem ersten Klingeln ran.

»Becks Mom ist eingeschlafen«, erklärte sie. Es klang so klinisch.

»Tut mir leid zu hören. Wie hält sich der Junge?«

»Er hält durch, aber es ist echt schwer für ihn.«

»Aye. Sonst noch etwas, das ich wissen sollte?«

Es war nicht ihr Job, dem Meister von den Keneally-Brüdern und Becks angeblich schmutziger Vergangenheit zu berichten, also murmelte sie: »Eigentlich nicht.«

Sie war nicht sicher, ob Stewart ihre Lüge durchschaute oder nicht, aber er bedrängte sie nicht weiter.

»Ruf mich an, wenn der Termin für die Beerdigung steht. Harper und ich werden Blumen schicken.«

Das war nett. »Mach ich. Es wird Beck viel bedeuten.«

Eine längere Pause. »Und, wie war seine Mutter?«, fragte der Meister.

»Kalt und hart, als sei sie so oft verletzt worden, dass sie jeden hasste, egal, wie gut jemand zu ihr war. Ich verstehe Beck jetzt besser. Deswegen wollten Sie doch, dass ich mit ihm hierherkomme, oder?«

»Bin ich so leicht zu durchschauen?«, fragte der Mann.

»Normalerweise nicht.« Allerdings tat Stewart selten etwas, hinter dem nicht auf mindestens vier verschiedenen Ebenen irgendeine Taktik steckte.

»Bei uns hier oben wird es allmählich ungemütlich. Ich bin gerade im Einkaufszentrum, überall fliegt Magie durch die Gegend. Gut, dass du da unten bist, Mädel.«

»Kommt ganz auf die Sichtweise an, Sir.«

## 11. Kapitel

Stewart stand ganz am Ende des Einkaufszentrums neben zwei Magieanwendern, die er mittlerweile als Freunde betrachtete: Mortimer Alexander, dem Totenbeschwörer, und Ayden, der Hexe. Man hatte sie gerufen, um einem magischen Duell Einhalt zu gebieten, und das war schon ihr zweiter Einsatz heute. »Irgendeine Idee, wie das angefangen hat?«

»Wahrscheinlich haben die sich gegenseitig Beleidigungen an den Kopf geworfen«, sagte Mort. Seine dunkle, marineblaue Robe hing lose über seinen Schultern. Bei ihm wirkte der Umhang wie ein Zelt, da er genauso breit wie hoch war. »Seit Lord Ozymandias diese Dämonen beschworen hat, sind die Puppen am Tanzen.«

Er duckte sich vor einem besonders erbärmlich gezielten Zauberspruch, der direkt auf einen New-Age-Laden traf. Jeder einzelne Kristall im Ladeninneren leuchtete wie eine Weihnachtsauslage.

»Hexen treffen echt grundsätzlich daneben«, sagte er zu der dritten Person in der Runde.

Ayden hob eine Braue. Ihr rostrotes Haar und das Tattoo am Dekolleté zogen die Aufmerksamkeit auf sich, egal, welche Kleidung sie trug. »Ihr Nekros könnt auch nicht besser zielen«, sagte sie und zeigte auf ein klaffendes Loch in der Hallendecke.

»Schon, aber …«

Beide zuckten zusammen, als ein Magiestoß nur wenige Fuß von ihnen entfernt einschlug und einen Schwarm winziger, gepanzerter Schmetterlinge mit Schwertern erzeugte. Ein Gegenzauber umfing sie, und die geflügelten Krieger verwandelten sich in buntes Konfetti.

»Zeit, diesem Unsinn ein Ende zu bereiten«, sagte Stewart.

Er trat vor und stellte die Beine auseinander, um zu verhindern, dass die magischen Wellen, die durch das Gebäude schwappten, ihn fortrissen. »Ich bin Großmeister Stewart von der Dämonenfängerzunft in Atlanta. Hören Sie auf damit, und zwar sofort!«, brüllte er.

Die Kampfhähne – eine jüngere Hexe und ein älterer Beschwörer – ignorierten ihn. Eine magische Woge kroch die Wände empor, ließ sie durchscheinend werden und gab den Blick auf die Rohre und Kabel dahinter frei.

Mort tat es dem Meister gleich. »Hey!«, brüllte er. »Lass das!«

Der Mann in der hellgrünen Robe öffnete den Mund, um zu widersprechen, doch er machte ihn rasch wieder zu, als er feststellte, dass Morts Robe dunkler war als seine eigene. Je dunkler die Robe, desto größer die Macht. Der Typ hatte keine Chance, und das wusste er.

»Nur wenn die Hexe aufhört«, rief der Nekro laut und offenkundig nervös.

»Du bist dran«, murmelte Mort.

Ayden nahm ihren Platz an der Seite der beiden anderen ein. »Es reicht. Schluss jetzt«, sagte sie.

»Er hat angefangen«, schrie die Hexe zurück, doch sie arbeitete etwas langsamer an dem Zauberbann zwischen ihren Händen.

»Du bist doch kein Kind mehr. Wenn wir mit Zaubersprüchen um uns werfen, halten die Leute uns für ungehobelt, und wir können keine schlechte Presse gebrauchen.«

»Aber …«

»Manche Menschen glauben, wir würden für die Hölle arbeiten, und sie würden uns deswegen liebend gerne umbringen. Wir versuchen, sie vom Gegenteil zu überzeugen«, erwiderte Ayden. Ihre Stimme klang gepresst. Sie deutete auf die Zerstörung und die feine Linie fehlgeleiteter Magie, die an den Dachsparren entlangzischelte. »Das hier ist KEINE Hilfe. Verstehst du das nicht?«

»Aber er beschwört Dämonen«, protestierte die Hexe und deutete auf ihren Gegner.

Mortimer runzelte die Stirn. »Ist das wahr?«

»Nein!«, rief der Beschwörer. »Das war ich nicht. Ich habe gesehen, was Lord Ozymandias mit dem Beschwörer Gregson gemacht hat. Ich will nicht so sterben.«

»Und wer beschwört dann die Dämonen?«, fragte Mort. Der Mann wurde blass. »Äh …«

Mort machte drei Schritte nach vorn, blaue Magie wirbelte um seine Hände. »Wer ist es?«, fragte er streng.

»Äh … o Gott. Es ist … Cantrell. Er hat letzte Nacht einen beschworen, und dann hat er die Kontrolle verloren. Er kann ihn nicht zurückrufen.«

»Welch frohe Botschaft«, knurrte Stewart. »Als hätten wir nicht schon genug von diesen verdammten Dingern, um die wir uns kümmern müssten.«

Der Typ murmelte eine Entschuldigung. Inzwischen lief ihm der Schweiß übers Gesicht.

»Geht nach Hause, Leute. Hört auf, euch wie Dummköpfe zu benehmen. Fangt keinen Krieg an, den ihr nicht gewinnen könnt«, befahl Stewart.

Die Kampfhähne starrten einander feindselig an, dann zogen sie in unterschiedliche Richtungen ab, wabernde Magie in ihrem Kielwasser.

»Was passiert mit dem Mann, der die Dämonen beschworen hat?«, fragte Ayden.

»Lord Ozymandias wird sich des Problems annehmen«, erwiderte Mort.

»Wie?«

»Sagen wir mal so, wenn er fertig ist, wird nicht mehr genügend Asche für die Beerdigung übrig sein.«

»O Göttin …«, sagte die Hexe.

»Richten Sie Seiner Lordschaft aus, dass es mich freut zu hören, dass er seine Leute so gewissenhaft im Zaum hält«, sagte Stewart. »Das Letzte, was wir gebrauchen können, ist irgendein Beschwörer, der sich auf die Seite der Hölle schlägt, sei es freiwillig oder unter Zwang. Es ist eine Sache, Dämonen im Kampf gegenüberzustehen. Zuzusehen, wie ein Haufen von Beschwörern mit Magie um sich wirft, ist eine andere.«

»Er sieht die Gefahr durchaus. Aus diesem Grund ist er so … überzeugend.« Mort seufzte. »Wissen Sie, meine Mutter wollte, dass ich Zahnarzt werde.« Er ließ die Magie von seinen Fingern tropfen und begann, die Ärmel seiner Robe aufzurollen. »Stattdessen musste ich unbedingt Beschwörer werden. Sehen Sie sich an, was aus mir geworden ist.«

»Ein sicherer Job«, erwiderte Stewart etwas entspannter, jetzt, wo das Duell beendet war. »Jemand muss das magische Gefahrengut aus dem Weg räumen, und darin sind Sie gut.«

»Erinnern Sie mich nicht daran.« Mort blickte zu Ayden hinüber. »Fertig?«

Sie nickte und begann, verschiedenes Hexenzubehör wie Kerzen, Kristallkugeln und magische Kreide aus der Gobelintasche über ihrer Schulter zu kramen.

»Ich überlasse das dann mal Ihnen«, sagte Stewart.

Als er davonging, hörte er die beiden darüber diskutieren, wo der beste Platz war, um einen Kreis zu schaffen, von dem aus sie die übriggebliebene Magie zerstreuen konnten. Sie waren sich nicht einig, aber es war eine gutmütige Auseinandersetzung unter Profis, die nicht auf Konfrontation aus waren. Anscheinend hatte die Schlacht auf dem Oakland-Friedhof ein Band aus aufrichtigem Respekt zwischen ihnen geschmiedet.

*Schade, dass der Rest von euch das nicht kapiert.*

Wenige Minuten, nachdem McGovern mit dem Leichenwagen am Krankenhaus angekommen war, wurde Sadies Leichnam auf einer Bahre herausgerollt. Beck folgte ihr und blieb mit gesenktem Kopf und hängenden Armen neben dem Leichenwagen stehen, bis seine Mutter darin verschwunden war.

Rileys Unterlippe zitterte, und ihr tat das Herz weh, als sie ihn so sah. Sobald der Bestatter fertig war, kam Beck auf Riley zu. Er schaffte es, seine Maske aufrechtzuerhalten, bis er den Truck erreichte.

»Kannst du fahren?«, bat er. In seinen Augen schimmerten Tränen.

»Klar.« Sie brauchte eine Weile, um den Sitz richtig einzustellen. Die ganze Zeit über starrte er mit zusammengebissenen Zähnen aus dem Beifahrerfenster.

Auf Becks gemurmelte Bitte hin hielten sie nur einmal an einem Tante-Emma-Laden an. Als er aus dem Truck kletterte, folgte ihr Blick ihm ins Innere des Geschäfts. Ein Kerl zeigte ihm den Stinkefinger, aber er schien es nicht einmal zu bemerken.

*Er hat gerade seine Mutter verloren, du Arsch.*

Riley zwang sich, die Geste nicht zurückzugeben.

Kurz darauf war Beck mit einem Beutel Eis, einem Sechserpack Bier und einer Tüte Kartoffelchips wieder da. So stellte sich ein Mann also eine ausgewogene Mahlzeit vor. Er hielt ihr eine zweite Tüte vor die Nase, mit einem Truthahnsandwich, etwas getrocknetem Obst und einer Dose Limo. Offensichtlich ihr Abendessen. Selbst in seiner Trauer dachte er immer noch an ihr Wohlergehen.

Sobald er in seinem Zimmer war, stellte er seinen Rucksack neben das Bett und warf seine Brieftasche hinein. Das Eis wanderte ins Waschbecken, gefolgt von vier Bierflaschen. Die fünfte klemmte er sich unter den Arm, drehte die sechste Flasche auf und ging wieder nach draußen. Besorgt folgte Riley ihm.

Beck klappte die Heckklappe herunter und setzte sich darauf.

»Möchtest du alleine sein?«, fragte sie. Als er den Kopf schüttelte, kletterte sie neben ihn.

Er trank einen Schluck Bier. »Ich hatte immer gehofft, dass sie einmal über ihren Schatten springen würde und so tun, als sei ich ihr Sohn. Aber das konnte sie nie.«

»War sie schon immer so gewesen?«

»Mehr oder weniger. Direkt nach meiner Geburt holte meine Grandma mich nach Nord-Georgia. Sie machte sich Sorgen, dass Sadie sich nicht richtig um mich kümmern würde. Ich blieb bei ihnen, bis ich drei war, dann brachten sie mich wieder hierher.«

»Warum haben sie dich nicht behalten?«

»Zu der Zeit war Sadie gerade trocken. Sie dachten, sie bekäme ihr Leben auf die Reihe.« Er nahm einen großen Schluck Bier. »Sie versicherte ihnen, dass sie alles im Griff hätte, aber kurz nach meiner Ankunft fing sie wieder an zu trinken. Ich war zu viel für sie, damit kam sie nicht klar.«

*Er gibt sich schon wieder die Schuld.* »Wenn sie mit einem Kind überfordert war, hätte sie sich Hilfe suchen oder dich zurück zu deinen Großeltern bringen sollen.«

»Das war nicht ihre Art.« Sein Blick folgte einem UPS-Lieferwagen auf dem Highway, bis er außer Sicht war. »Abends ist sie ausgegangen und hat mich allein gelassen. Sie hat meinen Großeltern erzählt, alles sei prima, und die haben ihr geglaubt.«

»Wie alt warst du da?«, fragte Riley, überrascht, wie offen er über seine Kindheit sprach.

»Vier.«

Riley schnappte nach Luft. »Mein Gott, Beck. Es ist ein Wunder, dass du noch lebst. Du hättest das Haus in Brand stecken können oder so etwas.«

»Meistens habe ich ferngesehen«, sagte er.

»Was hast du gegessen? Ich meine, hat sie dir etwas zu essen dagelassen?«

»Meistens nicht. Ich weiß noch, wie ich eines Abends echt richtig Hunger hatte, also bin ich auf die Arbeitsplatte geklettert und habe mir eine Dose aus dem Schrank genommen, aber ich bekam sie nicht auf.«

»Und dann?«

»Ich bin damit zur Nachbarin gegangen, Ms Welsh. Sie war immer richtig nett zu mir. Sie musste mir versprechen, dass sie Sadie nicht verraten würde, dass ich eine der Dosen genommen hatte, sonst bekäme ich eine Tracht Prügel. Sie sagte, es würde unser Geheimnis bleiben.« Er lächelte bei der Erinnerung. »Sie gab mir die Dose zurück und gab mir etwas aus ihrem Schrank. Auf diese Weise würde ich keinen Ärger bekommen.« Er seufzte. »Sie ist vor ein paar Jahren gestorben. Ich hoffe, sie ist im Himmel, denn sie hat alles Gute für das nächste Leben verdient. Sie war eine Heilige.«

*Anders als deine Mutter.*

Er räusperte sich. »Wenn Sadie nach Hause kam, habe ich mich versteckt. Meistens war sie zu betrunken, um zu wissen, dass ich da war, aber hin und wieder flippte sie aus, und wenn ich dann irgendetwas tat, bekam ich eine Tracht Prügel. Manchmal brachte sie auch irgendeinen Deppen mit.« Er schüttelte den Kopf. »Das habe ich erst später richtig verstanden, aber ich wusste damals schon, dass es nicht richtig war.«

Er packte die Bierflasche fester. »Ich hatte immer gehofft, einer dieser Kerle wäre mein Vater, aber ich glaube nicht, dass es einer von denen war.«

»Ich weiß nicht, wie du das ausgehalten hast. Ich wäre weggelaufen.« Dann begriff sie, warum er es nicht getan hatte. Was, wenn sein Vater gekommen wäre, während er fort war?

»Sorry, du solltest dir diesen ganzen Scheiß nicht anhören. Ist jetzt sowieso egal.«

*Ist es nicht, sonst würdest du nicht darüber reden.*

»Hast du noch jemandem davon erzählt?«

»Donovan wusste das meiste. Er wollte mich bei einer Pflegefamilie unterbringen, aber ich sagte ihm, dass ich weglaufen würde. Erst später fand ich heraus, dass er alle Schulsachen für mich bezahlt hat. Sadie war es nämlich nicht gewesen.«

*Genau, wie ein Vater es getan hätte.* Sie dachte kurz an den Moment, als sie Donovan zum ersten Mal gesehen hatte – das dichte, kurzgeschnittene blonde Haar, die muskulöse Statur. Und er war ein ganzes Stück älter als Beck.

Sie wollte diese Frage stellen, aber jetzt schien ihr nicht der richtige Zeitpunkt dafür zu sein. Und überhaupt, hätte sich das nicht schon vor langer Zeit geklärt, wenn Donovan und Sadie je etwas miteinander gehabt hätten?

»Sei kein Märtyrer, Beck. Deine Mutter war es nicht wert.«
Er blickte zu ihr hinüber, und sie fragte sich, ob sie zu weit
gegangen war. Doch er blinzelte nur seine Tränen weg.
»Du bist so verdammt gut zu mir.«
»Kein Kunststück, solange du mich nicht wegbeißt.«
»Das habe ich nie getan, weil ich dich hassen würde oder
so.«
»Ich weiß.«
Er leerte das erste Bier. »Ich würde gerne noch ein Weil-
chen hier draußen sitzen bleiben und nachdenken, allein,
wenn es dir nichts ausmacht.«
Riley nahm das als Wink zu verschwinden und sprang von
der Heckklappe. Sie legte ihm die Hand aufs Knie. »Bist
du sicher, dass alles in Ordnung ist?«
»Es geht mir schon besser.« Er klang jetzt ruhiger. »Du
hast mir sehr geholfen.«
»Es ist kalt, also bleib nicht zu lange draußen. Und wenn
du betrunken bist, schläfst du im Truck, Mister«, sagte sie
und warf ihm einen gespielt finsteren Blick zu.
Er rang sich ein Grinsen ab und deutete ein Salutieren an.
»Jawohl, Ma'am.«
Sie erwiderte den Gruß, sammelte die leere Bierflasche
ein und ging erleichtert in ihr Zimmer. Wenn sie ihn zum
Reden bringen konnte, würde er sich wieder erholen.

Riley duschte und machte sich bettfertig. Ein kurzer Blick
durch die Vorhänge zeigte ihr, dass Beck immer noch dort
saß, wo sie ihn zurückgelassen hatte, an seinem Bier

nippend und tief in Gedanken versunken. Halb verhungert machte sie sich über das Sandwich und das Obst her. Beides war gar nicht mal so übel. Ein weiterer Blick auf Beck. Er hatte sich nicht gerührt.

*Das könnte noch eine Weile dauern.*

Sie klappte ihr Handy auf und schickte Peter eine SMS, um ihn auf den neuesten Stand zu bringen und ihm zu sagen, dass es noch ein, zwei Tage dauern würde, bis sie nach Atlanta zurückkehren würde. Als keine prompte Antwort kam, begann sie einzudösen. Die Melodie von *Georgia on my mind* drang vom Parkplatz zu ihr und verriet ihr, dass Beck angerufen wurde. Sie hörte seine gedämpfte Stimme.

*Vermutlich jemand aus Atlanta.*

Gähnend kroch sie unter die Decke und war beinahe eingeschlafen, als der Motor des Trucks dröhnend ansprang. Als sie die Tür erreichte, hatte Beck die Auffahrt schon verlassen und fuhr auf dem Highway in Richtung Stadt.

*Vielleicht braucht er etwas Zeit für sich.* Oder der Sheriff war wieder in seinem Büro, und Beck wollte mit ihm über die vermissten Jungs reden.

Trotzdem, als sie zurück ins Bett kroch, um auf seine Rückkehr zu warten, ließ ein nagendes Gefühl des Unbehagens ihr keine Ruhe.

*Vielleicht hätte ich mit ihm fahren sollen.*

Auf halber Strecke zum Bestattungsinstitut stellte Beck fest, dass er zwei Dinge vergessen hatte: seinen Rucksack mit der Dämonenfängerausrüstung und seine Brieftasche. Er überlegte, ob er umkehren und beides holen sollte, doch Riley schlief wahrscheinlich schon, und er würde sie nur aufwecken. Vor allem deswegen hatte er es sich auch verkniffen, ihr zu sagen, wohin er fuhr.

Als Beck McGovern gedrängt hatte, ihm zu verraten, was so wichtig war, dass er ihn um kurz vor neun Uhr noch anrief, hatte der Bestatter behauptet, es gäbe da noch ein Formular, das Beck unbedingt noch heute Abend unterschreiben müsse. Dann hatte er Beck gebeten, an der Rückseite des Bestattungsinstituts zu parken, was ihm merkwürdig vorgekommen war, bis der Mann etwas von einem frisch gewischten Ausstellungsraum gemurmelt hatte.

Beck schüttelte seine gedrückte Stimmung ab und ging zur Hintertür, in der Hoffnung, das Problem rasch klären zu können, das McGovern sich da zusammenphantasiert hatte, damit er ins Motel zurückkehren konnte. Wenn er zu lange wegbliebe, könnte Riley aufwachen und sich seinetwegen Sorgen machen.

Er klopfte, erhielt aber keine Antwort, also drehte er am Türknauf, und die Tür schwang auf.

»Hallo?«, rief er laut. »Hey, McGovern! Bist du hier?«

Keine Antwort, also ging Beck durch die Garage und betrat einen langen Flur, der ins Innere des Gebäudes führte. Sein Ärger wuchs mit jedem Schritt. Er hatte einen tierisch anstrengenden Tag hinter sich und wollte nur noch zurück ins Motel und ins Bett kriechen. Nicht, dass durch Schlafen irgendetwas besser werden würde.

»McGovern«, rief er laut. Als er immer noch keine Antwort erhielt, drehte Beck sich um und nahm den Weg zurück, den er gekommen war. Er war halb durch die Garage, als der Bestatter zwischen ihm und der Tür nach draußen auftauchte.

»Wo hast du gesteckt?«, wollte Beck wissen.

»Ich habe auf dich gewartet«, erwiderte McGovern. »Ist das Mädchen draußen im Truck?«

Eine merkwürdige Frage. »Nein, sie ist im Motel. Lass uns diesen Papierkram erledigen, okay? Ich bin nicht in der Stimmung, hier meine Zeit zu vertrödeln.«

»Geht mir genauso.«

Als Beck näherkam, sah er, dass der Mann etwas in der Hand hielt, doch er brauchte einen Moment, um es genau zu erkennen. Mitten in der Bewegung blieb er wie angewurzelt stehen, seine volle Aufmerksamkeit war auf den Taser gerichtet.

»Hey, Mann, was soll das denn?«

McGovern kam näher. »Zahltag, Denny.«

»Zahltag für …«

Die Zwillingsprojektile trafen Beck in der Brust und versetzten ihm einen heftigen Elektroschock, der ihn zu Boden warf. Als er auf dem Beton lag und versuchte, seine zuckenden Muskeln, die ihm nicht mehr gehorchen wollten, unter Kontrolle zu bringen, stellte McGovern sich über ihn.

»Du hättest die Finger davon lassen sollen, Junge.«

Beim zweiten Schlag aus der Elektroschockpistole wurde Beck schwarz vor Augen.

## 12. Kapitel

Ein dröhnender Kopfschmerz brachte Beck wieder zur Besinnung. Es fühlte sich an wie ein Kater, zumindest, bis er das Blut in seinem Mund schmeckte und das Zittern der schmerzenden Muskeln wahrnahm. Allmählich wurde ihm klar, dass seine Hände und Füße gefesselt waren und ein breites Stück Klebeband seinen Mund bedeckte. Stöhnend versuchte er, sich umzudrehen, aber er hatte keine Chance, denn er war in irgendetwas eingeschlossen.

*Was zum Teufel ist das?*

Er warf sich hin und her, doch es brachte ihm nichts, außer, dass der stechende Geruch von Plastik ihn beinahe würgen ließ. Eines der letzten Dinge, die er gesehen hatte, ehe er bewusstlos wurde, war ein Stapel Leichensäcke in der Garage des Bestattungsinstituts gewesen. Unschwer zu erraten, dass er sich jetzt vermutlich in einem von ihnen befand.

Den Geräuschen nach zu urteilen, befand er sich im hinteren Teil eines Fahrzeugs, womöglich sogar seines eigenen Trucks. Er hörte das Radio in der Fahrerkabine. Irgendetwas rumste bei jedem Schlagloch im Asphalt, aber er kam nicht drauf, was für ein Geräusch das war.

Ein kalter Schauder kroch ihm über den Rücken. Brachte

man ihn irgendwohin, um ihn zu lynchen? Für den Zahltag, von dem McGovern gesprochen hatte, waren nur ein paar übereifrige Säufer aus dem Ort nötig. Ein Seil über einen dicken Ast am Baum, und Denny Beck war einmal. Und wenn der Sheriff versuchte, seine Mörder zu finden, würde es keine Zeugen geben, die bereit waren auszusagen, was sie mit Sadies mordendem Sohn angestellt hatten.

Beck wand und krümmte sich, bis er zwei Finger in die Nähe des Mundes bekam. Er spannte die Muskeln an und riss sich das Klebeband ab, dann fluchte er vor Schmerz, als seine Lippen aus Protest wie Feuer brannten. Als Nächstes musste er sich der Fesseln entledigen. Wenn er Glück hatte, war er frei, wenn es so weit war, dass sie ihn hängen wollten. Er hatte zwar keine Ahnung, wie er sich einen Lynchmob vom Halse halten sollte, aber er würde nicht einfach so aufgeben.

Er war noch mit dem Seil an seinen Fußknöcheln beschäftigt, als der Truck langsamer wurde und abbog. Das Reifengeräusch veränderte sich, was bedeutete, dass sie den Highway verlassen hatten und jetzt auf einer der Nebenstraßen unterwegs waren. Das hieß, sie konnten überall sein.

Schweißgebadet von der Anstrengung brach er beinahe in Jubel aus, als der Knoten an seinen Füßen sich endlich löste. Aus Angst, die Zeit könnte ihm knapp werden, zerrte er hektisch an den Fesseln an seinen Handgelenken und zog mit den Zähnen daran. Er spannte den Kiefer an und zerrte mit den Zähnen am Seil herum.

Der Truck wurde langsamer und hielt schließlich an. Kurz

darauf hörte er, wie die Türen des Aufbaus aufschwangen, und er wusste, dass seine Zeit gekommen war. Beck trat wie wild gegen das Plastik und brüllte seine Wut heraus.

»Wusste ich es doch, dass du dich befreien würdest«, sagte McGovern.

»Warum tust du das?«

»Weil es sein muss«, antwortete der Mann.

*Hat er meine Waffe gefunden?* Beck bewahrte sie im Handschuhfach auf, sie war also nicht einmal versteckt. Er wurde an den Rand der Heckklappe gezerrt und kurzerhand über die Kante gerollt. Ehe er reagieren konnte, schlug er hart auf, Schulter und Schädel krachten auf den Boden. Der Aufprall machte ihn benommen, und in seinem Kopf drehte sich alles, als wollte er protestieren.

Nachdem er sich vor kurzer Zeit eine Kopfverletzung zugezogen hatte, hatte die Ärztin der Zunft ihn genau davor gewarnt und ermahnt, vorsichtig zu sein. Er war vorsichtig gewesen, er hatte nur nicht damit gerechnet, vom einzigen Bestatter in Sadlersville gekidnappt zu werden.

Was fehlte, war das Gewirr trunkener Stimmen, die sich gegenseitig damit übertrumpften, was sie mit diesem miesen Scheißkerl Denny Beck anstellen würden. Hatte er sich geirrt? Vielleicht ging es hier gar nicht um Lynchjustiz, sondern um etwas ganz anderes.

Als McGovern den Leichensack über den Boden schleifte, stöhnte er unbehaglich. Mit erheblicher Mühe wuchtete sein Entführer ihn hoch und in etwas Wackeliges, ein Boot vielleicht. Die ganze Zeit über dröhnte Becks Kopf pochend im Takt zu seinem Herzschlag.

»Wo fahren wir hin?«, rief er laut. Sein Mund war trocken. McGovern antwortete nicht.

*Warum tut er das?* Beck hatte nie irgendwelche Probleme mit dem Bestatter gehabt, und der Typ sollte eigentlich nichts gegen ihn haben. Vielleicht hatte es etwas mit Sadie zu tun? Aber etwas böses Blut zwischen den beiden war wohl kaum ein Grund, weshalb dieser Kerl riskierte, in den Knast zu kommen.

Beck versuchte, sich auf die kleinen Details zu konzentrieren. Neben dem stechenden Gestank des Plastiks nahm er noch einen anderen Geruch wahr, einen, den er besser kannte als die meisten: Sie waren irgendwo im Sumpf. In Gedanken grenzte er die Möglichkeiten ein. Es gab nur wenige Zugänge zum Okefenokee-Sumpf, und der im Süden der Stadt besaß ein großes Tor, das bei Sonnenuntergang abgeschlossen wurde. Der nächstgelegene Zugang war Kingfisher Landing nördlich von Sadlersville, der von den Einheimischen Poacher's Landing, Wilddieb-Anleger, genannt wurde, weil er für alle offen war und die einfachste Möglichkeit darstellte, unbemerkt im Sumpf zu verschwinden. Beck könnte wetten, dass sie jetzt genau dort waren.

Als der Bootsmotor neben seinen Ohren röhrend ansprang, zwang er sich, sich auszuruhen. Wenn er Glück hatte, würde sich ihm irgendwann eine Chance zur Flucht bieten. Wenn nicht, würde das hier eine Reise ohne Wiederkehr werden.

Seiner Schätzung nach vergingen Stunden. Der Leichensack gewährte ihm nur geringen Bewegungsspielraum, so dass sein Rücken schmerzhaft gegen den unebenen Boden des Bootes gepresst wurde. Er zerrte weiterhin am Seil, erreichte aber nur, dass er sich den Mund wundscheuerte und die Lippen aufriss.

*Wie weit fahren wir denn noch?*

Als das Boot langsamer und der Motor schließlich ausgestellt wurde, wusste Beck, dass der Moment ganz nah war. Er hatte es aufgegeben, die Fesseln an seinen Handgelenken zu lösen. Die mussten bleiben. Zumindest hatte er die Füße frei, und das bedeutete, dass er losrennen konnte, sobald McGovern ihn auf festen Boden gezerrt hatte. Schwimmen kam dagegen nicht in Frage.

*Was, wenn er mich einfach über Bord wirft?* Beck würde ertrinken, eher er sich aus dem Sack gekämpft hatte. Doch etwas sagte ihm, dass das nicht McGoverns Plan war – sonst hätte er es längst getan.

Das Boot schaukelte, als sein Entführer ausstieg. Wahrscheinlich befestigte er es an einem kleinen Baum.

»Du hast mir immer noch nicht gesagt, was das alles soll«, sagte Beck, als hätte er sich in das Unvermeidliche gefügt.

»Es ist nicht persönlich gemeint. Aber es muss einfach sein.«

*Sorge dafür, dass er redet.* »Das beruhigt mich nicht gerade.«

Ein leises Lachen. »Dein Sinn für Humor hat mir schon immer gefallen. Keine Sorge, ich werde mich darum kümmern, dass deine Mutter eine schöne Beerdigung bekommt.«

Becks Zorn wuchs, und er hatte Mühe, ihn im Zaum zu halten. »Lass mich gehen, und ich werde den Bullen kein Wort sagen.«

Die einzige Reaktion war, dass McGovern ihn aus dem Boot hievte und ans Ufer zerrte. Wasser spritzte rund um den Sack auf, aber er blieb heil. Er wurde weitergezerrt, doch dieses Mal war es nicht so leicht, da sein Körper über Äste und allerlei Gestrüpp geschleift werden musste.

»Du wirst mich umbringen, stimmt's?«

»Ja, darauf wird es hinauslaufen. Tut mir leid.«

Nichts würde McGovern davon abhalten, ihn zu töten, solange er noch in dem Leichensack lag. Beck musste ihn dazu bringen, den Reißverschluss zu öffnen.

»Dann lass mich zumindest ein letztes Mal den Himmel sehen. Ich will nicht sterben und dabei auf die Innenseite von 'nem verdammten schwarzen Sack starren.«

Sein Entführer zog ihn wortlos weiter, fort vom Boot.

Beck schluckte seinen Stolz herunter, in der Hoffnung, eine letzte Überlebenschance zu erhalten.

»Komm schon, Mann. Ich … ich bitte dich.«

Er hörte ein resigniertes Seufzen, dann hatte das Gezerre ein Ende.

*So ist es gut. Mach den Sack auf.*

Während McGovern am Reißverschluss herumfummelte, bereitete Beck sich vor. Er musste einmal überraschend vorstürmen und seinen Entführer angreifen, bevor der

Mann die Gelegenheit hatte, zu reagieren. Eine zweite Chance würde er nicht bekommen.

Plötzlich schrie McGovern entsetzt auf. Beck vernahm Geräusche, die er nicht einordnen konnte, dann zerrissen zwei rasch hintereinander abgefeuerte Gewehrschüsse die Luft. Er verzog das Gesicht und wartete auf den sengenden Schmerz, doch der blieb aus.

»Der gehört mir!«, schrie eine laute Stimme.

McGovern kreischte auf, dann hörte Beck jemanden in blinder Panik durchs Unterholz stürzen.

*Was zum Teufel ist hier los?*

Der Leichensack setzte seine Reise über den Boden in die ursprüngliche Richtung fort.

Beck rief laut: »Hey! Ich dachte, du wolltest den Sack aufmachen!«

»Noch nicht«, sagte die neue Stimme. »Wenn es an der Zeit ist.«

»Wer bist du?«

Ein tiefes Lachen ließ ihm das Blut in den Adern gefrieren. »Schlaf, Denver Beck«, sagte die Stimme. »Denn wenn du wieder wach bist, wirst du nur noch wenig dazu kommen.«

Beck öffnete den Mund, um zu protestieren, aber sein Gehirn schaltete sich aus, ehe er die Chance hatte, auch nur ein Wort zu sagen.

Riley schrak aus dem Schlaf auf und öffnete blinzelnd die Augen. Die Uhr auf dem Nachttisch verriet ihr, dass sie mehr als zwei Stunden geschlafen hatte. Beck müsste inzwischen zurück sein und im Bett liegen, doch das Licht in seinem Zimmer brannte noch.

*Wahrscheinlich liest er in seinem Buch.*

Sie kroch aus dem Bett und steckte ihren Kopf durch die Tür. Becks Bett war unberührt und das Badezimmer leer.

Sie tapste zum Fenster und zog den Vorhang zurück – sein Truck war immer noch weg, und sein Rucksack mit den Fängerutensilien lag noch dort, wo er ihn gelassen hatte. Er würde sich niemals weit davon entfernen, nicht einmal in seiner Heimatstadt.

*Wo steckst du?*

Nachdem er drei Stunden fort war, rief sie ihn auf dem Handy an. Während sie auf das Freizeichen wartete, versuchte Riley sich zurechtzulegen, was sie zu ihm sagen sollte. Sie vermutete, dass es mit »Wo zum Teufel steckst du?« anfangen würde.

Sie wurde zur Mailbox weitergeleitet. Mittlerweile war es kurz vor Mitternacht, und er würde sie niemals so lange allein lassen, nicht bei der ganzen Paranoia, die er hier in Sadlersville an den Tag legte.

*Vielleicht hockt er irgendwo in der Kneipe.* Kaum hatte sie den Gedanken in Erwägung gezogen, wusste sie, dass es nicht stimmte. In Atlanta konnte Beck ohne Probleme durch die Kneipen ziehen, aber hier unten wäre es eine todsichere Methode, um in einen Streit zu geraten. Er war nicht scharf auf diese Sorte Ärger, nicht bei den all den zusätzlichen Pflichten, die nach dem Tod seiner Mutter an ihm hingen.

*Irgendetwas stimmt da nicht.* Sie blätterte im Telefonbuch, bis sie die Nummer des Sheriffbüros gefunden hatte. Die Frau in der Einsatzzentrale sprach mit einem Akzent, lang und gedehnt wie eine stumpfe Klinge, und Riley brauchte eine Weile, bis sie begriff, was die Frau ihr mitteilen wollte: Der Sheriff sei nicht in der Stadt. Was denn los sei?

Riley erklärte ihr die Situation und war erleichtert, als die Telefonistin sagte, sie werde einen Deputy zum Motel schicken. Erst da fiel ihr auf, dass sie immer noch ihr Schlafzeug trug, also zog sie sich eilig um und bezog hinter dem Fenster Stellung. Fünfzehn Minuten später knirschte der Kies, als ein Streifenwagen auf den Parkplatz einbog. Riley eilte nach draußen, die Jacke fest an sich gepresst.

Der Deputy wuchtete ganz gemächlich seinen Hintern aus dem Streifenwagen, als sei eine vermisste Person keine große Sache. Er trug eine dicke Jacke, die vorne offen stand und den Blick auf eine leichte Wampe freigab.

»Hast du im Büro angerufen?«, fragte er mit träge schleppender Stimme.

»Ja. Ein Freund von mir ist verschwunden. Sie müssen ihn finden.«

»Du bist doch das Mädchen, mit dem Denver Beck gekommen ist, oder?«

»Er ist derjenige, der verschwunden ist«, antwortete Riley und kam näher. Nervös erklärte sie ihm ausführlich, was passiert war und warum sie sich solche Sorgen machte.

Der Deputy teilte ihre Besorgnis offenkundig nicht.

»Wahrscheinlich ist ihm das Bier ausgegangen.«

»Nein! Im Waschbecken liegen noch vier Flaschen, und außerdem hat er seine Brieftasche hiergelassen.«

»Hast du was von dem Bier getrunken, Missy?«, fragte der Mann stirnrunzelnd.

»Was? Nein, habe ich nicht. Ich mag kein Bier.« Außerdem war sie noch nicht volljährig.

»Wahrscheinlich ist er morgen früh mit einem höllischen Kater wieder da. Das ist typisch für ihn.« Der Deputy machte Anstalten, sich wieder in sein Auto zu quetschen.

»Warten Sie! Wo wollen Sie hin? Er braucht Ihre Hilfe.«

»Der ist schon immer abgehauen, schon als Kind. Wenn er morgen Abend nicht zurück ist, ruf noch mal im Büro an. Dann bringen wir dich zum Busbahnhof. Du wärst nicht das erste Mädel, das er sitzenlässt, sobald er mit ihr fertig ist.«

Er dachte also, sie sei Becks Braut. »Wir fangen nur Dämonen zusammen. Und er würde mich hier nicht allein lassen.«

Der Mann schmunzelte. »Du fängst Dämonen? Der ist gut!«

Ehe sie ihre Dämonenfängerlizenz hervorholen und sie dem Idioten unter die Nase halten konnte, war er schon auf und davon.

»Sie … Volltrottel«, schrie sie und kickte dem davonfahrenden Auto Kies hinterher. Sie stürmte in ihr Zimmer und knallte die Tür zu.

Was sollte sie tun? Stewart anrufen? Das würde nicht viel

nützen, da der Meister in Atlanta war. Solange der Sheriff unerreichbar blieb und sie keinen fahrbaren Untersatz hatte, saß sie bis zum Morgen hier fest.

Mittlerweile schrak Riley bei jedem Geräusch zusammen, also holte sie Becks Stahlrohr aus seinem Rucksack und kletterte in sein Bett. Es roch nach seinem Rasierwasser, doch das beruhigte sie nicht. Sie zog die Decke enger um ihre Brust, schloss die Augen und betete, dass ihre schlimmsten Ängste nichts als Einbildung waren.

Blinzelnd schlug Beck in der Dunkelheit die Augen auf und stellte fest, dass er an einem Baum lehnte. Die schmale Mondsichel schimmerte durch die Bäume über ihm. Trotz seiner Lederjacke zitterte er in der Kälte.

Die gute Nachricht war, dass die Seile um seine Handgelenke verschwunden waren. Er ließ den Kopf kreisen und spürte, wie sich die rechte Nackenseite protestierend verkrampfte. Zumindest konnte er gut sehen, also war er vielleicht um eine Gehirnerschütterung herum gekommen. Erst als er die Beine bewegte, um aufzustehen, entdeckte er die schlechte Nachricht: Eine schwere Eisenkette mit rostigen Gliedern reichte vom Baum bis zu seinem linken Knöchel. Ein verbeultes Vorhängeschloss verband ihn mit der Kette zu einer unlösbaren Einheit.

»Verdammte Scheiße«, sagte er, und seine Panik stieg umgehend von null auf hundert. Ein Ruck an der Kette zeigte ihm, dass er sich eher den Knöchel brechen als sich losreißen würde. Er schob seine Finger unter die Ketten-glieder und versuchte, sie vom Stiefel zu streifen. Die Kette saß zu fest.

Schwankend kam Beck auf die Beine und betrachtete den Baum hinter sich. Es war eine Zypresse, einer der bejahr-ten Wächter des Sumpfes, glatt und dick. Sie war so groß, dass es drei Becks gebraucht hätte, um die Arme darum zu schlingen. Er packte die Kette fest, stützte die Füße gegen den Stamm und zog kräftig. Hitze strömte durch seine Arme und Rückenmuskeln, aber die Kette hielt. Er stand wieder auf und wischte sich Dreck und Rost von den Händen.

»Du Scheißkerl«, brüllte er, und seine Stimme hallte in der Wildnis um ihn herum wider. In der Ferne rief eine Eule eine Antwort. Wer hatte das getan? Warum hatte derjenige McGovern angegriffen, nur um ihn zu stehlen und an einen Baum zu ketten?

Beck versuchte, seinen Atem zu beruhigen und gründlich nachzudenken. Wenn er keine Möglichkeit fand, zu ent-kommen, würde es kurz und brutal werden: Wenn nicht einer der Dämonen des Sumpfes ihn schnappte, würde er an Kälte und Erschöpfung sterben. Vielleicht erwischte ihn auch ein Bär oder eine Schlange, oder ein Alligator riss ihn von der Kette los, schleppte seinen böse zugerichteten Leichnam ins Wasser und bunkerte ihn in seiner Vorrats-kammer.

Ein Rascheln im Unterholz lenkte seinen Blick in die Richtung, aus der das Geräusch gekommen war. Er hatte keine Waffe, also holte Beck die Kette ein und hielt sie zwischen den Händen. Wenn er Glück hatte, war es ein Eichhörnchen auf Futtersuche.

*Nicht bei dem ganzen Radau, den ich mache.*

Als das Rascheln nicht noch einmal ertönte, zwang Beck sich, sich zu entspannen. Wenn er auf dem Boden blieb, war er verletzlicher, also versuchte er, auf den Baum zu klettern. Das ging völlig daneben, denn die glatte Borke bot seinen Füßen keinerlei Halt. Er schwang die Beine hoch und schaffte es, etwas Spanisches Moos von einem langen Zweig über sich zu reißen. Er trat weiter, bis ein dicker Haufen davon auf dem Boden landete. Das würde ihn heute Nacht zumindest warmhalten. Morgen früh musste er eine Möglichkeit finden, sich zu befreien, oder er würde Riley niemals wiedersehen. In diesem Moment wurde ihm klar, dass es das war, was er mehr wollte als alles andere auf der Welt.

Kurz vor sieben Uhr war Riley aus dem Bett, obwohl sie in der Nacht kaum geschlafen hatte. Beim geringsten Geräusch war sie aufgeschreckt, jedes Mal erwachte ihre Hoffnung erneut, es wäre Beck, der endlich zurückgekommen war. Aber das war er nicht.

Seit mehr als zehn Stunden war er jetzt verschwunden. Sie hatte seiner Mutter versprochen, auf ihn aufzupassen, und die Frau lag noch nicht einmal unter der Erde, da hatte Riley ihren Schwur bereits gebrochen.

Sie sparte sich die Mühe, sich zu schminken, es war ihr egal, wie sie aussah. Nachdem sie in ihrem Laptop nachgeschaut hat, wo das Sheriffbüro lag, schlüpfte sie in ihre wärmste Kleidung, schulterte ihren Rucksack und wanderte in Richtung Stadt. Die kalte Morgenluft biss an ihrer Nase und den Ohren. Jedes Mal, wenn ein Auto an ihr vorbeifuhr, drehte sie sich um und überprüfte es. Ein alter Mann hielt an der Seite an und bot ihr an, sie mitzunehmen, aber sie lehnte ab. In diesem Moment konnte sie unmöglich irgendjemandem vertrauen, selbst wenn er mehr Falten hatte als ein Shar-Pei. Sie schob den Rucksack zurecht und nahm ihre Wanderung wieder auf.

Fünf Minuten später brachte sie endlich den Mut auf, Stewart anzurufen. Sie brauchte Unterstützung.

»Guten Morgen, Mädel. Wie geht es dir?«

Er klang so gutgelaunt, und jetzt würde sie ihm die Stimmung verderben. Als sie ihm die Situation kurz schilderte, hörte sie einen langen Seufzer aus dem Telefon.

»Ach, verdammt«, sagte er. »Wo bist du jetzt?«

»Unterwegs in die Stadt, um mit dem Sheriff zu reden. Er scheint Beck zu mögen, er wird mir bestimmt helfen, ihn zu finden.«

»Das ist ein guter Plan. Hier oben herrscht ein ziemliches Chaos, so dass ich hierbleiben muss, aber ich werde sehen, wen ich dir schicken kann. Halt mich auf dem Laufenden. Und pass gut auf dich auf, hörst du?«

»Mach ich. Danke.«

Sie legte auf und ging weiter.

## 13. Kapitel

Sie erreichte den Ortsrand von Sadlersville, als die Stadt gerade zum Leben erwachte. Als Riley am Diner vorbeikam, war sie nicht überrascht, dass die alten Männer schon aufgereiht an dem langen Tisch hockten, an dem es Kaffee und Gerüchte in Hülle und Fülle gab. Einer von ihnen war der Typ, der angeboten hatte, sie mitzunehmen. Sobald sie im Sheriffbüro fertig war, würde sie zurückkommen, um zu frühstücken und zu versuchen, die Gerüchteküche der Stadt anzuzapfen.

*Für irgendetwas muss das doch gut sein.*

Laut der eigenen Website befand sich das Sheriffbüro in einem einstöckigen Gebäude direkt neben dem Gerichtsgebäude. Riley stieß die Eingangstür auf und blieb stehen, um sich zu orientieren. Kaum hatte sie die Schwelle zum Sheriffbüro überschritten, da stieg ihr auch schon der Duft frischen Kaffees in die Nase. Es erinnerte sie an das alte Starbucks, das momentan ihr Klassenzimmer darstellte.

»Hallo?« Keine Antwort. Da niemand zu sehen war, ging sie zum nächstgelegenen Schreibtisch, setzte ihren Rucksack ab und ließ sich auf einen Stuhl sinken. Offensichtlich war die Stadt nicht gerade eine Brutstätte des Verbrechens. Etwa eine Minute später schlenderte ein Deputy aus dem hinteren Teil des Gebäudes herein, in der Hand einen Kaffeebecher. Er war jung, das Gesicht sonnengebräunt. Sein Namensschild verkündete, dass er Steve Newman und seit drei Jahren Cop war.

»Guten Morgen«, sagte er. »Kann ich Ihnen helfen?«

»Hi. Ist Sheriff Donovan hier?«

»Nein. Er kommt heute erst später. Was kann ich für Sie tun?«

*Dieser Typ ist immerhin höflich.* »Ich suche nach Denver Beck. Er ist verschwunden.«

»Sind Sie die junge Dame, die heute Nacht angerufen hat?«

»Ja. Haben Sie irgendeine Idee, wo er sein könnte?«

»Nein«, sagte er kopfschüttelnd. »Deputy Martin sagte, Sie hätten sich Sorgen gemacht, weil er nicht ins Motel zurückgekommen sei. Erzählen Sie mir, was los ist.«

Das klang so gut, dass Riley ihm alles erzählte, Punkt für Punkt. Immerhin machte sich der Cop dieses Mal Notizen.

»Wieso sind Sie so sicher, dass er in Schwierigkeiten steckt?«, fragte der junge Mann.

»Beck hat seine Brieftasche im Motel gelassen, und außerdem geht er nie ohne seine Fängerausrüstung irgendwo hin. Das ist eines der ersten Dinge, die wir lernen – habe jederzeit Weihwasser bei dir, oder ein Dämon verspeist dich. Er hat seinen Rucksack im Motel gelassen, zusammen mit dem Stahlrohr, das er zu seinem Schutz immer dabei hat.«

Der Deputy blinzelte. »Sie fangen ebenfalls Dämonen?«
Riley nickte.

Newman nippte ein weiteres Mal an seinem Kaffeebecher, auf dem vorn das Bild eines Collies aufgedruckt
war. »Ich hab gehört, dass seine Mutter gestern gestorben
ist. Vielleicht war er deswegen durcheinander.«

Nervös und frustriert zupfte sie an einem Fingernagel herum. »Beck war aufgeregt, klar, aber wir haben darüber
geredet. Sehen Sie, ich kenne ihn, er würde mich nicht
allein lassen. Er ist wie … ein großer Bruder. Er macht
sich immer Sorgen um mich, und er war richtig kribbelig,
dass irgendetwas passieren könnte, während ich mit ihm
hier bin.«

Der Deputy nickte verständnisvoll. »Die Wahrheit ist, ich
kann keine Vermisstenanzeige aufnehmen, wenn der Vermisste erwachsen und noch keine vierundzwanzig Stunden weg ist.« Als sie protestierte, fügte er hinzu: »Aber ich
werde mich mal umhören. Geben Sie mir eine Beschreibung von seinem Truck. Irgendjemand muss ihn gesehen
haben.«

Sie gab ihm die gewünschte Information, zusammen mit
ihrer Handynummer.

Der Cop beendete seine Notizen. Als er aufblickte, lächelte er ihr beruhigend zu. »In ein paar Stunden müsste der
Sheriff wieder in der Stadt sein, ich werde dafür sorgen,
dass er es sofort erfährt. Vielleicht ist Beck bis dahin ja
wieder aufgetaucht.«

*Wenn er es tut, sollte er besser eine ausgezeichnete Entschul-
digung haben, oder er ist ein toter Mann.*

»Danke.« *Immerhin haben Sie mich nicht davongejagt.*

»Soll ich Sie zurück zum Motel fahren?«

»Nein, ich will ins Diner.« Sie stand auf. »Vielen Dank. Ich weiß Ihre Mühe zu schätzen.«

»Wir werden ihn schon finden.«

*Mehr will ich ja gar nicht.*

Mit der Morgendämmerung kamen ein grimmiger Durst und die Erkenntnis, dass das alles kein böser Traum war. Inzwischen würde Riley vor Angst vergehen, denn sie kannte ihn gut genug, um zu wissen, dass irgendetwas nicht stimmte. Er wusste, wie klug sie war: Sie würde Donovan und Stewart anrufen und um Hilfe bitten und mit ihnen zusammen herausfinden, was passiert war. Riley würde nichts geschehen. Er brauchte sich also höchstens Sorgen um sich selbst zu machen.

Es war eine harte Nacht gewesen, vor allem, weil er als Hauptmahlzeit für die gefräßigen roten Käfer hatte herhalten müssen, die im Spanischen Moos lebten, und sie waren begeistert von dem Festmahl. Alteingesessene Einheimische würden sie mit Rauch vertreiben, aber dazu fehlten Beck ein paar Streichhölzer. Schon bald würden die Bisse anfangen zu jucken. Er konnte es sich aussuchen: Entweder das, oder er holte sich eine Unterkühlung.

Als Beck sich umdrehte, meldete sich seine Blase, also galt es zunächst, die Kette irgendwie auf die Rückseite des Baumes zu manövrieren und dieses Problem zu lösen.

Anschließend kehrte er zu seinem Lagerplatz zurück und suchte seine Umgebung ab.

Nach Ansicht der meisten Menschen war ein Sumpf ein einziges, großes, mit Wasser gefülltes Schlammloch, aber beim Okefenokee war das nicht so, hier gab es eine Vielzahl unterschiedlicher Geländearten. Donovan hatte ihm jede einzelne gezeigt: die Grasebenen, die Hammocks – kleine, baumbewachsene Inseln –, Zypressenbuchten, Seen und die Sumpflöcher. Für einen Sumpf war der Okefenokee riesig, mehr als 1600 Quadratkilometer, mit der Außenwelt durch ein Netz aus von Menschenhand geschaffenen Kanälen verbunden. Er beherbergte eine reichhaltige Fauna und Flora, und in manche abgelegene Bereiche drang nur selten ein Mensch vor.

Diese Jahreszeit war ein zweifelhafter Segen: Es gab weniger Touristen, die mit Ausflugsbooten unterwegs waren, so dass Becks Chance, von ihnen entdeckt zu werden, geringer war. Dafür kam ihm die Kälte gegen die Alligatoren zugute: Sie waren bei diesen Temperaturen nicht ganz so aktiv. Oder hungrig.

*Es gibt noch viele andere Dinge, die mich umbringen können.*

Es gab kein Zeichen von demjenigen, der ihn McGovern weggeschnappt hatte, und obwohl es echt naheliegend war, in Panik zu geraten, erinnerte er sich wieder an sein Überlebenstraining. Mit einem kräftigen Ast grub er ein vielleicht dreißig Zentimeter tiefes Loch. Da der Sumpf im Prinzip aus schwimmenden Inseln bestand, würde sich das Loch rasch mit Wasser füllen. Er würde schon bald etwas zu trinken brauchen.

Sobald er damit fertig war und sich die schlammigen Hände an der Jeans abgewischt hatte, begann er, die Metallösen zu untersuchen, die ihn zum Gefangenen machten. Die Kette war alt und rostig und führte durch einen großen Ring. Der Ring selbst war zerfressen und hatte einen vielleicht einen Zentimeter breiten Spalt, der jedoch nicht groß genug war, dass er ein Kettenglied hindurchzwängen konnte, um sich zu befreien. Trotzdem ließ ihn dieser Spalt hoffen. Wenn er diese Schwachstelle bearbeiten würde, könnte er es vielleicht schaffen. Die Kette wäre dann zwar immer noch an seinem Bein, aber zumindest könnte er sich von der Stelle bewegen.

»Für mein Stahlrohr könnte ich jetzt töten«, murmelte er. Seine Nackenhaare stellten sich auf. Irgendetwas beobachtete ihn. Er ließ den Blick über die Umgebung schweifen, hielt Ausschau nach der Bedrohung. Hinter einem Baum entdeckte er zwei rote Augen, die ihn anstarrten.

*Dämon.*

»Fängerrrr …«, knurrte der Dämon, als er hinaus auf die Lichtung trat. Er war klein, vielleicht einen Meter groß, vollkommen haarlos und mit funkelnden, scharfen Zähnen und bösartigen Klauen ausgestattet. Die Einheimischen nannten sie Sumpfteufel, und sie waren anders als die Dämonen in der Stadt: Höllenbrut konnte sich hervorragend an ihre Umgebung anpassen.

*Das ist kein Dreier.* Die waren behaart und besaßen nicht viel Verstand, es sei denn, es ging ums Fressen. Ein Pyro-

Dämon war erheblich kleiner, und dieser hier schien auch nicht süchtig nach Feuer und Flammen zu sein.

»Was für ein Dämon bist du denn?«, murmelte er für sich.

Die Kreatur kauerte sich auf den Boden und beobachtete ihn. »Einer von denen, die immer gewinnen«, sagte sie.

Augenblicklich wusste er Bescheid. »Du bist ein Vierer, ein Trance-Dämon.« Die Tatsache, dass das Wesen ordentliches Englisch sprach, verriet ihm, dass es ein älterer Hypno-Dämon war, aber er war längst nicht so mächtig wie andere, denen er schon begegnet war. Trotzdem war er stark genug, um ihn einschlafen zu lassen und ihn wie einen Sack voller Halloweenbonbons wegzuschleifen.

Doch anstatt sein Hirn zu durchforsten und Beck seinen Willen aufzuzwingen, musste er ihn bewachen wie ein Hund seinen Knochen. Wenn er verzweifelt und hungrig genug wäre, um sich auf einen Handel einzulassen, würde der Dämon seine Seele einfordern. In der Zwischenzeit war Beck nichts als ein an einen Baum gebundenes Fressen für jedes x-beliebige Raubtier.

»Du legst dich im Moment besser nicht mit mir an«, verkündete er.

Das merkwürdig bellende Lachen des Dämons hallte um sie herum wider und verriet Beck, für wie bedrohlich er ihn hielt.

»Hast du McGovern dazu angestiftet?«, wollte er wissen. Ihm fiel keine andere Erklärung für das bizarre Verhalten des Bestatters ein.

»Nein. Ich kenne diesen Sterblichen nicht.« Der Dämon

stützte die Ellenbogen auf die Knie, und es sah aus, als hätte er für den Rest des Tages nichts anderes zu tun. Oder für den Rest des Monats. Er deutete auf die Kette.

»Deine Freiheit für deine Seele.«

»Vergiss es.«

Nachdenklich kratzte der Dämon sich hinterm Ohr.

»Blackthornes Tochter wird nicht nach dir suchen.«

»Natürlich wird sie das«, gab Beck zurück. Das war selbstverständlich.

»Nein. Der gefallene Engel lebt und beansprucht sie für sich. Sie wird tun, was immer er verlangt. Sie braucht dich nicht mehr, Fänger.«

»Du lügst.« *Gott, ich hoffe es.*

»Du wirst hier sterben«, sagte der Dämon.

»Vielleicht. Vielleicht auch nicht. Aber ich werde nicht in die Hölle gehen.«

Der Dämon versuchte ein freundliches Lächeln, doch seine spitzen Zähne ruinierten dieses Unterfangen.

»Die Zeit wird es zeigen, Denver Beck«, sagte er und schlich durch das Unterholz davon.

Als Riley das Diner erreichte, knurrte ihr Magen. Es kam ihr wie Verrat vor, hungrig zu sein, während Beck verschwunden war, aber sie wusste, dass sie etwas essen musste. Als sie stehenblieb, um die Tür zum Restaurant zu öffnen, fasste jemand sie am Arm. Es war eine alte Frau mit schneeweißem Haar und funkelnden Augen, die einen merkwürdigen Anhänger um den Hals trug.

»Er will, dass du ihn findest«, sagte die Frau. Unerschrocken ergriff sie Rileys Hand und drückte ihr etwas hinein. Etwas Kaltes. »Dies wird dir helfen«, sagte sie lächelnd.

Erschrocken, weil die Frau ihr so nahe gekommen war, wich Riley zurück und starrte zuerst auf die Frau, dann auf den Gegenstand in ihrer Hand.

»Das ist ein … Stein.« Er war zwar poliert, aber es war und blieb ein Stein.

»Es ist ein Sucherstein. Er wird dir helfen, ihn zu finden. Gib nur nicht auf. Wenn du es tust, ist er verloren.«

»Sind Sie eine der Weisen Frauen?«

Ein rasches Nicken, und ehe Riley sie fragen konnte, wie ein Stein ihr von Nutzen sein konnte, eilte die Frau davon. Achselzuckend stopfte sie ihn in ihren Rucksack. Es würde schon nicht schaden.

Im Diner herrschte reges Treiben, so dass sie warten musste, bis ein Paar einen der Tische freigab, ehe sie sich setzen konnte. Die Kellnerin war nicht dieselbe wie gestern – sie war eher in Becks Alter und runzelte die Stirn, noch ehe Riley richtig saß.

*Vermutlich eine seiner Affären.*

»Was möchtest du?«, fragt die junge Frau, die es offensichtlich eilig hatte, wieder wegzukommen.

»Heißen Tee, bitte.« Riley schlug die Speisekarte auf und überflog sie rasch. »Dazu die Eier mit Schinken Spezial mit Weizentoast.«

Abgesehen vom Gewisper und den unverblümten Blicken, was sie beides ignorierte, verlief ihr Frühstück ereignislos. Das war nicht fair – sie hatte angenommen, sie würde hier unten anonym bleiben, anders als in Atlanta nach den ganzen Dämonengeschichten. Jetzt war sie Dennys *Was-auch-immer*, und jeder wollte sie unter die Lupe nehmen.

Als sie gerade ihren Tee ausgetrunken hatte und überlegte, wie sie die Dinosaurier am Tisch der alten Männer befragen sollte, betrat Cole das Diner und kam direkt auf sie zu.

*Woher wusste er, dass ich hier bin?* Schließlich stand Becks Truck nicht vor der Tür.

Ohne zu fragen, ob es ihr recht sei, rutschte er auf die Bank ihr gegenüber.

»Ich hab gehört, Denny ist verschwunden«, sagte er. »Ist er zurück nach Atlanta?«

»Unwahrscheinlich.«

Cole winkte die Kellnerin herbei und bestellte einen Kaffee. Die junge Frau schien ihn zu mögen, sie lächelte übers ganze Gesicht. Riley bekam sogar beinahe mühelos Tee nachgeschenkt.

»Man erzählt sich so einiges«, sagte Cole. »Ich habe gehört, dass ihr zwei gepoppt habt, dann hat Denny beschlossen, dass es ihm zu viel wird und hat dich sitzenlassen. Hat es dir überlassen, seine Mutter unter die Erde zu bringen und die Rechnung für die Bestattung zu bezahlen.«

Riley verdrehte die Augen. »Wer immer das gesagt hat, kennt Beck nicht.« *Oder mich.*

»Ich bezweifle, dass er sich so sehr verändert hat. Er war schon immer unzuverlässig.«

Ehe sie ihm ins Gesicht springen konnte, klingelte Coles Telefon, und er zog es aus der Jackentasche.

»Yeah?« Eine lange Pause. »Klar, kann ich machen.« Coles Blick wanderte zu Riley, und er lächelte durchtrieben. »In einer Stunde bin ich da.« Das Lächeln wurde breiter, als er das Telefonat beendete.

»Warum bist du hier, Cole?«

»Ich will dir helfen, Denny zu finden.«

*Lügner.* »Das kaufe ich dir nicht ab.«

»Das ist die Wahrheit.« Er verbreiterte sein Bad-Boy-Lächeln, und Riley bekam es mit der Angst zu tun.

»Vergiss es«, sagte sie. »Ich weiß, was du Beck und seiner Freundin angetan hast, du hast also nicht die geringste Chance bei mir.«

»Ich verstehe«, sagte er, für einen Moment aus dem Konzept gebracht. »Verdammt. Und ich dachte, ich hätte eine Chance bei dir. Sieht so aus, als müsste ich etwas dafür tun: Wie wäre es, wenn ich Denny für dich finde, und dann führst du mich zum Essen aus, um das zu feiern?«

»O Gott, hör dich doch bloß mal reden«, sagte eine Stimme. »Gibst du denn nie auf?«

Die junge Frau war etwa in Rileys Alter, trug ausgeblichene Jeans, ein langes, waldgrünes T-Shirt und eine dicke, marineblaue Weste darüber. Das blonde Haar hatte viele weiße Strähnen und war fransig auf Kinnlänge geschnitten, rechts war es ein Tick länger als links. Ein einzelner rubinroter Stecker zierte ihre Nase.

Ihre braunen Augen durchbohrten Cole mit offenem Abscheu.

»Sammie«, sagte Cole und blickte zu ihr auf. »Bist du wieder mal von der Schule geflogen?«

»Du bist so ein Kotzbrocken, Hadley«, erwiderte das Mädchen. Sie richtete ihre Aufmerksamkeit auf Riley. »Mein Name lautet Samantha, aber du kannst mich Sam nennen. Onkel Donovan sagte, ich soll dir ausrichten, dass er nach Beck sucht.«

Riley ließ sich erleichtert zurücksinken. Wenn der Sheriff sich um die Sache kümmerte, dann hatten sie eine Chance.

»Setz dich«, sagte Cole und bot ihr ein winziges Stück Bank neben sich an.

»Nie im Leben. Zieh Leine, du Trottel«, antwortete Sam und deutete mit dem Daumen in Richtung Ausgang.

»Kein Wunder, dass du keinen Freund hast«, grinste Cole. Er trank seinen Kaffee aus, warf etwas Kleingeld auf den Tisch, stand auf und deutete eine gespielte Verbeugung an. Als Sam seinen Platz einnahm, zeigte sie ihm den Stinkefinger.

»Lass mich wissen, ob ich dir irgendwie helfen kann, Riley«, sagte er und schlenderte summend zur Tür.

Sam knallte ihr Smartphone auf den Tisch, ein Teil, das bei einem Dämonenfänger keine Woche überleben würde.

Sie schob Coles Kaffeetasse beiseite, als wäre sie verseucht. »Das ist so eine Null. Er hat sogar versucht, meine Mom flachzulegen. Nicht zu fassen, was?«

»Du lebst hier in Sadlersville?«, fragte Riley in der Annahme, das sei ein unverfänglicheres Thema.

Ein Kopfschütteln. »Tampa.« Das erklärte ihre tiefe Bräune. »Ich bin hier ... über die Frühjahrsferien.«

*Im Februar?* Riley beließ es dabei. Sie legte Geld fürs Frühstück auf den Tisch, dazu etwas Trinkgeld.

»Hast du ein Auto? Ich bräuchte unbedingt eine Mitfahrgelegenheit.« Sam nickte, ohne zu zögern. »Ich möchte mit einer von Becks Exfreundinnen reden. Sie heißt Louisa ... Deming. Kennst du sie?«

»Nein, aber ich kenne jemanden, der sie kennt.«

Während Sam ihre Quelle anrief, ging Riley zum langen Tisch mit den alten Männern.

»Guten Morgen.« Ein paar gemurmelte Grüße in ihre Richtung. »Denver Beck ist gestern Abend verschwunden. Wissen Sie vielleicht irgendetwas, das mir helfen könnte, ihn zu finden?«

Überall am Tisch wurden Blicke gewechselt.

Ein älterer Mann mit buschigem, grauem Schnurrbart schielte zu ihr hoch. »Hab seinen Truck gestern Abend in der Main Street gesehen. Gegen halb zehn oder so.«

»War sein Fahrstil in Ordnung?« Ein Nicken. Das hieß, dass Beck nicht betrunken gewesen war. »Sonst noch etwas?«

Ein Tisch voll kopfschüttelnder Alter. Riley zog eine Serviette heraus und kritzelte ihre Telefonnummer darauf. »Rufen Sie mich an, wenn Sie irgendetwas hören.« Nacheinander sah sie jeden von ihnen direkt an. »Bitte ... ich muss ihn unbedingt finden.«

»Du kannst genauso gut gleich nach Hause fahren, Mädel. Der hat sich mal wieder aus dem Staub gemacht«, erwiderte einer der Männer. »Das hat er schon immer gemacht. Wie damals, als er noch ein Kind war und weggelaufen ist.«

»Ich erinnere mich daran. Die Cops mussten nach ihm suchen«, fügte ein anderer hinzu. Die anderen nickten bestätigend.

Wurde Zeit, ein paar Dinge richtigzustellen.

»Ach, Sie meinen diese Sache, wo seine Mutter mit ihm in den Sumpf gefahren ist und ihn ausgesetzt hat … damit er stirbt?«, fragte sie.

Der Typ mit dem Schnurrbart zog sich ängstlich auf seinem Stuhl zurück. »Das ist nicht die Geschichte, wie ich sie kenne. Bist du dir sicher, Mädel? Es ist nicht richtig, schlecht von den Toten zu reden.«

Riley schob ihre Telefonnummer näher zu ihm. »Aber Lügen über die Lebenden zu verbreiten ist völlig in Ordnung?«

Sie überließ die murrenden Alten sich selbst.

Sams Karre entpuppte sich als weinroter Sedan mit Sitzheizung. Riley beschloss, dass sie, falls sie jemals zu Geld kommen sollte, sich auch so einen kaufen würde, obwohl sie ihre Zweifel hatte, ob ein Dreier in den Kofferraum passen würde.

»In welche Klasse gehst du? Zehnte? Oder bist du schon Junior?«, fragte Riley.

»Junior«, erwiderte Sam.

»Genau wie ich.«

»Stimmt es, dass ihr in Atlanta in leerstehenden Gebäuden zur Schule geht?«

»Ja«, sagte Riley. »Mein Klassenzimmer ist ein Starbucks. Davor war ich in einem alten Supermarkt. Wer weiß, wo ich als Nächstes lande.«

»Das ist ja echt total schräg. Ich gehe auf eine normale Schule. Na ja, meistens jedenfalls, wenn ich nicht ...« Sie schaute rasch zu Riley. »Okay, Cole hatte recht. Ich bin gerade suspendiert.«

»Was für ein schreckliches Verbrechen hast du begangen?«, fragte Riley.

»Ich habe einen Kerl dahin getreten, wo es richtig weh tut. Er hat mich begrabscht, und als ich ihm sagte, er soll aufhören, hat er weitergemacht. Also habe ich ihn mir vorgenommen.«

Riley streckte beide Daumen in die Höhe. »Das war völlig in Ordnung.«

»Ja. Aber dann, na ja, musste ich mir mal wieder dieses Gelaber anhören, ich solle nicht immer so streitsüchtig sein, und dass ich diesen Kraken an die Lehrer hätte verpfeifen sollen, damit sich die Schule darum kümmert.«

»War es das erste Mal, dass er jemanden belästigt hat?«

»Nein. Er hat auch schon andere Mädchen befummelt. Jedes Mal hat er eine Strafpredigt vom Direx bekommen und hat dann munter weiter alles angegrabbelt, was ihm unter die Finger kam.«

»Und wie war's, nachdem du mit ihm fertig warst?«

Sam schüttelte den Kopf. »Es heißt, er halte sich etwas

zurück.« Sie bog in eine Seitenstraße ab. »Meine Mom ist natürlich ausgerastet. Mein Onkel eher nicht. Er sagt, ich müsste lernen, wann es besser ist, zu kämpfen, und wann es besser ist, es nicht zu tun.«

»Deine Schule würde mich nicht mögen«, sagte Riley. »Ich bin eigentlich ganz friedlich, aber manchmal muss man einfach jemandem in den Arsch treten.«

Sam lächelte. »Das ist also meine Geschichte, wie ich mitten in der … Pampa gelandet bin und mich zu Tode langweile. Na ja, bis auf die Hausaufgaben, die ich machen muss.«

Riley stöhnte auf. Ihre Hausaufgaben zu Hause stapelten sich bereits. »Ich bin hier, um Beck mit seiner Mom zu helfen.«

»Habt ihr zwei was am Laufen?«, fragte Sam.

»Nein«, sagte Riley wehmütig. *Eines Tages vielleicht.*

»Keine Sorge, mein Onkel wird ihn schon finden. Er mag Beck sehr. Ach ja, und er sagte, wir sollten unsere Telefonnummern tauschen, für den Fall, dass du dich in der Stadt umsehen musst.«

Es klang, als hätte Sam nichts dagegen.

Das Haus von Becks Exfreundin war gut in Schuss und von einem ziemlich großen Blumenbeet umgeben, das immer noch bunt blühte – ein Zeichen dafür, dass der Frost kein Dauergast in Sadlersville war. Anders als bei Sadie sah es nach einem richtigen Zuhause aus.

Riley drückte auf den Klingelknopf und schaute über die

Schulter zurück. Sam hatte sich entschieden, im Wagen zu warten und eine SMS an eine Schulfreundin zu schicken. Es war cool, jemanden in ihrem Alter zu haben, mit dem sie reden konnte, jemanden, der *nicht* glaubte, sie würde mit der Suche nach Beck nur ihre Energie verschwenden.

Die Tür öffnete sich, und sie blickte in das herzförmige Gesicht einer jungen Frau mit blassen Wangen und feinem, blondem Haar. Louisas hellblaue Augen waren groß und gefühlvoll und verstärkten nur den Eindruck einer Porzellanpuppe. Riley schätzte, dass sie mindestens im achten Monat schwanger war. Das und der Ehering zeigten, dass Becks Ex gut über die Trennung hinweggekommen war.

»Du bist Riley, oder?«, fragte die Frau. Als Riley sie überrascht ansah, fügte sie hinzu: »Denny hat mir beschrieben, wie du aussiehst.«

»Ist er hier?«

»Nein, ich habe ihn nicht gesehen, aber ich bin froh, dass du vorbeigekommen bist. Er sagte, dass du mich sprechen wolltest.«

Sie bat Riley herein. Im Haus war es kuschelig warm, und es roch nach Zimt und Bratäpfeln. Louisa führte sie in ein kleines Vorderzimmer, wo Riley sich in einen Sessel setzte. Ihre Gastgeberin ließ sich auf der Couch neben einem Wollstrang aus hellrosa Wolle und einem Häkelmuster für eine Babydecke nieder. Die Handarbeit lag daneben.

»Ich muss hier sitzen«, erklärte Louisa und legte schützend die Hand auf den sich vorwölbenden Bauch. »Wenn ich in einem der Sessel sitze, komme ich nicht mehr hoch.«

»Wann ist es so weit?«, fragte Riley.

»Noch drei Wochen. Es ist ein kleines Mädchen.« Dann lächelte Louisa und hielt die angefangene Häkeldecke in die Höhe. »Wäre dir gar nicht aufgefallen, oder?«

Riley erwiderte das Lächeln. Sie verstand, warum Beck das Mädchen aufrichtig gemocht hatte. Sie hatte nichts Heuchlerisches an sich.

»Denny hat mich neulich angerufen«, erklärte Louisa. »Er sagte, er wollte mit dir Pizza essen gehen. Er klang echt müde, war aber gut beisammen. Und jetzt höre ich, dass die Leute glauben, er hätte dich sitzenlassen.« Stirnrunzelnd schüttelte sie den Kopf. »Das passt gar nicht zu ihm.«

»Hast du Beck gestern Abend gegen neun angerufen?«, fragte Riley, in der Hoffnung, herauszufinden, wer ihn vom Motel fortgelockt hat.

»Nein. Stimmt es, dass Denny den Sheriff bitten wollte, die Ermittlungen wieder aufzunehmen?«

»Wer hat dir das erzählt?«, fragte Riley, verblüfft, wie schnell Neuigkeiten in dieser Stadt die Runde machten.

»Die Kassiererin im Supermarkt. Ich hielt das für eine gute Idee. Und jetzt …« Louisa rutschte unbehaglich auf dem Sofa hin und her. »Weißt du, ich habe nie geglaubt, dass er schuldig ist. Was, wenn Dennys Verschwinden etwas damit zu tun hat?«

Also war Riley nicht die Einzige, deren Überlegungen in diese Richtung gingen.

»Was weißt du noch von dem Wochenende, an dem Beck und diese Jungs in den Sumpf gefahren sind?«

Louisas Miene wurde düster. »Denny und ich hatten uns ein paar Tage zuvor gestritten. Er drückte sich vor ein paar Sachen, um die er sich unbedingt kümmern musste, und ich hatte ihn deswegen angemacht. Das passte ihm nicht. Als ich ihn fragte, ob wir Silvester etwas unternehmen wollten, erzählte er mir, dass er bereits Pläne hätte und dass ich nicht dazugehörte.«

»Wie reizend von ihm.«

»Das kannst du laut sagen«, erwiderte Louisa. »Es war damals nicht leicht, mit ihm auszukommen, und das lag größtenteils an seiner Mutter. Ich hatte keine Ahnung, dass er mit den Keneally-Brüdern draußen im Sumpf war, bis Cole es mir erzählt hat.«

»Cole? Und woher wusste er es?«

»Er sagte, er hätte es irgendwo aufgeschnappt, aber später fand ich heraus, dass er Nate Keneally Drogen verkauft hatte.«

*Endlich kommen wir der Sache näher.* »Könnten Cole oder Nate es sonst noch jemandem erzählt haben?«

»Schon möglich. Ich glaube, Cole hat es mir nur aus dem einzigen Grund erzählt, damit ich sauer auf Denny werde. Er hat ständig solche Psychospielchen betrieben. Am Ende hat er uns auseinandergebracht.«

»Beck ist ihm deswegen immer noch böse.«

»Ich auch.« Louisa tätschelte zärtlich ihren Babybauch. »Ich frage mich, was passiert wäre, wenn wir zusammengeblieben wären. Diese Kleine hier wäre von Denny und …« Verlegen blickte sie auf. »Ich will damit nicht sagen, dass ich meinen Mann nicht liebe, es ist nur so, dass ich mich manchmal frage, was hätte sein können.«

»Das tut niemandem weh«, erwiderte Riley. »Das mache ich auch hin und wieder.«

»Und ihr beide seid …«, fragte die junge Frau zögernd.

»Gute Freunde, aber …« Durfte sie Becks Ex die Wahrheit gestehen? »… ich möchte mehr. Ich möchte das, was du hast. Na ja, das Baby vielleicht nicht sofort, aber … du weißt schon.«

Louisa lächelte breit, dann verschwand ihr Lächeln. »Du musst ihn finden, hörst du? Lass ihn nicht verschwinden wie diese beiden Jungs.«

»Ich werde es versuchen.« *Nein, ich werde ihn finden.* Mit weniger könnte sie nicht leben.

Als Riley das Haus verließ, hatte Louisa ihr ein Bild geschenkt, das Beck als Fünfzehnjährigen zeigte. In abgetragenen Jeans und schwarzem T-Shirt lungerte er an einem alten Wagen herum. Das von der Sommersonne blonde Haar stand ungekämmt in alle Richtungen ab. Sein halbes Lächeln verbarg kaum sein mieses Leben.

Es führte nur dazu, dass sie ihn noch mehr vermisste.

## 14. Kapitel

Als es wärmer wurde, nutzte Beck die Gelegenheit, die Jacke und das Hemd auszuziehen, damit er die roten Käfer ausschütteln konnte. Als er glaubte, die Sachen seien nicht mehr ganz so stark sandflohverseucht, zog er sie wieder an.

Die ganze Zeit über ging er die Möglichkeiten durch, die er hatte. Der Mangel an Nahrung war ein Problem, und es gab in seiner Reichweite auch nichts, womit er sich hätte behelfen können. Die Käfer, die im Unterholz herumkrabbelten, ignorierte er demonstrativ. So verzweifelt war er nicht ... noch nicht.

Er musste unbedingt einen passenden Stein oder dicken Ast finden, den er als Hebel benutzen konnte, um den Spalt in dem Ring zu weiten. Sobald er sich erst einmal von dem Baum befreit hätte, würde er sich mit der Kette bewaffnen und versuchen, am Dämon vorbei zum Kanal zu kommen. Dort müsste er dann herausfinden, in welcher Richtung er wieder in die Zivilisation gelangen könnte, aber das hatte er schon einmal geschafft.

Während er das Hemd zuknöpfte, starrte er in Gedanken versunken zum nächsten Baum hinüber. Daran war ebenfalls eine Kette befestigt, ein Zwilling derjenigen, die ihn gefangen hielt. Wahrscheinlich waren sie zurückgeblieben, nachdem man sie benutzt hatte, den Sumpf abzuholzen und die Baumstämme abzutransportieren.

Wenn er diese andere Kette losbekäme, könnte er sie vielleicht irgendwie einsetzen, und sei es als zusätzliche Waffe gegen den Dämon. Beck ging, so weit seine Kette es zuließ, vielleicht drei Meter vom Baumstamm fort, doch es reichte nicht. Er ließ sich auf alle viere nieder, dann legte er sich auf den Boden und streckte sich, so lang er konnte. Über die Blätter und Pflanzenreste robbte er näher heran. Bei jeder Bewegung scheuchte er Käfer und anderes kriechendes Getier auf. Beck erschauderte und schob sich Stück für Stück weiter. Und reichte immer noch nicht an die andere Kette heran.

Fluchend drehte er sich auf den Rücken und starrte hinauf in den Himmel. Er war strahlend blau und ziemlich schön – es sei denn, man saß im Sumpf in der Falle.

*Denk nach, verdammt! Es muss einen Weg geben, hier wegzukommen.*

Sein rechtes Schulterblatt begann, sich über den unebenen Boden zu beschweren, und er setzte sich auf. In der Hoffnung, auf einem Stein gelegen zu haben, fing er mit bloßen Fingern an zu graben, doch statt auf einen Stein stieß er auf etwas Metallisches. *Noch besser.* Er schaufelte die Erde weg und sah den Lauf eines Gewehres vor sich. Hastig grub er es aus.

Er wischte die Waffe ab und spürte, wie sich Hoffnung in ihm regte. Wenn noch eine Patrone in dem Ding war, fände er möglicherweise einen Weg, die Kette zu zerstören. Natürlich wusste er, dass es Blödsinn wäre, auf das Vorhängeschloss zu schießen, das funktionierte nur in Filmen. Mühsam kam Beck auf die Beine, klopfte den Dreck aus dem Lauf und öffnete die Kammer. Keine Patrone. »Wie könnte es auch anders sein«, murmelte er. Wenigstens hatte er jetzt noch eine Waffe. Es war nur eine Frage der Zeit, bis irgendein kleines Tier ihm zu nahe kommen würde, und das Gewehr gab eine großartige Keule ab. Wenn er gezwungen wäre, rohes Eichhörnchen zu essen, um nicht zu verhungern, würde er das auch irgendwie runterbekommen.

Erschöpft und mit zittrigen Muskeln ruhte Beck sich aus. Er entdeckte einen Anhinga, der ihn von seinem Nest aus beobachtete. Die Einheimischen nannten diese Tiere Schlangenvögel, und wenn sie im Wasser untertauchten, wurden ihre Federn pitschnass. Sie mussten in einem Baum hocken bleiben, bis sie wieder trocken waren und weiterfliegen konnten.

Becks Blick fiel auf die Waffe in seiner Hand. Bis auf den Schaft, der unter der Feuchtigkeit arg gelitten hatte, schien sie sich in einem ganz ordentlichen Zustand zu befinden. Er kratzte mit dem Daumennagel den Dreck vom Holz – und erstarrte. In das Holz eingeprägt waren ein Totenschädel und zwei gekreuzte Knochen sowie die Initialen NTK.

*Nathan Tate Keneally.*

»O mein Gott«, flüsterte er. Er kannte diese Waffe. Er hatte sie schon einmal abgefeuert.

Er blickte auf und stellte fest, dass der Dämon ihn auf den

Fersen hockend aus respektvoller Entfernung beobachtete.

»Ist das irgendein Trick von dir?«, wollte Beck wissen.

Der Dämon schüttelte den Kopf. »Es liegt seit jener Nacht hier. Weißt du noch?«

Völlig ausgeschlossen, dass er jene Nacht je vergessen würde. Jahrelang hatte sie Beck Albträume beschert, im ständigen Wechsel mit den Albträumen vom Krieg.

»Was ist wirklich mit den beiden passiert?«, fragte Beck mit zugeschnürter Kehle.

Der Dämon legte den Kopf schräg. »Deine Seele für die Antwort.«

»Ich habe sieben Jahre ohne die Antwort gelebt, dann halte ich es auch noch ein Weilchen aus.«

»Das glaubst du aber auch nur«, erwiderte die Kreatur und kroch zurück ins Unterholz.

Nach ihrem Besuch bei Becks Ex fuhren sie zu Sadies Haus. Sam bot an, ihr beim Putzen zu helfen, aber Riley lehnte ab. Das war ihr Job und ihre Art, Beck für alles zu danken, was er in den letzten Monaten für sie getan hatte. Außerdem brauchte sie Zeit, um gründlich über alles nachzudenken.

»Wann soll ich dich wieder abholen?«, fragte Sam.

Riley sah auf ihrem Handy nach der Zeit. »Gib mir drei Stunden. Dann habe ich vermutlich die Nase voll vom Putzen. Sammle mich beim Bestattungsinstitut ein, okay?«

»Gut. Ich werde dort sein.«

Wie ein Roboter auf Warpgeschwindigkeit wirbelte Riley durch die restlichen Zimmer in Sadies Haus, vor allem, weil die Arbeit so stumpfsinnig war und die Reinigungsmittel wesentlich besser rochen als alter Zigarettenrauch. Während sie schrubbte und Staub wischte, versuchte sie, Becks Verschwinden von allen Blickwinkeln aus zu betrachten. Cole stand auf ihrer Verdächtigenliste ganz oben, aber das lag nur daran, dass sie ihn nicht ausstehen konnte. Trotzdem würde der Typ Beck wohl kaum verschwinden lassen, nur um die Chance zu haben, mit ihr in die Kiste zu steigen. Das bedeutete, dass es etwas mit dem Verschwinden der Jungs zu tun haben musste.

*Ich hoffe, Donovan findet es heraus, oder Beck sitzt echt in der Klemme.*

Als Riley fast mit Putzen fertig war, blieb nur noch die eine Aufgabe, die sie bisher vor sich hergeschoben hatte. Im Kleiderschrank eines anderen Menschen zu kramen gab ihr das Gefühl, ein Voyeur zu sein, vor allem, wenn dieser Mensch tot war. Sie war nicht überrascht, als sie feststellte, dass Sadies Kleidung nicht besonders schick war. Ihre Garderobe bestand größtenteils aus Jeans und T-Shirts, ein paar Tanktops und ein oder zwei Jacken. Nichts, in dem man beerdigt werden wollte.

Riley schob die Klamotten hin und her, bis sie etwas Vielversprechendes gefunden hatte. Das Kleid war marineblau, glänzte leicht und reichte der Besitzerin vermutlich bis zu den Knien. Wenn Sadie sich mit ihren Haaren und dem Make-up etwas Mühe gegeben und vielleicht ein

paar Pfund zugenommen hätte, hätte sie gut darin ausgesehen. Zumindest, bevor sie krank wurde.

Riley legte das Kleid aufs Bett und fragte sich, was Becks
Mom dazu gebracht hatte, sich dieses Kleid überhaupt
anzuschaffen. Sie kramte noch etwas herum und entdeckte ein Paar Schuhe mit Absätzen. Ein Blick in Sadies
Schmuckkästchen förderte nur wenig zu Tage: Die Frau
hatte nicht auf Klunker gestanden. Riley fand, es sei
besser, es so schlicht wie möglich zu halten, und nahm ein
Kreuz und ein einfaches Paar Ohrringe heraus. Sie packte
alles in eine Tüte vom Supermarkt und brach zum Bestattungsinstitut auf.

Feierlich nahm McGovern die Tüte mit der Kleidung
entgegen. »Danke. Ich hatte mich schon gefragt, wer sich
darum kümmert, jetzt, wo Beck weg ist.«

»Er ist nicht weg, er ist nur … verschwunden«, erwiderte
Riley.

»Ich hoffe nur, dass er nicht irgendeine Dummheit gemacht hat«, fuhr der Mann fort.

»Wie zum Beispiel?«

Der Bestatter zögerte. »Er sagte, sein Leben sei keinen
Cent mehr wert, jetzt, wo seine Mutter tot ist. Meinte, er
wüsste nicht, wie er weiterleben könne.«

»Was? Wann war das? Im Krankenhaus?« Im Motel hatten sie auf jeden Fall nicht darüber gesprochen.

McGovern zögerte erneut. »Gestern Abend. Ich rief ihn
an, und er kam vorbei, um noch ein paar Papiere zu unter-

schreiben. Er sagte, er würde sich irgendwo etwas Bier besorgen und sich volllaufen lassen.«

»Um welche Uhrzeit war das?«

»Äh, gegen Viertel nach neun oder so.«

*Unmöglich*. Beck war viel zu vorsichtig, um betrunken Auto zu fahren, aus Sorge, er könnte seinen Truck verlieren.

»Haben Sie das den Cops erzählt?«, wollte sie wissen.

»Schien mir nicht so wichtig zu sein.« McGovern zuckte die Achseln. »Denny war schon immer unbeherrscht.«

Ein tiefes Brummen bildete sich in ihrer Kehle. Der Mann hatte Glück, dass er der einzige Leichenbestatter in Sadlersville war.

»Brauchen Sie sonst noch etwas?«, fragte sie.

»Im Moment nicht. Fahren Sie bald wieder nach Hause?«

»Nein. Ich gehe nirgendwohin, bis ich Beck gefunden habe.«

An der Ladentür schaute sie zurück. McGoverns Augen waren schmal, und er beobachtete sie zu genau.

*Er lügt an irgendeinem Punkt.*

Sam wartete wie vereinbart auf dem Parkplatz auf sie. Riley hatte gerade den Wagen erreicht und wollte sich über McGoverns Blödheit auskotzen, als ein Streifenwagen neben ihr anhielt. Es war der Deputy, der auch zum Motel gekommen war, Martin. Sein Seitenfenster fuhr herunter.

»Ich muss dich bitten, mit mir zu kommen«, sagte er.

»Haben Sie ihn gefunden?«, fragte Riley.

»Wir haben seinen Truck entdeckt«, lautete die knappe Antwort.

»Aber was ist mit Beck?«

»Steig einfach in den Wagen.«

Rileys Brust zog sich zusammen. Hatten sie Becks Leiche gefunden, und Donovan wollte ihr diese Nachricht persönlich beibringen? »Warten Sie einen Moment.«

Sie kehrte dem Deputy den Rücken zu und beugte sich zu Sam hinunter. »Kann ich ihm vertrauen?«, flüsterte Riley.

»Ja, er ist astrein. Nur mit der sozialen Kompetenz hapert es etwas.«

Damit kam Riley klar. »Danke. Ich erzähl dir später, was los ist.«

»Hoffentlich sind es gute Nachrichten«, sagte Sam, aber sie klang nicht überzeugt.

Riley kletterte in den Streifenwagen und schnallte sich an. »Wo fahren wir hin?«

»Nach Süden.«

Während der Fahrt stellte der Deputy ihr Fragen, und Riley gab unverbindliche Antworten. Diese Kunst hatte sie bei den Dämonenjägern des Vatikans erlernt. Wenn der Cop nicht bereit war, ihr irgendetwas zu erzählen, konnte sie es ihrer Ansicht nach ebenso halten. Schließlich gab er auf. *Es funktioniert.*

Ihr Ziel war der östliche Rand des Sumpfes, ziemlich in der Nähe der Stelle, wo Beck mit ihr zum Pizza-Picknick hingefahren war. Mit zwei weiteren Streifenwagen, ein paar Bundesfahrzeugen und einem Krankenwagen wirkte der Ort wie ein improvisierter Parkplatz.

*O Gott.*

»Was soll das Ganze?«, fragte sie mit wachsender Furcht.

Martin sah sie unbewegt an. »Wir haben einen Abschiedsbrief gefunden und …«

Riley war aus dem Wagen raus, ehe er ganz zum Stehen gekommen war, und rannte auf den Krankenwagen zu. Um sie herum spritzte Sand auf.

*Nein. Das würde Beck mir nicht antun.*

Donovan stellte sich ihr in den Weg, so dass sie schleudernd bremste. »Bleib stehen!«

»Wo ist Beck?« Sie suchte nach dem vertrauten Gesicht, das eine, nach dessen Anblick sie sich sehnte, doch er war nirgendwo zu sehen. Dann entdeckte sie einen Mann auf der Trage, die von zwei Rettungssanitätern über den Sand getragen wurde.

»Beck?«, schrie sie und machte ein paar Schritte auf ihn zu.

Donovan packte sie am Arm. »Er ist es nicht«, sagte er.

*Und warum bin ich dann hier?* Als die Trage angehoben und hinten in den Krankenwagen geschoben wurde, erhaschte Riley einen Blick auf den dunklen Haarschopf und das blutbedeckte Gesicht.

Es war Cole Hadley.

Kurz darauf rollte der Krankenwagen mit Blaulicht und eingeschalteter Sirene über die Schotterpiste zur Straße.

»Was ist passiert?«, wollte sie wissen. *Warum bin ich hier?*

»Hadley ist angeschossen worden«, erklärte Donovan. »Es ist noch nicht klar, ob er durchkommt.«

»Wer hat auf ihn geschossen?«

In diesem Moment gesellte Martin sich zu ihnen. »Beck, wer sonst?«

»Das wissen wir nicht«, gab Donovan zurück.

»Für mich ist die Sache eindeutig. Er hat Hadley hier rausgelockt – wahrscheinlich hat er ihm erzählt, er wolle ein paar Drogen von ihm kaufen – und dann auf ihn geschossen und seine Karre genommen. Nicht, dass ich ihm deswegen sauer wäre oder so.«

Könnte Beck auf Cole geschossen haben? Auf jeden Fall hasste er ihn genügend.

Bei diesem Gedanken schüttelte Riley den Kopf. »Wenn er auf Cole geschossen hätte, würde Beck in den Knast kommen, und dann könnte er weder seine Mutter beerdigen noch nach Atlanta zurückkehren.« *Zu seinem Kaninchen und seinem Job und allen Dingen, die ihm wichtig sind.*

Sie spürte, wie sie anfing zu zittern, und holte ein paar Mal tief Luft, um sich zu beruhigen. »Was geht hier wirklich vor? Er …«, mit einem Kopfnicken deutete sie auf den Deputy, »sagt, Sie hätten einen Abschiedsbrief gefunden?«

Nach einem finsteren Blick auf seinen Mitarbeiter winkte Donovan ihr zu, mit zur Rückseite des Pick-ups zu kommen. Der Aufbau stand offen, die Heckklappe war heruntergelassen. »Sag mir, ob irgendetwas fehlt oder nicht an seinem Platz zu sein scheint. Newman muss noch die Fingerabdrücke nehmen, fass also nichts an.«

Riley trat näher und spähte auf die Ladefläche des Ford. Sie war nicht sicher, was sie erwartet hatte, aber sie entdeckte nichts Ungewöhnliches. Glücklicherweise war nirgends Blut zu sehen.

»Sieht genauso aus wie gestern Abend«, sagte sie.

»Und die Fahrerkabine?«

Sie ging zur Beifahrertür, die genauso offen stand wie die Fahrertür. Als sie hineinschaute, trug Newman gerade schwarzes Pulver auf das Lenkrad auf. Becks Schlüssel steckte im Zündschloss, und das Handschuhfach stand offen.

»Hinter dem Sitz müssten ein Stahlrohr und zwei Decken liegen. Ach, nein, das Stahlrohr nicht. Das hat er mir vor einer Woche gegeben, und vielleicht hat er es noch nicht ersetzt. Sie sind ziemlich teuer.«

»Was war in dem Handschuhfach?«, fragte Donovan.

»Sein Handbuch für Dämonenfänger, die Fahrzeugpapiere und …« Sie blickte zum Sheriff auf. »Er hat seine Waffe dort aufbewahrt.« *Und eine Packung Kondome.* Doch die ließ sie unerwähnt, um sich nicht Martins Spott auszusetzen.

»Die Waffe ist verschwunden«, erklärte der Sheriff. »Und auf dem Sitz haben wir das hier gefunden.« Er reichte ihr einen Beweisbeutel, wie man sie aus Krimis kannte. Darin ein Stück Papier, offensichtlich eine Nachricht.

*Sie hatten alle recht. Ich habe Nate und Brad umgebracht. Jetzt, wo meine Mutter tot ist, höre ich sie in meinem Kopf, wie sie nach mir rufen. Sie fordern Ver-*

*geltung für meine Sünden. Also habe ich meine Rech-*
*nung mit diesem Arschloch Hadley beglichen und*
*verschwinde von hier. Niemand wird mich vermissen.*
*Genau wie zu Lebzeiten.*

Riley schaute zu Donovan auf, ihre Gedanken rotierten.
»Das ist totaler Mist. Das hat er nicht geschrieben.«

»Wie kommst du darauf?«, erwiderte der Sheriff und
beobachtete sie aufmerksam.

»Beck hat Sadie niemals seine Mutter genannt. Dafür gab
es zu viel böses Blut zwischen ihnen.« Sie seufzte un-
glücklich, weil sie eines von Becks wohlgehüteten Geheimnissen preisgeben musste. »Und diese Zeile … *sie*
*fordern Vergeltung*? Das ist nicht Beck. Er kann kaum
lesen und schreiben. Die Unterschrift sieht zwar aus wie
seine Handschrift, aber der Rest nicht. Nicht einmal an-
nähernd.«

»Bist du dir sicher?«, fragte Martin herausfordernd.

»Ja, absolut. Ich kenne seine Handschrift. Diese hier ist es
nicht.«

»Jemand könnte ihm dabei geholfen haben«, konterte der
Deputy. »Ich kenne einige Leute in dieser Stadt, die ihn
liebend gerne tot sehen würden.«

»Beck hat jetzt etwas, für das es sich zu leben lohnt. Er
wurde nach Schottland eingeladen, um ein paar Großmeister der Internationalen Zunft kennenzulernen. Für
einen Dämonenfänger ist das eine richtig große Sache.«
Sie durchbohrte den Deputy mit ihren Blicken. »Klingt
das nach jemandem, der sich nach dem Tod sehnt?«

»Nicht, solange ihn keine Schuldgefühle quälen«, erwiderte Martin trotzig.

»Nie und nimmer«, sagte sie kopfschüttelnd. »Er wollte seinen Namen reinwaschen. Und jemand will nicht, dass das geschieht.«

Rileys Telefon klingelte. Wütend über die Unterbrechung, zog sie es heraus. Das Display zeigte Becks Nummer.

»O mein Gott, er ist es!«

»Schalte den Lautsprecher ein«, befahl Donovan.

Sie fummelte herum, schließlich hatte sie es geschafft.

»Beck? Wo bist du?«, schrie sie laut. »Bist du verletzt?«

»Fahr nach Hause«, sagte eine heisere Stimme. »Es ist vorbei.«

Eine Sekunde später zerriss ein Gewehrschuss die Luft.

## 15. Kapitel

Donovan schnappte Riley das Telefon weg, ehe sie es fallen lassen konnte. Während er sich ein paar Schritte von ihr entfernte, stopfte er sich einen Finger ins Ohr und versuchte, die Geräusche zu entschlüsseln, die aus dem Lautsprecher kamen. Stille, ein Knacken und hektische Atemgeräusche. Dann wurde aufgelegt.

Er legte ebenfalls auf. Als er zu Riley zurückkam, kniete sie im Sand und schaukelte schluchzend vor und zurück. Mit jedem Atemzug stieß sie ein angespanntes, heiseres Keuchen aus. Martin kniete neben ihr und versuchte, sie zu beruhigen.

Donovan ging auf der anderen Seite neben ihr ebenfalls auf die Knie. »Ganz langsam. Atme ein, dann wieder aus. Dir wird nichts passieren.«

»Er ... hat ... sich ... erschossen ...«

»Nein, das glaube ich nicht.«

Verzweifelt hob Riley das tränenüberströmte Gesicht und sah ihn an. »Aber ... ich habe gehört ...«

»Versuch, deine Atmung zu entspannen. Das ist das Einzige, worauf es im Moment ankommt.«

Riley schloss die Augen und gab sich Mühe, mit jedem Atemzug langsamer zu werden, tiefer einzuatmen, weniger panisch zu sein. Schließlich runzelte sie die Stirn. »Das würde Beck mir nicht antun. Das war kalt. Grausam.«

»Das sehe ich genauso«, erwiderte Donovan. »Wenn Beck sich selbst erschossen hätte …« Er zögerte, sein Blick traf den seines Deputys. »Er hätte sich vermutlich in den Kopf geschossen. Seine Pistole hat ein 9mm-Kaliber, das hätte ihn auf der Stelle getötet. Ich hätte hören müssen, wie der Körper auf den Boden aufschlägt, oder irgendein Geräusch, das darauf hindeutet, dass er kampfunfähig ist. Stattdessen hörte ich mindestens sieben oder acht Sekunden lang hektisches Atmen, und dann noch ein Geräusch, vielleicht die Waffe, die fallen gelassen wird. Dann wurde aufgelegt.«

»Beck kann nicht aufgelegt haben, wenn er tot ist«, sagte Martin stirnrunzelnd.

»Exakt.«

Zorn spiegelte sich auf Rileys Gesicht, als sie mühsam wieder auf die Beine kam. »Was für ein kranker Irrer spielt am Telefon den Selbstmord eines anderen vor?«, wollte sie mit geballten Fäusten wissen.

»Die Sorte Mensch, die ich hinter Gittern sehen will«, erwiderte Donovan. *Denn wenn er solche Anstrengungen unternimmt, muss er richtig was zu verbergen haben.*

Als er Riley die Hand auf die Schulter legte, spürte er, wie sie bebte. »Kannst du im Streifenwagen auf mich warten? Ich fahre dich gleich in die Stadt zurück.«

Nachdem sie ihren Rucksack aus dem Auto des Deputys geholt hatte, ging sie zu seinem Wagen. Obwohl sie den Kopf hoch und den Rücken gerade hielt, merkte Donovan, dass sie Angst hatte. Jemand hatte die Situation bis an den Rand der Grausamkeit eskalieren lassen.

Martin beobachtete sie ebenfalls aufmerksam. »Bist du sicher, dass es nicht Beck war?«

»Ja. Das würde er niemals irgendeinem Mädchen antun. Vor allem diesem nicht.«

»Und was machen wir jetzt?«

»Klappert die Anwohner ab und fragt nach, ob sie irgendetwas gehört haben. Dann besorgst du dir Becks und Coles Telefondaten und überprüfst, mit wem sie in den letzten Tagen telefoniert haben. Ich schaue beim Krankenhaus vorbei, mal sehen, ob Hadley in der Verfassung ist, mir zu sagen, wer hinter der ganzen Sache steckt.«

»Das ist ja, als würde eine Schlange sich um die andere winden«, erwiderte Martin.

»Genau das hoffe ich.«

Donovan wartete, bis sie die Hauptstraße erreicht hatten, die sie in den Ort zurückbrachte, ehe er das Gespräch mit seiner Beifahrerin begann. »Geht es dir wieder besser?«

Sie nickte ernst. »Was passiert mit dem Truck?«

»Sobald wir damit fertig sind, lasse ich ihn zum Motel bringen. Tut mir leid, aber das Puder für die Fingerabdrücke wird eine ziemliche Sauerei hinterlassen.«

»Kein Problem.«

»Willst du hierbleiben, bis wir die Sache geklärt haben?«

»Auf jeden Fall«, sagte sie knapp. »Es gibt etwas, was Sie über den Bestatter wissen sollten.«

Nachdem er zugehört hatte, wie Riley ihr Gespräch mit McGovern wiedergab, nahm er sich vor, später unbedingt mit dem Mann zu reden.

»Danke, ich werde es überprüfen.« Er räusperte sich.

»Wie viel weißt du über Denvers Vergangenheit?«

»Etwas, aber nicht viel. Er ist ziemlich verschlossen, was das angeht«, gab sie zu.

»Dann werde ich dir ein paar Hintergrundinfos geben. Als die Brüder verschwanden, behauptete Denver sich ganz wacker. Sadie hatte einen neuen Freund, einen Kerl namens Vic, der den Jungen häufig schlug. Ich konnte Denver nie dazu bringen, ein Wort darüber zu verlieren, und Vic war klug genug, so zuzuschlagen, dass niemand die blauen Flecken sah.«

»Er hätte es Ihnen nie erzählt. Er hat seine Mom nie verlassen, weil er sicher war, dass sein Dad eines Tages auftauchen würde.«

Donovan nickte zustimmend. »Genau das dachte ich mir auch. Bis zu diesem Zeitpunkt hat er immer auf mich gehört und meinen Rat angenommen, doch dann verschwanden die Jungen. Louisa und Denver trennten sich, und er geriet völlig außer Kontrolle. Nachdem er in eine Messerstecherei verwickelt wurde, schickte ich ihn in den Norden.«

»Sie haben genau das Richtige getan. Beck hat sein Leben geändert.«

Donovan wich einem Campingbus aus und scherte wieder auf die Fahrspur ein.

»Ich habe mir große Sorgen um ihn gemacht, weil sein Onkel da oben sich einen Dreck um den Jungen gekümmert hat und seine Großeltern inzwischen beide tot waren. Als dein Vater mich anrief, haben wir lange miteinander geredet. Ich begriff, dass Beck seinen Helden gefunden hatte, und zwar einen, den er respektierte. Paul und ich blieben all die Jahre über in Verbindung. So erfuhr ich auch, dass der Junge in Afghanistan verwundet wurde.«

»Mein Dad hat sich echt um ihn gekümmert.« Sie schaute aus dem Fenster. »Ich habe niemanden mehr außer Beck«, flüsterte sie. »Ich darf ihn nicht verlieren. Er ist … zu wichtig für mich geworden.«

Der Sehnsucht in ihrer Stimme nach zu urteilen ging es um mehr als Freundschaft.

»Keine Sorge, wir finden ihn. So oder so.«

Sie drehte sich zu ihm um. »Die anderen Jungen haben Sie nicht gefunden.«

»Deshalb werde ich dieses Mal nicht aufgeben, bis ich ihn gefunden habe.«

Erfreut stellte Beck fest, dass das Loch, das er gegraben hatte, etwa fünf Zentimeter mit Wasser vollgelaufen war. Er wusste, dass es furchtbar schmecken würde, aber nach dem Dämon bestand die zweitgrößte Gefahr für ihn darin, zu verdursten. Er schöpfte Wasser mit der hohlen Hand und hielt sich die Flüssigkeit an die Lippen. Als es ihm in den Mund lief, hätte er es beinahe

wieder ausgespuckt, doch er zwang sich, es herunterzu-
schlucken.

»Mann, ist das eklig.«

»Du kannst so viel Wasser bekommen, wie du dir
wünschst«, sagte der Dämon. Er hatte wieder seine üb-
liche Position eingenommen und musterte ihn aufmerksam wie ein Teenager eine frisch gebackene Pizza.

»Die Masche kenne ich«, erwiderte Beck und nahm noch
einen großen Schluck. »Du gibst mir alles, was ich in
dieser Welt haben will, solange ich zustimme, im nächsten
Leben dein Sklave zu sein.«

»Und was wünschst du dir, Denver Beck?«

»Dass du verschwindest«, erwiderte er. Er widmete sich
wieder der vor ihm liegenden Aufgabe – zu versuchen, sich
von der Kette zu befreien. Auf das Vorhängeschloss einzu-
schlagen hatte nur dazu geführt, dass ihm jetzt der Fuß weh
tat, also probierte er jetzt, den Spalt im Ring zu verbreitern.
Wo hatte der Dämon das Vorhängeschloss überhaupt her?
Hatte er es einfach heraufbeschworen oder so?

»Sie hassten dich«, fuhr der Dämon fort. »Diese beiden,
die gestorben sind. Sie brachten dich hier raus, um dich
zu verarschen.«

Becks Mut geriet ins Schwanken. »Das weiß ich auch.«
Er blickte auf. »Wieso bist du hier? Warum sollte ein
Dämon mit den Alligatoren Fangen spielen?«

Der Blick des Dämons loderte auf. »Zur Strafe, heißt es.
Weil ich dem Höllenfürsten nicht auf angemessene Weise
Respekt zollte.« Angewidert spie er aus. »Weil ich seine
Befehle nicht beachtet habe.«

»Kein Fan vom guten alten Luzifer?«, sagte Beck, um festzustellen, ob er ihn irgendwie provozieren konnte.

Der Dämon zuckte zusammen, als er den Namen seines Herrn hörte, aber er schrie nicht gequält auf wie die meisten Höllendiener.

Beck spürte die Schwäche seines Gegners. »Lass mich raten: Du hast zu Sartaels Trupp gehört, aber aus irgendeinem Grund hast du bei der großen Schlacht gefehlt. Du hast gedacht, der verrückte alte Erzengel würde Luzifer schon umpusten, und es sei nicht nötig, dass du dich da blicken lässt. Und jetzt bist du hier. Ein Verräter, den ein Haufen Verräter ins Exil geschickt hat.«

Der Dämon bewegte sich schneller, als er für möglich gehalten hätte. Er riss das Gewehr hoch, um sich zu schützen, doch der Höllendiener hatte bereits zugeschlagen und sich wieder zurückgezogen. Beck taumelte zurück und verzog das Gesicht vor Schmerz. Ohne den Dämon aus den Augen zu lassen, bückte er sich und tastete vorsichtig sein linkes Bein ab. Als er die Hand wieder wegnahm, war sie blutig. Nach einer, vielleicht zwei Stunden würde er die Wirkung zu spüren bekommen, zuerst Fieber und dann, sobald die Entzündung schlimmer wurde, würde er zu halluzinieren beginnen. Wenn die Wunde nicht mit Weihwasser behandelt wurde, würde sie ihn umbringen.

»Jetzt hast du keine Wahl mehr, Denver Beck«, fauchte der Dämon. »Du wirst mir deine Seele übergeben, oder du wirst hier sterben, und niemand wird deine Knochen finden.« Er lächelte und deutete auf das Fleckchen Erde vor dem anderen Baum. »Ich bin sicher, dass die Brüder dich im Tod mit offenen Armen begrüßen werden.«

Der Leichnam des erschlagenen Dämonenfängers lag zu seinen Füßen, die blicklosen Augen des Opfers starrten verblüfft nach oben, während sein Lebenssaft im grellen Sonnenlicht eine Pfütze bildete. Ori schüttelte den Kopf über die Dummheit des Mannes. Es schien, als hätte der Idiot es darauf abgesehen, sich umzubringen.

Er gab dem Schöpfer die Schuld an der Selbstüberschätzung der Sterblichen. In diesem Fall war es der Glaube, ein einzelner Dämonenfänger könne gegen ein göttliches Wesen kämpfen und es überleben, um davon zu erzählen. So etwas kam vor, aber außerordentlich selten. So auch heute nicht.

Ori hatte gewusst, dass der Mann ihn seit ein paar Tagen verfolgte, und ihm schließlich einen Moment grausamen Ruhmes gewährt. Der Dahingeschiedene gehörte nicht zu den Dämonenfängern der Stadt – die waren klug genug, niemanden seinesgleichen herauszufordern. Dieser hier war aus einer anderen Stadt gekommen, in der unverschämten Hoffnung, Berühmtheit zu erlangen. Doch am Ende warteten nicht Erfolg und Ehre, sondern der Tod.

Eine rasche Handbewegung, und der Leichnam flammte auf und zerfiel, doch das Feuer vermochte nichts gegen die Kälte in der Seele des Engels auszurichten. Zu lange hatte er gegen dürftiges Lob abtrünnige Dämonen für seinen Gebieter getötet. Selbst jetzt war er gezwungen, weitere von ihnen umzubringen, und das ohne zusätzliche Hilfe. Aber das würde sich ändern, sobald Riley Anora Blackthorne wieder in der Stadt war, dafür würde Ori sorgen. Er empfand etwas, das einem Gefühl der Ungeduld nahekam – ein vollkommen menschliches Gefühl –, da der Moment ihrer Ankunft näher rückte …

Er witterte den schwachen Geruch seiner Beute, eines abtrünnigen Erzdämons aus jener Stadt, die die Sterblichen St. Louis nannten. Ori verschwand, wieder auf der Jagd. Seiner Ansicht nach konnte der tote Fänger sich in vielerlei Hinsicht glücklich schätzen. Dieser Mann hatte den Zeitpunkt und die Art seines Todes selbst bestimmt. Solange Luzifer in der Hölle herrschte, blieb Ori dieser Trost verwehrt.

## 16. Kapitel

Riley wusste, dass sie dickköpfig war und Geld verschwendete, indem sie das unbenutzte Motelzimmer behielt, aber wenn sie Becks Sachen packte und sie in ihr Zimmer brächte, würde sie zugeben, dass er fort war. Vielleicht für immer.

Ruhelos rief sie bei Stewart an, um ihn über die jüngsten Ereignisse auf dem Laufenden zu halten, aber er war nicht zu Hause. Seine Haushälterin berichtete, dass er auf einem weiteren Treffen der Hexen mit den Nekromanten war, um zu versuchen, die Spannungen abzubauen, die zwischen beiden Seiten herrschten.

*Also läuft es gerade auch zu Hause ziemlich beschissen.*

Sie hinterließ eine detaillierte Nachricht und begann dann, von einem Zimmer ins andere zu wandern, unsicher, was sie als Nächstes tun sollte. Die Hilflosigkeit machte sie verrückt. Beck war irgendwo und brauchte ihre Unterstützung, aber was konnte sie schon machen, ohne einen Wagen und ohne eine Vorstellung, wohin sie sich als Nächstes wenden sollte?

Ein Klopfen an der Tür ließ sie in ihrer Wanderung innehalten. Wenn das Beck sein sollte, würde sie ihn zuerst umarmen und dann anschreien. Dann würde sie ihn erneut in den Arm nehmen und nie wieder loslassen.

Sie spähte durch den Spion und sah in zwei blaue Augen, die ihren Blick erwiderten.

*Simon?* Er war der letzte Mensch, mit dem sie in Sadlersville gerechnet hätte. Sie öffnete die Tür und wusste nicht, was sie sagen sollte.

»Riley«, sagte er und fühlte sich offensichtlich ebenso unbehaglich wie sie. »Meister Harper schickt mich, damit ich dir helfe, Beck zu finden.«

»Äh, okay.« *Und jetzt?*

Simon rührte sich nicht von der Stelle. »Ich weiß, dass es schwer für dich ist, aber …«

»Das kriegen wir schon hin« sagte sie und winkte ihn herein. »Du kannst in Becks Zimmer pennen.«

Simon machte keine Bemerkung darüber, dass die beiden Zimmer verbunden waren und die Verbindungstür offen stand. Zum Glück hatte das Zimmermädchen Becks Bett gemacht, sonst hätte es noch schlimmer ausgesehen.

Riley öffnete eine Schublade und blickte hinunter auf die ordentlichen Stapel von Becks Socken und Unterhosen.

»Ich habe seine Sachen noch nicht rausgenommen, weil ich dachte …« Sie erstarrte, ihre Hände zitterten. »Ich brauche nur eine Minute und …« Riley blickte zur Zimmerdecke hoch, Tränen brannten in den Augen. »O Gott, Simon, was, wenn … er … tot ist?«

Er drehte sie sanft um. Sie wollte, dass er sie in den Arm nahm, aber war das überhaupt noch möglich, nach dem, was zwischen ihnen vorgefallen war? Offensichtlich schlugen seine Gedanken eine ähnliche Richtung ein.

»Stewart sagt, wir sollen uns nicht zu Hause blicken lassen, ehe wir Beck gefunden haben«, sagte er.

»Aber was, wenn …«

»Dann werden wir herausfinden, wer ihm das angetan hat und denjenigen in der Hölle abliefern … persönlich.«

Schockiert über den boshaften Tonfall, trat Riley einen Schritt zurück. Das war nicht der Simon, den sie kannte, der Simon, der sich bei den Dämonen entschuldigte, nachdem er sie eingefangen hatte.

Blind gegenüber der Reaktion, die er hervorgerufen hatte, deutete er auf die offene Schublade.

»Lass Becks Sachen, wo sie sind. Ich finde schon einen Platz für mein Zeug. Er kann sie zusammenpacken, wenn er zurückkommt.«

Das war ein dicker Strohhalm, und sie klammerte sich verzweifelt daran fest.

»Ja«, sagte sie, »lass ihn das machen. Ich werde seine Unterwäsche jedenfalls nicht anrühren.«

Simon bedachte sie mit einem Nicken und einem schmerzlich dünnen Lächeln.

Riley ließ ihn allein, damit er auspacken konnte. Während er im anderen Zimmer herumräumte, telefonierte er mit Harper, um zu berichten, dass er jetzt in Sadlersville und bereit war, die Jagd zu eröffnen. Obwohl ihr einleuchtete, dass er der am besten geeignete Fänger war, um ihr hier zu helfen – die Gesellen waren alle zu beschäftigt –, fiel es ihr schwer, ihm so nahe zu sein, ohne an die Vergangenheit zu denken. Sie ahnte, dass Stewart dabei seine Finger im Spiel gehabt haben musste, auch wenn Harper derjenige gewesen war, der ihren Ex in den Süden geschickt hatte.

Riley hatte gerade ihren Computer ausgeschaltet, als Simon den Kopf durch die Tür steckte. »Ich bin mit dem Bus gekommen und habe noch nichts gegessen. Hast du Hunger?«

Riley hatte eigentlich keinen Appetit, aber um ihn bei Laune zu halten, nickte sie. »Wie bist du zum Motel gekommen?«

»Ich bin gelaufen. Hab kein Taxi gefunden.«

»Wem sagst du das?« *Vielleicht können wir uns fahren lassen.* Sie rief Sam an, und als die Nichte des Sheriffs sich meldete, erklärte sie ihr die Situation.

»Dieser Neue, sieht der scharf aus?«, fragte Sam.

»Absolut.«

»Ich bin in zehn Minuten bei euch.«

»Wir werden abgeholt«, rief Riley laut. Sie sparte sich die Erklärung, dass es wegen Simons Aussehen geschah, nicht aus Freundlichkeit.

Kreischende Bremsen auf dem Parkplatz kündigten die Ankunft ihrer Fahrerin an. Als Riley und Simon auf das Auto zugingen, ließ Sam das Fenster herunter.

»Du hast recht, das ist ja echt ein Schnuckel.«

Riley stöhnte. *Kann mich bitte jemand auf der Stelle erschießen?* »Simon, das ist Samantha, genannt Sam.« *Die keine Ahnung hat, wie sie ihr loses Mundwerk in den Griff kriegen soll.*

»Nett, dich kennenzulernen«, sagte er höflich.

»Yeah, echt klasse«, erwiderte das Mädchen strahlend.

Riley überließ Simon den Vordersitz, da sie wusste, dass Sam die ganze Fahrt über nicht den Blick von ihm abwenden würde. Wenn er hinten säße, könnte das gefährlich werden, falls sie tatsächlich auf nennenswerten Verkehr stoßen sollten.

»Und, wie ist es so?«, sprudelte es aus Sam heraus. »Ich meine, Dämonenfänger zu sein. Prügelt man sich da echt ständig, so wie in der Fernsehsendung?«

»Es ist ein ungewöhnlicher Beruf«, antwortete Simon diplomatisch. Dann wechselte er geschickt das Thema, fragte Sam nach ihrem Leben und lenkte von sich ab. Ihre Fahrerin schien es gar nicht zu bemerken. Während sie sprach, gab Simon interessierte Laute von sich, doch Riley merkte, dass er mit Gedanken ganz woanders war.

»Wo können wir etwas essen?«, fragte Riley. Jetzt, wo sie nicht mehr im Motelzimmer hockte, verspürte sie ebenfalls Hunger.

»Es gibt einen Italiener. Passt euch das?«, fragte Sam.

»Klingt gut«, sagte Riley.

Doch kurz darauf standen sie vor verschlossenen Türen, da in dem Restaurant eine private Feier stattfand.

»Gott, das ist ja, als wäre man nach Sibirien verbannt«, grummelte Sam.

Wie Motten immer wieder zum Licht flogen, landeten sie

schließlich im Diner und suchten sich eine Nische im hinteren Bereich des Restaurants. Als Sam darauf bestand, neben Simon zu sitzen, schien ihre Aufmerksamkeit ihn zu verwirren. Zu ihrer Überraschung verspürte Riley nicht die geringste Eifersucht. Was immer sie je für ihren Exfreund empfunden hatte, war tot und begraben, fortgespült durch eine Weihwasserdusche.

*Immerhin hasst er mich nicht mehr.*

Während Sam die Speisekarte studierte, zog Simon zwei Zeitungen aus seinem Rucksack und legte sie vor Riley auf den Tisch. »Tut mir leid, ich hätte sie dir schon im Motel geben sollen. Stewart möchte, dass du sie liest. Da sind zwei Artikel von der Reporterin, mit der Beck ... ausgegangen ist.«

*Ausgegangen?* So würde Riley das nicht gerade nennen, aber sie sparte sich die Mühe, ihn zu korrigieren.

»Danke.« Sie zog die Zeitungen zu sich heran und begann mit der Ausgabe von vor zwei Tagen, dem Tag, an dem Sadie gestorben war. Der Artikel war zum Glück nicht auf der Titelseite des *Atlanta Journal Constitution* erschienen, sondern lag versteckt im Innenteil. Becks Foto war ganz ordentlich, und obwohl es ihr schwerfiel, musste sie der Reportertussi zubilligen, dass der Bericht gut geschrieben war. Er hatte nichts von einem Hetzartikel – bis auf den letzten Absatz, in dem Justine Fragen über Becks frühe Jahre in Sadlersville aufwarf. Besonders über seine Rolle beim Tod der Keneally-Brüder.

Das bedeutete, dass die Meister und ganz Atlanta jetzt Becks dunkelstes Geheimnis kannten.

Leise vor sich hin murmelnd griff Riley nach der zweiten Zeitung, die heute Morgen erschienen war.

*Ist dieser dekorierte Kriegsheld ein eiskalter Killer?*

Sie hob den Kopf und traf Simons Blick. Sie merkte, dass er sich Sorgen machte, wie sie reagieren würde.

»Alles in Ordnung.« *Das wird es sein, nachdem ich ihr die Lungen herausgerissen habe.*

Riley überflog den Artikel. Justine hatte nur einen Fehler gemacht und behauptete, Beck sei sechzehn gewesen, anstatt fünfzehn. Die Frage wurde nicht beantwortet, der Artikel führte lediglich die Argumente beider Seiten auf. Und am Ende kam dann ein weiterer Anreißer:

*Musste Denver Beck als Sündenbock für das abscheuliche Verbrechen eines anderen herhalten?*

»Stewart glaubt, dass die Reporterin Beck dazu benutzt, den wahren Mörder aufzuscheuchen«, stellte Simon fest.

»Wenn das der Fall ist, dann wird der Mörder ihn verfolgen, nicht sie. Und möglicherweise ist genau das gerade passiert.« Riley faltete die Zeitung zusammen und dachte nach. »Ich muss kurz mal telefonieren«, sagte sie und schob sich aus der Bank.

»Was möchtest du essen?«, fragte Sam laut.

»Egal. Bestellt irgendetwas mit Pommes.« Sie brauchte jetzt etwas Fettiges, Salziges, Knuspriges.

Riley trat aus dem Diner in die kühle Abendluft. In der Stadt war es ruhig geworden, nur wenige Autos waren noch unterwegs. Ein Stückchen die Straße hinunter befand sich das hell erleuchtete Sheriffbüro, drei Wagen parkten vor dem Gebäude. Donovan arbeitete immer noch an dem Fall.

Riley scrollte durch die Liste mit den eingegangenen Anrufen in ihrem Handy und fand schließlich die Nummer, nach der sie gesucht hatte. Als das Freizeichen ertönte, ballte sie die freie Hand zur Faust. *Ich hasse dich, du verlogene Schlampe. Du hast den Mann verletzt, den ich liebe, aber wenn du mir helfen kannst, ihn zu finden, werde ich … werde ich …*

»Justine Armando«, meldete sich die melodiöse Stimme.

»Hier ist Riley Blackthorne. Ich bin in Sadlersville. Sie müssen mir helfen, Beck zu finden.«

»Ich verstehe nicht …«

»Er ist verschwunden, und die Cops glauben, dass er erst einen Einheimischen und dann sich selbst erschossen hat«, sagte Riley.

»Das ist Unsinn«, erwiderte Justine scharf. »Erzähl mir, was passiert ist.«

Riley erzählte ihr alles, auch von dem angeblichen Selbstmord am Telefon. »Sie haben Beck als Köder benutzt, um den wahren Killer zu finden.« Das war keine Frage.

»Nicht ganz, aber mein Artikel könnte als Katalysator gewirkt haben. Ich bin in Florida, um für eine damit zusammenhängende Story zu recherchieren. Sobald ich hier fertig bin, komme ich nach Sadlersville.« Eine längere Pause. »Doch im Gegenzug will ich wissen, was wirklich auf dem Oakland-Friedhof passiert ist.«

*Sie gibt nie Ruhe.* »Ich kann Ihnen von der Schlacht mit den Dämonen erzählen, mehr nicht.«

»Ich muss alles wissen.«

»Vergessen Sie's. Ich stehe unter dem Befehl des Vatikans.« Das war zwar nicht ganz die Wahrheit, aber näher dran, als Riley bereit war, sich einzugestehen. »Ich schlage Ihnen Folgendes vor: Sie haben mit Ihren Artikeln diese Scheiße erst aufgewühlt, also werden Sie mir helfen, Beck zurückzubekommen. Wenn Sie versuchen, uns zu verarschen, werden Sie einen Feind fürs Leben haben.«

Justine schnaubte wütend. »Du stellst ja wohl kaum eine Bedrohung dar, Kind.«

Riley dachte an den Gefallen, den Luzifer ihr noch schuldete.

»In diesem Punkt irren Sie sich«, sagte sie und legte auf.

Rileys Schinkensandwich und Pommes warteten auf sie, doch ihr Magen rumorte so heftig, dass sie nur mit Mühe etwas herunterbekam. Es gefiel ihr nicht, Menschen drohen zu müssen, nicht einmal dieser Schlampe.

Simon legte seinen Hamburger auf den Teller und warf ihr einen besorgten Blick zu. »Alles in Ordnung?«

»Ich habe nur gerade einen Pakt mit dem Teufel geschlossen«, sagte Riley. Als er Erstaunen zeigte, schüttelte sie den Kopf. »Nicht mit dem. Mit der Reportertussi. Justine wird uns helfen. Sie kennt diesen Fall genauso gut wie die Cops, aber sie kann erst in ein paar Stunden hier sein.«

»Und was tun wir, während wir warten?«, fragte Simon.

»Gott, ich weiß es nicht.« Riley ließ den Kopf hängen. »Ich komme mir so nutzlos vor. Wenn er irgendwo gefan-

gen gehalten wird, zählt er darauf, dass ich ihn finde.«
*Und ihn rette.*

Sam streckte die gebräunte Hand aus und berührte sie sanft. »Hey, du bist nicht allein.«

Das wusste Riley. Aber Beck war vermutlich allein. *Oder tot.* Sie musste sich auf diesen Moment vorbereiten, wenn der letzte Lichtblick aus ihrem Leben verschwand. Wenn es keinen Dorftrottel mehr gäbe, den sie schikanieren konnte. Kein freches Lächeln mehr, keine Küsse. In seinem Testament hatte er festgelegt, dass sie alles bekommen würde: sein Haus, sein Kaninchen, sein Geld – aber ohne Beck, mit dem sie all das teilen könnte, war ihr das egal.

Die restliche Mahlzeit verbrachten sie schweigend, selbst Sam spürte, dass jetzt nicht die richtige Zeit zum Quatschen war. Als sie zum Motel zurückkehrten, parkte Becks Truck vor ihren Zimmern. An der Tür hing ein Zettel, dass sie die Schlüssel im Büro abholen könne. Riley ging zur Rezeption, um sie und auch gleich einen Extraschlüssel für Simon zu holen.

Als sie gerade in ihre Zimmer gehen wollte, klingelte ihr Handy. »Hallo?«

»Miss Blackthorne, hier ist McGovern vom Bestattungsinstitut. Ich wäre dann so weit, so dass wir die Trauerfeier morgen früh abhalten können. Dann müssen Sie nicht länger hier unten bleiben als nötig. Ich bin sicher, Ihre Familie wird sich freuen, Sie wieder bei sich zu Hause zu haben.«

Er hatte soeben auf einen Knopf mit der Aufschrift *Nicht drücken* gedrückt.

»Beck ist alles, was ich an Familie habe«, fauchte sie. Simon lehnte sich in den Türrahmen, alarmiert von ihrem scharfen Tonfall. »Ich werde nicht gehen, bis ich ihn gefunden habe. Ich bin sicher, seine Mom kann noch ein paar Tage warten.«

Riley erschrak über das, was da gerade aus ihrem Mund gekommen war, aber es war die Wahrheit. Sadie kümmerte das nicht mehr.

McGovern seufzte ins Telefon. »Wir sind hier nicht in Atlanta, Miss Blackthorne. Nicht alle wollen, dass Denny gefunden wird«, erwiderte er. »Es ist besser, Sie verschwinden, oder es könnte unangenehm werden.«

Sollte das eine Warnung sein?

»Ich bleibe, Mr McGovern. Es ist mir egal, was passiert. Ich werde ihn finden, so oder so.«

Das Schweigen zog sich in die Länge.

»Nun denn«, setzte er schließlich an, »da Denny nicht hier ist, muss ich Sie bitten, die Arrangements für die Beerdigung seiner Mutter zu überprüfen. Können Sie heute Abend noch zum Bestattungsinstitut kommen? Sagen wir, so gegen zehn?«

»Heute Abend?« Das kam ihr merkwürdig vor.

»Ich bin noch mit den Vorbereitungen für eine andere Beerdigung beschäftigt. Kommen Sie zur Hintertür. Ich werde alles vorbereitet haben.«

*Ich will das nicht.*

Sie gab nach. »Okay, ich komme.« Hauptsache, dieser Typ fiel ihr nicht länger auf den Wecker.

## 17. Kapitel

Trotz ihrer Befürchtungen wäre Riley allein zum Bestattungsinstitut gefahren, aber das wollte Simon nicht zulassen.

»Nein, ich komme mit«, sagte er. »Diese Stadt hat etwas an sich, das mich nervös macht.«

»Zum Beispiel?«, fragte sie, während sie die Sitze und das Lenkrad mit bloßen Händen abwischte. Dieser Fingerabdruckpuder schien überall zu sein.

»Ich weiß nicht. Es ist nur … irgendwie falsch. Oder vielleicht liegt es auch an mir. Im Moment kann ich nicht richtig vertrauen.«

»Das kenne ich.« Sie zog eine der Decken hervor, die Beck in seinem Truck aufbewahrte, und wies Simon an, sie über dem Sitz auszubreiten. Mehr konnten sie nicht tun, bis sie eine Autowaschanlage gefunden hatte.

Auf dem Weg in die Stadt zappelte Simon herum. Das war gar nicht seine Art.

»Was ist los?«, fragte sie.

Er wirkte bestürzt, weil sie es bemerkt hatte. »Mir geht einfach nur eine Menge durch den Kopf.«

Sie wartete schweigend, dass er weitersprach.

»Ich war bei einem Therapeuten. Er glaubt, ich würde

unter einem posttraumatischen Belastungssyndrom leiden.«

»Und du glaubst …«

»Dass es mehr als das ist. Ich bin so unbeherrscht. Ich bin
sofort von null auf hundertachtzig, wegen nichts. Wann
immer ich mit jemandem rede, frage ich mich, was seine
wahre Absicht ist.«

Riley drosselte das Tempo und kroch hinter einem Typen
in einem zerbeulten Chevy her. »Ich habe im Nachhinein
auch einige Zweifel an dem, was ich getan habe.« *Ori zu
vertrauen, zum Beispiel.*

»Meinst du damit den Deal, für den Himmel zu arbeiten,
um mein Leben zu retten?«, fragte Simon.

Damit hatte sie nicht gerechnet. »Als ich richtig, richtig
sauer auf dich war, ja. Ich habe mich gefragt, warum ich
mir das angetan habe. Die Wahrheit ist, ich konnte nicht
anders. Du warst ein netter Kerl. Du hattest es verdient,
zu leben.«

»Du warst …«, sagte er. »Nicht … bist ein netter
Kerl.«

Sein deprimierter Tonfall bekümmerte sie. »Ist alles in
Ordnung mit dir, ich meine, du denkst doch nicht etwa
daran …?«

Simon schüttelte den Kopf. »Selbstmord ist eine Sünde,
und davon habe ich schon zu viele auf mich geladen. Ich
glaube nicht, dass ich jemals wieder Frieden finden werde, nicht so wie früher.«

Riley hielt an einem Stoppschild an. Sie wusste, dass er
Unterstützung brauchte, keine Ablehnung. »Du wirst,

und wenn es so weit ist, wird alles wieder gut. Die Hölle wird bei dir kein zweites Mal zum Zuge kommen.«

»Schon möglich. Aber vielleicht haben sie ja schon gewonnen, und ich weiß es nur noch nicht.«

⁙

Riley parkte hinter dem Bestattungsinstitut, wie McGovern es verlangt hatte.

»Der Typ treibt mich noch in den Wahnsinn«, sagte sie. »Er veranstaltet einen Riesenwirbel wegen nichts.«

Als sie aus dem Truck stiegen, klingelte Simons Telefon.

»Das ist meine Mom«, sagte er nach einem Blick auf das Display. »Ich gehe besser ran. Sie macht sich im Moment echt Sorgen um mich, und wenn ich den Anruf wegdrücke, flippt sie aus.«

»Grüß sie von mir. Ich bin gleich wieder da.«

Der Hintereingang führte in die Garage des Bestattungsinstituts. Auf der einen Seite parkte der Leichenwagen mit offener Hecktür. Direkt daneben lag ein leerer Leichensack.

*Unheimlich.*

Vielleicht hätte sie warten sollen, bis Simon seinen Anruf beendet hatte, damit sie nicht so allein wäre.

*Hör auf, dich wie ein Feigling zu benehmen.*

»Hallo?«, rief sie laut. Als sie keine Antwort bekam, ging Riley weiter, bis sie an einen Korridor gelangte. Sie kam an ein paar Türen vorbei, doch sie waren alle abgeschlossen. Bestattungsinstitute hatten sie schon immer kopfscheu gemacht, aber dieses hier schaffte es besonders gut.

Manchmal war es cool, hinter die Fassade zu blicken und zu erfahren, wie bestimmte Dinge funktionierten. Leichenhallen standen für sie allerdings nicht auf dieser Liste.

Ein mulmiges Gefühl ließ sie stehenbleiben und sich umdrehen. McGovern stand hinter ihr in einem nur schwach beleuchteten Teil des Korridors.

»Da sind Sie ja«, sagte sie und versuchte vergeblich, sich zu entspannen.

Er kam auf sie zu. »Tut mir leid, dass Sie herkommen mussten, aber ich habe keine Wahl. Besonders, nachdem der nächste Verwandte Selbstmord begangen hat.«

Die letzten Worte schwebten im Korridor zwischen ihnen.

Rileys Nackenhaare stellten sich auf. Woher wusste er von dem Brief oder dem Telefonanruf? War das nur eines dieser Kleinstadtgerüchte oder etwas anderes?

Beck war hier gewesen, um den Mann zu treffen, direkt, bevor er verschwand. Ein Bestatter könnte jeden aus der Stadt karren, und niemandem würde es auffallen. Man würde schlicht davon ausgehen, es handele sich um einen Leichnam.

*Hallo? Das hier ist kein Horrorfilm. Reiß dich zusammen.*

»Ich habe die Papiere hier«, sagte er und winkte sie näher.

Als er ins Licht trat, begriff sie, dass er keine Papiere in den Händen hielt. Stattdessen hatte er einen Taser, mit dem er direkt auf sie zielte.

»Hadley«, sagte Donovan, als er am Krankenhausbett stand. »Wie geht's?«

Cole runzelte die Stirn als Antwort. Sein Atemschlauch war durch eine Sauerstoffkanüle ersetzt worden, und seine Gesichtsfarbe hatte sich etwas gebessert, aber er war immer noch mit mehr Kabeln und Schläuchen bestückt als ein Spaceshuttle.

Es sah aus, als würde dieser Idiot überleben, was perfekt zu Donovans Plänen passte.

»Wer hat auf dich geschossen?«, fragte Donovan.

»Beck«, krächzte er.

Der Sheriff beugte sich so weit über das Bett, bis er sicher war, dass Cole sein Gesicht deutlich erkennen konnte. Es wurde Zeit, dass er andere Saiten aufzog.

»Blödsinn. Wenn Beck auf dich geschossen hätte, wärst du jetzt tot. Also, wer hat den Abzug gedrückt? Einer von den Mistkerlen, an die du verkaufst?«

Keine Antwort.

»Egal. Die Drogen, die wir in deiner Tasche gefunden haben, sind dein Ticket ins Gefängnis.«

»Welche Drogen?«, fragte Cole entsetzt. »Ich hatte nichts dabei.«

Das klang nach der Wahrheit und eröffnete eine ganze Reihe neuer Möglichkeiten.

»O doch. Kokain. Das wird dir das Genick brechen, Hadley.«

»Ich hatte nichts dabei«, beharrte er. Dann riss der Patient die Augen auf. »Dieser verdammte Scheißkerl! Er hat mir die Drogen untergeschoben.«

»Du nervst echt!«, sagte Donovan und versuchte, ein Grinsen zu unterdrücken. »Beck rührt dieses Zeug nicht an. Also, wer hat dich reingelegt?«

Coles Gesicht war leicht gerötet, und sein Atem ging schneller. »Dieser Wichser McGovern.«

Donovans Welt drehte sich einmal um sich selbst und ließ sich dann in einer neuen Position wieder nieder. *McGovern?* Das war die letzte Person, die er auf dem Radar hatte. Er schlug einen milderen Tonfall an. »Warum sollte er das tun? Hast du ihm bei einem Deal betrogen?«

»Nein, ich habe ihn an dem Abend in Becks Truck gesehen, als Denny verschwand.«

»Wo?«

»Im Norden, auf dem Highway. Er wohnt da oben. Ich war …« Er schwieg aus reiner Selbsterhaltung.

»Unterwegs, um Ware auszuliefern«, vermutete Donovan. »Wie spät war es da?«

»Zehn oder so.«

»Und dann hast du versucht, ihn zu erpressen?«

Hadley schluckte hart. »Wir haben uns nur ganz freundlich unterhalten«, murmelte er.

»Bis er auf dich geschossen hat.« Donovan schüttelte den Kopf. »Und wo ist Denver?«

»Im Sumpf. McGovern sagte, es sei der perfekte Friedhof. Was immer dort hineingeht, kommt niemals wieder zurück.«

Donovan hieb mit der Faust auf das Bettgitter und erschreckte den Mann damit. »Verdammt nochmal, wenn du früher zu mir gekommen wärst, hätten wir vielleicht die Chance gehabt, ihn lebend zu finden.«

»Damit habe ich nichts zu tun«, protestierte Cole.

»Du hast ein Verbrechen gedeckt, und das zählt im Auge des Gesetzes fast genauso viel.«

»Ich will einen Deal, hörst du?«

»Dann fang an zu reden, Junge.«

Riley wich im Korridor zurück. »Warum tun Sie das?«

»Es ist nicht persönlich gemeint.«

»Genau das ist auch mit Beck passiert, stimmt's?«

Ein Nicken. »Es musste sein.«

»Warum?«

»Weil niemand besser geeignet ist, um die Schuld auf sich zu nehmen.«

*Die Schuld für was?* »Leute wissen, dass ich hier bin.«

»Schon möglich, aber morgen früh werden sie glauben, Sie seien auf dem Rückweg nach Atlanta.«

Er kam näher und zwang Riley, ihren blinden Rückzug fortzusetzen. »Die Lüge wird schnell auffliegen.«

»Sie muss gerade lange genug halten, damit ich einen Flieger aus diesem Land erreiche.«

Sie erreichte eine Tür. Wohin führte sie?

»Dort werden die Leichen aufbewahrt«, sagte McGovern. »Es gibt keinen Ausgang.«

*Er lügt.* Sie drehte am Knauf und stürzte davon in die Freiheit. Wenn sie hier herauskäme, könnten Simon und sie entkommen, zum Sheriff fahren und …

Zu ihrer Erleichterung gab es an der anderen Seite des Raumes einen Ausgang, der in die Garage führte. Sobald sie in dem großen, offenen Raum war, sprintete sie auf die Außentür zu, die vielleicht sieben Meter von ihr entfernt war. Sie hatte etwa die Hälfte der Strecke geschafft, als sich etwas in ihren Rücken bohrte. Dann kam der Schmerz, und Riley stürzte nach vorn. Mit Knien, Ellenbogen und dem Gesicht schlug sie auf den ölfleckigen Beton auf.

Hatte er auf sie geschossen?

Rileys Muskeln zuckten, und ihre Knochen fühlten sich an, als würden sie vom Fleisch gerissen werden. Sie bemühte sich, wieder auf die Beine zu kommen, doch ihr Körper gehorchte ihr nicht. Es war, als hätte jemand sämtliche Sehnen in ihren Gliedern zerschnitten.

McGovern stand über ihr und zielte mit dem Taser auf sie. In seinem Hosenbund steckte eine Waffe, von der sie annahm, dass es Becks war.

»Sie hätten verschwinden sollen, als ich es Ihnen sagte«, meinte er kopfschüttelnd, »aber Sie mussten ja unbedingt hierbleiben wegen dem verdammten Loser.«

»Wo … ist … Beck?«, keuchte sie.

»Weg. Im Sumpf. Wahrscheinlich im Bauch eines Dämons. Sie werden ihm schon noch früh genug Gesellschaft leisten.« Er hob die Hand, um ihr einen weiteren Stromschlag zu versetzen.

Ehe sie schreien konnte, hörte sie lautes Rufen, und jemand rannte McGovern über den Haufen. Simons geschmeidige Gestalt kämpfte wie rasend gegen ihren Widersacher, und der Taser rutschte von ihnen fort über den

Betonfußboden. Simon rammte dem Mann eine Faust ins Gesicht, als McGovern versuchte, ihn zu erdrosseln. Während sie wie wild aufeinander einprügelten, rollten sie gegen das Hinterrad des Leichenwagens und wieder zurück in die Mitte der Garage.

McGovern rappelte sich auf und zog die Waffe aus seinem Hosenbund, ehe Simon die Chance hatte, zu reagieren. Er zielte damit auf Riley.

»Bleib, wo du bist, oder sie ist tot.«

Ihr blieb beinahe das Herz stehen. Simon stand langsam auf, schwer atmend und mit unverhüllter Wut im Blick. Er würde sich auf ihren Entführer stürzen, und sie würden beide sterben.

»Polizei! Lass die Waffe fallen, McGovern!«, ertönte eine Stimme.

Donovan und die beiden Deputys stürmten den Raum. Martin und Newman bauten sich mit schussbereiten Waffen neben ihrem Boss auf. Der Sheriff hielt ebenfalls eine Waffe in der Hand.

»Leg die Waffe auf den Boden! Mach schon!«, bellte Donovan.

Ihr Entführer rührte sich nicht.

»Jetzt, McGovern! Ich schwöre dir, sonst schieße ich.«

Langsam ließ der Bestatter die Waffe sinken, dann beugte er sich vor und legte sie auf den Garagenboden.

»Tritt einen Schritt zurück!«

Als er gehorchte, suchte er Rileys Blick. »Verdammte Scheiße, Mädel, du hättest nach Hause fahren sollen. Dann wäre alles gutgegangen.«

## 18. Kapitel

Sie saß im Büro des Sheriffs, und die Leute wuselten um sie herum. Riley hatte das Gefühl, von einem Truck plattgewalzt worden zu sein. Ihre Gelenke und Muskeln schmerzten bis in jede einzelne Zelle hinein, ihr Kopf hämmerte, und an zwei Stellen an ihrem Rücken hatte sie das Gefühl, jemand hätte spitze Nadeln hineingerammt. Sie weigerte sich, sich zur Notaufnahme bringen zu lassen. Sie konnte sich ausmalen, was der Bundesverband mit dem Bericht der Versicherung anfangen würde: Dämonenfängerin in Ausbildung beinahe von einem verrückten Bestatter elektrisch hingerichtet. Ihr Ruf war ohnehin schon schlecht genug.

Simon saß neben ihr, eine Eispackung auf der Wange, die sich bereits dunkel verfärbte – der Beginn eines eindrucksvollen Veilchens. Sein Hemdkragen war eingerissen, und die Lippen waren aufgeplatzt und bluteten. Die rechte Hand war verbunden, und die Knöchel waren aufgeschürft.

Während sie versuchte, sich von dem Überfall zu erholen, versorgte er sie mit den fehlenden Puzzleteilchen: Je länger er in dem Truck gesessen hatte, desto größer war seine Sorge geworden, also hatte er beschlossen, nachzusehen, was da los war. Als er McGovern über Rileys Körper hatte stehen sehen, hatte er die Beherrschung verloren. Zum Glück waren der Sheriff und die anderen gerade rechtzeitig aufgetaucht.

»Wann fahren wir in den Sumpf?«, drängte sie.

»Vor dem Morgen können wir nicht aufbrechen«, erwiderte Martin. »Wir haben keine Ahnung, wo Beck steckt, und wir brauchen Tageslicht, um ihn aufzuspüren. Ich weiß, dass du frustriert bist. Mir geht es genauso, dabei mag ich ihn nicht einmal.«

*Nicht vor dem Morgen.* Das würde Becks zweite Nacht allein sein. *Er muss denken, dass ich nicht komme ...* Wenn er noch am Leben war.

Simon berührte sie am Arm. »Alles in Ordnung?«

Riley schüttelte den Kopf, in den Augen brannten Tränen. Sie wischte sie fort, wütend, weil sie sich nicht zurückhalten ließen.

»Wir werden ihn finden. Wir bringen ihn nach Hause«, sagte er.

Sie nickte und kramte in ihrer Tasche nach einem Taschentuch, als Donovan das Büro betrat. Er legte unzählige Beweisstückbeutel auf seinen Tisch.

»McGovern hatte Becks Telefon und seine Waffe. Er verlangt einen Anwalt, wir werden also nichts mehr aus ihm herausbekommen.« Der Sheriff ließ sich auf seinen Stuhl sinken. »Aber warum?«, fragte er und hob frustriert die Stimme. »Was hat ihn zu Kidnapping und versuchtem Mord getrieben? Was verheimlicht McGovern?«

»Vielleicht kann ich etwas Licht ins Dunkel bringen«, sagte jemand von der Bürotür aus.

*Justine.*

»Sie ist wieder da …«, murmelte Riley. Ihre Eifersucht war prompt auch wieder da.

Die Reporterin sah wie immer perfekt aus. Smaragdgrüne Augen ohne die geringsten dunklen Ringe darunter, der Hosenanzug ohne eine einzige Falte und rotes Haar, das sich in wogenden Wellen über ihre Schultern ergoss. Justine wählte den Stuhl neben Riley, wahrscheinlich, damit jeder im Raum den Vergleich hatte zwischen *passt alles* und *totales Chaos*. »Haben Sie Beck schon gefunden?«, fragte die Reporterin.

»Nein. Er ist irgendwo im Sumpf«, erwiderte Donovan.

Die Reporterin runzelte die Stirn. »Ich kenne das Geheimnis des Bestatters und weiß, warum er seit neuestem zur Gewalt neigt. Im Gegenzug will ich die Exklusivrechte an der Story.«

Riley biss die Zähne zusammen. Sie mochte Justine Armando hassen, aber die Reporterin war sehr gut in ihrem Job. Wenn irgendjemand Geheimnisse und Lügen ausgraben konnte, dann diese Schreibertussi.

Donovan zögerte keine Sekunde. »Abgemacht. Reden Sie.«

Justine zog ein Notizheft aus ihrer teuren Ledertasche und schlug es auf. Mit polierten Fingernägeln blätterte sie durch die Seiten.

»Vor zehn Jahren begann ein Nekromant aus Jacksonville, ein paar Bestatter aus Florida dafür zu bezahlen, dass sie ihm die Leichen überließen, die sich für eine Reanimation eigneten. Also Leichen, die eingeäschert werden sollten, weil die Familie keine Totenwache am Grab halten wollte.« Sie blätterte ein paar Seiten weiter. »Seit Ende 2009 beteiligten sich zwei Bestatter aus Georgia an diesem Betrug. Bert McGovern war einer von ihnen. Sein Laden diente als Sammelstelle für die Leichen aus dem südlichen Teil des Staates.«

»Weiter«, drängte der Sheriff. Er saß aufrecht auf seinem Stuhl und hörte aufmerksam zu.

»Anstatt eingeäschert zu werden, wurden die Leichen, die sich in einem guten Zustand befanden, zum Beschwörer nach Jacksonville gebracht. McGovern füllte die Urnen mit Betonstaub, so dass die Familien keine Ahnung hatten, dass ihre Lieben an den Meistbietenden versteigert wurden.«

»Mein Gott«, murmelte Riley. Der Tod ihres Vaters war noch nicht lange genug her.

»Eine der Hinterbliebenen sah ein paar Monate nach deren Tod ihre tote Schwester in Orlando«, fuhr Justine fort. »Als die Polizei die Sache überprüfte, mauerte der Totenbeschwörer. Ein befreundeter Reporter hörte von der Sache und begann, zu recherchieren.«

»Die Polizei in Jacksonville weiß also Bescheid?«

»Ja. Sie haben den Nekromanten heute verhaftet.«

Mit hochgezogenen Brauen schloss Justine ihr Notizheft.

»Ich habe keinen direkten Beweis, aber ich glaube, dass es eine Verbindung zwischen McGovern und den vermissten Jungen gibt.«

»Es gibt eine.« Donovan suchte eine Akte aus dem Stapel und schlug sie auf. »Im November 2011 brachen die Keneally-Jungs in drei Geschäfte in Sadlersville ein. Sie stahlen zumeist Kleinigkeiten, um ihren zunehmenden Drogenkonsum zu finanzieren. Ich arbeitete einen Entschädigungsplan aus, und die beiden bekamen eine Jugendstrafe, die nicht registriert wurde. Dafür mussten sie sämtliche gestohlenen Sachen zurückgeben.«

»Eine Jugendstrafe«, murmelte Justine und nickte. »Kein Wunder, dass ich die Verbindung nicht gefunden habe. Die Eltern der Jungs haben davon natürlich nichts gesagt.«

»Sie waren beim Reifenhändler, der Videothek und … dem Bestattungsinstitut eingestiegen. McGovern hat den Einbruch nie gemeldet, und wir fanden es erst nach der Verurteilung heraus. Er behauptete, sie hätten nichts mitgenommen, so dass er es nicht für nötig gehalten hatte, Anzeige zu erstatten.«

Justine tippte mit einem vergoldeten Stift auf ihren Notizblock. »Wenn die Brüder beim Einbruch Beweise für diesen Leichenhandel gefunden haben, hat McGovern vermutlich bereitwillig gezahlt, damit sie den Mund halten.«

»Und zwar mit Drogen und Alkohol von Cole Hadley«, fügte Donovan hinzu. »McGovern war einer von Hadleys Kunden.«

»Das erklärt aber nicht, wieso sie verschwunden sind«, wandte Martin ein. »Um sie umbringen zu können, hätte McGovern wissen müssen, dass die Jungen an dem Wochenende in den Sumpf fahren wollten.«

»Cole wusste es«, sagte Riley, und endlich fügten sich die

Puzzleteile zusammen.«»Er hat Becks Freundin erzählt, er wüsste, wo die Jungs hinwollten. Vielleicht hat er es auch McGovern erzählt.«

»Also hat der Bestatter die beiden Jungs getötet, wusste aber nicht, dass Beck dabei war, denn der schlief ja im Boot. Was McGovern sogar ganz gelegen kam, denn jetzt war da jemand, dem man die Schuld gab«, sagte Donovan.

»Aber warum hat er auf den Drogendealer geschossen?«, fragte Simon.

»Cole hat ihn an dem Abend, an dem Beck verschwand, in dessen Truck gesehen und versucht, McGovern zu erpressen«, erklärte Donovan. »Cole hat nicht damit gerechnet, dass ein Bestatter auf ihn schießen würde.«

Eine Weile war es ganz still, als jeder für sich die Neuigkeiten verdaute.

Riley schloss die Augen. »Und wie sollen wir ihn jetzt finden? Können die Park Ranger uns helfen?«

»Die Bundespolizei genehmigt den Einsatz eines Hubschraubers erst nach vier Tagen. Wir werden uns selbst darum kümmern«, entschied der Sheriff. »Wir bilden drei Teams. Eines fährt zum Osteingang, nur für den Fall, dass er dort unten ist, und die anderen beiden zum Kingfisher Landing. Von diesen beiden Teams nimmt eines den westlichen, das andere den südlichen Kanal.«

Die Zeit des Wartens war vorbei. Jetzt konnten sie endlich etwas tun, und sei es nur, Becks Leichnam zur Beerdigung nach Hause zu bringen.

Fieber und Schüttelfrost, der ihn am ganzen Leib erbeben ließ, trafen Beck mit einer Wucht, die er nicht erwartet hätte. Im Laufe der Jahre hatte er unzählige Dämonenwunden davongetragen, und nach der ersten waren sie kaum mehr als lästige Ärgernisse gewesen. Dieses Mal war es anders. Er hatte kein Weihwasser, um das Gift zu neutralisieren, und sein Körper war geschwächt. Der Mangel an Essen und ausreichend sauberem Wasser forderte seinen Tribut.

Als er die Augen aufschlug, spürte er, dass jemand ihn beobachtete. Es war ein junger Indianer, ein Seminole, in der Dunkelheit nur undeutlich zu erkennen. Donovan hatte ihm erzählt, dass manchmal die Geister der Toten in den Sümpfen umgingen. Der Krieger neigte seinen Kopf und verschwand im Nichts.

*Ich sterbe.* In dieser Erkenntnis schwang keinerlei Hysterie mit, denn es war die Wahrheit. Er war schon einmal an diesem Punkt gewesen, nach einer Straßensprengfalle in Afghanistan. Irgendwie hatte er es überlebt.

*Aber dieses Mal …*

Die Kette würde nicht wie durch Zauberhand abfallen, und es würde auch kein Büfett vor seinen Augen erscheinen. Also blieben nur zwei Möglichkeiten: den Weg ins Grab weiterzugehen oder den Köder der Hölle zu schlucken.

Ein weiterer Schauder lief durch seinen Körper und vernebelte seinen Blick. Beck rollte sich zu einer Kugel zusammen. Er zitterte so heftig, dass seine Muskeln schmerzten und ihm die Zähne klapperten. In seinem

Fieberwahn sah er Riley im Café in Atlanta, wie sie mit Ori lachte. Sie suchte nicht nach ihm. Sie hatte ihn zurückgelassen.

»Du wirst … nach … mir suchen«, flüsterte er. »Du wirst mich nicht hier liegenlassen.«

»Du bist ihr egal, Fänger«, flüsterte der Dämon in seinem Kopf. »Stirb nicht aus Stolz. Akzeptiere das Mal der Hölle, und lebe. Du kannst dich an all jenen rächen, die dich im Stich gelassen haben.«

»Nein.«

»Paul Blackthorne hat uns seine Seele gegeben. Das kannst du auch tun. Das ist keine Schande. Dein Leben ist kostbar«, sagte der Dämon.

»Paul … ist nicht in der Hölle. Er ist draußen … hat euch alle reingelegt.« Bei diesem Gedanken stieß Beck ein heiseres Lachen aus.

»Du gehörst mir, Fänger. Du wirst meinen Status in der Hölle verbessern, und der Höllenfürst wird mir wieder gnädig sein. Du wirst mir deine Seele geben.«

»Fick dich selber, Dämon.«

Der Höllendiener lachte, ein scharfer, beißender Ton. »Das sagt ihr Sterblichen immer, bis es wirklich zu Ende geht.«

Es war fast acht Uhr morgens, als Riley am Kingfisher Landing ankam. Vom Abend zuvor taten ihr immer noch sämtliche Knochen weh. Ihr Begleiter, ein Typ namens Ray, beeilte sich, so gut es ging, aber es dauerte eine

Weile, bis alles ordentlich eingerichtet war. Das bisschen Geduld, das Riley gehabt hatte, war längst Geschichte; sie wollte aktiv nach Beck suchen, anstatt sich am Anleger die Beine in den Bauch zu stehen.

Ray war Anfang fünfzig und führte seit mehr als zehn Jahren Bootsfahrten durch den Sumpf durch. Das war beruhigend. Donovan hatte sie gewarnt, dass sie mindestens fünf Stunden unterwegs sein würden, dann würde es noch einmal genauso lange dauern, um sie zurück zur Zivilisation zu bringen. Wenn Beck in einer schlechten Verfassung war, brauchte er Wasser, etwas zu essen und Erste-Hilfe-Material, nicht mitgezählt das Weihwasser für den Fall, dass er mit einem Dämon aneinandergeraten war. Bei einem frühmorgendlichen Besuch beim Gemischtwarenhändler hatten sie alles Notwendige besorgt und in Becks und ihrem Rucksack verstaut. Alles war bereit, aber es fehlte noch jemand, ein Mann namens Erik. Bisher hatte er sich noch nicht blicken lassen.

»Was ist mit den anderen Teams?«, fragte sie.

»Die sind vor einer halben Stunde aufgebrochen.«

*So wie wir es auch hätten tun sollen.*

Simon gehörte zu einem der Teams, und, zu Rileys Überraschung, Justine zum anderen. Die Reporterin hatte sich geweigert, in der Stadt zu bleiben, und gesagt, sie wollte schon immer mal wissen, wie es in einem echten Sumpf war.

*Vielleicht wird sie ja von einem Alligator dahingerafft.*

Ray wählte eine Nummer und sprach mit jemandem. Er hob frustriert die Brauen, dann legte er auf. »Erik hat abgesagt. Bleiben also nur wir beide übrig, es sei denn, ich treibe noch jemand anders auf.«

*Überraschung.* »Nein, lassen Sie uns aufbrechen«, antwortete Riley. »Beck läuft die Zeit davon. Wir müssen los.«

Ray widersprach nicht, sondern half ihr ins Boot und zeigte dann auf die Decken unter ihrem Sitz. »Es wird kalt werden, wenn wir erst einmal unterwegs sind.«

Riley zerrte eine der schweren Decken hervor und legte sie sich über die Knie. Zum Glück hatte sie vorausschauend ein paar Schichten mehr unter ihrer Jacke angezogen und sich eine Mütze gekauft. Während Ray mit dem Motor beschäftigt war, musterte sie die Umgebung. Das Wasser bildete eine perfekt glatte Fläche, in der sich die hohen Bäume und braunen Gräser an den Rändern spiegelten. Sie hörte Vogelgesang, und hier und da huschte etwas von Wipfel zu Wipfel. In der Luft lag ein einzigartiger Geruch nach teils vermoderter, teils frischer Erde, überlagert von reichlich Feuchtigkeit.

»Ich werde erst den Außenborder nehmen und dann auf den Elektromotor umstellen«, erklärte ihr Begleiter. »Dann können wir Beck hören, wenn er nach uns ruft.«

»Warum fahren wir nicht gleich mit Elektroantrieb?«, fragte sie, besorgt, sie könnten direkt an ihm vorbeifahren, während er verletzt war.

»Wir kommen sonst nicht schnell genug voran. Und wenn ich im Sumpf jemanden loswerden wollte, würde ich ihn garantiert nicht in der Nähe des Anlegers liegen lassen.«

Er hatte recht. »Was ist mit Dämonen? Hast du je welche gesehen?«

»Ja, hin und wieder im Laufe der Jahre, aber der Sumpf kann einem echt Streiche spielen, wenn er will. Wenn du allein hier draußen bist, sollen sie ziemlich gefährlich sein. Normalerweise führe ich Gruppen herum, so dass ich nicht viel Ärger habe.«

Zum Schutz gegen die kalte Brise, die über das offene Wasser blies, wickelte Riley sich in die dicke Decke. Wie musste es erst für Beck sein! Sie hatten absolut keine Ahnung, wo sie suchen sollten, und McGovern hatte sich geweigert, ihnen zu helfen und das Suchgebiet einzugrenzen. Sie waren ganz auf sich allein gestellt.

*Vielleicht auch nicht.* Sie kramte den seltsamen polierten Stein hervor, den die alte Frau ihr gegeben hatte, und hielt ihn fest. Inzwischen würde sie alles tun, um ihren vermissten Lieblingskerl zu finden.

»Behalte die Ufer im Auge«, riet Ray ihr. »Wenn du abgebrochene Zweige siehst oder Hinweise darauf, dass jemand die Böschung hochgezerrt wurde, ruf laut. Ich versuche, auch darauf zu achten, aber der Wasserpegel ist niedriger als normal, und ich muss nach unter Wasser liegenden Baumstämmen Ausschau halten.«

Er startete den Motor, und sie begannen, den Kanal entlangzutuckern. Als Riley die Ufer absuchte, fiel ihr nur ein Wort ein, das zu passen schien: Urlandschaft.

Der Okefenokee tolerierte Menschen, zumindest für kurze Zeit. Jemand hatte den Kanal ausgehoben, den sie jetzt benutzten – er war zu gerade, um natürlich zu sein –, aber dieselben Menschen waren daran gescheitert, den Sumpf zu zähmen. Ganz im Gegenteil: Das Land der zitternden Erde hatte sie gezähmt.

Riley begriff kaum, wie etwas so Schönes so fremdartig sein konnte. Zu beiden Seiten des zwölf Meter breiten Kanals wuchsen dicke Zypressen, gewaltige Riesen, deren Wurzeln tief ins Wasser reichten. Kniewurzeln, bizarre, knotige Monolithen, umgaben die Stämme wie kleine Kinder. Selbst das teefarbene, spiegelglatte Wasser wirkte fremd. Sie starrte hinunter, doch schon kurz unter der Oberfläche konnte sie kaum noch etwas erkennen.

Über den Motorenlärm hinweg rief Ray laut: »Das Wasser enthält Gerbsäure von den verrottenden Pflanzenteilen. Für die Alligatoren ist es perfekt. Sie lauern unter der Oberfläche und warten auf den richtigen Moment, um sich ihr Fressen zu schnappen.«

Auf der Stelle wich Riley vom Bootsrand zurück. Sie sah keine Alligatoren, aber das bedeutete nicht, dass nicht einer von ihnen sie gerade gründlich unter die Lupe nahm.

Einige Zeit später schaltete Ray den Motor aus und wechselte auf Elektroantrieb. Die plötzliche Stille legte sich wie ein Schleier um sie. Während er auf das Wasser vor ihnen achtete, erzählte er Riley mehr von der Geschichte des Okefenokee. Ende des neunzehnten Jahrhunderts hatte man ein Kanalsystem angelegt, um den Sumpf trockenzulegen, doch schließlich hatte man das Vorhaben aufgegeben. Es folgten die Holzfäller, die massiv Holz schlugen. Der Kanal, auf dem sie gerade unterwegs waren, war in den fünfziger Jahren ausgehoben worden, um Torf zu gewinnen. Jetzt war der Sumpf ein Nationalpark.

In der Ferne sah Riley einen riesigen Vogel über das Wasser segeln und auf einer Kiefer landen. »Wow! Sehen Sie sich den an! Was ist das?«

»Das ist ein Graureiher.«

Als sie näher kamen, erhob sich der Vogel erneut in die Lüfte, schoss ein kurzes Stück herab und landete auf der Böschung. Riley schätzte seine Flügelspannweite auf mindestens einen Meter achtzig, und die blassblauen Federn schienen mit dem gräulichen Spanischen Moos zu verschmelzen. Ein heiseres Krächzen durchschnitt die Luft, als der Vogel sein Revier verteidigte.

In der Nähe des Ufers tauchte ein Alligator auf wie ein lebendiges U-Boot und zog sich mit den stämmigen Vorderbeinen auf den festen Boden. Er war mindestens drei Meter lang, groß genug, um es mit einem erwachsenen Mann aufzunehmen.

Ray deutete auf einen anderen Räuber, der auf dem anderen Ufer faulenzte. »Sobald die Temperaturen steigen, kriechen sie aus dem Wasser ans Ufer in die Sonne. Im Sommer sind sie ziemlich aktiv.«

Rileys Hoffnung begann zu schwinden. Was für eine Chance hatten sie, einen Menschen inmitten dieser riesigen Wildnis zu finden? Was, wenn Beck verletzt war und gar nicht in der Nähe des Kanals lag? Würde er dann überhaupt merken, dass sie nach ihm suchten?

Sie rief laut seinen Namen, erhielt jedoch keine Antwort. »Glauben Sie, dass er mich hören kann?«

»Wer weiß? Vielleicht haben wir Glück. Wenn du irgendetwas Seltsames siehst, sag mir Bescheid, und wir überprüfen es.«

Für sie sah alles seltsam aus, aber sie gab sich Mühe. Je weiter sie in den Sumpf vordrangen, desto mehr sich sonnende Alligatoren sahen sie, hier und da entdeckte sie auch eine Schildkröte auf einem Baumstamm. Mit ihren dichten Schleiern aus Spanischem Moos sahen die Bäume aus, als würden sie Trauer tragen. Es wäre ein schaurig-schönes Erlebnis, wenn der Mann, den sie liebte, nicht irgendwo hier draußen wäre.

Die Zeit verging, und sie fuhren immer noch durch den ausgedehnten Sumpf. An einer Gabelung glitten sie in den Kanal, der in Richtung Norden führte. Hin und wieder rief Riley laut Becks Namen, aber nur die Vögel gaben ihr gelegentlich Antwort. Von Beck keine Spur. Als die Stunden träge dahinplätscherten wie das langsam fließende Wasser, wurde ihr das Herz immer schwerer. Ein paar Mal hielt Ray am Ufer an und hielt nach Anzeichen Ausschau, die ein festgemachtes Boot hinterlassen hätte. Jedes Mal schüttelte er den Kopf.

*Wo bist du?*

Nach fünfeinhalb Stunden Suche war Rileys Kehle rau, und sie hatten kein Zeichen von Beck gefunden. Als Ray vorsichtig das Thema Rückkehr zur Sprache brachte, fing sie fast an zu weinen. Trotzdem willigte sie widerstrebend ein, da es bald dunkeln würde. Hinter sich hörte sie Ray mit dem Sheriff telefonieren, um ihm Bericht zu erstatten. Als er fertig war, fragte sie, ob die anderen Teams Glück gehabt hatten.

»Nein«, sagte er und schüttelte traurig den Kopf. »Sie haben ihn nicht gefunden.«

Das letzte Mal, als sie Beck gesehen hatte, hatte er mit einer Bierflasche in der Hand hinten auf seinem Truck gesessen und um seine Mutter getrauert. Sie hatte ihm nie gesagt, dass sie ihn liebte. Riley hatte ihm eine Menge Dinge nicht gesagt, die sie in ihrem Herzen bewahrte, überzeugt, dass ihnen noch viel gemeinsame Zeit blieb.

*O Gott, bitte nicht. Es darf nicht auf diese Weise enden.*

Als sie den Kanal entlang zurücktrieben, leistete ein weiterer Graureiher ihnen Gesellschaft. Er flog ein kurzes Stück voraus, landete und wartete, bis sie aufgeholt hatten. Riley hätte es genossen, wenn sie nicht das Gefühl gehabt hätte, der Vogel würde sie verspotten.

Als sie näher kamen, blieb der Reiher stehen. Sie glitten an ihm vorbei, und der Vogel kreischte, so dass Riley sich umdrehte, um ihn zu betrachten. Dort, wo das Tier stand, sah die Böschung irgendwie anders aus. Sie blinzelte. Ihre Augen waren so müde, dass sie sicher war, sie würden ihr etwas vorgaukeln.

*Da ist nichts. In den letzten fünf Stunden war da nie etwas.*

Der Vogel kreischte erneut und weigerte sich, davonzufliegen.

Ihr Bauchgefühl gewann die Oberhand. »Ray, wir müssen etwas überprüfen.«

Er musste den drängenden Unterton in ihrer Stimme gehört haben. »Okay. Zeig mir die Stelle.«

Ray beschrieb einen großen Kreis mit dem Boot und kehrte zurück zu der Stelle, an der der Reiher immer noch ausharrte. Erst, als sie näher kamen, flog er laut kreischend davon.

Als das Boot sich der Böschung näherte, hielt Riley die Luft an.

*Bitte, lass uns ihn finden. Er will zu mir nach Hause kommen.*

## 19. Kapitel

Ray schaltete den Motor aus, so dass sie lautlos weitertrieben. Er warf ihr einen fragenden Blick zu. »Was hast du gefunden?«

»Da ... sehen Sie?«, sagte sie und deutete auf eine Lücke im Unterholz. »Das sieht anders aus.«

Die Stelle, auf die sie gezeigt hatte, sah aus, als wäre etwas hindurchgeschleift worden, wobei alle kleinen Zweige und Blätter auf dem Weg plattgedrückt worden waren.

»Könnte ein Alligator gewesen sein, aber wir sehen besser nach.« Ray stand auf und manövrierte das Boot mit einer langen Stange langsam auf die Stelle zu.

»Sieht frei aus. Ich mache uns fest.« Er sprang an Land, und nachdem er das Boot gesichert hatte, untersuchte er die Böschung. »Keine Alligatorspuren.« Er ging in die Hocke und deutete auf den Boden. »Aber das hier ist die Spur von einem Boot, und sie ist ziemlich frisch. Wir müssen das überprüfen.«

Riley spürte einen Schauder, der ihren ganzen Körper erfasste.

Irgendetwas bereitete ihr Unbehagen, als würde jemand sie beobachten. War das ein Dämon? Ray hatte erwähnt, dass er bei früheren Ausflügen in den Sumpf welche ge-

sehen hatte. Unbehaglich zog sie eine Flasche mit Weihwasser aus ihrem Rucksack. Vielleicht war sie paranoid,
aber das war meistens auch besser, wenn man es mit
Höllenbrut zu tun hatte.

Riley reichte erst ihren schweren Rucksack heraus, dann
Becks. Er war genauso schwer wie ihr Gepäck, vollgepackt
mit Wasserflaschen und Essen.

»Wir könnten die hierlassen«, schlug Ray taktvoll vor.

»Ich habe das Gefühl, wir werden sie brauchen.«

»Okay«, sagte er und warf sich Becks Rucksack über die
Schulter. »Geh direkt hinter mir und pass auf, wo du
hintrittst. Ich suche nach Fußspuren, Stofffetzen, was
auch immer. Wenn du etwas siehst, sag mir Bescheid,
aber sammle es nicht selbst ein. Das mache ich.«

Sie blieb die ganze Zeit hinter Ray, während sie sich langsam und mühevoll ihren Weg durch den Sumpf bahnten.
Der Boden war uneben, übersät mit Baumwurzeln und
abgebrochenen Ästen. Kleingetier kroch durch das Unterholz um sie herum. Riley wollte gar nicht so genau wissen,
was das war, aber sie nahm an, dass sämtliche Viecher
ganz scharf auf ein Häppchen Dämonenfänger waren.
Über ihnen setzte hämmernd ein unchristlicher Krach
ein.

»Was ist das?«, fragte sie und suchte die Bäume ab.

»Ein Helmspecht.« Ray blieb stehen und deutete auf
etwas. »Nach was sieht das da für dich aus?«

Sie spähte an ihm vorbei. Im Boden war ein Fußabdruck
zu erkennen, aber er gehörte keinem Menschen.

»Das ist ein Dämon. Sehen Sie die Krallen?«, sagte sie.

»Sieht aus, als hätte er irgendetwas hinter sich herge-zerrt.«

»Vielleicht deinen verschwundenen Fänger«, erwiderte Ray.

Je weiter sie gingen, desto deutlicher hörte Riley die Uhr ticken. Die Dämmerung würde bald hereinbrechen, und sie mussten Beck heute Abend finden. Immer wieder rief sie seinen Namen, doch bis auf die Geräusche des Sump-fes erhielt sie keine Antwort.

Ray hob eine Hand, damit sie stehen blieb, und zeigte erneut auf etwas. Neben einem umgestürzten Baum-stamm lag eine Schlange. Sie war groß, obwohl inmitten dieser Wildnis jedes Reptil riesig zu sein schien. Ein tro-ckenes, geheimnisvolles Klappern setzte ein.

Riley schluckte. »Ist sie giftig?«

»Ja. Sie ist hübsch, oder?«

Sie musste zugeben, dass sie ziemlich cool aussah, so zusammengerollt, grau mit einer Art schwarzer Quer-streifen. »Was ist das für eine?«

»Eine Waldklapperschlange. Wir müssen nur warten, bis sie weiterwandert. Sie sind nicht aggressiv, solange wir uns nicht dumm anstellen.«

*Ich hoffe, die Schlange weiß das.*

Nachdem es kundgetan hatte, dass es nicht sehr erfreut über die Störung war, schlängelte das Tier davon, einein-halb Meter tückische Schönheit.

Während Riley darauf wartete, dass ihr Herzschlag sich wieder normalisierte, trug der Wind etwas zu ihr, kaum wahrnehmbar und aus weiter Ferne.

»Warten Sie«, sagte sie und berührte Ray am Arm. Sie schloss die Augen und konzentrierte sich, versuchte, das Geräusch von allem anderen um sie herum zu trennen. Dann lächelte sie. »Das ist Beck. Er singt. Hören Sie ihn?« Ray schüttelte den Kopf.

Die Stimme verstummte. War es nur eine Illusion gewesen? War sie so verzweifelt, dass sie schon Dinge hörte, die nicht real waren? Oder war das ein Dämon, der sie tiefer in den Sumpf locken wollte?

Der Gesang begann von neuem, und dieses Mal wusste sie, dass sie nicht halluzinierte.

»Das ist er!«, schrie sie. »Das ist ein Song von Carrie Underwood. Er lässt ihn ständig in seinem Truck laufen.«

Sie gingen schneller, ohne es an der nötigen Vorsicht mangeln zu lassen, die angebracht war, wenn man nicht wusste, was sich unter den Füßen befand. Die Stimme wurde schwächer und wieder lauter. Schließlich erstarb sie ganz.

»Beck?«, rief sie laut. »Beck!«

Sie liefen weiter, in der Hoffnung, das Lied erneut zu hören, bis sie eine geräumige Lichtung erreichten, einen offenen Platz mit ein paar gewaltigen Zypressen. Es dauerte einen Moment, bis sie Beck entdeckt hatte, seine hellbraune Jacke diente nicht nur zum Schutz, sondern auch zur Tarnung. Er lehnte an einem dicken Baum, das bärtige Gesicht war hochrot und verschwitzt, sein Haar verfilzt und der Blick irrte in die Ferne. Bestürzt starrte er zu ihr hoch.

»Lass mich in Ruhe, Dämon!«, krächzte er.

Das hörte sich gar nicht gut an.

»Du bekommst meine Seele nicht«, sagte er, dann begann er so heftig zu husten, dass er kaum noch Luft bekam.

»Du bist nicht Riley. Sie ist nicht hier.«

»O doch, das bin ich.« Sie stürmte vor, ohne darauf zu achten, welche Kreaturen sich ihr womöglich in den Weg stellen könnten. Kaum war sie neben ihm auf die Knie gesunken, schlug Beck nach ihr.

»Hör auf damit!«, befahl sie.

Er blinzelte, doch er konnte den Blick nicht richtig fokussieren. »Bis du echt?«

»Natürlich.«

»Nein, das kann nicht sein. Du bist bei diesem Dämon-Engel …«

Ray ging neben dem Dämonenfänger in die Hocke und legte seinen Rucksack auf den Boden.

»Hey, Mann, wir haben dich gefunden«, sagte er und grinste breit. »Gerade rechtzeitig, glaube ich.« Er tauschte einen besorgten Blick mit Riley.

»Ihr seid echt. Gott sei Dank«, murmelte Beck. Dann begann er, zu zittern. »Ich dachte, du hättest mich vergessen.«

»Niemals«, sagte Riley und berührte seine glühende Hand. »Wir bringen dich zurück zum Boot und dann ins Krankenhaus. Du kommst wieder in Ordnung.«

»Ich … gehe nirgendwohin«, sagte Beck und schüttelte den Kopf. Jede Bewegung wirkte übertrieben. Als er auf seinen linken Fuß deutete, starrte Riley entsetzt auf die dicke Kette um Becks Knöchel.

»Was zum Teufel …«, platzte Ray heraus.

»Das war der Dämon«, sagte Beck. »Dieser verdammte McGovern wollte mich umbringen … und …«

»Das wissen wir. Wir holen dich hier raus, keine Angst«, sagte Riley, mehr, um ihn zu trösten, als um die Wahrheit zu sagen.

Ihr fiel ein dunkler Fleck auf Becks Jeans auf, direkt unterhalb des linken Knies, und sie wusste sofort, was es war: Der Dämon hatte ihn verletzt. Das erklärte sein Fieber und seine Orientierungslosigkeit.

Der Dämon konnte nicht sehr mächtig sein, wenn er zu solch einer bizarren Falle Zuflucht nehmen musste. Nachdem Beck nicht mehr in der Lage war, zu fliehen, hatte er ihm eine Wunde zugefügt, von der aus das Gift sich langsam in seinem Körper ausbreitete. Auch wenn er halluzinierte, konnte er immer noch seine Seele übergeben, und das wäre eine Reise ohne Wiederkehr direkt zur Pforte der Hölle. Dämonenfängern wurde dort unten garantiert eine Sonderbehandlung zuteil.

*So weit wird es nicht kommen. Nicht mit ihm.*

»Gibt es eine Möglichkeit, wie wir die Kette abbekommen?«, fragte sie. Die Freude darüber, Beck gefunden zu haben, verblasste.

»Ich habe ein paar Werkzeuge im Boot«, sagte Ray. »Ich gehe sie holen. Irgendwie werden wir ihn schon freibekommen.«

Genau das wollte sie hören.

Riley nahm eine Weihwasserkugel aus ihrem Rucksack und reichte sie ihrem Begleiter. »Wenn der Dämon Ihnen

Schwierigkeiten macht, werfen Sie diese Kugel auf ihn. Das Weihwasser wird ihn wie Säure verätzen, und er wird sich zurückziehen.«

Der Mann nickte und ging zurück in Richtung Kanal.

»Halt durch, Dorftrottel.«

Beck hatte die Augen geschlossen, und er zitterte vom Fieber. Ihn so krank zu sehen ließ sie vor Angst fast wahnsinnig werden. Wahrscheinlich war es für ihn genauso gewesen, als er sie todkrank in ihrer Wohnung gefunden hatte, nachdem sie mit einem Dreier aneinandergeraten war. Riley schob ihre Ängste beiseite und begann, die Hilfsmittel bereitzulegen, die sie zur Behandlung seines Beines brauchte. Sobald das geschafft war, würde sie versuchen, ihm etwas Wasser einzuflößen, ehe sie sich auf den langen Weg zur Anlegestelle machten.

Als Ray zurückkehrte, hielt er nichts in den Händen bis auf die Weihwasserkugel. Seine besorgte Miene wirkte nicht gerade beruhigend.

»Was ist los?«

»Das Werkzeug ist verschwunden. Alles.« Nervös blickte er sich um. »Und mein Handy hat keinen Empfang. Das ist nicht normal. Was geht hier vor?«

Riley überprüfte rasch ihr eigenes Handy. Dasselbe Problem. »Das ist der Dämon, er treibt seine Spielchen mit uns.«

Es dauerte einen Moment, bis sie ihn neben einem der Bäume entdeckt hatte, ein schlammfarbenes, haarloses Ungeheuer mit diesen brennenden, roten Augen, die Riley hassen gelernt hatte.

Der Dämon trat ein paar Schritte vor, den Kopf zur Seite geneigt. »Blackthornes Tochter«, fauchte er.

»Gib uns das Werkzeug zurück. Sofort!«, verlangte sie.

Er lachte und schüttelte den Kopf. »Der Fänger gehört mir. Lass ihn liegen, oder du wirst sterben.«

»Wir müssen Hilfe holen.« Ray ließ die Ausgeburt der Hölle keine Sekunde aus den Augen.

Beck rührte sich. »Verschwindet«, sagte er und machte eine Handbewegung, als wollte er sie verscheuchen. »Lasst mir etwas Wasser da und … ich werd schon wieder.« Wie zum Beweis, dass er log, begann er, in einem erneuten Fieberanfall am ganzen Leib zu beben.

*Wenn wir zurückkämen, wärst du tot.*

Es gab nur eine Möglichkeit.

»Ich bleibe hier«, verkündete Riley. »Bitte gehen Sie und holen Sie Hilfe.«

Ray starrte sie an, als sei sie geisteskrank. »Das ist Wahnsinn«, protestierte er. »In der Dunkelheit kann ich nicht so schnell fahren. Es könnte bis morgen früh dauern, ehe ich wieder zurück bin. Ich weiß, dass du eine Dämonenfängerin bist, aber eine Nacht im Sumpf zu verbringen gehört zu den Dingen, die …«

»… die Dämonenfänger tun«, erwiderte sie erstaunlich ruhig. »Beck schafft es nicht allein. Ich kann seine Wunde behandeln und ihn am Leben erhalten, während Sie das Werkzeug holen.«

»Bis du dir ganz sicher?«, fragte der Mann.

Sie nickte, doch innerlich flatterte sie wie ein Vogel in den Fängen einer Katze.

»Ach, verdammt«, sagte Ray fahrig. »Wehe, ihr beide seid nicht mehr am Leben, wenn ich wiederkomme.«

»Es wird schon gutgehen«, erwiderte sie. *Jetzt höre ich mich schon an wie mein Dad.* »Sie sollten besser aufbrechen. Es ist fast dunkel.«

Mit einem letzten Blick auf Beck machte Ray sich auf den Weg über die Lichtung. Der Dämon spannte sich an und fauchte erneut. In dem Moment, in dem er sich auf den Mann stürzte, war Riley am Zuge, ihre Weihwasserkugel flog im Bogen auf die rennende Höllenbrut zu. Der Dämon kreischte vor Schmerz auf, als die geweihte Flüssigkeit seine Brust traf und die Haut verätzte. Zähnefletschend wirbelte er herum und verschwand im Unterholz.

»Los!«, schrie sie.

Ray rannte zum Kanal, die Füße trommelten auf den Boden, die Weihwasserkugel hielt er in der Hand. Wenn er es nicht bis zum Boot schaffte, säßen Beck und sie richtig in der Klemme.

Riley wusste, dass ihr nicht viel Zeit blieb, bis der Dämon zur zweiten Runde zurückkehrte, und wühlte in ihrem Rucksack. Sie klemmte sich eine Flasche mit Weihwasser unter den linken Arm und zeichnete mit dem Stahlrohr einen Kreis auf den Boden, der Beck und den Baum einschloss, mindesten viereinhalb Meter im Durchmesser, damit sie genug Platz hatten, um sich zu bewegen. Alle paar Schritte hielt sie inne und füllte den Kreis mit der Flüssigkeit, so dass sie allmählich eine geweihte Barriere schuf. Sie kam nur langsam voran. Ihr Rücken verkrampfte sich, die Knie zitterten, aber sie hörte nicht auf.

Beck setzte sich auf und begann zu singen, irgendetwas von einem guten, alten Knaben, der in den Krieg zog und dessen Familie Mondschein herstellte. Bei den höheren Tönen brach seine Stimme. Riley lächelte über die Melodie, aber sie arbeitete weiter an dem Schutzkreis.

Etwa auf halber Strecke ging ihr das Weihwasser aus. Nachdem sie eine weitere Flasche geholt hatte, grub sie weiter im Boden, goss Flüssigkeit hinein, grub weiter, und goss, immer wieder. Eine weitere Flasche war leer, und sie hatte nur vier mitgebracht. Sobald der Kreis fertig war, ging sie mit der dritten Flasche die Linie noch einmal ab und füllte alle Lücken. Als sie sicher war, dass der Schutzkreis so stark war, wie nur irgend möglich, ließ Riley sich neben Beck auf den Boden sinken. Solange da draußen nur ein einziger Höllendiener war, würde er halten. Doch sobald er ein paar Freunde mitbrachte, würde es ungemütlich werden.

In der Ferne vernahm sie das Geräusch eines Bootsmotors, der hochgedreht wurde und ihr signalisierte, dass Ray es bis zum Kanal geschafft hatte. Oder es war der Dämon, der sie glauben machen wollte, Hilfe sei unterwegs.

*Morgen früh werden wir es wissen.*

Riley öffnete eine kleine Wasserflasche und bot Beck zu trinken an. Er packte die Flasche mit beiden Händen und begann zu trinken.

»Gott, tut das gut.« Noch ein tiefer Schluck.

Mit ihrem Messer schnitt sie vom Knöchel aus sein linkes Hosenbein auf. Die Dämonenwunde war ein langer

Schnitt an der Außenseite der Wade, und Riley erschauderte, als sie die reichlich ausgetretene Flüssigkeit sah. Sobald sie die Wunde ganz freigelegt hatte, warnte sie Beck.

»Ich muss dich mit Weihwasser behandeln. Bist du bereit?«

Er nickte schwach, und sie kippte die Flüssigkeit in einem Schwung auf die Wunde. Als das infizierte Fleisch daraufhin anfing, Blasen zu werfen, schnappte Beck scharf nach Luft. Dann fluchte er laut und ausgiebig.

*Tut mir leid.*

Sobald die Wunde einigermaßen sauber aussah, reinigte sie sie mit klarem Wasser und legte einen leichten Verband an. Diese Prozedur würde sie alle zwei Stunden wiederholen müssen, bis die Entzündung abgeklungen war. Nachdem sie alles wieder weggeräumt hatte, bestand Riley darauf, dass Beck eine Aspirin nahm und das restliche Wasser aus der Flasche trank. Er hatte immer noch hohes Fieber, aber das würde zusammen mit der Entzündung verschwinden.

Während Beck in einen unruhigen Schlummer fiel und die Nacht tiefer wurde, hielt Riley Wache. Ihre Nerven waren zum Zerreißen gespannt. Sie war bereit für die Rückkehr des Dämons, das magische Messer, das ihre Freundin Ayden ihr geschenkt hatte, steckte in seiner Scheide an ihrer Hüfte. Das Stahlrohr lag links von ihr, rechts wartete eine Weihwasserkugel. Jetzt, wo sie den Mann, den sie liebte, gefunden hatte, würde die Hölle ihn nie und nimmer in die Finger bekommen.

*Nur über meine Leiche.*

Aber ging es bei der Liebe nicht genau darum? Um die Erkenntnis, dass ein anderer Mensch dir wichtiger ist als du selbst und dass du alles tun würdest, um ihn in Sicherheit zu wissen? Selbst, wenn deine Liebe nicht erwidert wird?

Als Beck mühsam wieder das Bewusstsein zurückerlangte, stellte er erfreut fest, dass er sich besser fühlte. Er kratzte sich ausgiebig an der Brust. Sein Fieber war gesunken, und er hatte Hunger. Doch als er Riley sah, brummte er leise.

»Was zum Teufel machst du denn hier?«, wollte er wissen und verbarg seine Besorgnis hinter Verärgerung. »Das hier ist kein beschissenes Picknick.«

Sie ignorierte seine Frage und feuerte eine zurück. »Wieso kratzt du dich?«

»Flohbisse. Die Viecher sind in meinem Hemd und fressen mich bei lebendigem Leibe auf.«

»Das kriege ich hin«, sagte sie.

Mit vereinten Kräften schafften sie es, ihm die Jacke und das Hemd auszuziehen. Nachdem sie kopfschüttelnd die unzähligen roten Flecken auf seiner Brust betrachtet hatte, reichte sie ihm eine Packung feuchte Tücher. Das Jucken trieb Beck beinahe in den Wahnsinn, also gab er nach. Obwohl die Tücher kalt waren, fühlten sie sich gut an, und er säuberte damit Hände, Gesicht, Arme, Armbeugen und die Brust. Riley versorgte seinen Rücken. Als sie fertig war, zitterte er in der kühlen Nachtluft, und sein ganzer Oberkörper war mit Gänsehaut überzogen.

Riley zog ihre Jacke aus, dann einen Pullover, unter dem ein dickes Sweatshirt zum Vorschein kam, das eigentlich Beck gehörte. Als sie es über den Kopf zog, rutschte ihr Hemd hoch, und der Rand eines rosa BHs lugte darunter hervor. Beck war klug genug, nichts zu sagen.

Riley half ihm, sich wieder anzuziehen, und das Sweatshirt fühlte sich gut an. Es roch nach ihr, und aus irgendeinem Grund gefiel ihm das.

»Hast du meine Sachen geklaut, als ich weg war?«, fragte er.

»Nur das Sweatshirt«, antwortete sie. »Deine Jeans passten nicht so gut.«

Gott, wie hatte er ihren Humor vermisst. Sie flippte nicht aus, wie jedes andere Mädchen es tun würde. Stattdessen stellte sie sich offen der Herausforderung.

Als er sie ansah, fielen ihm die frischen Prellungen in ihrem Gesicht auf, und er fragte sie danach.

»McGovern«, erwiderte sie. »Er wollte mich hierher bringen, damit ich dir Gesellschaft leiste, weil ich nicht aufgehört hätte, nach dir zu suchen. Jetzt sitzt er im Knast.«

Beck spürte, wie die Wut in seinen Eingeweiden einen glühenden Ball bildete. Dieser Mistkerl sollte besser hinter Gittern bleiben, oder er würde nicht mehr lange auf der Erde weilen, wenn es nach Beck ginge.

»Worum geht es bei der ganzen Sache überhaupt? Das hat er mir nicht erzählt.«

»Er wollte seine Spuren verwischen.« Riley lehnte sich

gegen den Baum und erzählte ihm die ganze Geschichte. Je länger sie sprach, desto klarer sah er.

»Er hat Nate und Brad getötet, oder?«

»Das glaubt Donovan zumindest«, erwiderte sie. »Dich hätte er ebenfalls getötet, wenn er gewusst hätte, dass du im Boot schläfst. Du wärst genauso verschwunden wie die anderen beiden Jungs.«

Beck richtete den Blick auf den nächsten Baum. Lagen ihre Leichen unter diesen Blättern? Hatte der Dämon ihnen allen ungewollt einen Gefallen getan?

Als sie ihm seine Jacke hinhielt, schüttelte Beck den Kopf. »Die Sandflöhe sitzen auch da drin. Sie kommen aus dem Spanischen Moos.«

»Okay ...« Riley legte die Jacke beiseite und holte eine große, dünne, silbrige Decke aus ihrem Rucksack und breitete sie ein paar Schritte von der Stelle aus, an der er saß. »Leg dich dort drüben hin. Die Folie hält dich warm, und du liegst nicht mehr in den beißenden Dingern.«

Obwohl ihm vom Fieber bereits heiß genug war, schien es eine gute Idee zu sein. Mit ihrer Hilfe schaffte er es mühsam auf die Beine, dann humpelte er zu seinem neuen Ruheplatz. Sein verletztes Bein pochte bei jedem Schritt. Sobald er lag, stopfte sie die Silberdecke um ihn fest.

»Und was ist mit dir? Es wird noch kälter werden«, sagte er.

»Es wird schon gehen.« In ein paar Stunden würde es nicht mehr gehen, aber darum konnte sie sich dann kümmern.

»Was hast du denn noch in deinem Rucksack? Etwas zu essen?«

»Ich dachte, das hier sei kein Picknick«, gab sie zurück und hob die Brauen.

Er runzelte die Stirn. Warum musste sie ihn ständig provozieren?

»Du machst mir Angst, wenn du solche verrückten Sachen machst, Mädel.«

»Ich mache mir auch Angst«, gab sie zu.

Kurz darauf hielt er einen ausgewickelten Energieriegel in der Hand. Binnen Sekunden war er verschwunden, gefolgt von einer Hand voll Orangenscheiben und etwas Trockenfleisch. Er nahm einen ordentlichen Schluck von einem Sportgetränk, dann lehnte er sich erleichtert wieder gegen den Baum. Sein Magen war gar nicht glücklich darüber, dass er die Sachen so schnell heruntergeschlungen hatte, aber daran konnte er jetzt nichts mehr ändern.

Er schloss die Augen und hörte sie herumgehen, dann stieg ihm der Duft eines Lagerfeuers in die Nase. Sie hatte ohne seine Hilfe ein Feuer zustande gebracht – er hätte nicht gedacht, dass Stadtmädchen wussten, wie so etwas geht. Nach einer Weile döste er ein, Bilder von seiner Mutter und den toten Jungen verfolgten ihn bis in seine Träume.

## 20. Kapitel

Als der Dämon ein paar Stunden später zurückkehrte, war es nicht zu übersehen, dass das Weihwasser ihm arg zugesetzt hatte. Seine Brust sah aus, als hätte man sie mit einem Flammenwerfer angegriffen, und selbst jetzt noch hörte Riley leise wimmernde Schmerzenslaute über seine Lippen kommen.

»Du wirst hier sterben«, knurrte er und starrte sie boshaft an. »Du wirst für meinen Schmerz büßen.«

Sie ignorierte ihn, weigerte sich, dem Ding auch nur einen Fingerbreit Zutritt zu ihren Gedanken zu gewähren.

»Weißt du noch, Denver Beck? Erinnerst du dich, was ich dir von ihrem Engel-Liebhaber erzählt habe?«, höhnte der Dämon.

»Hör doch auf, Dämon«, murmelte Beck.

»Hat sie dir von ihrer Seele erzählt? Dass sie jetzt uns gehört? Dass sie sie ihm gegeben hat … für immer?«

Sie hörte, wie Beck hinter ihrem Rücken scharf einatmete, während er diese Neuigkeit verdaute.

»Vielen Dank auch«, murmelte sie. Riley hatte geplant, ihm ihr Geheimnis zum geeigneten Zeitpunkt anzuvertrauen, falls es solch einen Zeitpunkt jemals gab. Jetzt war die Katze aus dem Sack und lag zuckend am Boden wie ein sterbender Karpfen.

»Sag mir, dass das eine Lüge ist«, forderte Beck.

Sie konnte ihm nicht in die Augen blicken. »Nein. Ich habe meine Seele Ori gegeben.«

»O Mädel«, murmelte er.

Der Dämon bellte triumphierend. »Warum ist sie wohl hier? Deinetwegen, Fänger? Oder für ihren Herrn? Hat er ihr befohlen, dich zu finden? Hat er ihr befohlen, dich zu töten?«

Riley explodierte und schoss in die Höhe. »Wo hast du denn diesen Blödsinn her? Habt ihr Versager etwa ein riesiges Lügenbuch, und du suchst dir aus, welche am besten klingt?«

Sie machte ein paar Schritte, das Messer war schon aus der Scheide. Dann blieb sie stehen. Der Dämon provozierte sie und versuchte, sie dazu zu bringen, den Schutzkreis zu zerstören.

»Stimmt das?«, fragte Beck. »Dieser Engel hat dir befohlen, mich zu töten?«

*Er ist krank, und dieses verdammte Ding manipuliert seine Gedanken.*

»Nein.«

»Wie soll ich dir glauben?«

Sie warf einen Blick über die Schulter auf den verletzten Mann. »Aber diesem Stück Höllenscheiße glaubst du?«

Der Dämon lachte glucksend in sich hinein, dann verschwand er im Unterholz. Er hatte den Samen des Zweifels gesät, jetzt musste er ihn nur noch wachsen lassen.

*Deine Tage sind gezählt, Dämon. Ich weiß nicht, wie ich es anstellen werde, aber du bist so gut wie tot.*

Beck verfiel in Schweigen und weigerte sich, mit ihr zu reden. Irgendwann schlief er wieder ein, doch er fand kaum Ruhe. Immer wieder schreckte er aus dem Schlaf auf, die Augen weit aufgerissen, dann schloss er sie erneut. Sie hatte gerade das Feuer neu geschürt, als er aus einem Traum aufschreckte, sein angstvoller Blick schoss umher, während er kurz und keuchend atmete.

»Beck? Was ist los?«, fragte sie und rutschte näher zu ihm.

»Der Dämon. Er kriecht immer noch in meinem Verstand herum und erzählt mir immer wieder, was der verdammte Engel mit dir gemacht hat und …« Er hielt sich mit beiden Händen die Ohren zu. »O Gott, mach, dass es aufhört!«

Voller Panik kniete sie sich neben ihn. Countrysongs zu singen, um die Gedankenmanipulationen des Dämons zu blockieren, würde nicht ausreichen. Sie brauchten etwas, das stärker war als die Lügen der Hölle.

*Liebe.*

Riley wusste nicht, ob er sie liebte, aber sie wusste, dass er ihren Vater bewundert hatte. Behutsam nahm sie seine Hände und zog sie von den Ohren fort. »Beck, hey, sieh mich an.« Sein bittender Blick fand ihren. »Erzähl mir von meinem Vater. Du weißt schon, wie du ihn kennengelernt hast und wie er war.«

»Was?«, fragte er verwirrt.

»Sprich mit mir über meinen Dad«, befahl sie. »Der Dämon kommt nicht an dich ran, wenn du an jemanden denkst, den du liebst.« Sie war nicht sicher, ob das stimmte, aber es war die einzige Waffe, die ihnen gegen die finstere Stimme in Becks Kopf zur Verfügung stand.

»Du spielst mit mir, versuchst mich dazu zu bringen …«

»Nein! Ich versuche, dir zu helfen. Bitte hör mir zu. Ich würde niemals irgendetwas tun, um dich zu verletzen, Beck. Das schwöre ich dir beim Grab meines Vaters.«

Er blinzelte, dann nickte er langsam, als die Botschaft zu ihm durchdrang. »Ich habe Paul wirklich geliebt. Er war so gut zu mir. Er war wie der Dad, den ich nie hatte.«

»Erzähl mir, wie ihr beide euch das erste Mal getroffen habt. Das war in der Schule, oder?«

Beck biss die Zähne zusammen, als hätte der Dämon versucht, in seine Gedanken einzudringen. »Es war im … Geschichtsunterricht. Ich war erst seit ein paar Tagen auf der Schule und war immer noch sauer, weil Donovan meinen Arsch einfach nach Atlanta geschleift hat.«

Riley setzte sich neben ihn und wickelte sich in ihre Jacke, um sich warmzuhalten. »Weiter, ich will alles hören.«

*Sprich weiter …*

Beck holte tief Luft und atmete langsam wieder aus. »Ich erklärte Paul, dass ich keine beschissenen Hausaufgaben machen würde, weil das völlig sinnlos sei. Er sagte, ich solle nach der Stunde noch dableiben. Ich dachte, er würde mich zum Büro des Direktors schleppen und vielleicht nachsitzen lassen. Wenn ich das oft genug machte, würden sie mich von der Schule werfen, und ich könnte machen, was ich wollte.«

»Und was geschah dann?« Riley hielt kurz Ausschau nach dem Dämon. Er musste irgendwo da draußen sein.

»Statt eine Abreibung zu bekommen, musste ich mich hinsetzen, und Paul stellte mir einen Haufen Fragen – woher ich komme, welche Fernsehsendungen mir gefallen, so was. Ich hatte keine Ahnung, was er eigentlich von mir wollte.«

Beck zog erneut eine Grimasse.

»Hör nicht auf die andere Stimme. Erzähl mir die Geschichte«, drängte sie.

»Ich ... ich sagte Paul, er soll sich selber ficken. Ich dachte, damit würde ich aus dem Kurs fliegen, vielleicht sogar von der Schule. Stattdessen gab er mir eine Aufgabe: Ich sollte einen Aufsatz über die einzige Person auf der Welt schreiben, die ich richtig cool fand. Ich sagte ihm, so jemanden gäbe es nicht. Dann sagte er, ich sollte aufschreiben, wie diese Person sein müsste, wenn es sie gäbe.«

An diesen Teil erinnerte sie sich – ihr Vater hatte gesagt, er sei sich nicht sicher, ob er jemals an den Jungen herankommen würde. Doch dann, nach einer guten Woche, in der er ihn ständig gedrängt hatte, hatte Beck den Aufsatz abgegeben, sechs kaum entzifferbare Sätze, die nur so vor Rechtschreibfehlern strotzten.

»Hat dein Dad dir erzählt, was ich geschrieben habe?«, fragte er.

»Nein.« Dieses Geheimnis hatte er mit ins Grab genommen.

»Ich habe geschrieben, dass ich mir nur jemanden wünsche, der mich nicht nach dem beurteilt, was ich bin oder woher ich komme. Ich wollte nur eine Chance haben, so wie jeder andere auch.« Er lehnte sich an den Baum und starrte hinauf zu den Sternen, als könnte er irgendwo da oben im Himmel ihren Dad sehen. »Anstatt mich auszulachen, sagte Paul, er würde mir diese Chance gerne bieten, aber im Gegenzug müsste ich sie mir verdienen.«

»Er war unglaublich«, sagte Riley, und der Verlust nagte an ihrem Herzen.

»Er ist es immer noch. Wahrscheinlich bringt er den Engeln noch ein, zwei Sachen bei.« Nachdenklich sah er zu ihr hinüber. »Ich habe ihm noch eine Woche lang oder so das Leben zur Hölle gemacht, und dann fingen wir an, nach der Schule zusammenzuarbeiten. Die meiste Zeit über kämpfte ich um jeden Zentimeter Boden gegen ihn, aber er gab nicht auf. Als ich zur Armee ging, konnte ich halbwegs lesen und schreiben, nur langsamer als die meisten.« Beck blinzelte überrascht. »Hey, es funktioniert. Ich höre den verdammten Dämon nicht mehr.«

»Gut gemacht!«, sagte sie und streckte einen Daumen in die Höhe.

Er spähte in die Dunkelheit. »Er wird zurückkommen. Er wird uns nicht in Ruhe lassen.«

»Wir müssen nur die Nacht überstehen«, sagte sie und weigerte sich zu glauben, der Morgen könnte keine Hilfe bringen. Wenn sie anfing, so zu denken, hätte die Hölle gewonnen. »Wie wär's mit noch etwas zu essen?« Riley wühlte in ihrem Rucksack herum und förderte eine kleine Tüte Paprikachips zutage, die sie ihm in den Schoß warf. »Tut mir leid, ich habe keine Hot Dogs dabei.«

Er hatte seinen Blick schon wieder abgewandt.

»Was ist los? Ist es der Dämon?«

Ein Kopfschütteln. »Du hast mir erzählt, du hättest deine Seele nicht hergegeben, in jener Nacht mit dem Engel … Warum hast du mich angelogen?«

»Ich habe dich nicht angelogen, Beck. Ich habe ihm meine Seele während der Schlacht auf dem Friedhof übereignet, bevor ich Ori aus seinem Statuengefängnis befreit habe. So konnte er gegen Sartael kämpfen.«

»Er könnte sie jedem in der Hölle geben, auch Luzifer.«

Sie schüttelte den Kopf. »Nein, kann er nicht. Das war Teil der Abmachung. Nur er hat die Kontrolle darüber.«

»Und das hast du ihm abgenommen?«, fragte er ungläubig.

»Ja. Ori hat es beim Licht geschworen, und das bedeutet ihm mehr als alles andere.«

Die Chipstüte lag vergessen in seinem Schoß. »Wenn du dich nicht auf diesen Deal eingelassen hättest, wären wir jetzt alle tot. Millionen … wären gestorben.«

Darauf gab es nichts zu erwidern.

»Verdammt nochmal, dieser Dämon hätte mich beinahe rumgekriegt«, knurrte er wütend. »Sie erzählen einem Lügen und mischen gerade genügend Wahrheit darunter, dass es sich richtig anhört.« Verzweifelt schüttelte er den Kopf. »Tut mir leid. Ich hätte es besser wissen müssen. Du bist Pauls Tochter. Du gehst nicht so leicht zu Boden.«

Genau das hatte sie auch dem Engel erklärt.

»Willst du eine Banane?«, fragte sie in der Hoffnung, das Thema wechseln zu können.

»Nein, nimm du ruhig.«

Riley aß sie nicht, obwohl sie hungrig war. Vielleicht brauchten sie sie morgen früh oder am Morgen darauf, falls niemand kam, um sie zu holen. Stattdessen hörte sie zu, wie er sich geräuschvoll kauend über die Chips hermachte. Als die Tüte leer war, nahm er den Rest vom Sportgetränk, dann lehnte er sich nachdenklich an die Zypresse.

»Ich habe in meinem Leben noch nie eine Frau kennengelernt, die so an mich glaubt wie du.«

Zärtlich berührte sie seine Hand, und er ergriff sie ohne Zögern. Eine Zeitlang hielten sie einander bei den Händen, dann rollte er sich unter der silbernen Decke zusammen. Ein paar Minuten war er ganz still, dann hörte sie:

»Danke, Riley.«

»Gern geschehen, Den.«

Er glitt in den Schlaf, und dieses Mal war er ruhig und friedlich. Sie stopfte die Decke um seine Schultern fest, dann beugte sie sich behutsam vor und küsste seine Wange. Er war nicht mehr ganz so fiebrig, und das bedeutete, dass er auf dem Weg der Besserung war.

Sie widmete sich wieder dem Feuer, suchte in der Dunkelheit nach Ärger, der ganz sicher kommen würde. Der letzte Schachzug des Dämons war danebengegangen. Er würde es erneut versuchen.

Ein paar Stunden später erhob Beck sich leicht benommen von seinem Lager, murmelte etwas davon, dass er mal kurz um die Ecke müsse, um das ganze Wasser loszuwerden, das er getrunken hatte. Als er zurückgehumpelt kam, wirkte er wacher.

»Wie geht es dir?«, fragte Riley.

»Besser. Wird es nicht Zeit, sich um die Wunde am Bein zu kümmern?«

Sie behandelte die Wunde und stellte erfreut fest, dass der Heilungsprozess bereits eingesetzt hatte. Binnen eines Tages würde nicht mehr eine rote Linie zu sehen sein, nur eine weitere Narbe neben den unzähligen anderen, die seinen Körper schmückten.

»Du kannst etwas schlafen, während ich Wache halte«, bot er an.

Riley behagte die Vorstellung nicht sonderlich, aber er wirkte so gut beieinander, dass sie zustimmte. Er bestand darauf, dass sie sich unter die silberne Decke legte, und sie tauschten die Plätze. Sie reichte ihm ihre Jacke, aus Sorge, er könnte frieren. Sie würde ihm nicht passen, aber er könnte sie sich zumindest über die Schultern legen.

»Weck mich in ein paar Stunden«, sagte sie, dann mummelte sie sich ein und ließ sich vom Schlaf davontragen.

Einige Zeit später weckte irgendetwas sie auf, aber es war nicht Beck. Das Feuer war heruntergebrannt, und er schlief leise schnarchend daneben auf dem Boden.

Innerhalb des Schutzkreises bewegte sich etwas. Riley schoss unter der Decke hervor, aus Angst, es wäre der Dämon, doch stattdessen war es nur ein neugieriger Waschbär, der auf dem Boden herumschnüffelte. Als er sie erblickte, knurrte er, machte, dass er fortkam, und floh über das Laub in die Dunkelheit.

Beck regte sich, dann setzte er sich auf und gähnte. »Was ist los?«

»Ein Waschbär ist in den Schutzkreis gekommen und hat mich aufgeweckt.«

»War wohl hinter unserem Essen her.«

»Aber er hat doch nichts angestellt, oder?«

»Solange er nicht am Schutzkreis gegraben hat oder so. Wenn er nur über die Linie aus Weihwasser gelaufen ist, macht das nichts.« Beck streckte sich stöhnend. »Gott, mein Rücken tut weh.«

Er stocherte in dem Feuer herum und legte Holz nach. Dann blies er in die Glut. Als es funkensprühend zu neuem Leben erwacht war, stand er auf und ging hinter den Baum, wobei er die Kette mitschleifte. Riley blieb in Alarmbereitschaft.

»Was quält dich so?«

»Irgendwas fühlt sich nicht richtig an«, sagte sie. »Nicht so wie vorher.«

Riley begann, den Schutzkreis abzugehen, und betrachtete dabei aufmerksam den Boden. Plötzlich blieb sie stehen.

»Beck! Ich brauche Weihwasser! Schnell!«

Ihm blieb keine Zeit, es zu holen. Alles, was er sah, waren die hellroten Augen und die Klauen, als der Dämon sich direkt auf ihn stürzte. Blitzschnell hatte Riley sich vor ihm in Kampfposition aufgebaut, das Messer in der Hand. Nie zuvor hatte er erlebt, dass sie sich so schnell bewegt hätte.

Der Dämon kam rutschend zum Stehen. »Diese Seele wird mir gehören«, sagte er.

»Du bekommst ihn nicht, niemals«, gab Riley zurück. Die Messerklinge blitzte silbrig-blau im schwachen Mondlicht.

Beck erreichte das Ende der Kette, doch er kam nicht an die beiden heran. »Weiche langsam zu mir zurück, ganz langsam«, sagte er.

Sie achtete nicht auf ihn.

»Du glaubst, ich würde dich nicht töten, wegen deines Herrn«, sagte der Dämon. »Da irrst du dich.«

»Verlass den Schutzkreis, oder du stirbst«, sagte Riley ruhig.

So schnell, dass seine Konturen verwischten, stürzte der Vierer sich auf sie, ehe Beck eine Warnung rufen konnte. Riley packte ihn an der Kehle und schleuderte ihn zu Boden, das Messer durchbohrte seine Brust und drang tief in sein Herz ein.

Wie eine Kriegsgöttin, auferstanden aus uralten Zeiten, erhob sie sich, während das schwarze Dämonenblut von ihrem Messer tropfte. Die Lippen des Höllendieners bewegten sich und formten Flüche, doch kein Laut drang aus seiner Kehle. Dann starb er.

*Was zum Teufel war das denn?* Beck hatte ihr keine Nahkampftechniken beigebracht, und er bezweifelte, dass Stewart es getan hatte.

Langsam verflog die Wildheit, die von Riley Besitz ergriffen hatte, und ließ sie verwirrt und auf unsicheren Beinen zurück.

»Alles in Ordnung?«, fragte er.

Riley schüttelte den Kopf. »Ich fühle mich komisch.« Sie

starrte hinunter auf den Dämon und die blutverschmierte Waffe in ihrer Hand. »Habe ich ihn getötet?«

»Scheint so«, sagte er und bemühte sich, keine Panik in der Stimme mitschwingen zu lassen.

Danach schien sie auf Autopilot umzuschalten. Sie reinigte das Messer und schob es zurück in die Scheide, ehe sie den Leichnam des Dämons aus dem Schutzkreis heraus ins Unterholz zerrte. Nachdem sie den Kreis mit Weihwasser an der zerstörten Stelle neu aufgebaut hatte, gesellte sie sich zu Beck an den Baum. Trotz ihrer Versicherung, sie sei unverletzt, suchte er sie nach Wunden ab, fand aber keine.

Die Riley, die er kannte, wäre niemals in der Lage gewesen, einen Dämon mit solch einer kaltblütigen Präzision zu töten. Offenkundig stand sie unter dem Schutz ihre Engels. Wie sonst hätte sie diesen Frontalangriff eines tobsüchtigen Höllendieners überleben können?

Riley bewegte sich. »Ich erinnere mich nicht daran, ihn getötet zu haben, Beck. Was ist mit mir los?«

»Nichts«, beruhigte er sie. »So was kommt vor im Kampf.«

Glücklicherweise akzeptierte sie diese Lüge.

Er bestand darauf, dass sie zu ihm unter die Decke kroch, besorgt, was in ihrem Kopf vor sich gehen mochte.

»Ich muss Wache halten«, murmelte sie, aber er wusste, dass das nicht passieren würde. Sie musste sich ausruhen.

»Wir werden nicht wieder belästigt werden. Dieser Leichnam wird allen anderen eine Warnung sein, sich besser

nicht mit uns anzulegen.« *Mit dir. Dafür wird dein gefalle-*
*ner Engel sorgen.*

»Also gut«, sagte sie und kuschelte sich an ihn. »Sorry, ich
stinke nach totem Dämon.«

Er streichelte ihr Haar, bis sie einschlief. Was hatte dieser
verlogene Ori mit ihr vor? Warum ließ er sie am Leben,
anstatt ihre Seele für sich zu fordern?

Er würde es schon noch früh genug erfahren. Wenn sie
jemals hier herauskämen, würde er Jagd auf Ori machen
und einen kleinen Schwatz mit dem Kerl halten. Und
wenn Beck die Antworten nicht gefielen, könnte die Hölle
bald um einen gefallenen Engel ärmer sein.

Das Geräusch riss Beck kurz vor der Dämmerung aus
einem tiefen Schlaf. Es klang wie eine Harfe. Einen Moment lang fragte er sich, ob er tot war und irgendjemand
ihn im Himmel willkommen hieß.

»Mein Handy«, murmelte Riley. Offensichtlich konnten
sie nach dem Tod des Dämons wieder mit der Außenwelt
kommunizieren.

Sie kramte unter der Decke herum und tauchte mit dem
Telefon wieder auf. Und ließ es auf seine Brust fallen.

Er nahm die Sache in die Hand. »Hier ist Beck.« Er
grinste, als er die Neuigkeiten hörte. »Klingt gut. Bis bald.«
Er legte auf und schob das Telefon neben die Decke. »Das
war unser Taxi. Sie sind in dreißig Minuten hier.«

Ein träges Lächeln tauchte auf dem Gesicht seiner Ge-
fährtin auf. »Gut. Weck mich, wenn sie da sind.«

Auf einmal hatte Beck es gar nicht mehr eilig mit dem Aufstehen. Im Gegenteil, er fühlte sich ganz wohl so – bis auf die Tatsache, dass seine Beinwunde pochte und ihm der Rücken weh tat. Er zog Riley an sich, genoss das Gefühl, sie neben sich zu haben. Es war ein Wunder, dass sie beide am Leben waren.

*Ich war so ein Idiot.* Man konnte es nicht anders sagen. Er war so überzeugt gewesen, dass die einzige Möglichkeit, seine Vergangenheit zu überleben, darin bestand, seine Gegenwart davon fernzuhalten. Doch das hatte ihn immer nur zurückgeworfen, wann immer er es versucht hatte.

*Damit ist jetzt Schluss.* Riley hatte recht gehabt – er hätte ihr vertrauen sollen, hätte wissen müssen, dass sie sich nicht von ihm abwenden würde. Alles, was er je von ihr gesehen hatte, war der leidenschaftliche Wunsch, ihn zu beschützen, ein Wunsch, der so stark war, dass sie mitten in diesem verfluchten Sumpf ihr Leben für ihn riskiert hatte.

Als er jünger war, hatte sein Granddad ihm erklärt, dass er eines Tages eine Frau finden würde, die ihm ebenbürtig sei, die eine, die seine Seele vervollständigen würde, und dass sie für ihn da sein würde, wenn das Leben hart war, und zu ihm halten würde, selbst wenn er sich wie ein Idiot benahm. Wenn Beck diese Frau gefunden hätte und sie festhielte, würde er ein besserer Mensch werden als ohne sie.

Sein Granddad hatte gewusst, wovon er sprach – er war fünfundvierzig Jahre mit Becks Grandma verheiratet ge-wesen, bis der Tod diesem Bund ein Ende setzte. Sie hätten leicht auch noch fünfzig Jahre schaffen können, wenn sein Herz ihn nicht im Stich gelassen hätte.

Hielt Beck diese spezielle Frau jetzt im Arm? War Riley die eine, die bei ihm bleiben würde? Dieser Gedanke machte Beck Angst. Wenn sie es war, dann war alles, was er von nun an tat, äußerst wichtig. Nicht auszudenken, dass er es vermasselte.

Beck seufzte resigniert, weil sie langsam in die Gänge kommen mussten. »Wir müssen aufstehen«, drängte er.

»Warum?«, antwortete sie murmelnd. »Es gefällt mir hier. Na ja, nicht der Sumpf. Du weißt, was ich meine.«

Und ob er es wusste. »Mir gefällt es auch, aber das war gerade Simon am Telefon. Wie wird er es aufnehmen, wenn wir hier so zusammengekuschelt rumfaulenzen?«

»Das ist sein Problem.«

Er grinste. »Komm schon, faules Mädchen. Wir müssen fertig sein, wenn sie kommen.« Als sie sich immer noch nicht rührte, benutzte er den einzigen Hebel, der sie hochbringen würde. »Wer weiß, vielleicht ist sogar die Presse dabei. Wahrscheinlich Justine. Sie wird ein paar Fotos machen, und die kommen dann auf die Titelseite der Zeitung.«

In null Komma nichts war Riley auf den Beinen, fuhr sich mit den Fingern durch die zerzausten Haare und machte ein finsteres Gesicht.

»Du bist fies und gemein, Denver Beck.«

»Das habe ich auch schon gehört.« Er zog einen nassen Einmalwaschlappen hervor und reichte ihn ihr. »Du hast Dämonenblut im Gesicht.«

»Verfl…« Sie begann hektisch, ihr Gesicht abzuwischen und die Haare zu bürsten. Für ihn war sie auch ohne die ganze Mühe schön, aber er wusste, dass sie ihm nicht glauben würde, wenn er es ihr sagte.

Als sie fertig war, lieh er sich ihre Bürste und versuchte, sich selbst einigermaßen in Form zu bringen. Wer weiß? Vielleicht tauchte ja tatsächlich ein Fotograf hier auf.

Binnen weniger Minuten hatten sie den Lagerplatz aufgeräumt, den Müll in Tüten gestopft und die restlichen Vorräte verstaut. Die Leiche des Dämons war bemerkenswerterweise verschwunden.

»Das waren wahrscheinlich Aasfresser«, sagte Beck. Ihr Schweigen verriet, dass sie ihm das nicht abkaufte.

Riley erledigte rasch ihr Geschäft, wobei sie sich die ganze Zeit wegen der Schlangen Sorgen machte, doch sie kehrte ungebissen zurück. Während sie warteten, teilten sie sich etwas Trockenfleisch und die letzte Banane.

»Warum bist du hier rausgekommen?« fragte er. »Du bist kein Landkind. Du hättest es jemand anders überlassen sollen.«

Riley warf die Schale in die Mülltüte und überlegte sich ihre Antwort gut.

»Ich wusste, dass, wenn irgendjemand dich finden würde, ich es sein würde«, sagte sie. »Wenn du verschwunden geblieben wärst, für immer …« Sie erschauderte. »Ich hätte es nicht ertragen. Es war schon schlimm genug, meine Eltern zu verlieren, aber du … du bist …« Sie wandte den Blick ab, als sei ihr so viel Offenheit peinlich. »Du gehörst zu mir, Beck, und wirst immer ein Teil von mir sein.«

Er wusste nicht, was er darauf erwidern sollte. Er probierte eine Reihe Wörter aus, aber keines davon schien zu passen, so dass respektvolles Schweigen die beste Antwort zu sein schien.

In der Ferne hörten sie Rufe, und Riley antwortete. Innerhalb kurzer Zeit erreichte eine Gruppe die Lichtung: Donovan, Ray und Simon.

»Kein Fotograf«, sagte sie und warf Beck einen gespielt finsteren Blick zu.

»Hätte doch sein können«, grinste er.

»O Mann, ist das gut, dich zu sehen, Denver!«, sagte der Sheriff und ging neben Beck in die Hocke. »Verdammt gut.« Sie packten einander fest bei den Händen.

»Geht mir genauso«, sagte Beck. »Aber kann mir jetzt bitte endlich mal jemand dieses verdammte Ding abnehmen?«

Er stöhnte vor Schmerz, als Ray den Bolzenschneider zwischen seinen Stiefeln und der engsitzenden Kette ansetzte. Ray begann, zuzudrücken, und Becks Gesicht lief rot an. Endlich fiel die Kette ab.

»Danke, Gott«, sagte er. Er schnürte seinen Stiefel auf, und als er ihn und die Socke endlich ausgezogen hatte, zeigte sich, dass der Knöchel geschwollen und wundgescheuert war.

Simon bemerkte das getrocknete Dämonenblut im Inneren des Schutzkreises. »Schlimme Nacht?«

»Ja. Ich musste einen Hypno töten«, sagte Riley.

Er warf ihr einen seltsamen Blick zu, sagte aber nichts.

Riley öffnete die Verbandstasche. Während sie die Wunde

versorgte, zeigte Beck auf das Gewehr neben seinem Rucksack. »Ich hab was für dich, Donovan«, sagte er. »Es gehört Nate. Ich habe es sofort wiedererkannt.«

Der Sheriff untersuchte die Waffe und nickte. »Wo hast du es gefunden?«

»Da drüben, beim anderen Baum«, sagte Beck und deutete mit einer Kopfbewegung auf die Stelle. »McGovern war hierher unterwegs, bevor der Dämon ihm einen Strich durch die Rechnung machte. Ich glaube, Nate und Brad sind irgendwo hier.«

»Das hast du mir gar nicht erzählt«, beschwerte Riley sich.

»Ich wollte dir keine Angst machen«, antwortete er.

Donovan überquerte die offene Lichtung und begann, mit der Spitze des Gewehrlaufs die Blätter und Zweige beiseite zu wischen.

Nachdem Becks Fuß ordentlich verbunden war, zog Riley ihm vorsichtig die Socke wieder an, dann den Stiefel. Er schnürte ihn locker zu und beobachtete dabei Donovan aus den Augenwinkeln. Der Sheriff ging in die Hocke, grub ein wenig in der Erde und förderte etwas Weißes zutage. Er musterte den Gegenstand einen Moment, dann hielt er ihn in die Höhe. Es war ein Knochen, möglicherweise eine Rippe.

»Heilige Scheiße«, murmelte Beck. *Der Dämon hatte recht.*

Simon bekreuzigte sich.

»Welcher der beiden Jungen das wohl ist«, sagte Donovan, als er den Knochen dorthin zurücklegte, wo er ihn gefunden hatte, und ihn wieder mit Blättern bedeckte. »Ich werde die Spurensicherung rufen. Sie werden ihre helle Freude an diesem Ort haben.«

Mit Rileys Hilfe kam Beck auf die Beine. »Bring mich hier raus«, sagte er, plötzlich gerührter, als ihm lieb war. Nate und Brad waren nicht nett zu ihm gewesen, aber sie hatten etwas Besseres verdient, als mitten im Nirgendwo zu sterben.

Als Ray ihn den Pfad entlang half, blieb Beck noch einmal stehen und schaute zurück.

*Ruhet in Frieden, Jungs. Tut mir leid, dass ich euch nicht helfen konnte.*

## 21. KAPITEL

Am liebsten hätte Riley auf dem Rückweg ein kurzes Nickerchen gehalten, doch sie wurde von einem euphorischen Beck mitgerissen, der hoch auf der Ich-fasse-es-nicht-ich-lebe-noch-Welle ritt.

»Das war das dritte Mal, dass dieser Sumpf versucht hat, mich umzubringen«, triumphierte er. »Und trotzdem ist es ein wunderbarer Ort, oder?« Er zeigte auf das weit entfernte Ufer. »Ich meine, sieh dir nur all diese gelben Blumen an. Sie sind so wunderschön.«

Sie waren schön, jetzt, wo Riley nicht mehr um sein Leben fürchtete.

»Weißt du, eines Tages komme ich vielleicht zurück und fahre mit einem Kanu durch das Gebiet. Übernachte in einer der Schutzhütten. Du könntest mitkommen. Nur wir beide.«

Riley schwieg wohlweislich.

Als das Boot abrupt langsamer wurde, wachte Riley auf. Sie war in eine Decke gehüllt, ihr Kopf ruhte auf Becks Schoß. Er machte leise Schlafgeräusche, und sie weckte ihn sanft auf. Langsam setzte sie sich auf und streckte sich, bis sich ein Muskel nach dem anderen einschaltete. In einiger Entfernung konnte sie den Anleger sehen, dahinter den Van eines Nachrichtensenders und einen vertrauten roten Haarschopf. *Justine*. Aus irgendeinem Grund hatten die Alligatoren sie nicht verspeist.

Donovans und Simons Boot legte zuerst an und war rasch entladen. Sobald Ray ihr Boot ans Ufer gezogen hatte, bot der Sheriff Beck seine Hilfe beim Aussteigen an.

»Besser, du sagst nichts davon, was da draußen passiert ist«, sagte er leise. »Keine Sorge, man wird deine Geschichte anhören.«

»In voller Länge.« Beck humpelte die Betonrampe hoch, blieb stehen und beäugte den Krankenwagen. »Ich schätze, der ist für mich?«

»Klar«, sagte der Sheriff. »Sobald du im Krankenhaus fertig bist, nehmen wir im Büro deine Aussage auf.« Er drehte sich nach Riley um. »Du kannst ihn dort in ein paar Stunden abholen.«

»Mach ich.« Das gab ihr etwas Zeit, um zu duschen und vielleicht noch etwas zu schlafen. Und dann wären sie endlich zu zweit. Sie wünschte sich nichts sehnlicher, als dass Beck und sie sich aneinanderkuschelten und der Rest der Welt sie in Ruhe ließ.

»Wo hast du gesteckt, Denny?«, rief jemand. »Hast du mit den Knochen der toten Jungs gespielt?«

Beck ballte die Fäuste, aber er ging weiter, den Sheriff an seiner Seite.

Ein Reporter stellte sich ihnen in den Weg. »Ist er verhaftet? Mr Beck, erzählen Sie uns, was dort draußen passiert ist?«

Donovan schob ihn beiseite. »Kein Kommentar.«

Als Riley oben an der Rampe ankam, stand die Rückseite des Krankenwagens im Mittelpunkt des allgemeinen Interesses. Beck nickte ihr zu, dann legte er sich auf die Trage. Die Türen schwangen zu.

Wie aufs Stichwort wandte die Menge ihre Aufmerksamkeit Riley zu. Zwei Reporter stellten sich ihr in den Weg, und ständig klickten die Kameras. Zu ihrer Überraschung stürzte Justine sich nicht mit ins Getümmel, sondern hielt sich etwas abseits, als stünde sie über solch einem kindischen Theater.

Riley und Simon kletterten in den Pick-up, und immer noch prasselten Fragen auf sie ein, zusammen mit Pfiffen und derben Kommentaren, was sie und der verwundete Dämonenfänger wohl im Sumpf getrieben hatten.

»Wie können sie solche Sachen sagen?«, wollte sie wissen und knallte die Beifahrertür zu.

»Weil es Idioten sind.« Simon ließ den Truck an und sorgte dafür, dass Sand und Kies vom Parkplatz aufspritzten und die Reportermeute in eine Staubwolke hüllte, so dass sie husten und die Hände schützend über die Augen legen mussten.

Riley grinste ihren Kollegen an und hob beide Daumen in die Höhe. »Das war cool.«

»Ich habe doch gar nichts gemacht«, sagte er, aber seine

Augen blitzten verschmitzt auf. »Ich bin es einfach nicht gewöhnt, einen Truck zu fahren.«

*Ja klar …*

Als sie sich der Stadt näherten, erzählte Simon ihr von dem Telefonat mit Atlanta, das er auf dem Rückweg zum Kingfisher Landing geführt hatte.

»Da wir Beck gefunden haben, will Harper, dass ich heute noch zurückfahre. Ich habe Sam angerufen, sie bringt mich zum Busbahnhof, nachdem ich meine Sachen aus dem Motel geholt habe.«

Vielleicht hatte er ja doch nichts gegen einen Flirt mit Donovans Nichte einzuwenden.

»Warum willst du schon so schnell wieder zurück?« *Bitte sag mir, dass es nicht noch mehr Zombiedämonen gibt.*

»Harper braucht jeden Fänger, den er finden kann, bei all den Anfragen, die reinkommen. Die Jäger sind gestern abgereist, so dass jetzt alles an der Zunft hängenbleibt, und es sind nicht viele von uns übriggeblieben.«

Riley empfand einen Stich des Bedauerns. Obwohl sie mit gemischten Gefühlen an das Team des Vatikans dachte, hätte sie sich gerne von einigen der Männer verabschiedet.

»Ich verstehe das nicht«, sagte sie. »Warum erzählt Rom nicht allen Leuten, was auf dem Friedhof wirklich geschehen ist? Wie nah wir dem Ende waren? Vielleicht kapieren die Menschen es dann endlich und fangen an, die Dinge richtig zu machen.«

»Weil nicht jeder glücklich darüber ist, dass die Welt nicht untergegangen ist.«

»Wie bitte? Es wäre entsetzlich geworden. Zigmillionen Menschen wären gestorben. Wer sollte so etwas wollen?«

»Es kommt darauf an, woran du glaubst. Wenn du dich auf den Rausch freust und darauf, in den Himmel zu kommen, dann könntest du enttäuscht sein, dass es nicht so weit gekommen ist, und vielleicht wütend auf denjenigen sein, der es verhindert hat.«

*Also auf mich.* »Bist du … wütend?«, fragte sie.

Ein Stirnrunzeln zerfurchte Simons Stirn. »Ich bin mir nicht sicher«, gab er zu. »Vor einem Monat wäre ich es gewesen. Aber jetzt?« Er zog eine Schulter hoch. »Ich habe gelernt, dass nichts so eindeutig ist, wie es scheint. Das Ende der Welt, an das ich glaube, ist möglicherweise nicht das Ende, das kommen wird.«

*Amen.*

Bis Riley fertig geduscht und frische Klamotten angezogen hatte, hatte Simon seine Sachen gepackt und wartete darauf, sich von ihr verabschieden zu können. Früher hätte sie ihm einen Kuss gegeben, aber jetzt war alles anders.

Trotzdem, sie stand in seiner Schuld. »Danke, Simon. Du hast mir vorgestern Abend das Leben gerettet.«

Rileys Dankbarkeit schien ihn zu beunruhigen, was sie verwirrte.

»So einfach ist das nicht«, erwiderte er.

Er ging hinüber zu Sams Wagen und sprang hinein, als

könnte er es gar nicht erwarten, wegzukommen. Mit einem kurzen Winken fuhr Sam davon.

*Jetzt bist du schon wieder so merkwürdig. Was ist bloß mit diesem Typen los?*

Rileys Plan, ins Sheriffbüro zu stürmen und Beck raus- zuholen, wurde von der Frau zunichtegemacht, von der sie gehofft hatte, sie nie wiederzusehen: Justine. Die Schrei- bertussi saß am Schreibtisch eines der Deputys und war voll im Reportermodus, Notizblock und Aufnahmegerät lagen gut sichtbar vor ihr. Beck saß neben ihr, eine Tasse Kaffee in der Hand, das verletzte Bein auf einem Stuhl hochgelegt. Jemand hatte ihm saubere Klamotten besorgt, denn er trug eine Jogginghose und ein weißes Baumwoll- T-Shirt. Vor allem jedoch wirkte er entspannt, als stellte Justine nicht länger eine Bedrohung dar.

Rileys Groll schreckte umgehend aus seinem unruhigen Schlummer auf. Was hatte diese Frau bloß an sich, dass sie sie zuverlässig sofort auf hundertachtzig brachte? Justine war pure weibliche Antimaterie in Highheels und knistern- der Seide. Obwohl Riley sich echt Mühe gab, ein unbe- teiligtes Gesicht zu machen, als Beck ihren Blick einfing, lächelte er, als wüsste er genau, wie es in ihr aussah.

*Ja, ich bin eifersüchtig. Damit musst du klarkommen.*

Riley stellte fest, dass sein Tonfall nicht freundlich, son- dern eher verhalten war. Er beantwortete Justines Fragen knapp und ohne ein Wort zu viel, als würde er vor Gericht aussagen.

Widerstrebend scheuchte sie ihre Eifersucht zurück in ihren Käfig und knallte die Tür zu. Sie würde diesem Gefühl nicht die ersehnte Macht einräumen, ihr Leben zu zerstören.

»Ich warte draußen, bis du fertig bist«, sagte sie.

Justine taxierte sie aus den smaragdgrünen Augen. »Das wird noch eine Weile dauern. Sobald wir mit dem Interview fertig sind, fahre ich ihn, wohin er will.«

Das Biest brüllte gepeinigt auf und rüttelte an den stählernen Gitterstäben seines Käfigs, wollte jemanden zerfleischen und in Stücke reißen.

»Ist das für dich okay, Beck?«, fragte Riley, das Kinn so angespannt, dass es ihr schwerfiel zu sprechen. Als er nickte, ließ sie die beiden allein, ehe sie irgendeine Dummheit anstellte.

Sobald sie in seinem Truck saß, prügelte sie auf das Lenkrad ein, so wie er es so oft getan hatte, und starrte finster zum Gebäude hinüber.

*Ich bin in diesem verdammten Sumpf gegangen, um seinen Arsch zu retten, und dann kommt die angezischt und …*

Wie lange würde das Interview dauern? Wenn sie fertig waren, würden sie bestimmt noch einen trinken gehen, und dann …

Das Gebrüll der Eifersucht in ihrem Kopf geriet zur Raserei und wurde erst zu einem gereizten Winseln, als sie endlich das Motel erreichte.

Achtundneunzig Minuten später lieferte Justine Beck am Motel ab. Nicht, dass Riley mitgezählt hätte oder so. Sie hörte eine kurze Unterhaltung draußen vor Becks Zimmer, von der Riley nicht viel mitbekam. Doch die gefangene Bestie in ihrem Inneren ersetzte hilfsbereit die fehlenden Wörter.

*Beck: Ich muss das Kind erst noch abwimmeln. Und dann treiben wir es bis zum Morgengrauen, Baby.*

*Justine: O Beck, du bist so rattenscharf.*

Riley schlug sich mit der flachen Hand an die Stirn, um diese Eifersuchtsmelodie zu stoppen. In Wirklichkeit war es vermutlich eher so etwas wie:

*Beck: Du hast dein verdammtes Interview, und jetzt sind wir fertig. Verpiss dich.*

*Justine: Schmoll.*

Die Tür zu Becks Zimmer öffnete und schloss sich. Der erste Weg führte ihn ins Badezimmer, dann kam er, auf einen Stock gestützt, in ihr Zimmer gehumpelt.

»Hast du ihren Lippenstift abgewaschen?«, fragte Riley, ehe sie sich bremsen konnte.

»Jupp. Ich wollte nicht, dass du eifersüchtig wirst oder so«, schoss er zurück. Dann ließ er sich am Fußende auf das Bett sinken. Die Medizin, mit der man die Flohbisse an der Brust und den Armen behandelt hatte, hatte kleine, blaue Kleckse auf dem T-Shirt hinterlassen.

»Donovan hat einen anderen Bestatter aufgetrieben, der bereit ist, sich um Sadies Beerdigung zu kümmern. In zwei Tagen ist es so weit.«

Was bedeutete, dass Riley bis dahin mit dem Hausputz

fertig sein und den Staub von der Fingerabdruckssicherung im Truck wegbekommen musste.

Beck redete weiter, ohne zu merken, dass sie im Geiste eine Liste erstellte. »Heute Abend gibt Donovan eine Pressekonferenz. Er wird alles offenlegen, damit die Leute wissen, wer der Schuldige ist.« Beck räusperte sich, als wollte er noch etwas sagen, doch dann schüttelte er den Kopf. »Ich muss schlafen.«

»Beck, wegen Justine ...«

»Fang nicht damit an.«

Kurz darauf lag er in seinem eigenen Bett. Sie konnte es nicht so stehenlassen, also ging sie zu ihm rüber und setzte sich neben ihn. Er öffnete die Augen, dann schob er seine Hand zu ihr und berührte ihre.

»Tut mir leid«, sagte er.

»Tat mir ganz gut«, sagte sie. »Diese blöde Kuh macht mich manchmal echt wahnsinnig.«

»Nur manchmal?«, fragte er.

»Also gut, jedes Mal, wenn ich sie sehe, will ich ihr den Kopf abreißen. Bist du jetzt zufrieden?«

Sie erhielt ein schiefes Lächeln für dieses Eingeständnis.

»Jetzt weißt du, wie ich mich fühle, wenn ich an diesen verdammten Engel denke.« Er ließ sie los, um die Decke zurückzuschlagen. »Bleib bei mir, bis ich eingeschlafen bin. Aber benimm dich, verstanden?«, sagte er, ein leises Lächeln zierte sein Gesicht.

»Machst du Witze? Du hast ein schlimmes Bein, du bist von Flöhen völlig zerbissen und siehst aus wie ein Schlumpf. Nichts davon macht mich richtig scharf, Beck.«

»Dachte ich es mir doch.«

Sie streifte die Schuhe ab und kuschelte sich an ihn. Er legte einen Arm um sie. »So ist es besser«, murmelte er. Keine Minute später schlief er tief und fest.

Während Riley dem Pochen seines Herzens an ihrem Ohr lauschte, wusste sie, dass es zwischen ihnen nie wieder so sein würde wie früher. Zum ersten Mal in ihrem Leben brannte sie darauf, zu erfahren, was die Zukunft bringen würde.

Der nächste Tag war mit hektischen Aktivitäten ausgefüllt. Auf Becks Anweisung verschenkte Riley Sadies Kleidung, die Küchensachen und den Großteil der Möbel. Seine Bitte, das Sofa stehenzulassen, leuchtete ihr nicht recht ein, aber sie tat, worum er sie gebeten hatte. Sam bestand darauf, die Fenster zu putzen, während Riley die Fußböden schrubbte. Während sie in Windeseile die letzten Arbeiten erledigte, schrieb ihre neue Freundin eifrig SMS an einen gewissen Dämonenfängerlehrling in Atlanta.

Bei Anbruch der Dämmerung waren sie fertig, und um das zu feiern, besorgte Riley Pizza und fuhr damit zum Motel. Dieses Mal machte der Restaurantbesitzer ihr keinen Ärger. Im Gegenteil, er legte sogar noch einen Sechserpack Limo auf Kosten des Hauses dazu und erkundigte sich, wie es Beck ging.

Nach dem Abendessen war Beck ungewöhnlich still, doch sie drängte ihn nicht zu reden. Er versuchte, in seinem Buch zu lesen, aber sie merkte, dass er mit den Gedanken nicht bei der Sache war. Schließlich ließ er das Buch sinken.

»Ich möchte noch ein paar Tage länger hierbleiben.«

Das kam unerwartet. Riley hatte angenommen, er wollte weg aus dieser Stadt, sobald die Beerdigung vorbei war.

»Okay.« Was sollte sie sonst sagen?

»Nach der Beerdigung bringe ich dich zum Bus. Jackson holt dich in Atlanta am Bahnhof ab.«

Offensichtlich hatte er alles schon ohne sie geregelt.

»Gibt es irgendeinen Grund, wieso du mich unbedingt loswerden möchtest?«, frage sie, schmerzlich getroffen.

»Ich hab noch ein paar Dinge zu erledigen und muss nachdenken. Das kann ich nicht, solange du hier bist«, sagte er. »Wir reden über alles, wenn ich wieder in Atlanta bin.«

*Reden?* Sie hatte auf wesentlich mehr als das gehofft.

»Worum geht es?«

»Das hat nichts mit dir zu tun.«

Jetzt war sie wirklich verletzt.

»Meinetwegen, Dorftrottel«, sagte sie und zog sich für die Nacht in ihr Zimmer zurück.

Am Tag, als ihr Vater beerdigt wurde, hatte Beck Frühstück für sie gemacht und sie zum Friedhof gefahren. Er hatte ihren Verlust auf jede Weise respektiert. Jetzt war Riley an der Reihe, Beck ebensolchen Respekt entgegenzubringen. Sie sorgte dafür, dass der Truck innen und außen sauber war, was wegen dieses Fingerabdruckszeugs mehr als eine Stunde dauerte. Sie bügelte sein Hemd, säuberte seinen Anzug und polierte seine Schuhe. Er sagte kein Wort, als sie zum Friedhof fuhren, aber sie wusste, dass es ihm aufgefallen war.

Der Friedhof war klein, aber neben dem Beerdigungszelt standen eine ganze Menge Leute. Angesichts Sadies Ruf konnte man darauf wetten, dass die meisten Anwesenden einfach nur neugierig waren. Zu Rileys Erleichterung überprüfte Deputy Martin die Trauergäste und hielt den Großteil der Presse fern.

*Danke*, formte sie mit dem Mund, als sie an ihm vorbeifuhren, und er nickte ihr zu.

Sobald sie den Truck abgestellt hatte, fiel ihr Blick unweigerlich auf Justine Armando, die gerade mit einem der Stadtbewohner sprach.

Beck folgte ihrem Blick. »Ich habe Justine gesagt, dass sie gerne zur Beerdigung kommen kann, wenn sie möchte«, sagte er und öffnete die Tür. »Interpretier da bloß nichts rein, hörst du?«

»Mach ich schon nicht.«

Während die Reporterin ganz in Marineblau gekleidet war, mitsamt einem schicken Hut, trug Riley *das Kleid*, wie sie es mittlerweile in Gedanken nannte, dasjenige, das sie bei beiden Beerdigungen ihrer Eltern und bei allen Gedenkfeiern für die toten Dämonenfänger getragen hatte. Wenn der Wert nach Trauer bemessen werden würde, wäre dieses Kleidungsstück unbezahlbar.

Sobald Beck aus dem Truck geklettert war, den Stock in

der Hand, gesellte Riley sich zu ihm. Seine Miene war angespannt, und er verbarg seine Gefühle mit einem beträchtlichen Maß an Selbstbeherrschung.

»Wir stehen das hier zusammen durch«, sagte sie ruhig. Genau das hatte er vor der Beerdigung ihres Vaters zu ihr gesagt. Er nickte, gab jedoch keine Antwort.

Donovan stand unter dem blauen Baldachin neben dem Sarg. Er trug einen Anzug, nicht seine Uniform, und die Ähnlichkeit zwischen Beck und ihm war jetzt noch auffälliger. Als sie nebeneinanderstanden, sah man, dass sie genau gleich groß waren, obwohl Becks Haar sandfarbener war als das des Sheriffs und er breitere Schultern hatte. Der Bestatter, den sie dazugeholt hatten, um die Beerdigung zu organisieren, stand neben Donovan, ein dünner Mann mit ausgemergeltem Gesicht.

»Denver«, sagte Donovan ernst.

»Tom. Danke, dass du gekommen bist«, erwiderte Beck, und sie schüttelten sich die Hände. Dann richtete er seine Aufmerksamkeit auf den Bestatter. »Danke, dass Sie eingesprungen sind und alles vorbereitet haben, Mr Bishop.«

»Das war doch das Mindeste, was ich angesichts der unglücklichen Umstände tun konnte«, erwiderte der Mann.

Nachdem die Höflichkeiten ausgetauscht waren, wählte Beck einen der Stühle in der vorderen Zelthälfte, während weitere Trauergäste hereinkamen, darunter auch Sam und Louisa. Riley erkannte ein paar Gesichter aus dem Diner wieder, vor allem einige der alten Männer.

Als der Prediger sich Mühe gab, sie vor den Gefahren zu

warnen, die ihnen drohten, wenn sie ihren Blick nicht auf Gottes Himmel gerichtet hielten, senkte Riley ihren Blick auf die beiden Male in ihren Handflächen. Für sie kamen die Warnungen des Mannes zu spät.

Der Prediger war fertig und schaute erwartungsvoll zu Beck. Erstaunt sah Riley zu, wie Sadies Sohn sich vor dem Sarg aufbaute. Becks Gesicht war blass und faltig, die emotionale Anspannung war fast mehr, als er ertragen konnte.

*Warum tut er sich das an? Er schuldet seiner Mutter nichts.*

Unbehaglich verlagerte Beck sein Gewicht. Er wusste, dass alle ihn beobachteten, aber er musste den Zwist in seinem Herzen aus der Welt schaffen. Sein Blick wanderte zu Riley, und er spürte, wie ein Gefühl der Ruhe ihn umhüllte wie eine liebevolle Umarmung. Was hatte Pauls Tochter nur an sich, dass sie diese Gefühle bei ihm hervorrief?

Sie nickte ihm ermutigend zu, obwohl sie keine Ahnung hatte, was er vorhatte. Beck räusperte sich und richtete den Blick auf das andere Ende des Zelts, über die Gesichter der Trauergemeinde hinweg. Vor allem vermied er es, die rothaarige Reporterin anzusehen.

»Der Prediger hat ein paar schöne Worte über Sadie gesagt. Ich muss dem noch ein paar hinzufügen.« Er räusperte sich erneut. »Einige von euch kannten Sadie, als sie jünger war. Ich habe gehört, dass sie ziemlich witzig sein konnte und viel Humor hatte. Doch als ich auftauchte, war davon nichts mehr zu merken. Zumindest habe ich davon nichts gemerkt.«

Sein Herz pochte heftig in seiner Brust. Warum stand er hier vorne? Warum hatte er das Gefühl, es tun zu müssen?

»Die Sadie, die ich kannte, war keine gute Frau. Sie war niederträchtig wie eine Schlange und hing an der Flasche. Ich glaube nicht, dass sie je einen Kerl abgewiesen hätte.«

Ein paar alte Damen schnappten nach Luft. Vielleicht war er zu ehrlich, aber irgendwie wusste er, dass Sadie nicht protestieren würde.

»Als ich sechzehn war und die Stadt verlassen musste, hatte ich so viel Schlechtes gesehen, dass ich glaubte, da draußen sei es auch nicht besser. Ich war sicher, dass ich nichts taugte. Ein paar von euch haben versucht, mir zu helfen, und ich werde euch deswegen immer gut in Erinnerung behalten.« Sein Blick ruhte auf Donovan.

»Das Einzige, was Sadie mir beigebracht hat, war, dass ich nicht so werden wollte wie sie. Ich wollte mein Leben nicht so sehr hassen, dass ich alle Freude darin zerstörte.«

Jetzt wanderte sein Blick zu Riley. »Ich hatte Glück – in Atlanta habe ich ein paar gute Menschen getroffen, und sie zeigten mir einen viel besseren Weg.« Er seufzte schwer. »Sie brachten mir bei, dass ich sehr wohl etwas tauge und dass Sadie diejenige war, die sich einiges entgehen ließ. Was ich damit sagen will, ist, dass Sadelia Beck, selbst wenn sie kein guter Mensch war oder auch nur eine gute Mutter, mir doch mehr beigebracht hat, als sie je begriffen hat.«

Seine Beine begannen zu zittern, und er versuchte vergeblich, das Beben unter Kontrolle zu bekommen. »Ich danke euch, dass ihr heute gekommen seid. Ich bezweifle, dass sie Frieden finden wird, dort, wohin sie unterwegs ist. Das war nie ihre Art, aber wenigstens haben wir uns ordentlich von ihr verabschiedet.«

Keinen Augenblick zu früh humpelte Beck zurück zu seinem Platz. In seinem Magen rumorte es, und auf seiner Stirn bildeten sich Schweißperlen.

Riley beugte sich zu ihm und flüsterte: »Das hätte ich nie geschafft.«

»Ich musste es tun«, flüsterte er zurück. »Ich lasse all das hinter mir, hier bei ihr im Dreck. Jetzt fange ich ganz neu an. Nichts wird mich mehr zurückhalten.«

Riley schob ihre Hand in seine und drückte sie. »Du bist echt unglaublich, weißt du das eigentlich?«

»Nein, ich bin einfach nur ich.« *Und für heute reicht mir das auch.*

Der Prediger beendete die Trauerfeier mit einem weiteren Gebet, obwohl Becks freimütige Abschiedsworte ihn ziemlich verunsichert hatten. Die Trauergäste zogen am offenen Sarg vorbei und blieben einer nach dem anderen kurz stehen, um mit Riley und ihm zu sprechen. Louisa hauchte ihm einen Kuss auf die Wange. Dann stand Justine vor ihm, die unergründlichen smaragdgrünen Augen schimmerten feucht.

»Oft sind es die schlimmsten Zeiten in unserem Leben, die uns am stärksten formen«, sagte sie. »Es tut mir aufrichtig leid um deinen Verlust, Beck.«

Sie küsste ihn nicht, sondern berührte nur zärtlich seinen Arm, dann ging sie, nachdem er seinen Dank gemurmelt hatte.

Als nur noch sie beide übrig waren, trat Beck an den Sarg, wo er lange auf das Gesicht der Frau hinabblickte, die ihm das Leben geschenkt und es dann zu einer Hölle auf Erden gemacht hatte.

*Warum konntest du mich nicht lieben? Ich war niemals so böse.*

Ein Klumpen bildete sich in seiner Kehle. »Ruhe in Frieden, Mom«, flüsterte er und küsste ihre kalte Stirn.

*Ich weiß nicht, ob ich dir je vergeben kann, aber das hindert mich nicht daran, dich zu lieben.*

## 22. Kapitel

Nachdem sie sich im Motel umgezogen und Rileys Gepäck im Truck verstaut hatten, beschrieb Beck ihr den Weg nach Waycross zum Busbahnhof.

Sie kaufte sich eine Fahrkarte und kehrte zu ihm zurück, bis der Bus abfuhr. Dies war die Gelegenheit für ihn, ihr zu zeigen, wie viel sich zwischen ihnen verändert hatte. Wenn er nicht gerade erst seine Mutter begraben hätte, hätte Riley einen atemberaubenden Kuss erwartet. Zumindest erwartete sie die Bestätigung, dass er dasselbe empfand wie sie.

»Danke für alles«, sagte er. Er legte die Hände auf die Schultern, drückte sie und gab ihr einen züchtigen Kuss auf die Stirn.

Riley war enttäuscht, dann wütend, beides rasch hintereinander.

»Das war's also?«, sagte sie mit bebender Stimme. »Nach allem, was zwischen uns geschehen ist, war das alles?«

»Fürs Erste.«

Sie klappte den Mund zu, so dass die Zähne laut aufeinanderschlugen. Ihre Eifersucht brüllte erneut auf.

Er schien zu wissen, was sie dachte. »Das hat nichts mit Justine oder dem Engel zu tun. Es geht um mich. Ich brauche etwas Zeit, um ein paar Dinge zu klären und den Kopf frei zu bekommen. Darum bleibe ich hier, bis ich das erledigt habe.«

»Es gibt nichts mehr zu klären, Beck«, erwiderte sie. »Es ist alles erledigt.«

»In meinem Kopf noch nicht. Ich kann nicht weitermachen, solange ich nicht … ein paar Dinge erfahren habe.«

*Was gibt es denn noch zu wissen? Ich liebe dich. Ich bin dir wichtig. Warum machst du es uns so schwer?*

»Okay, dann ruf mich an, wenn du wieder bei klarem Verstand bist. Wer weiß, vielleicht gehe ich sogar ans Telefon«, sagte sie, machte auf dem Absatz kehrt und marschierte auf den Bus zu. Als sie die Stufen erklomm, sah sie aus den Augenwinkeln, wie Beck ihr nachstarrte. Er war nicht wütend. Er sah höchstens verloren aus.

Riley ließ sich auf ihren Platz fallen und kam sich wie eine Idiotin vor, so gemein zu ihm gewesen zu sein. Im selben Moment wusste sie, was sie zu tun hatte. Sie rannte den Gang entlang und stieß beinahe mit dem Fahrer zusammen, der gerade das Fahrzeug betrat.

»Wann fahren wir ab?«, fragte sie.

»In fünf Minuten«, sagte der Mann. »Gehen Sie nicht zu weit weg.«

»Keine Sorge.«

Riley stürmte die Treppe hinunter und über den Parkplatz, wo Beck immer noch wartete.

»Stimmt etwas nicht?«, fragte er und richtete sich auf.

»Du.« Riley packte ihn am Kragen, zog ihn zu sich und küsste ihn mit aller Leidenschaft, die sie besaß. Sie legte alles in diesen Kuss, all ihre wilden Hoffnungen, all ihre Träume.

Als sie fertig war, glühten Becks Augen vor Sehnsucht. Hastig holte er tief Luft.

»Verdammt, Mädel«, murmelte er.

Jetzt, wo sie seine Aufmerksamkeit hatte …

Sorgfältig zupfte Riley seinen Kragen zurecht, dann blickte sie tief in die bodenlosen braunen Augen.

»Weißt du noch, wie wir in die Stadt kamen und ich dich bat, mich zu fragen, ob ich irgendwie anders für dich empfinde, wenn alles vorbei ist?«

Er nickte argwöhnisch. »Und? Ist etwas anders?«

»Ja. Nimm Vernunft an und komm zurück nach Atlanta. Komm zurück zu mir. Denn ich werde dich nicht aufgeben. Ich kann nicht …« Ihre Stimme brach, als ihre Gefühle in gefährliche Schieflage gerieten.

*Er muss es wissen.*

Behutsam legte Riley ihre Stirn an seine, wie er es auf dem Friedhof getan hatte. Ihre Finger liebkosten seinen Arm, ertasteten die Muskeln unter dem Hemd.

»Ich liebe dich, Denver Beck«, flüsterte sie. »Ich liebe dich schon lange.« Dann trat sie zurück. »Jetzt musst du dich entscheiden, ob du mich liebst.«

Als Riley zum Bus zurückging, pochte ihr Herz hämmernd, und ihre Gedanken überschlugen sich. *O mein Gott.* Sie hatte ihm gesagt, dass sie ihn liebte. Jetzt gab es kein Zurück mehr. Entweder empfand er dasselbe für sie, oder alles würde zu Asche zerfallen, wie bei den anderen. Mit zitternden Knien bestieg sie den Bus, ohne zurückzublicken. In Wahrheit hatte sie viel zu große Angst davor. Erst als sie zu ihrem Platz ging, schaute sie aus dem Fenster. Vor Verblüffung hatte Beck den Mund weit aufgerissen. Er blinzelte ein paar Mal, ehe er ihn endlich schloss.

Als der Bus sich in Bewegung setzte, war er immer noch da und sah zu, wie sie davonfuhr. Er war nicht abgehauen, nicht so, wie sie befürchtet hatte. Stattdessen war er nicht von der Stelle gewichen, trotz allem, was sie getan hatte.

Riley winkte zum Abschied, und er antwortete mit einem zaghaften Lächeln.

Dann war sie auf dem Weg nach Atlanta und ließ den Mann zurück, den sie mehr liebte als das Leben selbst. Nur die Zeit würde zeigen, ob er für sie genau dasselbe empfand.

Die Schüssel mit Brathähnchen zwischen ihnen war beinahe leer, die Flasche Jack Daniels fast voll. Das sagte eine Menge über die beiden: Donovan trank nie viel, und Beck war immer noch zu hungrig, um viel Zeit damit zu verschwenden, Alkohol in sich hineinzuschütten, sobald es etwas zu essen in Reichweite gab.

Sie saßen auf Sadies klappriger hinteren Veranda, von der aus sie über das freie Land blicken konnten. In der Ferne stieg ein Falke über den Feldern auf, auf der Suche nach einer Mahlzeit. Sadie war die Veranda immer egal gewesen, darum hatte Beck als Kind unzählige Stunden hier draußen verbracht. Hier konnte er träumen, er befände sich auf einem Piratenschiff oder würde ein unbekanntes, neues Land erkunden, egal was, Hauptsache, er war fort von der Frau, die ihn hasste.

Rechts von ihm stand eine alte, zerbeulte Metallkiste, die Donovan auf seine Bitte hin aus dem Heizungskeller geholt hatte, wo er sie vor Sadies Augen verborgen hatte. Wenn sie sie gefunden hätte, wäre sie im Müll gelandet. So hatte sie es mit allen Dingen gehalten, die ihm etwas bedeutet hatten. Jetzt würden seine persönlichen Schätze mit ihm nach Atlanta reisen.

Fünf Meter vor ihnen stand das verdammte Sofa und stank dank des Kanisters Benzin wie eine Tankstelle. Zusammengerollt zu Becks Füßen lag eine Zeitung, daneben eine Schachtel Streichhölzer. Auf seine Bitte hin hatte der Sheriff bereits die richtigen Leute informiert, dass ein Anruf bei der Feuerwehr nicht nötig werden würde.

»Gibt es einen besonderen Grund, wieso dieses eine Möbelstück eine extra Feuerbestattung bekommt?«, fragte Donovan, die Brauen amüsiert hochgezogen.

»Ich hasse dieses Ding. Wenn Sadie getrunken hat, ist sie nach Hause gekommen und darauf eingepennt. Oft war dann irgendein Kerl bei ihr.«

Donovan wurde ernst. »Ich habe mit ihr darüber geredet und ihr gesagt, dass das nicht richtig ist, solange sie einen kleinen Jungen hat. Sie hat mir nie zugehört.«

»Immerhin hast du es versucht.«

Mit Hilfe des Sheriffs zündete Beck die Zeitung an und humpelte dann hinüber zum letzten verbliebenen Quell seiner Albträume.

»Brenne, du Scheißding«, murmelte er und warf das brennende Papier mitten auf das Sofa. Das Benzin fing auf der Stelle Feuer, und die Flammen begannen, den Stoff mit dicken, gierigen Zungen zu verzehren.

Beck kehrte zur Veranda zurück, setzte sich und sah dem Inferno zu. »Das wollte ich schon tun, seit ich zehn war.«

»Ich bin überrascht, dass du so lange gewartet hast.«

Beck musste grinsen. »Ich hatte auch so schon genug Ärger, ohne Brandstiftung.«

»Das stimmt.« Donovan band einen Schnürsenkel neu. »McGovern hat sich auf einen Deal eingelassen. Sobald die Bundespolizei mit ihm fertig ist, wird direkt das Urteil gesprochen.«

»Besteht die Chance, dass er die Todesstrafe bekommt?«

»Nein. Das war Teil des Deals. Das wird einigen Leuten gar nicht gefallen, aber so ist es nun mal.«

»Ich an seiner Stelle würde mich lieber umbringen lassen, anstatt den Rest meines Lebens in einer verdammten Zelle zu schmoren«, sagte Beck.

Der Sheriff nahm einen kleinen Schluck Whiskey. »Wenn hier nicht so ein Durcheinander herrschen würde, könnten wir angeln gehen.«

Beck lächelte. »Das wäre schön, aber ich muss zurück nach Atlanta. Vielleicht ein anderes Mal.« Er beugte sich vor, die Ellenbogen auf die Knie gestützt. *Wie soll ich das schaffen?*

Donovan musste ihm etwas angemerkt haben, denn er lehnte sich ebenfalls vor und nahm dieselbe Körperhaltung ein.

»Was geht dir durch den Kopf, Denver?«

»Ich habe eine Frage und weiß nicht, wie ich sie stellen soll.«

»Hat es etwas mit Sadie und mir zu tun?«

Becks Herz setzte einen Schlag aus. »Ja, das stimmt. Ich bin nicht der Einzige, der findet, dass du und ich uns ziemlich ähnlich sehen.«

»Ich habe mir schon gedacht, dass das Thema eines Tages auf den Tisch kommen würde. Eigentlich bin ich sogar überrascht, dass es so lange gedauert hat.«

»Diese Frage zu stellen bedeutet, möglicherweise eine Antwort zu bekommen, die mir nicht gefällt. Bis jetzt war ich nicht bereit, dieses Risiko einzugehen«, gab Beck zu.

»Aber jetzt bist du bereit.« Donovan griff nach der Whiskyflasche, trank jedoch nicht. »Deine Mutter und ich waren für ein paar Monate zusammen, direkt, bevor ich zur Navy ging. Als ich vier Jahre später zurückkam, war da dieser kleine, blonde Junge. Ein süßer Kerl mit großen, braunen Augen und einem Lächeln, das einem das Herz öffnete.«

Beck presste die Lippen zusammen.

»Ich fragte sie, ob du mein Sohn bist, und sie sagte nein. Zu der Zeit hat sie ziemlich viel getrunken und war nicht gerade bekannt dafür, die Wahrheit zu sagen, also passte ich auf dich auf, so gut ich konnte.« Er schwieg. »Als sie dich im Sumpf aussetzte, war ich so verdammt sauer, dass ich Doc Hodges dazu überredete, heimlich einen Vaterschaftstest zu machen, als du im Krankenhaus warst. Ich habe es Sadie nie erzählt.«

Beck setzte sich auf und hielt den Atem an. »Ja oder nein?«

»Der Test war negativ, Denver. Du bist nicht mein Sohn. Glaub mir, es war nicht das, was ich hören wollte. Ich hatte so sehr gehofft, du wärst es.«

»Zum Teufel«, murmelte Beck, als seine Hoffnungen zerbröselten. »Ich dachte immer …«

»Ich auch. Ich hatte gehofft, du wärst mein Sohn, damit ich das Sorgerecht für dich beantragen und dich von deiner Mutter wegholen könnte.«

»All die Jahre habe ich damit verschwendet, davon zu träumen, du wärst mein Dad.«

»Nein, nicht verschwendet. Es hat dir Hoffnung gemacht, etwas, das Sadie nicht zerstören konnte. Deshalb habe ich es dir nie erzählt. Solange du diese Hoffnung hattest, hattest du einen Grund, nicht aufzugeben.«

Beck strich sich mit der Hand übers Gesicht. »Ich schätze, ich werde nie herausfinden, wer es war.«

»Nun, eins ist sicher, er muss ordentlich was auf dem Kasten haben, sonst wäre sein Sohn nicht so ein feiner Kerl.«

Beck zuckte die Achseln.

»Es tut mir leid, dass es nicht die Antwort ist, die wir beide hören wollten.« Donovan seufzte. »In gewisser Weise bedaure ich, dass es mit Sadie und mir nicht funktioniert hat. Vielleicht hätte sie nie zur Flasche gegriffen, wenn sie jemanden gehabt hätte, der sich um sie kümmert.«

»Wahrscheinlich nicht.« Beck straffte die Schultern. »Na ja, was mich angeht, hatte ich eigentlich zwei Dads – dich und Paul. Ich hätte es nicht besser treffen können.«

»Das ist viel wert«, antwortete Donovan und klopfte ihm auf die Schulter.

»Ehe ich fahre, möchte ich Louisa besuchen und ihren Mann kennenlernen. Ihm sagen, was für ein Glückspilz er ist. Sobald das erledigt ist, fahre ich nach Hause.«

»Vergiss deine Wurzeln nicht, mein Sohn. Sie sind wichtig. Und was immer du tust, lass Riley nicht wieder los. Sie ist genau das, was du brauchst.«

Es war ermutigend, dass Donovan so eine hohe Meinung von ihr hatte.

»Ja, ich arbeite daran. Keine Sorge.«

»Gut. Sie hat dich niemals aufgegeben, kein einziges Mal. So eine Frau will ein Mann an seiner Seite haben.«

Beck nickte. »Das sehe ich genauso.«

Seine Zeit in Sadlersville neigte sich dem Ende entgegen. Alles war geregelt. Mit einem Gefühl, alles geschafft zu haben, lehnte Beck sich zurück und sah zu, wie das Sofa und seine Vergangenheit in einem Flammenmeer verschwanden.

Atlanta lag unter ihnen wie eine eroberte Stadt, doch die Aussicht vom Dach des *One Atlantic Center* beeindruckte die Engel nicht. Wenn man Zeuge gewesen war bei der Geburt des Universums, wirkten die Städte der Sterblichen dagegen wie Kinderspielzeug.

Das göttliche Wesen, das neben Ori stand, war von nachdenklicher Natur, eines von denen, die die Zukunft mit verstörender Klarheit sahen. Das war einer der Gründe, warum er Gusion gebeten hatte, ihn heute Abend zu begleiten.

»Wo wirst du stehen, wenn der Krieg kommt?«, fragte sein Freund.

Ori hob eine Braue. »Was glaubst du, wo ich stehen sollte? Was siehst du in unserer Zukunft? Du bist bekannt für deine Gabe.«

»Alles, was ich sehe, ist Blut«, erwiderte der andere gefallene Engel ernst. »Darüber hinaus ist nichts klar.«

Das war nicht die Antwort, die er erwartet hatte. »Wessen Blut?«, frage Ori. »Das der Sterblichen oder das der Engel?«

»Von beiden.« Gusion drehte sich zu ihm um. »Beginne keinen Krieg gegen Luzifer. Er wird dich vernichten und alle, denen du zugeneigt bist.«

»Was, wenn ich genau das will?«, gab Ori zurück.

Traurig schüttelte sein alter Freund den Kopf.

»Ich muss dich um einen Gefallen bitten, Gusion. Du hast jedes Recht, abzulehnen.«

Dann legte er dar, was er sich wünschte, welche Rolle sein Kamerad in den kommenden Tagen übernehmen könnte.

Gusion flatterte erregt mit einer Schwinge, ehe er antwortete. »Du verlangst viel.«

»Aber wirst du es tun, wenn es sich als notwendig erweist?«

»Ich werde, obgleich es nicht meiner Natur entspricht.«

»Was ist mit den anderen göttlichen Wesen? Wo stehen sie?«, fragte Ori.

»Sie sind unentschlossen. Obzwar viele von ihnen keine hohe Meinung von dir haben, missfällt ihnen die Art und Weise, wie du behandelt worden bist.«

Ori nickte verstehend. »Luzifer hofft, Sartael gegen mich ausspielen zu können, um uns beide zu vernichten. Er hat den Blick dafür verloren, was wichtig ist.«

Gusion widersprach nicht. »Wo ist diese Seele, über die du verfügst, die eine, die Luzifer so erbost hat?«

»Blackthornes Tochter ist gerade in die Stadt zurückgekehrt.«

»Weiß sie von der Gefahr, in der sie schwebt, weil so viele in ihr ein Mittel sehen, dich zu vernichten?«

»Noch nicht. Riley Anora Blackthorne wird es schon noch früh genug erfahren.«

»Ist sie stark genug, diese Seele von dir?«

»Sie sollte es besser sein.«

Wie Beck versprochen hatte, wartete der Dämonenfänger Chris Jackson draußen vor dem Busbahnhof in Atlanta auf Riley. Jackson war eher hager und lehnte an der vorderen Stoßstange seines Trucks. Er war einer ihrer Lieblingskollegen: Seit sie in der Zunft aufgenommen worden war, hatte er stets hinter ihr gestanden.

»Willkommen zurück in der großen Stadt«, rief er laut, ein herzliches Begrüßungslächeln im Gesicht.

»Hi, Jackson. Wieso ist es an dir hängengeblieben, mich einzusammeln?«

»Hab mich freiwillig gemeldet«, erwiderte er.

Er hievte ihren kleinen Koffer hinten in den Truck, dann fuhren sie Richtung Norden ins Zentrum von Atlanta. Da Jacksons Tasche mit den Fängerutensilien den Platz zwischen ihnen besetzte, stellte Riley ihren Rucksack neben ihre Füße.

»Wie geht's Beck?«, fragte er.

»Der wird wieder. Hast du gehört, was passiert ist?«

»Ja. Es steht in den Zeitungen.« Mitfühlend schüttelte er den Kopf. »Ich mag mir gar nicht vorstellen, wie er all die Jahre diese Last mit sich herumgeschleppt hat.«

»Es war echt hart. Aber jetzt wissen sie, dass er genauso ein Opfer war wie die anderen Jungs.«

Als Jackson abbog, fiel ihr der Rucksack auf die Füße, und sie stellte ihn wieder auf. »Und wie läuft es hier so? Stehe ich immer noch bei jemandem auf der Abschussliste?«

»Nee. Die Cops haben den Kerl gefasst. Er hat den Fehler gemacht, Drohbriefe an den Bürgermeister, den Gouverneur und einen Senator zu schicken. Der ist erledigt.«

»Wow, in solchen Kreisen verkehre ich?«, sagte sie ironisch.

»Abgesehen von diesem Idioten gibt es einen Haufen neuer Leute, die der Zunft beitreten wollen. Ziemlich viele von denen sind sehr unheimlich. Eigentlich die meisten.« Er holte tief Luft. »Ach ja, und die Filmcrew von *Dämonenland* ist gestern angekommen. Morgen Abend fangen sie an zu filmen.«

»Warum sind die noch gekommen, nach allem, was passiert ist?«

»Es geht um die Einschaltquote«, erklärte Jackson. »Sie

wollen unbedingt wissen, was auf dem Friedhof abgegangen ist, damit sie das in eine Episode einarbeiten können. Harper hat damit gedroht, jedem die Eingeweide rauszureißen, der ihnen auch nur einen Mucks über die Schlacht verrät.«

Sie konnte sich ihren Meister lebhaft dabei vorstellen.

»Ich bin noch nicht dazu gekommen, dir für das zu danken, was du auf dem Friedhof getan hast«, fuhr er fort. »Ich weiß nicht, wie du es geschafft hast, diesen Engeln die Stirn zu bieten.«

»Ich hatte keine Wahl«, sagte sie. »Manchmal, wenn man in die Enge getrieben wird, schafft man das Unmögliche.«

»Ist es wahr, dass der Himmel einen Deal mit dir ausgehandelt hat, um Simons Leben zu retten?«, fragte Jackson und sah zu ihr hinüber.

Offensichtlich war ein Teil der Wahrheit durchgesickert.

»Ja, das stimmt.«

Jackson stieß einen leisen Pfiff aus. »Seit der Schlacht habe ich ihn nur ein paar Mal gesehen, und er sah nicht besonders gut aus. Ich glaube, ihn plagen Schuldgefühle.«

»Allerdings.«

»Wie wäre es mit ein paar guten Nachrichten: Ich habe meine Meisterprüfung bestanden!«

»Das ist genial, Jackson!«, sagte sie. »Wow, du musst total aufgekratzt sein.«

Sein Grinsen verriet ihr, dass sie recht hatte. »Jetzt muss ich nur noch die Sache mit einem Erzdämon hinter mich bringen, dann bin ich startklar.«

»Aber du wirst doch nicht versuchen, eins von diesen Dingern zu fangen, oder?«, fragte sie besorgt.

»Nach dem, was ich auf dem Friedhof gesehen habe? Nie im Leben. Ich werde ihn töten, ehe er mich umbringt.«

Damit war Riley mehr als einverstanden. »Bist du sicher, dass Harper es genehmigen wird, dass du ein Meister wirst?«

»Er sagt, er wird. Jetzt, wo er trocken ist, ist er nicht mehr so ein … Scheißkerl. Der Bundesverband hat seine Beschränkungen über die Anzahl der Lehrlinge pro Meister aufgehoben. Harper hat jetzt zwei neue, die er ausbilden kann.« Jackson warf ihr einen Blick zu. »Du wirst diese Kerle lieben.«

»So schlimm?«

»Völlig ahnungslos.«

Sie lachte. »Da werden sie sich bei mir ja richtig heimisch fühlen.«

## 23. KAPITEL

Der nächste Morgen begann mit einem herzhaften Früh-stück von Mrs Ayers und einer hingekritzelten Nachricht von Meister Stewart, der sie zu Hause willkommen hieß und ihr mitteilte, dass sie um zehn Uhr in Harpers neuem Büro erwartet wurde. Er hatte sogar die Adresse hinzuge-fügt.

*Keine Ruhe für die Verdammten.*

Da sie erst spät aus dem Bett gekrochen war, hatte Riley keine Zeit, um kurz bei ihrer Wohnung vorbeizufahren, obwohl sie wusste, dass der Briefkasten mittlerweile überquellen würde. Sie verschob diese Aufgabe auf die »Später«-Liste und folgte Stewarts Wegbeschreibung zu Harpers neuem Haus.

Als Riley auf den kiesbedeckten Parkplatz einbog, wusste sie, dass sie richtig war. Wie schon bei seinem letzten Zuhause hatte Harper sich für eine Autowerkstatt ent-schieden, die schwere Zeiten hinter sich hatte. Zumindest war diese hier in einer besseren Verfassung als die alte, besonders, nachdem ein Geo-Dämon fünften Grades sie zerlegt hatte.

Das neue Gebäude war aus braunen Backsteinen errich-tet. Auf der einen Seite war es einstöckig, auf der anderen – dem Teil mit der Werkstatt – bestand es nur aus dem Erdgeschoss. Das Doppelrolltor war weder wackelig noch verzogen. Es sah sogar aus, als hätte es erst vor kurzem einen frischen Farbanstrich erhalten.

»Viel besser«, murmelte sie und nickte anerkennend. Vielleicht wirkte sich Harpers neue Nüchternheit auch auf andere Aspekte seines Lebens aus. *Oder er ist es leid, auf einer Müllhalde zu leben.*

Trotz Jacksons Feststellung, dass ihr Meister sich jetzt besser benehme, war Riley immer noch auf der Hut. Sie und Harper hatten eine schwierige Beziehung, und in der Vergangenheit hatte er während seiner wütenden Schimpftiraden schon mal blaue Flecken auf ihr hinterlassen. Jetzt, wo sie ihn besser kannte, verstand sie, wo seine Wut herrührte, aber das bedeutete nicht, dass sie ihm vertraute.

Direkt vor der Schlacht auf dem Oakland-Friedhof hatte er versprochen, dass Riley und er, falls sie das Ende der Welt überstehen sollten, ein kleines Plauderstündchen halten würden und dass ihr nicht gefallen würde, was er ihr zu sagen hatte. Sie argwöhnte, dass sie ihm am Ende dieser Unterhaltung ihre Dämonenfängerlizenz überreichen würde.

*Ich habe einen Pakt mit der Hölle geschlossen. Er hat gar keine andere Wahl.*

Sie wappnete sich innerlich und stieß die Eingangstür des Gebäudes auf. Im Inneren roch es mehr nach Werkstatt als nach Dämonen, aber das würde sich im Laufe der Zeit ändern. Harpers neues Büro war größer als das alte, und ihr Meister hatte seinen kampferprobten Schreibtisch so aufgestellt, dass er den Raum voll ausnutzte. Einige seiner alten Möbel hatten den Umzug überstanden – die zerbeulten Aktenschränke zum Beispiel, die in eine Ecke gequetscht waren –, aber er hatte einen neuen Bürostuhl. Der schmierige Lehnsessel war verschwunden, und Riley trauerte dem Ding nicht nach.

Die Tür rechts von ihr führte in die alte Werkstatt. Die hydraulischen Hebebühnen hatten auffällige Lücken hinterlassen, wahrscheinlich hatten die vorigen Besitzer sie als Altmetall verkauft, und an ihre Stelle waren vier Käfige getreten, die speziell dafür konstruiert waren, Dämonen dritten Grades aufzunehmen. Alle vier waren besetzt, und als die Dämonen Riley entdeckten, fingen sie im Chor an zu heulen und begrüßten sie mit dem üblichen *Blackthornes-Tochter*-Geknurre.

Bei ihrem Eintreten blickte Harper auf und grummelte etwas. Er war Ende fünfzig, und eine lange, schartige Narbe zog sich von seiner linken Augenbraue über die ganze Gesichtshälfte. Angesichts des warmen Wetters trug er nur ein T-Shirt, und das Totenkopftattoo auf seinem Arm war teilweise zu sehen. Anstelle einer Flasche Alkohol stand eine volle Wasserflasche vor ihm. Daneben stand seine Dose mit dem Kautabak, was Riley verriet, dass er nicht alle seine Laster aufgegeben hatte.

»Blackthorne«, sagte er mit monotoner Stimme.

Das war neu. Normalerweise nannte er sie Blag.

»Meister Harper.« Sie deutete auf den Raum, in dem sie sich befanden. »Das Haus gefällt mir. Es ist netter als das alte.«

»Geht mir genauso. Oben gibt es noch ein paar ordentliche Räume, so dass ich mich ausbreiten kann.«

Dann lehnte er sich zurück und musterte sie eindringlich, wie ein Löwe, der darauf wartet, dass die Gazelle einen tödlichen Fehler macht. »Ich habe gehört, du hast da unten im Sumpf einen Vierer getötet. Ist das wahr?«

»Ja.«

»Du hast ihn ganz allein umgebracht?« Als sie nickte, wurde seine Miene nachdenklich.

Es war Zeit, die Sache zu Ende zu bringen.

Riley legte ihre Lizenz auf den Schreibtisch. Er sah die Karte an, dann blickte er zu ihr auf. »Du gibst auf?«, fragte er.

»Sie sagten, Sie würden mit mir reden müssen, wenn die Welt nicht untergeht. Na ja, die Welt ist noch da, also …«

»Wenn ich dir die Lizenz wegnehme, wirst du freiberuflich arbeiten, stimmt's?«

Sie nickte. »Ich muss irgendwie Geld verdienen.«

»Verdammt«, murmelte er, dann schob er ihr die Lizenz wieder zu. »Wir werden uns unterhalten, wenn ich so weit bin, und keine Minute früher.«

»Aber …«

»Stewart und ich werden dich im Auge behalten.« Er beugte sich vor, die Narbe stand an seiner Kinnpartie ein wenig vor. »Wenn du uns etwas verheimlichst …« Er ließ die Drohung unausgesprochen. So war sie viel furchteinflößender.

»Ich habe verstanden.« Sie brauchte sich nur auf dem rechten Weg zu halten, dann würde sie vielleicht nicht zwecks Bestrafung an den Vatikan ausgeliefert werden. Oder Schlimmeres.

Während Riley die Lizenz wieder in den Rucksack steckte, wühlte Harper in ein paar Papieren.

»Diese Fernsehsendung wird ab morgen Abend gedreht. Ich will, dass du dabei bist. Reynolds wird auch dort sein. Nehmt euch vor diesen Leuten in Acht und erzählt ihnen nichts von dem, was auf dem Friedhof passiert ist. Kapiert?«

»Ja.« Das Letzte, was sie brauchte, war, dass Hollywood seine Version von dem Showdown zwischen dem Erzengel Michael und Luzifer zum Besten gab. So wie sie Hollywood kannte, würden die irgendwie noch Autoverfolgungsjagden und eine kitschige Liebesszene mit einbauen.

Harper schob ihr eine Fängeranforderung über den Schreibtisch. »Im Kongresszentrum treibt sich eine Elster herum. Viel Glück. Das Zentrum ist riesig.«

Sie seufzte und nahm das Formular entgegen.

»Ich habe zwei neue Lehrlinge, sie werden bald hier sein. Morgen fahren wir raus zur Dämonenhochburg. Ich will, dass du und Adler ihnen zeigt, was es heißt, Dämonenfänger zu sein.«

Riley öffnete den Mund, um zu protestieren, dass er die Neulinge zu früh verschrecken würde, aber er brachte sie mit einer Handbewegung zum Schweigen.

»Sie können genauso gut jetzt schon sehen, wie es wirklich ist. Wenn sie das nicht ertragen, müssen wir es so schnell wie möglich wissen.«

Ehe sie etwas darauf erwidern konnte, schwang die Eingangstür auf, und zwei junge Männer traten ein. Der größere der beiden hatte lockige, braune Haare, eine dunkle Brille und ein T-Shirt, das gut zu ihrem Freund Peter gepasst hätte und dessen Aufschrift stolz verkündete: *Eigentlich studiere ich Raketentechnik*. Der andere Kerl war kleiner und hatte nur wenig Fleisch auf den Rippen. Sein Haar hatte dieselbe Farbe wie das der anderen, aber es war glatt und reichte bis zum Kragen. Beide trugen Jeans und Arbeitsstiefel.

*Die Neulinge.*

Harper deutete auf den größeren der beiden. »Das ist Fleming. Der andere ist Lambert.« Sein Finger schwenkte um zu Riley. »Das ist Blackthorne. Hört auf sie, dann überlebt ihr vielleicht die erste Woche.«

Während Fleming verdattert über Harpers schonungslose Ankündigung wirkte, machte Lambert ein gelangweiltes Gesicht.

*Er wird das Problemkind sein.* In jeder Gruppe gab es eines.

»Fang mit ihnen ganz *unten* an«, befahl Harper. Sein Grinsen verriet ihr, was genau er meinte.

»Kommt, Leute«, sagte sie und scheuchte sie in Richtung Werkstatt. »Ich zeige euch die wundersame Wirkung von Dämonenkacke.«

Der Parkplatz des alten Starbucks war fast voll, als Riley ankam, und zu ihrer Erleichterung war sie trotz ihrer Sorge, sich zu verspäten, ein paar Minuten zu früh. Harper hatte recht gehabt – den Klepto-Dämon mitten während einer Tagung der Pfirsichproduzenten aufzuspüren war alles andere als ein leichter Job gewesen. Nach drei Stunden hatte sie den kleinen Höllendiener endlich gefangen, als er langsam genug wurde, um ein paar glitzernde Pfirsich-Anstecker am Stand eines Ausstellers einzusacken. Das Gute an der Aktion war, dass sie dafür vier Gläser mit eingemachten Pfirsichen geschenkt bekommen hatte. Die würden lecker zu Mrs Ayers hausgemachten Scones schmecken.

Peter kam auf sie zugezockelt, sobald sie aus ihrem Wagen gestiegen war. »Die unstete Riley ist wieder da«, sagte er. »Und siehe da, keine Alligatorbisse.«

Ein gewaltiges Veilchen zierte sein linkes Auge, die Farbe irgendwo zwischen Braun und Grün. »Peter! Was ist passiert?«, wollte sie wissen.

»Dein stalkender Ex hat etwas gesagt, was mir nicht gefiel, also sagte ich ihm, er soll seine verdammte Fresse halten. Es endete leider nicht so schön.«

»Alan? Ich habe dich gewarnt, dass er versuchen wird, es dir heimzuzahlen, weil du ihn beleidigt hast«, sagte sie. »Warum hast du mir nichts davon gesagt?«

»Du hattest da unten im Süden genug um die Ohren, da brauchtest du nicht auch noch von meinen Problemen zu wissen.«

Alan ins Gesicht zu springen klang gerade nach einem

richtig guten Plan. Er konnte nicht ihren besten Freund verprügeln, ohne ihren Zorn auf sich zu ziehen. Rileys Blick suchte die verschiedenen Grüppchen von Schülern ab, die vor Unterrichtsbeginn zusammenstanden und quatschten oder SMS verschickten.

»Wo ist der Mistkerl?«, fragte sie.

»Er ist bis Donnerstag suspendiert. Ich habe nur eine Verwarnung bekommen.«

Dafür konnte es nur einen Grund geben. »Du hast zurückgeschlagen?«

»Natürlich«, sagte er und hielt zum Beweis seine aufgeschürften Knöchel hoch. »Mein Dad hat mich richtig respektvoll angesehen, als er hörte, was passiert ist. Er sagte, er sei stolz auf mich, aber das müsse unser Geheimnis bleiben, damit Mom nicht ausflippt.« Er wackelte mit einer Augenbraue. »Simi findet mich jetzt cool.«

»Sie ist nur eifersüchtig auf dein Haar«, erwiderte Riley, erfreut, dass ihre Freundin, die Kellnerin, endlich angefangen hatte, Peters Interesse ernst zu nehmen.

»Vielleicht, aber sie findet mich so cool, dass wir zusammen zum Ball gehen.«

*Sie passen zusammen.* Simi würde seine wildere Seite hervorlocken, während sie mit ihm entspannter wurde. Dann erst fiel ihr der andere Teil seiner Bemerkung auf.

»Was für ein Ball?«, fragte Riley und wuchtete ihren Rucksack auf eine schmerzende Schulter. Ihre Muskeln fühlten sich immer noch an, als hätte jemand sie zu Brei getrampelt.

»Dieses jährliche stadtweite Angezogen-wie-die-Erwachsenen-Ding. Es findet am Samstag statt.« Peter ging neben ihr, als sie auf das Gebäude zugingen.

»Du meinst den Abschlussball der Highschool?« Natürlich meinte er den.

Seit das Schulsystem völlig bankrott war, wurden die Abschlussbälle von Geschäftsleuten aus der Stadt gesponsert. Um alle Jugendlichen der Stadt glücklich zu machen, gab es mehrere Abschlussbälle, und anscheinend fand ihrer dieses Jahr ziemlich früh statt.

Ein Anfall von Neid überkam sie. Sie wäre auch gerne hingegangen, aber …

»Ihr zwei werdet viel Spaß haben.« Sie selbst würde wahrscheinlich stinkende Dämonen in einem U-Bahnhof oder dem Straßengewirr der Dämonenhochburg fangen.

»Du kannst doch mitkommen«, schlug Peter vor. »Ich kann bestimmt auch ein paar Mal mit dir tanzen.«

»Nein. Es ist … es würde sich nicht richtig anfühlen.«

»Dann frag doch Beck, ob er mitkommt.«

»Was?«, platzte sie heraus. »Nein. Auf gar keinen Fall.«

»Ah, ich verstehe. Du hast Schiss. Du nimmst es mit einer Horde Dämonen auf, aber wenn es um den einen geht, auf den du richtig stehst …«

Riley starrte ihn finster an. »Fang. Nicht. Damit. An. Das Thema ist tabu, Mr King.«

Peter hob beschwichtigend die Hände. »Wow, bist du zickig. Warum habe ich mich noch mal drauf gefreut, dich zu sehen?«

»Das verstehst du nicht. Das mit Beck und mir ist kompliziert.«

»Falsch!«, rief er. »Es ist total simpel: Ihr beide müsst einfach nur aufhören, euch wie Idioten aufzuführen. Ihr treibt euch selbst noch in den Wahnsinn und den Rest von uns gleich mit.«

»Ich glaube nicht, dass da noch etwas zu retten ist, nicht, nachdem ich ...«

»Nachdem du was?«, drängte er.

Sie zerrte ihren Freund von der Schülerflut fort, die in den Unterricht strömte, und erzählte ihm haarklein, was am Busbahnhof passiert war und dass sie nicht das Geringste von Beck gehört hatte, seit sie Sadlersville verlassen hatte. Und dass alles ihre Schuld sei.

»Eine öffentliche Liebeserklärung? Cool!«, erwiderte Peter.

»Nein, ich habe ihn total verschreckt. Jetzt zieht er sich zurück. Ich weiß es.«

»Ich glaube, das wird er nicht tun. Vertrau mir in diesem Punkt.«

Vielleicht hatte Peter recht. »Ich hoffe es. Wenn nicht, stehe ich da wie ein Volltrottel.«

»Wart's ab, in Trottelhausen ist das letzte Wort noch nicht gesprochen.«

Als Riley ihm ins ehemalige Café folgte, hatte sich nicht sehr viel geändert, seit sie das letzte Mal hier gewesen war: dasselbe wunderbare Aroma von frischem Kaffee, dieselbe Mrs Haggerty, dieselben nicht zusammenpassenden Tische und Schüler. Doch, einen Unterschied gab es: Der Tisch, an dem Alan gesessen hatte, war leer.

Ihre Stimmung hob sich. Sie hatte vielleicht niemanden,

mit dem sie zum Abschlussball gehen konnte, aber der Fiesling war verschwunden, zumindest vorübergehend. Peter hatte bewiesen, dass er kein Waschlappen war. Vor ein paar Monaten hätte er nie den Mut gefunden, sich mit einem ausgemachten Schläger anzulegen.

Ihre frühere Feindin, Brandy, drehte sich auf ihrem Stuhl um, sobald Riley saß.

»Hast du die Schauspieler vom *Dämonenland* schon kennengelernt?«, fragte sie mit funkelnden Augen. »Ist Jess Storm echt so rattenscharf, wie er im Fernsehen aussieht?«

»Ich treffe sie morgen Abend, dann sag ich dir Bescheid.«

»Vergiss die Autogramme nicht. Ich habe all meinen Freundinnen erzählt, dass ich welche bekomme«, plapperte das Mädchen.

Es war nett, dass die Dinge in Brandys Welt so unglaublich einfach waren.

»Autogramme, Fotos, das kriege ich hin. Versprochen«, sagte Riley.

In diesem Moment wurde sie nach vorn vor die Klasse gerufen. Rileys gute Laune bekam prompt einen Dämpfer, als die Lehrerin ihr die Aufgaben aus der Zeit aushändigte, die sie in Süd-Georgia verbracht hatte.

»Das haben Sie alles durchgenommen, als ich nicht hier war?«, fragte sie verblüfft, als sie den dicken Stapel Papier sah.

»Nein, aber ich nehme an, bei deinem Lebensstil schadet es nicht, wenn du ein wenig vorarbeitest«, erwiderte Mrs Haggerty.

Riley schlich zurück zu ihrem Tisch und stopfte die Aufgabenzettel in ihren Rucksack, oben auf die Weihwasserkugeln. Als die Lehrerin die Anwesenheitsliste durchging, sackte sie auf ihrem knarrenden Stuhl zurück und überlegte, wie viele Schultage es noch bis zu den Sommerferien waren.

Als der Unterricht endlich zu Ende war, litt Riley unter heftigen Entzugserscheinungen, und das Grounds-Zero-Café versprach die einzig bekannte Linderung. Da es schon fast sechs Uhr war, war der Laden ziemlich leer. Simi, ihre koffeinsüchtige, quirlige Freundin, arbeitete noch, so dass Riley ihr Getränk abholte und auf ihre Lieblingsnische zusteuerte, diejenige, in der sie und ihr Dad oft gesessen hatten.

Sie überprüfte erneut ihr Telefon, so wie sie es im Laufe des Tages mindestens eine Million Mal getan hatte. Kein Anruf vom Dorftrottel. Um sich durch den Sumpf zu quälen und seinen Arsch zu retten, war sie gut genug, aber jetzt war er zu beschäftigt, um sie wissen zu lassen, was los war. Und das alles nur, weil sie ihm am Busbahnhof die Wahrheit an den Kopf geworfen hatte.

Becks instinktive Reaktion würde ein Rückzug hinter seine massiven Schutzwälle sein, und das gerade jetzt, wo sie es endlich geschafft hatte, ihn ein paar Schritte aus seiner Festung herauszulocken.

*Warum habe ich das getan? Das war so bescheuert.* Er würde sagen, sie sei schon wieder albern. Beck wusste es noch nicht, aber dieses Mal galten andere Regeln. Dies war das Ende des Spiels: Wenn er nicht vortrat und ihre Liebe akzeptierte, war sie fertig mit ihm.

*Ich werde mich nicht noch einmal zum Affen machen.*

Riley schob sich einen Schokokringel in den Mund und seufzte erleichtert. Das Leben war überschaubar, wenn sie sich auf die Dinge konzentrierte, die Hand und Fuß hatten: ausgezeichnete heiße Schokolade, Hausaufgaben und Dämonen fangen. Wobei die letzten beiden Punkte nicht unbedingt immer sinnvoll waren.

Als sie gerade einen großen Schluck von ihrer Schokolade getrunken hatte, lief ein Kribbeln an beiden Armen hoch und setzte sich in ihrem Schädel fest, wie ein Warnsystem aus früher Urzeit. Sie hob den Blick, schnappte nach Luft und ließ beinahe die Tasse fallen.

Wie ein Dunkler Ritter kam Ori geradewegs auf sie zu.

Die schwarze Lederjacke des Engels, das T-Shirt und die Jeans waren dieselben wie zuvor, und sein ebenholz-schwarzes Haar war in einem Pferdeschwanz zurück-gebunden. Er setzte sich ihr gegenüber und tat, als hätte sie ihn nach der Schlacht nicht in den Armen gehalten und gesehen, wie er starb.

»Riley Anora Blackthorne«, sagte er forsch. »Muss ich dich daran erinnern, was du mir geschworen hast?«

Sie schüttelte den Kopf. Irgendwie hatte sie gewusst, dass es so weit kommen würde.

»Luzifer hat dich am Leben gelassen«, sagte sie. Ein knappes Nicken war die Antwort.

Riley musterte ihn abermals. Sein Blick war wachsam,

nicht so fürsorglich wie früher. Was immer mit ihm geschehen war, nachdem Luzifer ihn vom Friedhof hatte verschwinden lassen, hatte den Engel auf grundlegende Weise verändert.

»Und, wie geht es jetzt weiter?«, fragte sie. »Wirst du mich vor allen Leuten direkt in die Hölle schleifen?«

Ori lehnte sich auf der Bank zurück, die dunklen Brauen zusammengezogen und die Arme vor der Brust verschränkt. »Nichts derlei Dramatisches.«

»Was soll ich dann machen? Dir die Stiefel polieren? Dir den ganzen Tag erzählen, wie unglaublich toll du bist?«

Keine Antwort.

»Wie auch immer, ich werde nicht versuchen, irgendeine Seele für dich zu holen.«

»Ich stelle die Regeln auf. Und du befolgst sie«, erwiderte er. Sein Ton war noch eisiger geworden.

»Du machst mir keine Angst, Engel. Ich bin so oder so dem Untergang geweiht. Ich weigere mich, irgendjemandem weh zu tun, weil du es von mir erwartest.«

»Wieder einmal versuchst du, die Regeln zu diktieren, obgleich du kein Druckmittel hast.«

»Das einzige Druckmittel, das mir geblieben ist, ist mein Gewissen«, gab sie zurück. »Und das werde ich nicht opfern.«

Mit hitzigem Blick starrte er sie finster an. »Du wirst womöglich feststellen, dass dieses Versprechen nur schwer zu halten ist.«

Besorgt, dass jemand ihre Unterhaltung belauschen könnte, sah Riley sich rasch um. Niemand schien von ihnen Notiz zu nehmen. »Erzähl mir, was als Nächstes geschieht«, beharrte sie.

»Da ich dein Herr bin, hast du meinen Befehlen zu gehorchen. Meine Aufgabe lautet wie immer, diejenigen aus unseren Reihen zu vernichten, die meinen Gebieter herausfordern«, erklärte Ori. »Du wirst mir bei dieser Aufgabe helfen.«

»Ich? Wie denn?«

»Ich werde dich rufen, wenn die Zeit gekommen ist, gegen die abtrünnigen Dämonen zu kämpfen. Du wirst an meiner Seite kämpfen.«

»Bist du wahnsinnig?«, sagte sie und flüsterte unwillkürlich. »Ich bin nicht irgendeine kosmische Kriegerin.«

»Gleichwohl wirst du mir beistehen.«

»Wenn du meinen Tod willst, dann knips mich doch einfach mit einem Blitzschlag aus, und gut ist.«

»Du wirst mir beistehen«, beharrte der Engel und erhob sich mit einer fließenden Bewegung von der Bank. »Beginnend heute Nacht.«

»Es geht dir doch nur darum, dich zu rächen. Du bist sauer, weil ich dich nicht anbettele, mir meine Seele zurückzugeben wie alle anderen.«

»Nein«, sagte er ausdruckslos. »Es geht ums Überleben, Riley Anora Blackthorne. Zumindest für dich.«

Er machte auf dem Absatz kehrt und verließ das Café mit großen Schritten. Anders als früher nahm keine der Frauen von ihm Notiz, als wäre er gar nicht hier.

Riley stellte fest, dass sie ihre Tasse fest umklammert hielt, und löste langsam die verkrampften Finger. Mit ihrem Vater hatte Ori so etwas nie gemacht. Nur mit ihr. *Dabei wollte ich doch nur, dass mich jemand liebt.*

## 24. Kapitel

Mitten in der Nacht, als sie eingekuschelt in ihrem Bett in Stewarts Haus lag, erreichte sie Oris Ruf, ein deutlich vernehmbarer Weckruf, der Riley aus ihren Träumen riss und sie binnen eines Herzschlags aufweckte.

*Zieh dich an. Oder kämpfe unbekleidet*, befahl er tief im Inneren ihres Kopfes.

Sie hatte kaum ihre Jeans, Hemd und High-Tops angezogen, als das Zimmer um sie herum verblasste und ihre neue Umgebung allmählich an Schärfe gewann: ein ausgedehntes offenes Feld mit grünem Gras, über dem der Mond fett und voll am Himmel stand.

*Ich kenne diesen Ort.* Das war nichts als eine engelhafte Illusion, genau wie das romantische Picknick, bei dem Ori versucht hatte, sie zu verführen. Doch dieses Mal gab es keine wohlschmeckenden Wassermelonen oder Wein, nur sie und Luzifers Henker. Er war in voller Engelsaufmachung erschienen, die Schwingen waren sichtbar, und das tiefschwarze Haar wurde von einem Lederriemen zurückgehalten. Die dunklen Augen blitzen animalisch auf und ließen Riley erschaudern.

»Schlaf von jetzt an in Kleidern, es sei denn, du wünschst,

nackt zu kämpfen«, sagte Ori barsch. »Ich werde dich binnen eines Wimpernschlags zu mir rufen.«

*Na super.* »Auch tagsüber?«

»Vielleicht.«

»Jemand wird es bemerken, wenn ich einfach verschwinde.«

»Ich werde dafür sorgen, dass sie es nicht merken. Jetzt strecke die Hand aus, diejenige mit dem Mal meines Gebieters.«

Riley tat, was er verlangte. Was hatte er vor? Ihre Frage wurde in dem Moment beantwortet, als strahlend weiße Flammen aus ihrer rechten Handfläche emporschossen. Sie schrie laut auf und versuchte, sie durch heftiges Schütteln zu löschen, aber vergeblich. Sie empfand keinen Schmerz, aber der Anblick ihrer ganz von Feuer umhüllten Hand machte ihr Angst. Allmählich wanderten die Flammen zu ihren Fingern und formten ein Schwert, eine kleinere Version von Oris Waffe.

»Wie machst du das?«, fragte sie und starrte voll Staunen darauf. Es war so hell, dass es ihr in den Augen weh tat.

»Ich lasse dir einen kleinen Teil meiner Göttlichkeit zukommen.«

Probeweise ließ Riley die funkelnde Klinge ein paar Mal durch die Luft sausen. Irgendwie ziemlich cool.

Trotzdem war das keine gute Idee. »Hör mal, ich bin keine Kriegerin. Ich kann versuchen, dir den Rücken freizuhalten, aber ich bin nicht besonders gut darin, Dämonen umzubringen.«

»Im Sumpf hast du es ganz gut gemacht.«

Das Schwert beschrieb träge ein paar Bögen. »Du weißt, was dort passiert ist?«

»Natürlich. Ich bin dein Herr. Ich wusste genau, was dort geschah.«

»Und warum hast du mir dann nicht geholfen, Beck zu finden?«, wollte Riley wissen. »Warum hast du alles mir überlassen?«

»Es war deine Prüfung, nicht meine«, erwiderte er. »Jetzt werde ich dir ein paar Grundtechniken des Schwertkampfes beibringen, und dann machen wir uns auf die Jagd.«

*Jagd?* Das artete langsam aus. »Was kann ich denn schon tun, außer als Köder herzuhalten?«

Der Engel nickte zustimmend. »Wie ich sehe, begreifst du perfekt, was deine Rolle ist.«

Als es vorbei und Riley wieder in ihrem Zimmer war, zeigte die Uhr ihr, dass nicht mehr als eine Stunde vergangen war. Ihr kam es vor wie ein halber Tag. Ihre Kleider waren sauber, obwohl sie noch vor wenigen Minuten mit Dämonenblut durchtränkt waren. Ihre Muskeln schmerzten, doch nicht so schlimm, als käme sie gerade mitten aus dem Kampfgetümmel. Irgendwie hatte Ori ihr von seiner Engelsmagie abgegeben, damit sie sich wieder erholte.

Wie sie ihn gewarnt hatte, war ihr erster Einsatz ziemlich danebengegangen, und mit dem Schwert war sie gar nicht zurechtgekommen. Ihre Beute, wie er es nannte, hatte sich als ein Quartett aus abtrünnigen Dreiern entpuppt, die sich Luzifer widersetzt hatten. Ori hatte ihr Kommandos zugebrüllt, hatte sie getadelt, wenn sie die Schläge nicht parierte oder sich nicht schnell genug bewegte. Es war ein Albtraum gewesen.

Am Ende des Gemetzels blieben ein Haufen Leichen übrig, die er mit seinem Engelsfeuer verbrannte. Die ganze Zeit über hatte er keinerlei Emotionen gezeigt, als hätte er alle Gefühle abgeschnitten. Das fürsorgliche göttliche Wesen, das sie so zärtlich geliebt hatte, war verschwunden, ersetzt durch einen grimmigen Henker.

Am nächsten Morgen fand Riley sich mit Simon, ihrem Meister und den beiden neuen Lehrlingen in der Dämonenhochburg wieder. Sie war sicher gewesen, dass Harper auffallen würde, dass sie irgendwie verändert war, und sie zur Rede stellen würde, weil sie mit einem von Luzifers Leuten herumhing, aber er hatte kein Wort gesagt.

Im Gegensatz zu den Dämonen, die Ori erlegt hatte, war der einzelne Dreier, den sie zu fangen versuchten, ein jüngeres Exemplar, schwerfällig und mit erst einer Zahnreihe. Er war vielleicht einen Meter zwanzig groß, hatte schwarzes Fell und glühende Augen. Momentan nagte er an einer Pfote voll Abfall, einer seiner üblichen Nahrungsquellen in der Dämonenhochburg.

Dieses Mal gab es kein schickes Schwert oder engelsmäßige Rückendeckung, so dass einer von ihnen das »Lockmittel« spielen und der andere das Weihwasser schwingen würde. Wenn der Fänger mit der Kugel einen

Fehler machte, stand nichts mehr zwischen dem Lock-vogel und den Zähnen und Klauen des Dämons.

Besorgt blickte Riley zu Simon hinüber. Traute sie ihm zu, die Kugel präzise genug zu werfen? Oder würde er seine Meinung in letzter Sekunde ändern und zulassen, dass das Ding sie angriff?

Simon runzelte ebenfalls die Stirn. *Er fragt sich, ob ich ihm das antun würde.*

»Ich bin der Köder«, sagte sie. Das schien ihr Los im Leben zu sein. »Du kannst besser werfen als ich.«

Ihr ehemaliger Freund schüttelte den Kopf. »Nein, das übernehme ich.«

Riley war sprachlos. Nach allem, was zwischen ihnen vorgefallen war, vertraute er ihr? »Simon, du musst nicht …«

»Ich mache es«, beharrte er. »Du wirst ihn beim ersten Mal treffen. Ich weiß es.«

Sie war sich dessen gar nicht so sicher.

»Jetzt macht schon«, rief Harper laut von seinem Versteck hinter einem Müllcontainer aus, hinter dem er und die beiden Neulinge sich verbargen. Wenn irgendetwas schiefging, war ihr Meister der Notfallplan, falls der Dämon die Oberhand gewann. Sein Job war es, das Ding möglichst davon abzuhalten, sie zu verspeisen.

»Fertig?«, fragte Simon und wog probeweise das Stahlrohr in der linken Hand.

Als sie widerstrebend nickte, bewegte er sich auf das Biest zu. Nachdem eines dieser Viecher ihn fast umgebracht hätte, war das ausgesprochen mutig von ihm. Simons

Finger umklammerten den Beutel mit Hühnerinnereien, und sein Atem ging rasch und keuchend.

*Du kommst fast um vor Angst.* Er musste jede quälende Sekunde des Angriffs auf das Tabernakel noch einmal durchleben. Riley ging es auf jeden Fall so. Als Simon den Beutel mit den Innereien hochhob, ließ der Dämon den Abfall fallen und heulte entzückt auf. Von seiner Perspektive aus hatte er sich vom Containern hochgearbeitet zu einem Festmahl aus zwei lebenden Fängern, mit Hühnerinnereien als Vorspeise.

Sobald Simon die Innereien dem Biest hingeworfen hatte, musste er nicht lange warten, bis der Dämon sich Hals über Kopf auf die Spende stürzte. Mit einem Happs war das Hühnerfleisch verschwunden, und der Dreier begann seinen nächsten Gang zu taxieren, da der noch etwas unerfahren in der Kunst des Fänger-Tötens war. Ein älterer, reiferer Dämon hätte sofort angegriffen.

Riley wechselte in eine bessere Position, und die Bewegung erregte die Aufmerksamkeit des Dämons.

»Blackthornes Tochter«, grunzte er. Dann schwenkte sein Laserblick zurück zu ihrem Kollegen, als stünde sie nicht auf seiner Speisekarte. Zum zweiten Mal ignorierte ein Dämon sie und wählte sich stattdessen Simon als Zielscheibe. Lag es daran, dass er wusste, dass Ori ihr Herr war?

»Frrrresse deine Knochen«, brüllte der Dämon und stürzte sich mit schwerfälligen Bewegungen auf Rileys Fängerkollegen.

Sie zwang sich, zu warten, bis die Kreatur in ihrer Reichweite war, erst dann schleuderte sie die Kugel mit dem

Weihwasser. Sie hatte perfekt gezielt, und das Glas traf den Dreier direkt in die hässliche Fratze. Als die Flüssigkeit ihn berührte, brüllte er vor Schmerz, dann sackte er auf dem Boden in einem Pelzhaufen zusammen.

Vor Begeisterung und Erleichterung schrie Riley laut auf. Als sie den stinkenden Dämon in eines der Stahlnetze stopften, flüsterte sie: »Du hast mir vertraut. Warum?«

Simon ließ den Verschluss einrasten, dann suchten seine strahlend blauen Augen ihren Blick. »Weil ich den ersten Schritt aus dieser endlosen Dunkelheit machen musste. Das bedeutet, jemandem zu vertrauen, von dem ich einmal glaubte, er hätte mich verraten.«

Riley war überwältigt. »Ich hätte das Ding verfehlen können, Simon.«

»Dieses Risiko musste ich eingehen.«

*Mein Gott.*

Ehe sie etwas darauf erwidern konnte, gesellten Harper und die neuen Jungs sich zu ihnen. Der Meister erklärte genau, was gut gelaufen war und was geschehen wäre, wenn Rileys Kugel den Dreier nicht erwischt hätte. Warum es überlebenswichtig war, jederzeit ein Stahlrohr bei sich zu haben.

»Hätte es dich wirklich gefressen?«, fragte Fleming mit weit aufgerissenen Augen, als sei er geradewegs in einen Horrorfilm gestolpert.

»Der verputzt dich in fünfzehn Minuten. Oder noch schneller«, erklärte Harper. »Ihre Klauen sind verdreckt, so dass du, wenn du verletzt wirst, die Wunde auf der Stelle mit Weihwasser behandeln musst. Wenn nicht, fängst du an zu sterben.« Er deutete auf Simon. »Frag Adler, wie sich das anfühlt. Oder Blackthorne. Beide haben das schon ausprobiert.«

Während Fleming blass wurde, wirkte der andere Lehrling in keiner Weise beunruhigt.

Harper bemerkte es. »Irgendwelche Fragen dazu, Lambert?«

»So furchterregend sah dieser Dämon gar nicht aus«, sagte der junge Mann. »Man muss sich schon ziemlich dämlich anstellen, um von so einem Ding in Stücke gerissen zu werden. Warum verschwenden wir unserer Zeit mit denen? Wieso kümmern wir uns nicht gleich um die richtig großen?«

Augenblicklich war Simon aufgesprungen und suchte Streit. Als er einen Schritt auf den feixenden Lehrling zumachte, packte Riley ihn am Arm.

»Nein. Er wird es auf die harte Tour lernen«, sagte sie.

»Keine Sorge, Lambert, in einem Monat oder so kannst du dein Glück mit einem Dreier versuchen«, sagte Harper und zog die Brauen hoch. »Wenn du dann noch mein Lehrling bist, heißt das.«

Als das Trio davonging, durchlöcherte Fleming den Meister mit Fragen. Der andere Typ schien sich nicht dafür zu interessieren.

»Was ist denn mit dem los?«, fragte Simon stirnrunzelnd. Die geröteten Wangen im Gesicht ihres Kollegen hoben sich deutlich von der blassen Haut ab.

»Er ist ein Superheld. Wenn er keine Angst vor einem Dreier hat, wird er es nicht lange machen.«

»Danke, dass du mich aufgehalten hast. Ich hätte ihn …
na ja …«

*Ihn total zur Schnecke gemacht.* Das war nicht der alte
Simon, den sie kannte.

So ungern sie es zugab, aber der neue gefiel ihr besser.

Sobald Beck die Tür zu seinem Haus aufgestoßen und die
Alarmanlage ausgeschaltet hatte, fühlte er sich besser.
Wenn er in der Vergangenheit aus Sadlersville zurückgekommen war, hatte er sich immer extrem erleichtert
gefühlt. Kein Besuch bei Sadie war jemals schön gewesen,
und das entsetzliche Verschwinden der Keneally-Brüder
hatte ihn auf Schritt und Tritt verfolgt. Das war jetzt alles
vorbei, und zum ersten Mal in seinem Leben fühlte er
sich frei.

Als Erstes holte er sein Kaninchen bei Mrs Merton ab, der
Nachbarin nebenan. Sie schwärmte ihm vor, wie sehr es
ihr gefallen hatte, auf Rennie aufzupassen, dann sprach
sie ihm ihr Beileid wegen seiner Mom aus. Er brachte alles
ganz gut hinter sich, dankte ihr und zog sich auf der Suche
nach Trost in sein Haus zurück. Nachdem er rasch seine
Nachrichten auf dem AB abgehört hatte, setzte er sich auf
die Couch, das Kaninchen neben sich. Beck kostete diesen seltenen Moment der Ruhe aus, während ihm der
Kopf brummte von den verschiedenen Möglichkeiten, die
sich ihm – anders als in der Vergangenheit – boten.

»Ich stecke fest, Rennie«, sagte er. Obwohl er überzeugt
war, dass das ziemlich plemplem war, sprach er oft mit

ihm, weil er ihn immer zu verstehen schien. »Pauls Tochter liebt mich. Kannst du das glauben?« Er schüttelte verblüfft den Kopf. »Jetzt muss ich mich entscheiden, was ich mache.«

Sollte er versuchen, sich ein Leben mit Riley aufzubauen, oder war es besser, sich zurückzuziehen, um nicht erneut verletzt zu werden? Während der ganzen Fahrt zurück nach Atlanta hatte er beide Seiten abgewogen, alle Pros und Contras.

Als Rennie ihn sachte am Hemd zupfte, um ihn daran zu erinnern, dass er beachtet werden wollte, nahm er das kleine Kaninchen auf den Schoß und streichelte es. Auf seine eigene Weise half es ihm, den richtigen Weg zu finden.

»Weißt du was, du hast recht. Wir alle verdienen es, geliebt zu werden«, murmelte er.

*Sogar ich.*

Die Location für die Dreharbeiten für *Dämonenland* war leicht zu finden – Riley musste nur der langen Schlange von Sattelschleppern bis ins Herz der Dämonenhochburg folgen. Es gab eine ganze Reihe davon, einige waren mit Generatoren bestückt, um die Scheinwerfer mit Strom zu versorgen, die den Hollywoodzauber erzeugten. Weiter vorn kam sie an einem Anhänger vorbei, in dem die Toiletten untergebracht waren, dann an einem für die Garderobe. Es war wie eine Ministadt, die jemand mitten in Five Points errichtet hatte.

Riley wurde von einem Cop angehalten, der gerade dienstfrei hatte und ihre Lizenz als Dämonenfängerin überprüfte. Sobald sie damit durch war, schlenderte sie herum, bis sie Lex Reynolds neben einem mit Kaffee und Kuchen voll beladenen Tisch entdeckte. Reynolds war nicht wie die meisten anderen Dämonenfänger: Mit seiner tiefen Sonnenbräune, dem schulterlangen, blonden Haar und dem Vollbart hätte er glatt als Surfer durchgehen können. Er war einer der netteren Kerle in der Zunft, und Riley freute sich darauf, etwas Zeit mit ihm zu verbringen. Wie jeder andere Fänger würde er sich diese Gelegenheit wahrscheinlich nicht entgehen lassen – nicht, wenn es dafür einen Scheck und freies Essen gab.

»Riley!«, rief er laut, als sie näher kam, einen halben Donut in der Hand. »Wie war's in Süd-Georgia?«

»Denkwürdig«, sagte sie. »Und was ist hier so los?«

»Nicht besonders viel. Sie bereiten gerade Blazes nächste Szene vor.« Er deutete mit einer Kopfbewegung auf einen Pulk Leute neben einer der Kameras. »Sie ist dort drüben. Mann, die ist echt total scharf.«

Riley unterdrückte ein Stöhnen. Die Serie gab Hollywoods Vorstellung von Dämonenjagd wieder, wobei die Rolle der Kirche und die Regeln der Dämonenjäger (keine Frauen) vollkommen ignoriert wurden. Stattdessen hatte man ein Team aus gutaussehenden Kerlen und der total scharfen Blaze aufgestellt, das um die ganze Welt reiste, um Höllenbrut auf völlig unrealistische Weise den Garaus zu machen. Kein Wunder, dass die Sendung ein Renner war und den Vatikan pausenlos auf die Palme brachte. In diesem Fall war Riley direkt einmal mit Rom einer Meinung. Weil die Serie so ein Erfolg war, glaubte die Öffentlichkeit, dass Dämonenjäger dasselbe wären wie Dämonenfänger. Durch *Dämonenland* wurde Rileys Job nur noch schwieriger.

Als sie die Schauspielerin sah, wirkte Blaze sogar noch schöner als auf dem Bildschirm. Wenn Riley gefilmt wurde, funktionierte das nie: Sie war dann normalerweise mit irgendeinem ekelhaften oder stinkenden Zeug beschmiert.

*Sie könnten ja mal einen echten Dämon engagieren und sehen, was passiert.*

Da der Vatikan nicht mit diesen Leuten verhandelte, hatte man die Fänger gebeten, dabei zu helfen, die »Authentizität« der Sendung zu verbessern. Doch die Zeit verstrich, und niemand bat sie um Unterstützung oder fragte sie um Rat.

Riley schnaubte verärgert. »Warum habe ich bloß das Gefühl, wir seien nur hier, um die Glaubwürdigkeit der Serie zu erhöhen?«

»Ich habe genau denselben Eindruck. Na ja, immerhin werden wir für die Zeit bezahlt.« Reynolds studierte die Umgebung. »Sie haben ein paar Steine mitten in der Dämonenhochburg abgeladen. Ein Dreier könnte damit ziemliches Kleinholz aus ihrer schicken Ausrüstung machen.«

Er hatte recht. »Was meinst du, sollten wir uns trennen und nach möglichem Ärger Ausschau halten?«

»Genau das meine ich. Die Dreier sind aggressiver geworden und arbeiten jetzt in Teams.«

»Was? Ich dachte, das war nur, weil Ozy …« Sie verstummte, als ihr klar wurde, dass jemand sie dabei belauschen könnte, wie sie über die vom Nekromanten aufgepeppte Höllenbrut sprachen, gegen die sie auf dem Friedhof gekämpft hatten. »Ich dachte, das hätten wir alles geklärt.«

»Hatten wir auch, aber die normalen Dämonen haben von den anderen gelernt. Sie haben die neuen Taktiken übernommen.«

»Vielen Dank auch, Reynolds«, murmelte sie. »Du hast mir echt den Abend gerettet.«

Seufzend schlenderte Riley zur anderen Seite des Sets, so dass sie Reynolds weiterhin im Blick hatte, für den Fall, dass es Ärger gab. Leute von der Crew hetzten an ihr vorbei und machten, was immer die Leute bei Dreharbeiten eben so machten. Für sie ergab das keinen Sinn, aber am Ende stand immer eine wöchentliche Episode der Fernsehserie, die ihre Freunde so bewunderten.

Nach einer weiteren Diskussion mit einem ziegenbärtigen Typen in einem *Dämonenland*-T-Shirt – Riley hielt ihn für den Regisseur – nahm Blaze ihren Platz vor den Kameras ein. Sie wirkte unzufrieden, aber das würde vermutlich jedem so ergehen, den man zwang, Stiefel mit Stilettoabsätzen, knallenge Jeans und ein Elasthan-Top zu tragen, bei dem man das Gefühl haben musste, zu ersticken. Ein männlicher Schauspieler gesellte sich zu ihr, und Riley brauchte einen Moment, bis sie ihn erkannte: Jess Storm, derjenige, den Brandy so umwerfend fand.

Er war ganz nett, aber mit Beck gar nicht zu vergleichen.

Beim Gedanken an den Dorftrottel runzelte sie die Stirn. Sie hatte zumindest einen Anruf erwartet, ein »Hi, wie geht's, Prinzessin?« Stattdessen bestrafte er sie jetzt mit Schweigen, weil sie es gewagt hatte, offen und ehrlich zu sagen, was sie empfand.

»Blödmann«, grummelte sie. Riley wandte ihre Aufmerksamkeit von den Schauspielern ab und suchte die Umgebung nach allem ab, was pelzig und gefräßig wirkte. Unter einem der Cateringtische entdeckte sie etwas, das zu dieser Beschreibung passte – eine Ratte mit seidig glänzendem Fell. Ihr Vater hatte immer behauptet, sie seien wie Kanarienvögel in einem Bergwerk: Solange das Nagetier keine Furcht zeigte, war alles in Ordnung. Wenn es um Dreier ging, schienen sie einen sechsten Sinn zu haben, vor allem, weil sie auf der Speisekarte der Dämonen ziemlich weit oben standen, neben Fängern und fetten Tauben.

Der Regisseur ging zu den Schauspielern, ein Assistent klebte an seiner Seite. Man konnte diese Spezies immer sofort an ihrem Klemmbrett erkennen, das zwingend dazuzugehören schien.

»Okay, sehen wir zu, dass wir es in den Kasten kriegen«, befahl der Boss. »In dieser Szene streitet ihr beide euch über euer Rendezvous gestern Abend, und dann rettet Jess dich vor einem Dämon.«

»Ach, komm, Arnold«, beschwerte sich die Schauspielerin. »Raphael hat mich letzte Woche gerettet und Jess in der Woche davor. Mir gefällt nicht, worauf das hinausläuft. Früher habe ich die Dämonen selbst fertiggemacht.«

»Die Umfragen zeigen, dass es den weiblichen Zuschauern gefällt, wenn die Jungs dir den Arsch retten«, antwortete der Regisseur. »Außerdem ist es realistischer.«

Riley musste beinahe würgen. *Realistisch? Der will mich wohl auf den Arm nehmen.*

Als Blaze tatsächlich leise zu brummen begann, lächelte sie. Vielleicht war die Schauspielerin doch nicht ganz so hohl in der Birne.

Die erste Aufnahme ging völlig daneben – Jess verpatze seinen Einsatz. Den geflüsterten Bemerkungen einiger Crewmitglieder zufolge kam das ständig vor.

Drei weitere Aufnahmen, doch es klappte immer noch nicht richtig. Die Gereiztheit wuchs, und der arme Kerl, der den Dämon spielte, hatte Probleme mit seinem Kostüm, da eine seiner krallenbesetzten Pfoten ständig abfiel.

*Hollywoods Zauber in Bestform.* Gut, dass ihre Freunde niemals etwas von dieser Seite der Sendung erfahren würden.

Sie hatten die vierte Einstellung zur Hälfte geschafft, als einer der Hauptscheinwerfer seinen Geist aufgab, was den Regisseur dazu veranlasste, in den schillerndsten Farben zu fluchen. Offensichtlich kam das nicht allzu häufig vor.

Riley warf einen prüfenden Blick auf das Nagetier und stellte fest, dass die Ratte ihren Happen fallen gelassen hatte und auf den Hinterpfoten hockte. Witternd spähte sie in die Nacht, die Nase zuckte hektisch. Dann rannte sie mit einem Quieken davon und stürmte zum nächsten Loch.

Riley ging am Rand des Sets entlang und zog eine Weihwasserkugel und ihr Stahlrohr hervor, während sie sich ihren Weg durch das Gewirr elektrischer Kabel bahnte. Als sie Reynolds Blick auffing, nickte der andere Dämonenfänger ihr zu und begann, in entgegengesetzter Richtung einen riesigen Kreis abzuschreiten. Blaze und Jess bildeten das Zentrum und zankten sich, während sie darauf warteten, dass das Problem mit dem Scheinwerfer geklärt wurde.

»Kommt schon, Leute, jetzt macht schon«, rief der Regisseur. »Wir müssen diese Szene fertig haben, bevor …«

Der Scheinwerfer ging wieder an, und Riley bedeckte ihre Augen, um im Dunkeln etwas sehen zu können. Eine Sekunde später hörte sie irgendwo aus der Nähe ein tiefes Fauchen, als ein Dreier aus dem Dunkeln neben einer wackeligen Steinmauer schwerfällig auf sie zu gerannt kam. Er blieb stehen, musterte sein Gegenüber von Kopf bis Fuß und bellte: »Blackthornes Tochter!«

Das war das wahre Leben.

Dieses Mal stürzte sich der Dämon mit voller Geschwindigkeit direkt auf sie, so dass die Krallen auf dem Pflaster Funken sprühten. Reynolds sprintete auf sie zu, ein Stahlrohr in der Hand. Sie brauchten nicht lange über die Strategie zu diskutieren, dazu war keine Zeit mehr.

Der Dreier wurde schneller, die Krallen funkelten im letzten Tageslicht, der Geifer lief ihm über das pelzige Kinn. Zu Rileys Erstaunen baute Reynolds sich zwischen ihr und dem Dämon auf und verpasste ihm einen kräftigen Schlag gegen die linke Schulter, doch das Ungetüm schaffte es, das Rohr zwischen die Klauen zu bekommen, und versuchte, den Fänger gegen seine andere bekrallte Hand zu schleudern.

Klugerweise ließ Reynolds das Stahlrohr los, und der Dämon warf die Waffe nach ihr. Das Rohr wirbelte durch die Luft, und Riley vollführte eine halbe Drehung, um ihm auszuweichen. Sie schleuderte ihre Kugel, die mitten im Gesicht des Dämons zerbrach. Der Höllendiener heulte auf, machte ein paar Schritte nach vorn und knallte kopfüber zu Boden. Staub und Schmutz wirbelten auf.

»JA!«, schrie Reynolds und machte mit geballter Faust eine Siegergeste. Er rannte zu seinem Rucksack, kam mit einem Stahlnetz in der Hand zurück, und zusammen stopften sie den Dämon, so schnell es ging, in sein Gefängnis. Sie hatten gerade die Klammern verschlossen, als das Ungetüm sich regte und durchdringend zu jaulen begann.

»Das war verdammt gute Arbeit«, sagte ihr Kollege. »Du kannst echt gut mit diesen Kugeln umgehen.«

Normalerweise war sie gar nicht so gut. Hatte das etwas mit Oris Schutz zu tun?

Zittrig richtete Riley sich auf und stellte fest, dass die gesamte Filmcrew Reynolds und sie anstarrte. Die meisten von ihnen machten ein Gesicht, als wollten sie sagen: »O mein Gott, das war ja echt.«

Blaze begann, übers ganze Gesicht zu lächeln. »Na, Arnold?«, sagte sie. »Sieht so aus, als könnten Frauen ebenfalls Dämonen fangen. Wie wäre es, wenn wir das in die Episode mit einbauen?«

Der Regisseur runzelte die Stirn.

»Das war echt cool«, drängte Blaze. »Komm, gib es zu.«

Der Mann nickte widerstrebend. »Wir werden die Szene nachstellen, aber ohne diese komische Kugel.« Er wandte sich an seinen Assistenten. »Lass das ganze zerbrochene Glas zusammenfegen, dann machen wir einen Durchgang.« Der Regisseur warf einen kurzen Blick auf Riley und ihren Kollegen. »Ihr beide da, verschwindet vom Set, und nehmt dieses Ungeheuer mit.«

»Sieht aus, als sei unsere Minute des Ruhms vorbei«, sagte Reynolds.

Riley stieß ein gar nicht damenhaftes Schnauben aus.

Sie wusste, dass Reynolds sich um den Dreier kümmern würde, also ging sie zu einem Segeltuchsessel, weil sie unbedingt eine Pause brauchte. Das war verdammt knapp gewesen. Wenn sie den Dämon nicht mit der Kugel erwischt hätte …

*Aber ich habe ihn getroffen. Das ist alles, was zählt.*

Etwas ließ sie aufblicken, und am Rand des Sets entdeckte sie eine vertraute Gestalt, von deren blonden Haar und schönem Gesicht sie oft genug geträumt hatte.

Beck drehte sich um und humpelte die Straße hoch, ehe sie die Gelegenheit hatte, ihn zu rufen.

*Warum gehst du mir aus dem Weg?*

Sie fürchtete, dass die Antwort nichts Gutes für ihrer beider Zukunft verhieß.

Jackson löste sie um halb zehn ab, da die Filmaufnahmen noch länger dauern würden und Stewart nicht wollte, dass sie sich bis in den frühen Morgen in der Dämonenhochburg herumtrieb. Es war fast zehn Uhr, als Riley an ihrem Wohnblock ankam. Wie befürchtet, war ihr Briefkasten total vollgestopft, und es dauerte eine Weile, bis sie die ganzen Rechnungen und Werbezettel herausgeholt hatte. Während sie die beiden Treppen zu ihrer Wohnung hochstieg, sortierte sie die Post nach Wichtigkeit. Besonders ein Brief erweckte ihre Aufmerksamkeit – von ihrem Vermieter, zweifelsohne eine Erinnerung, dass die Miete demnächst steigen würde.

Nachdem sie die Wohnungstür aufgeschlossen und das Licht angeknipst hatte, musste sie feststellen, dass keine hilfreichen Feen vorbeigekommen waren und zauberhafterweise die Möbel aus dritter Hand gegen etwas Anständiges ausgetauscht hatten. Die Packkiste, die als Couchtisch diente, stand immer noch vor dem durchgesessenen Sofa, und auch das Bücherregal aus Betonklötzen und einfachen Brettern war immer noch da.

Obwohl es nicht mehr war als ein etwas größeres Hotelzimmer mit einer winzigen Küche, war es ihr Zuhause. Es erinnerte sie an ihren toten Vater, obwohl selbst diese Erinnerungen mit jedem Tag, der verging, weiter verblassten. Wie an dem Tag, als sie einen seiner Lieblingskaffeebecher fallen gelassen und zerbrochen hatte. Sie hatte geweint, als sie die Keramikscherben zusammengekehrt hatte.

Riley verriegelte die Tür, ließ ihren Rucksack auf den Boden fallen und warf die Post auf den Küchentisch. Nachdem sie sich eine Tasse heiße Schokolade zubereitet und festgestellt hatte, dass nur noch eine Packung Joghurt im Kühlschrank stand – bei Stewart zu wohnen wirkte sich enorm auf ihre Lebensmitteleinkäufe aus –, begann sie, die Briefumschläge zu öffnen. Sie legte die Rechnungen auf einen Stapel und riss dann den Brief des Vermieters auf. Ein Wort sprang ihr sofort ins Auge.

**Kündigung.**

Das musste ein Irrtum sein. Sie hatte immer pünktlich die Miete gezahlt.

Doch als sie weiterlas, stellte sie fest, dass der Rausschmiss nichts mit den Mietzahlungen zu tun hatte, sondern mit der Beschwerde von Nachbarn, die sich durch Rileys Beruf gestört fühlten. Weil sie Dämonen in ihrer Wohnung aufbewahrte und die Nachbarn sich fürchteten, einer von ihnen könnte sie eines Nachts alle umbringen, während sie in ihren Betten schliefen.

Sie legte ihr Gesicht in die Hände und verspürte den Drang, zur gleichen Zeit zu schreien und zu weinen. Der Dämon, der bei ihr wohnte, gehörte nicht zu der Sorte Ich-schlitze-dir-die-Kehle-auf-und-fresse-dich, sondern zu den stillen Vertretern, die den Leuten ihr Glitzerzeug klauten. Ihr Vater hatte auch Dämonen ersten Grades in der Wohnung aufbewahrt, aber dazu hatte er die Genehmigung der Hausverwaltung gehabt. *Wer hat sich beschwert?* Ganz bestimmt nicht Mrs Litinsky, die Nachbarin von nebenan. Sie hatte keine Probleme mit Rileys Beruf.

*Mrs Ivey.* Die ganze Sache trug doch die Handschrift dieser alten Schachtel. Sie hatte einen Riesenwirbel veranstaltet, als die Batterie für ihr Hörgerät verschwunden war, und jetzt würde Riley rausfliegen, weil ihr dämonischer Zimmergenosse auf Glitzerzeug abfuhr. Die Tatsache, dass ihr Name ständig in den Medien auftauchte, hatte die Sache garantiert nicht besser gemacht.

Riley tastete nach ihrem Telefon, doch dann hielt sie inne. Ihr erster Impuls war es gewesen, Beck anzurufen, aber was konnte er schon tun? Laut rumbrüllen und hoffen, dass alle anderen brav mitspielten? Sie könnte Feuerwehr-Jack anrufen, den Anwalt der Zunft, aber der hatte bereits so viel für sie getan.

Riley las das Schreiben noch einmal sorgfältig durch, aber es gab keine Schlupflöcher, keinen Halbsatz, sie könne »bis zu diesem oder diesem Datum gegen die Kündigung Widerspruch einlegen«. Als einziges Datum wurde der Termin in sieben Tagen genannt, und bis dahin mussten sie und ihre Siebensachen hier raus sein.

»So ein BOCKMIST!«, schrie sie. Das Universum widersprach nicht.

Dann traf es sie wie ein Schlag: Sie würde den letzten Ort verlassen müssen, an dem sie mit ihrem Vater zusammengelebt hatte. Ein weiteres großes Stück von Paul Blackthorne würde abbrechen, wie bei einem Eisberg in einem ungewöhnlich warmen arktischen Frühling. Es würde davontreiben, und die fassbaren Erinnerungen an ihn würden weniger werden. *Schon wieder.*

Riley rieb sich die Augen, nicht wegen der Tränen, sondern weil sie all der Dinge müde war, die das Leben unablässig über sie ausschüttete. Wann immer sie glaubte, es würde langsam besser werden, brach wieder etwas Neues über sie herein.

Ihre Mom hätte sie damit getröstet, dass es beim Erwachsenwerden genau darum ging: Man musste Orte und Dinge hinter sich lassen. Es war nicht so, dass Riley ewig in dieser Wohnung leben und daraus einen Schrein für ihren toten Vater machen wollte – aber trotzdem.

Mit einem wehmütigen Seufzer ging sie ins Schlafzimmer und begann damit, den Kleiderschrank von sich und ihrem Vater durchzusehen. In Sadies Haus hatte sie das auch geschafft.

Doch dieses Mal hatte jeder Gegenstand, den sie berührte, eine besondere Bedeutung für sie.

## 25. Kapitel

Wie üblich fand Riley Meister Stewart in seinem Arbeitszimmer, doch statt einer Zeitung hatte er Formulare des
Bundesverbands auf seinem Schoß liegen. Ihr Vater hatte
sich nach Feierabend ebenfalls damit herumgequält.

Der alte Mann lächelte, als sie näher kam. »Guten Abend,
Riley.«

»Meister Stewart.« Sie wählte ihren üblichen Platz und
setzte sich, aber sie war nicht besonders scharf darauf,
ihm zu erzählen, wie ihr Tag gelaufen war. Nicht so wie
früher.

Als sie nichts sagte, hob er eine Braue. »Was ist los?«

»Ich bin aus der Wohnung geflogen. Jemand hat sich
beschwert. Meine Nachbarn sind überzeugt, dass ich Dämonen und Zerstörung ins Haus bringe, also wollen sie
mich raushaben.«

»Ich hatte befürchtet, dass so etwas passieren könnte. Du
warst in der letzten Zeit zu oft in der Zeitung.« Stewart
legte die Papiere beiseite. »Die Jäger haben zwar ihre Auflagen gelockert, aber wenn du willst, kannst du gerne hier
bleiben, auf Dauer, meine ich. Als Untermieterin oder
so.«

Damit hatte sie nicht gerechnet. »Danke. Es ist nur …«

Riley veränderte ihre Sitzposition, um Zeit zum Nachdenken zu gewinnen. »Ich kann mich nicht ohne Gegenleistung in Ihrem Haus breitmachen. Das wäre nicht richtig. Wenn ich die Wohnung nicht mehr habe, könnte ich etwas Miete zahlen. Na ja, nicht viel, aber …«

Stewart dachte eine Weile darüber nach. »Aye, ich denke, da werden wir uns schon einig. Du wirst ein größeres Zimmer brauchen. Direkt vor dem Turmzimmer im zweiten Stock liegt ein großes Schlafzimmer. Mit beiden Räumen zusammen wirst du genug Platz haben. Fast wie eine eigene Wohnung.«

»Im Turm?« Das wäre echt cool. »Das würde mir gefallen.«

»Ich werde mal ein wenig herumrechnen, und dann können wir feilschen«, sagte er augenzwinkernd. »Ich werde mehr als fair sein. Mrs Ayers und ich haben festgestellt, dass du eine sehr angenehme Gesellschaft bist.« Er nahm seine Pfeife und begann, sie zu stopfen. »Beck hat sich heute Morgen gemeldet. Er ist wieder in der Stadt.«

Riley biss frustriert die Zähne zusammen. »Ich habe ihn am Filmset von *Dämonenland* gesehen. Er ist mir aus dem Weg gegangen, als hätte ich die Pest oder so.«

»Gib ihm Zeit, er wird schon wieder zu sich kommen.« Ein Streichholz flammte auf, und der Tabak flackerte auf. »Jetzt sieh zu, dass du etwas Ruhe bekommst. Du siehst völlig geplättet aus.«

Sie hatte keine Ahnung, was das letzte Wort bedeutete, aber wahrscheinlich war sie wirklich reif fürs Bett.

Riley stand auf. »Gute Nacht, Sir.«

»Gute Nacht, Mädel. Der morgige Tag wird besser für dich, da bin ich mir sicher.«

*Unwahrscheinlich.*

Am nächsten Tag führte Mrs Ayers sie nach dem Frühstück hinauf in den zweiten Stock. Riley war noch nie hier oben gewesen, und die Haushälterin meinte, wegen seines steifen Beins käme Meister Stewart auch nicht sehr oft hier hoch.

»Dies war das Büro seiner verstorbenen Frau«, sagte die Frau, als sie durch einen Korridor im vorderen Teil des Hauses gingen. »Ich habe angefangen, für die Stewarts zu arbeiten, als sie krank wurde. Sie starb an Krebs. Lolly war ein liebes Ding, und ihr Tod nahm ihn sehr mit.«

Verlegen musste Riley sich eingestehen, dass sie nicht besonders viel über den Mann wusste, der sie bei sich aufnahm. »Er hat mehrere Kinder, oder?« Das wusste sie von den Bildern in seinem Büro.

»Drei Söhne und eine Tochter. Anthony, der älteste, ist Dämonenfänger. Die anderen haben weniger gefährliche Berufe ergriffen.«

Die Tür schwang auf, und sie betraten einen riesigen, luftigen Raum, dessen Holzdielen unter ihren Füßen knarrten. Es war das Zimmer einer Frau mit einer auffälligen Tapete mit Blumenmuster und hohen Decken mit verschnörkeltem Stuck. Die Doppeltüren am anderen Ende erregten ihre Neugier. Als Mrs Ayers sie öffnete, blickte sie in einen großen, runden Raum. Der Turm. Er maß bestimmt sieben Meter im Durchmesser, und die Wand schien nur aus Fenstern zu bestehen.

»Das ist ja Wahnsinn«, sagte Riley, ging an der Wand entlang und genoss den Ausblick über die Stadt in der Ferne. »Und so groß!«

»Du kannst dir dein Schlafzimmer hier oder im anderen Raum einrichten, was dir lieber ist.«

Riley sah sich die Raumeinteilung genau an. »Nein, das hier soll eine Art Wohnzimmer werden. Es ist so hell.« Sie könnte ihren Schreibtisch vor eines der Fenster stellen und nach draußen schauen, wenn sie Hausaufgaben machte.

»Dann soll es so sein«, erwiderte Mrs Ayers. »Vom Korridor geht ein Badezimmer ab, das du mit niemandem teilen musst.«

Riley kam aus dem Wow-Modus gar nicht wieder heraus.

»Und das wird wirklich passieren?«, sagte sie staunend. »Ich war so sauer wegen der Kündigung, und jetzt …«

»Manchmal brauchen wir nur einen kleinen Schubs, um uns in eine neue Situation zu bringen«, sagte die Frau. »Heute Nachmittag mache ich hier oben gründlich sauber. Danach kannst du jederzeit einziehen.«

»Danke. Ich kann es kaum abwarten.« *Wow, das ist einfach perfekt.*

Becks Tag verging wie im Flug, obwohl er genau wusste, dass er total auf Zeit spielte. Er war bei der Bank gewesen, hatte ein paar schöne Stunden mit seinem Freund Ike im

Obdachlosenheim verbracht und war dann vorbeigekommen, um Stewart Hallo zu sagen. Irgendwann musste er Riley treffen, und je länger er es hinausschob, desto wütender würde sie sein. Sie gehörte nicht zu den Leuten, die besonders nachsichtig waren.

Es war bereits nach sechs Uhr abends, als er am Fuß der Treppe zu ihrer Wohnung stehenblieb, um seinen Mut zusammenzukratzen. Stewart hatte ihn gewarnt, dass Riley reizbarer war als sonst, und das nicht nur, weil sie umziehen musste.

»Geh vorsichtig zu Werke, Junge«, hatte Stewart ihn ermahnt. »Du hättest sie anrufen sollen, sobald du zu Hause warst. Jetzt wirst du für deinen Fehler büßen. Sag ihr, wie es in deinem Herzen aussieht. Das ist deine einzige Chance.«

Mit einem langen Seufzer stieg er die Stufen empor. Sie würden ihn immer an die Nacht erinnern, in der Paul starb. Immerhin würde er, sobald Riley umgezogen war, diesen Weg nie wieder gehen müssen. Nach dem zweiten Treppenabsatz blieb er vor ihrer Tür stehen, während ihre Worte in seinem Kopf widerhallten: *Ich liebe dich, Denver Beck. Ich liebe dich schon lange.*

Er war schockiert gewesen, obwohl er es nicht hätte sein sollen. Sie hatte ihm ihre Liebe auf so vielen Wegen gezeigt, aber er hatte es immer geleugnet.

»Alles oder nichts«, murmelte er.

Beck klopfte an die Tür. Seine Kehle war plötzlich trocken, und sein Herz pochte heftig. »Bitte Gott, mach, dass ich das hier nicht vermassele«, flüsterte er.

Die Tür öffnete sich nur so weit, wie die Sicherheitskette es zuließ. Riley musterte ihn ernst, die Augen vom Weinen verquollen.

»Hi. Ich dachte du … könntest vielleicht etwas Hilfe gebrauchen.«

Als sie ihn nicht hereinbat, schnellte seine Sorge in die Höhe.

»Tut mir leid, dass ich nicht angerufen habe. Ich habe heute erst ein neues Telefon bekommen – Donovan hat noch mein altes, als Beweismittel – und, na ja … hier bin ich«, sagte er. Noch sehr viel mehr würde er aber nicht vor ihr kriechen.

»Gestern Abend hättest du kein Telefon gebraucht, um mit mir zu reden. Du warst am Filmset.«

*Verdammt.* Sie hatte ihn gesehen.

»Es schien gerade nicht so gut zu passen. Übrigens, das mit dem Dreier hast du super hinbekommen. Du hast ihn erwischt wie ein Profi.«

»Das ist keine Entschuldigung.«

Er konnte jetzt keinen Rückzieher machen. »Ich bin gekommen, um dir zu helfen. Ich habe mich entschuldigt. Und wie machen wir jetzt weiter?«

Riley murmelte leise etwas vor sich hin, und als sie die Tür schloss, glaubte er schon, das wäre es gewesen. Doch dann löste sie die Sicherheitskette und ließ ihn eintreten ins Chaos. Überall standen Kartons, manche voll, die meisten leer. Mitten im Wohnzimmer war ein Stückchen freie Fläche, um die herum sie ihre Habseligkeiten aufgestapelt hatte, um sie zu sortieren.

»Tut mir leid, dass du hier rausmusst«, sagt er und fühlte sich immer unbehaglicher.

Riley drehte sich mit flackerndem Blick zu ihm um. »Es ist so … schwer. Ich dachte, ich könnte einfach mal eben die Sachen durchgehen, aber überall hängt irgendeine Erinnerung dran.« Sie nahm einen mit orangefarbenen Kätzchen verzierten Bilderrahmen vom Sofa. »Das hier zum Beispiel. Mein Dad und ich haben das Teil in einem dieser Ein-Dollar-Läden gekauft. Es ist so kitschig, dass es einfach perfekt ist. Und jetzt …«

»… kommt es mit. Nimm mit, was du behalten willst. Fang ganz neu an. Paul und deine Mom würden es verstehen.«

Mit ernstem Blick schaute sie zu ihm hoch. »Den Kleinkram kann ich mitnehmen, aber was mache ich mit solchen Sachen wie der Lieblingsbackform meiner Mutter oder ihrem Bräter?«

»Pack sie ein und gib sie mir, ich stelle sie in meine Garage. Jetzt, wo Harpers gerettetes Altmetall weg ist, habe ich wieder massig Platz.«

Als ihre Miene sich aufhellte, wusste er, dass er genau das Richtige gesagt hatte.

»Bist du sicher?«, fragte sie.

»Klaro. Vielleicht machst du ja eines Tages Roastbeef für mich oder den genialen Pfirsichkuchen deiner Mutter.«

Ihre Blicke trafen sich, und ihre Wangen färbten sich puterrot. »Wenn du damit sagen willst, dass ich mich am Busbahnhof total albern benommen habe, dann sag's … und verschwinde.«

Sie dachte, er würde sie erneut herunterputzen, wie er es in der Vergangenheit getan hatte.

»Was ich gehört habe, war, dass ein hübsches Mädchen mir genau das erzählt hat, was sie denkt. Ich finde nicht, dass irgendjemand albern gewesen wäre, du etwa?«, erwiderte er.

»O, ich dachte ...« Sie nestelte an dem Bilderrahmen herum.

Er wusste, dass es besser war, sie nicht weiter zu drängen, und zog seine Jacke aus. »Sagen Sie mir, was ich tun soll, Ma'am. Ich bin Ihr Sklave.«

Ihr Grinsen verriet ihm, dass ihr diese Vorstellung sehr gut gefiel.

Während Riley die Bücher ihres Vaters durchsah, hörte sie, wie Beck die Küche leer räumte. Sie hatte ein paar Dinge rausgesucht, die sie behalten wollte, und ihm anschließend freie Hand gelassen. Er kam gut voran, der obere Küchenschrank war bereits leer. Jetzt kramte er unter der Spüle herum und beschwerte sich über die vielen halbvollen Waschmittelkartons, die er gefunden hatte.

Sein Gegrummel brachte sie zum Lächeln. Wenn es im Sumpf anders gelaufen wäre, hätte sie es möglicherweise nie wieder gehört.

Wie es genau zwischen ihnen stand, war nicht ganz klar. Er hatte nicht plötzlich vor ihrer Tür gestanden, hatte sie hochgerissen und sie leidenschaftlich inmitten der Umzugskartons geliebt. Aber er hatte ihr auch nicht gesagt, sie solle ihn in Ruhe lassen. Sie schwebten also irgendwo zwischen diesen beiden Extremen.

Ein paar Minuten später klingelte die Mikrowelle, und Beck kam zu ihr, zwei Becher heiße Schokolade in den Händen.

»Ich dachte, du könntest eine Pause vertragen.«

Sie nahm die Tasse, und sie ließen sich auf das Sofa fallen.

»Wie geht's deinem Bein?«

»Tut weh«, erwiderte er. »Die Dämonenwunde ist gut verheilt, aber der Knöchel macht noch Probleme. Die Stiefel scheuern ständig daran.«

»Du könntest Turnschuhe tragen, bis es abgeheilt ist.«

»Niemals. Nicht mein Stil.«

»Dann leide doch.« Sie tippte auf einen Stapel Papier auf der Armlehne. »Das sind die Zeitungsartikel über dich und die Keneally-Brüder. Ich habe sie aufgehoben, falls du möchtest, dass ich sie dir vorlese.«

»Danke, gerne«, sagte er. »Donovan hat heute Nachmittag angerufen – die Leute von der Spurensicherung haben die Überreste von zwei Skeletten gefunden. Vermutlich haben Tiere den Rest weggeschleppt. Sie werden DNA-Tests machen, aber der Größe der Knochen und den Kleidungsresten nach zu urteilen, die sie gefunden haben, sind das Nate und Brad.«

»Du hättest genauso gut dort draußen liegen können«, sagte sie leise.

»Ja. Ich muss ständig daran denken. Aber es ist ja doch alles gut ausgegangen. McGovern hat gestanden, und

Cole wird ebenfalls einknicken. Er wird dir niemals das versprochene Eis ausgeben können.«

»Wie niederschmetternd«, sagte sie.

Sie wühlte eine Weile herum, dann reichte sie ihrem Gast einen großen Umschlag. *Jetzt kommt der schwierige Teil.*

Er spähte hinein und sah den Stapel Banknoten. »Wofür ist das denn?«

»Das ist das Geld, das du mir geliehen hast. Ich gebe es dir zurück. Danke, dass du mir geholfen hast, als es darauf ankam.«

»Riley, ich …«, begann er.

»Du hast eine Woche lang keine Dämonen gefangen, und du musstest die Beerdigung deiner Mom bezahlen. Ich möchte es tun, okay? Es ist mir wichtig.«

»Vermutlich wirst du mir die Hölle heißmachen, wenn ich es nicht annehme?«, fragte er.

»Worauf du dich verlassen kannst.«

Beck nickte kurz und steckte den Umschlag ein. »Danke. Ich freue mich, dass ich helfen konnte.«

*Er nimmt es einfach so?* Sie hatte ein Riesentheater erwartet.

Beck nippte vorsichtig an seiner Schokolade.

»Was ist los?«, fragte sie und deutete auf seinen Becher.

»Du magst doch gar keine Schokolade.«

»Nein, aber ich mag die Gesellschaft, also bin ich gerne bereit, ein wenig zu leiden«, erwiderte er und zwinkerte ihr zu.

»Häh?« Was redete er da?

»Ich hänge bei meinem Mädel rum. Mein Granddad nannte das immer … rumturteln.«

*Rumturteln?*

Ehe sie Zeit hatte, das zu verdauen, fuhr er fort: »Hast du Samstag schon etwas vor?«

»Äh … nein.« Sie würde ganz bestimmt nicht zum Abschlussball gehen, das war schon einmal klar.

»Ich dachte, wir könnten vielleicht etwas zusammen unternehmen.«

»Lass mich raten – Dämonen fangen?«, sagte sie.

»Nein, das hatte ich eher nicht gemeint. Ich dachte, wir könnten uns zur Abwechslung mal wie normale Leute benehmen.«

»Und was machen?«, fragte sie misstrauisch.

Er zog seine Jacke vom Sofaende heran und zog einen Zettel aus der Tasche. »Ich kann nicht alles lesen, aber ich glaube, das meiste habe ich verstanden.« Er reichte ihr den Flyer.

*Wahrscheinlich irgendein Country-Musik-Konzert.*

Riley faltete das Blatt auf und las die Überschrift, dann riss sie vor Überraschung die Augen auf. Das musste irgendein Missverständnis sein.

Sie blickte auf. »Du möchtest, dass wir zusammen zum Abschlussball gehen?«

»Ja. So was machen normale Leute doch.«

Wenn Rileys Gehirn ein Computer gewesen wäre, wäre es jetzt abgestürzt. Überwältigt drückte sie hastig den Reset-Knopf, und es erwachte wieder zum Leben.

»Aber das ist … ich meine … wir müssen uns schick anziehen. Jeans gehen gar nicht, weißt du? Wir reden hier von einem Anzug für dich und einem richtig netten Kleid für mich.«

»Ich weiß«, sagte er geduldig. »Wir könnten den ganzen Abend zusammen verbringen. Irgendwo schick essen gehen und dann zum Ball.«

*Beck bittet mich um ein Date.*

»Äh … öh …« Ogottogottogott. *Er will mit mir zum Abschlussball gehen.*

»Ich weiß, dass es etwas kurzfristig ist und so, aber ich glaube, das wird ganz lustig«, sagte er und rührte weiter die Werbetrommel. »Ich würde dich gerne richtig schick angezogen sehen. Das wäre echt klasse.«

*Warum tut er das? Ist das nicht egal? Sei kein Dummkopf!*

»Äh … okay … sicher … ja.« *JA! Ja!*

Sein Lächeln sagte ihr, wie sehr er sich freute. »Gut!«

»Kannst du tanzen?«, fragte sie, ehe sie sich bremsen konnte.

»Natürlich«, sagte er beleidigt. »Ich bin richtig gut bei den langsamen Tänzen.«

Rileys Wangen begannen zu brennen, als sie sich beide eng aneinandergepresst vorstellte. Dann schlug die Wirklichkeit zu. »O, ich brauche ein Kleid, und meine Haare, und …«

Mit einem leisen Schmunzeln, das verriet, wie sehr er ihre mittelschwere Panikattacke genoss, stand Beck auf und stellte seinen fast vollen Becher auf das Bücherregal. »Dann haben wir jetzt also ein Date. Tut mir leid, aber ich muss gehen. Ich treffe mich mit Jackson in der Dämonenhochburg, um den ein oder anderen Fang zu machen. Muss mein Bankkonto ein wenig auffüllen.« Er klopfte auf den Briefumschlag in seiner Jackentasche. »Obwohl das schon 'ne Menge hilft. Danke noch mal.«

»Danke, dass du mir beim Packen geholfen hast«, sagte sie und zeigte auf die Küche.

»Nicht der Rede wert. Du hast mir auch bei Sadies Kram geholfen. Wenn du den Truck für den Umzug brauchst, sag mir Bescheid.«

Riley folgte ihm zur Tür und versuchte immer noch, alles zu verdauen, was gerade passiert war. Und dann wurde es peinlich, zumindest für sie. *Was soll ich jetzt machen?*

Beck löste das Problem, in dem er sich vorbeugte und kurz, aber zärtlich ihre Lippen küsste.

»Bis bald, Riley.«

Sie verriegelte die Tür hinter ihm und eilte zum Fenster, wobei sie versuchte, nicht über die Umzugskartons zu fallen. Als Beck seinen Truck erreichte, blickte er zu ihr auf und winkte. Sie winkte zurück. Dann warf sie ihm spontan einen Luftkuss zu.

Er grinste, als hätte er in der Lotterie gewonnen.

*Ich gehe mit Denver Beck zum Abschlussball.*

Kaum hatte sein Truck den Parkplatz verlassen, hechtete Riley zu ihrem Handy. Sie brauchte handfeste Rückenstärkung.

Simi ging beim ersten Klingeln ran. »Ich bin's. Schieß los!«

»O mein Gott! Du wirst es nicht glauben.«

Während sie nachts als Oris Assistentin fungierte, war Riley tagsüber voll und ganz mit der Wohnung beschäftigt. Ihr Dad und sie hatten nicht viel besessen, nachdem ihre Eigentumswohnung ausgebrannt war, aber es kam ihr vor, als hätte ihr gesamter Besitz irgendwie Zwillinge oder gar Drillinge zur Welt gebracht. Ihre Kleidung war nicht das Problem, die ihres Vaters sehr wohl. Was sollte sie damit machen?

Sobald sie sie fortgab, wäre ein weiterer Teil von ihm verschwunden. Trotzdem wäre es dämlich, sie aufzubewahren, wenn es Leute gab, die sie vielleicht gebrauchen könnten. Nach einem Krisengespräch mit Peter (»Ich flippe hier gleich aus!«) befolgte sie seinen Rat und wählte ein paar Lieblingssachen ihres Vaters aus und legte sie beiseite. Den Rest packte sie liebevoll in Kartons, um ihn zu spenden.

Es war kurz vor vier, Riley hing gerade mit dem Kopf tief über der Badewanne, um den Boden gründlich zu schrubben, als es klopfte. Leise über diesen total unpassenden Zeitpunkt fluchend, öffnete sie die Wohnungstür so weit, wie die Sicherheitskette es zuließ. Und musste zwei Mal hingucken.

»Hi«, sagte Blaze. »Äh, passt es dir gerade?«

Es passte nicht, aber Rileys Neugierde gewann die Oberhand. *Warum sollte ein Fernsehstar mich besuchen?*

Blaze trug Bluejeans und ein Bon-Jovi-T-Shirt, aber nichts davon saß so eng, wie es bei *Dämonenland* nötig war. Sie war dezent geschminkt, hatte das Haar in einem Pferdeschwanz zurückgebunden, trug eine sportliche Brille mit schwarzem Gestell und hellrote Turnschuhe. Kurz, sie sah überhaupt nicht aus wie die »total scharfe« Dämonenkillerin.

Riley ließ die Schauspielerin in die Wohnung, nachdem sie sie vor dem Chaos gewarnt hatte.

»Du ziehst um?«, stellte Blaze fest. In den Händen hielt sie einen braunen Umschlag.

»Bin rausgeflogen. Die Hausverwaltung ist überzeugt, dass ich wegen meines Jobs eine Bedrohung für die Zivilisation darstelle.«

»Was? Das ist ja fies«, erwiderte die Frau. Dann streckte sie abrupt die Hand aus. »Ich bin übrigens Susan.«

Verlegen schüttelten sie sich die Hände. Dann hielt Susan Riley den Umschlag hin.

»Das sind die Fotos mit den Autogrammen, um die du mich gebeten hattest. Ich habe etwas Bonusmaterial mit reingeworfen. Dachte mir, dass deinen Freundinnen das vielleicht gefällt.«

»Wow. Danke. Sie werden ausflippen.«

»Mir ist aufgefallen, dass du gar nichts haben wolltest. Vermutlich, weil Blaze nicht ganz deinen Vorstellungen einer Dämonenjägerin entspricht, oder?«

»Äh, nein, nicht so ganz«, erwiderte Riley diplomatisch. »Weißt du, ich habe die echten Jäger kennengelernt, und …«

»Genau deshalb bin ich hier. Der Vatikan will nichts mit uns zu tun haben, so dass ich gerne mit dir darüber reden würde, wie es wirklich ist, Höllenbrut zu fangen oder zu töten. Ich versuche Arnold – das ist mein Regisseur –

dazu zu bringen, aus der Serie mehr zu machen als eine totale Vollpfostenphantasie.«

Rileys Misstrauen meldete sich zu Wort. »Ich werde nichts über die Schlacht auf dem Friedhof erzählen, falls du darauf hinaus willst.«

Susan schüttelte ohne Zögern den Kopf. »Davon will ich gar nichts wissen. Ich möchte wissen, wie es für dich als Frau ist, Dämonen zu fangen. Tust du mir den Gefallen?«

»Klar. Macht es dir was auch, wenn ich weiterpacke, während wir reden?«

»Noch besser, ich helfe dir.«

Im Verlauf der nächsten Stunde packten sie Kartons, während Riley beschrieb, wie es war, die einzige Frau in einem männerdominierten Beruf zu sein. Sie sprach von den guten und den schlechten Seiten, der erstaunlichen Unterstützung, die sie erfahren hatte, sowie dem Hass, der ihr entgegengeschlagen war. Sie achtete sorgfältig darauf, keine Namen zu nennen, aber auf ihre Weise gab sie Blaze … Susan genau das, was diese brauchte.

»Wie kannst du das nur Tag für Tag ertragen?«, fragte die Schauspielerin und klebte eifrig einen Karton mit Geschichtsbüchern zu.

»Ich mache es einfach. Es ist nicht sehr viel anders als das, was andere Frauen tun. Sie stehen jeden Morgen auf und machen ihren Job. Meiner besteht zufällig darin, Dämonen zu fangen.«

Susan legte die Klebebandrolle beiseite. »Genau das muss ich wissen. Ich bekomme von so vielen Mädchen Post, die genau das machen wollen, was ich in der Sendung mache.

Darum wünsche ich mir, dass Blaze etwas realistischer wird, verstehst du?«

»Kann Hollywood überhaupt realistisch?«, fragte Riley.

»Hin und wieder. Was die Techniken der Dämonenjagd angeht, sind wir immer noch jenseits von Gut und Böse, aber ich würde mir wünschen, dass die Serie mehr von den Mühen, der Wirklichkeit des Jobs zeigt. Ich glaube, den Zuschauern würde es gefallen.« Sie warf einen Blick auf ihr Handy. »Oh, ich sollte mich besser auf die Socken machen. In einer halben Stunde muss ich in der Maske sitzen.«

Als Susan die Tür öffnete, um zu gehen, zögerte sie. »Ihr müsst vorsichtig sein. Ich … habe gerüchteweise gehört, dass der Produzent einen Maulwurf in eurer Zunft hat. Der Typ versucht herauszubekommen, was genau bei der großen Schlacht passiert ist. Sie wollen daraus eine extra Mini-Serie machen.«

Susan hatte gerade ihren Chef verpfiffen. Das verdiente Respekt.

»Danke. Ich werde es weitergeben, ohne deinen Namen zu erwähnen. Was mich angeht, haben wir nur Kartons gepackt und ein Gespräch unter Frauen geführt.«

Susan lächelte. »Gut. Du bist übrigens echt cool. Das wollte ich nur mal sagen.«

»Du auch«, erwiderte Riley und meinte es ernst.

Kurz nachdem die Schauspielerin gegangen war, rief Riley bei Harper an und ließ ihn wissen, dass sie ein Problem hatten, ohne den Namen ihrer Quelle zu nennen.

»Hab mir schon gedacht, dass jemand es mit so einem

Trick probiert«, antwortete er. »Die Überprüfung durch den Bundesverband kann man in der Pfeife rauchen.«

»Glauben Sie, es ist Lambert?«

»Könnte sein. Oder Fleming. Oder einer der Neuen, die Stewart in zwei Wochen ausbilden will. Keine Sorge, wir werden den Kerl finden und ihm ordentlich in den Arsch treten. Danke für den Tipp.«

Erst als sie aufgelegt hatten, wurde Riley bewusst, dass Harper sich zum ersten Mal bei ihr für irgendetwas bedankt hatte.

## 26. Kapitel

Obwohl eine schillernde Auswahl phantastischer Kleider auf dem Ständer vor ihr hing, schüttelte Riley bekümmert den Kopf.

»Bist du sicher, dass dir keines von denen gefällt?«, fragte Simi verzweifelt. Was völlig berechtigt war, da sie bereits im vierten Laden waren, der Nachmittag sich dem Ende entgegenneigte und Riley immer noch nicht das perfekte Kleid gefunden hatte. Oder wenn sie eines gefunden hatte, es viel zu teuer gewesen war.

»Die passen nicht zu mir.«

»Erklär mir das bitte«, sagte Simi grantig, da sie seit einer Stunde keinen Kaffee mehr bekommen hatte, was bei den meisten Leuten etwa einem Tag ohne Koffein entsprach. Nicht einmal Blaze' Foto mit dem Autogramm hatte gegen ihre Entzugserscheinungen gewirkt.

Riley wusste, dass ihrer Freundin gleich der Geduldsfaden reißen würde, und ging behutsam zu Werke.

»Ich möchte etwas haben, das so cool ist, dass es Beck den Kopf verdreht, aber ich kann keine zweihundert Dollar ausgeben. Es darf nicht mehr als einen Hunderter kosten.« Sie hatte zwar das Geld aus der Lebensversicherung ihres Vaters, aber das sollte noch ziemlich lange reichen. Es gab keinen Grund, so viel davon für einen einzigen Ball auszugeben, egal, wie wichtig er war.

Simis Augenbrauen zuckten nachdenklich. »Okay. Dann lass uns von hier verschwinden. Wir werden uns etwas Koffein besorgen, und dann gehen wir zu diesem einen Secondhandladen, den ich kenne.«

»Eigentlich müsste es doch ganz einfach sein«, beschwerte sich Riley, als sie den Laden verließen.

»Bei dir und diesem Dämonenfänger ist nichts einfach, Herzchen. Warum sollte es jetzt plötzlich anders sein?«

»Was ziehst du an?«

»Ich habe ein unglaubliches Kleid in Schwarz und Weiß gefunden. Es ist total sexy, Peter wird es lieben. Ich habe nur noch keine Strümpfe in der richtigen Farbe gefunden.«

Wer Simi kannte, wusste, dass weder Schwarz noch eine andere normale Farbe für die Strümpfe in Frage kamen.

*Wahrscheinlich leuchtend Orange.*

Die Verkäuferin im Secondhandladen schätzte die Situation einschließlich des eingeschränkten Budgets ein und übernahm das Kommando.

»Schulterfrei?« Riley schüttelte den Kopf. »Hoher oder tiefer Nackenausschnitt?«

»Tief ist gut, aber nicht so tief, dass es nuttig wirkt.«

»Klassisch oder gerüscht?«

»Klassisch.« Das war der Stil ihrer Mutter gewesen.

»Farbe?«

»Alles außer Schwarz.« Mit ihren siebzehn Jahren hatte sie diese Farbe schon zu oft getragen.

Wie durch Zauberhand tauchten die Kleider in der Umkleidekabine auf. Das erste war richtig schick, ein rotes Seidenteil, aber es war ein wenig zu eng. Das nächste war zu protzig für Rileys Geschmack. Drei Kleider später regte sich ein leises Gefühl der Hoffnung in ihr.

Die Verkäuferin zog Riley den Stoff über den Kopf. Der Reißverschluss am Rücken ging hoch, sie drehte sich um, und … hatte das perfekte Kleid gefunden.

Königsblauer Samt schmiegte sich auf unbeschreibliche Weise an ihren Körper, die Farbe passte perfekt zu ihrem Teint. Winzige Rosetten aus Satinband säumten den Halsausschnitt und ließen genau die richtige Menge vom Schlüsselbein sehen. Der weiche Stoff fiel über ihre Hüften und hatte genau die richtige Länge für Schuhe mit niedrigen Absätzen.

Ängstlich schaute sie zu Simi. »Was meinst du?«

Ein violett lackierter Daumen schoss in die Höhe. »Das ist es. Du siehst um-wer-fend aus.«

»Wie viel?«, fragte Riley und drückte sich die Daumen.

»Fünfundsiebzig«, antwortete die Verkäuferin.

Damit blieb noch genug übrig, um einen Longslip und vielleicht eine Strumpfhose zu erstehen. Schwindelig vor Freude vollführte Riley probeweise eine kleine Drehung vor dem Spiegel.

Die Prinzessin hatte ihr Gewand für den Ball gefunden.

Beck lehnte an der Wand von Rileys neuem Schlafzimmer und versuchte, wieder zu Atem zu kommen. »Musstest du unbedingt in den zweiten Stock ziehen?«, keuchte er.

Sie hätte ihn gerne damit aufgezogen, ein alter Knacker zu sein, aber sie war viel zu beschäftigt damit, selbst wieder Luft zu bekommen. Das Schlimmste war geschafft: Die Matratze, Kopfbrett und Lattenrost sowie die Kommode waren jetzt oben. Blieben noch ein paar Kartons und ihre Klamotten, Zeug, das sie auch allein hochschleppen konnte.

Beck wischte sich den Schweiß von der Stirn. »Wenn du noch einmal umziehst, dann aber gefälligst irgendwohin, wo es nicht so viele Treppen gibt, so wie bei mir.«

Riley brauchte einen Moment, um zu kapieren, was er da gesagt hatte. War das ein Versprecher gewesen? Bei ihm konnte man sich dessen nie sicher sein.

»Ich werde daran denken«, sagte sie und versuchte, nicht zu viel in seine Worte hineinzuinterpretieren.

Er kramte in seinem Rucksack und förderte einen Stapel Papiere zutage. »Das hier ist der letzte Teil vom Dämonenfänger-Handbuch deines Dads. Du bist schon längst viel weiter, also dachte ich, du solltest das komplette Handbuch haben.«

Dankend nahm sie die Seiten entgegen. Nachdem sie das Bett zusammengebaut hatten, brach Beck auf. Er humpelte stärker als üblich. Er habe noch etwas zu erledigen, sagte er, aber sie war klug genug, nicht genau nachzufragen, was das sein könnte.

*Vielleicht lässt du mich ja eines Tages die Zugbrücke über deinen Burggraben überschreiten.*

Becks erster Anlaufpunkt nach dem Umzug war ein Florist, wo er sich entscheiden musste, welche Blumen Riley gefallen würden und wo sie sie tragen sollte. Die Auswahl war schwindelerregend. Nach dieser quälenden Prozedur zog er weiter zum nächsten Laden: Ein neuer Anzug musste her. Stewart hatte ihm ein Geschäft empfohlen, das nicht zu teuer war, in dem er aber einen geeigneten Anzug bekommen würde.

*Dieses Gedate ist echt nicht einfach.* Mit Louisa war es nie so kompliziert gewesen, aber damals hatte er auch kein Geld für Schnickschnack wie einen Anzug oder Blumen oder irgendetwas übrig gehabt. Es hatte Lou das Herz gebrochen, dass er sie nicht gebeten hatte, mit ihr zum Abschlussball zu gehen, aber tief in ihrem Inneren hatte sie den Grund dafür gekannt. Stattdessen war sie mit Cole zum Ball gegangen. In derselben Nacht war Beck betrunken in die Messerstecherei mit Mr Walker geraten und wurde anschließend für seine Sünden nach Atlanta ins Exil geschickt.

Jetzt hatte er die Gelegenheit, sich einen Teil des Lebens zurückzuholen, den er verpasst hatte, und er würde verdammt sein, wenn irgendetwas oder irgendjemand das ruinieren würde.

Der letzte Teil des Umzugs war der schwierigste: Riley musste die Wohnung gründlich saubermachen, damit sie die Kaution zurückbekam. Sie saugte sogar die Lüftungsgitter der Heizung ab und brauchte mehr als fünf Stunden. Sobald die Wohnung sauber war, schleppte sie die Putzsachen hinunter ins Auto, dann ging sie ein letztes Mal in das Gebäude.

Riley stand in der offenen Tür und musterte die leere Wohnung. Kein schäbiges Sofa, keine Fellflusen von Max auf dem Fußboden. Was würden die nächsten Mieter wohl mit den Räumen anstellen? Die Wände in einer anderen Farbe als diesem langweiligen Hellbraun streichen? Würden sie ebenso liebevoll miteinander umgehen wie sie und ihr Vater?

Sie stellte sich in die Mitte des Wohnzimmers und begann, ihre Erinnerungen zu sortieren und sie eine nach der anderen zu den Akten zu legen. Gedankenverloren berührte sie die Halskette mit der Dämonenkralle unter ihrem T-Shirt. Beck hatte sie ihr geschenkt. Simon war auch hier gewesen und hatte sie zu einer Tasse heißer Schokolade abgeholt. Selbst Justine hatte sich in die Geschichte dieser Wohnung hineingemogelt.

Sie hörte ein dezentes Hüsteln hinter sich und drehte sich um. Mrs Litinsky, ihre Nachbarin, stand in der Tür. Max, ihr Kater, schlenderte in die Wohnung und ließ sich nieder, um sich die Pfoten zu lecken.

Mrs L. hatte auf Riley aufgepasst, als sie wegen der Dämonenwunde so krank war, und der Kater hatte sie nach dem

Tod ihres Vaters getröstet. Beide gehörten zu ihrem Leben.

»Fertig?«, fragte Mrs Litinsky.

»Ja. Ich … es ist schwer, zu gehen«, sagte Riley. Erneut wallte Traurigkeit in ihr auf.

Max begann im Zimmer herumzuschnuppern. Sie würde ihn und ihren kleinen dämonischen Zimmergefährten vermissen, der mysteriöserweise direkt nach der Schlacht auf dem Friedhof verschwunden war.

»Du kommst doch mal vorbei, um uns zu besuchen? Bitte!«, sagte die alte Frau. »Wir werden dich vermissen.«

»Mach ich, versprochen.«

Sie umarmten sich herzlich, und am Schluss strich die alte Frau Riley zärtlich übers Haar. »Dein Vater wäre sehr stolz auf dich.«

Rileys Augen brannten. »Danke, dass Sie auf mich aufgepasst haben«, sagte sie. Sie blickt zu Max hinunter, der jetzt nach ihren Schnürsenkeln schlug. »Und du auch.«

Kurz darauf hatte Riley die Schlüssel ausgehändigt, die superpingelige Inspektion überlebt und die Kaution zurückbekommen. Jetzt saß sie im Auto und warf einen letzten Blick auf das Gebäude, das ihr Zuhause gewesen war.

»Lebe wohl, Vergangenheit. Hallo, Zukunft. Ich hoffe, du wirst wesentlich besser.«

Erst gegen zehn Uhr abends hatte Riley endlich alles genauso, wie sie es haben wollte. Es hatte ewig gedauert, weil sie ständig etwas umgestellt und dann doch wieder dorthin gerückt hatte, wo es vorher gestanden hatte. Gut, dass Beck nicht hier war, sonst hätte er glatt den Verstand verloren.

Die Bilder ihrer Eltern hatte sie oben auf ein altes Bücherregal gestellt, das Mrs Ayers auf dem Speicher ausgegraben hatte. Auf dem Regalbrett darunter lagen zwei Dämonenfänger-Handbücher: ihres und das von ihrem Dad. Dazwischen stand das Bild von ihnen beiden in dem Katzenrahmen sowie eines, das Riley und ihre Mom zeigte. Das Foto von Beck als Teenager stellte sie direkt daneben.

*So ist es gut.*

»Ich brauche ein paar Pflanzen«, murmelte sie und fügte den Punkt der Liste hinzu, die auf ihrem Computertisch lag. Solange sie daran dachte, sie zu gießen, würden sie in dem hellen Turmzimmer gedeihen.

Ihr Telefon klingelte. Es war Beck. »Hey, Alter. Wie geht's?«

»Gut, Prinzessin. Wie macht sich die neue Wohnung?«

»Klasse. Es gefällt mir hier. Es fühlt sich richtig an.«

»Freut mich, das zu hören. Jackson und ich sind unterwegs zu einem Gebäude im Süden Atlantas. Die Nachbarn haben etwas von einem Dreier da unten erzählt, und wir sehen uns das mal an.«

»Passt bloß auf, ihr beiden. Ich will nicht, dass du zu zernagt bist, um mit mir zum Ball zu gehen.«

»Dafür werde ich schon sorgen«, sagte er, dann lachte er. »Schlaf gut, wir sehen uns dann morgen Abend.«

Lächelnd setzte Riley sich auf das Sofa und legte das Telefon neben sich. Mit hinter dem Kopf verschränkten Händen lehnte sie sich zurück und warf einen sehnsüchtigen Blick auf das Abendkleid, das im Türrahmen hing. Sie würde mit Denver Beck ausgehen. Simis Friseurin würde ihr die Haare und Fingernägel machen. Es würde tatsächlich geschehen.

»Bitte, lass alles superklasse werden«, betete sie. »Keine Dämonen, kein bescheuerter Alan. Lass es einfach wunderbar werden, okay?«

Nur ein einziges Mal sollte alles richtig klappen, damit sie und Den den schönsten gemeinsamen Abend verbringen konnten. Die Sorte Abend, die andere Frauen erlebten, ohne dafür beten zu müssen.

Als sie sich ihren Tagträumen hingab und sich ausmalte, wie es werden würde, fiel ihr eine Bewegung ins Auge. Als sie genauer hinschaute, entdeckte sie die winzige Gestalt eines Klepto-Dämons, der auf ihrem neuen Bücherregal entlangkroch, den Beutesack über der Schulter. Es war der Dämon aus ihrer alten Wohnung, und da Stewart sein Haus nicht mit Weihwasser schützte, war er offensichtlich mit ihr umgezogen.

»Hey!«, sagte sie. »Bist du verrückt? Das hier ist das Haus eines Großmeisters!«

Die kleine Elster blieb stehen, dann zuckte sie die Schultern, als sei das nicht der Rede wert.

»Versuch, nichts zu stehlen, was er vermissen könnte, okay? Ich will nicht, dass er mich rauswirft.«

Eine Reihe schriller Geräusche ertönte, vermutlich die

Höllenbrut-Version von »Mir doch egal.« Mit einer plötzlichen, verschwommenen Bewegung war ihr ständiger Mitbewohner verschwunden.

Jetzt fühlte sie sich hier richtig zu Hause.

❖

Der wirbelnde Chicagoer Schneesturm machte Riley nahezu blind, aber auf den Engel neben ihr schien er keinerlei Effekt zu haben.

»Ich kann überhaupt nichts sehen«, beschwerte sie sich. Oder besonders viel spüren, da die Kälte sich direkt bis in ihre Knochen zu beißen schien.

»Benutze deine Sinne«, gab Ori zurück.

»Meine Sinne können auch nichts sehen. Was für Dämonen sind überhaupt bei so einem Wetter unterwegs?«

»Diejenigen, die wir töten müssen«, antwortete Ori. »Einer, der den Höllenfürsten verraten hat.«

Eine Sekunde später gellte ein schrilles Kreischen durch den Sturm, ein hoher Schrei kündete vom Entsetzen eines Sterblichen.

»Wo ist er?«, wollte sie wissen.

Der Engel antwortete nicht, sondern ließ sie wie eine Idiotin durch die wirbelnden Flocken stolpern. Ein weiterer Schrei zerriss die Luft und schien tief in ihren Schädel einzudringen. Panik stieg in ihr auf. Riley schloss die Augen und vertraute jenen Sinnen, von denen Ori ständig redete.

Prompt stieg ihr der kräftige Dämonengestank in die Nase

und ließ sie beinahe würgen. Sie machte die Augen auf und eilte voran. Dann sah sie ihn, eine einen Meter zwanzig große, schwerfällige, mit Eis und Schnee bedeckte Gestalt. Chicagos Version eines Yetis.

Der Gastro-Dämon hatte zwei Teenager in die Ecke gedrängt. Der entsetzte Junge hatte sich vor das Mädchen gestellt und versuchte, den Dämon mit seiner Laptoptasche abzuwehren. Das erinnerte sie an Peter. Das Mädchen weinte ins Telefon und flehte jemanden an, ihnen zu helfen.

Riley ging näher und ließ das Schwert aus ihrer Hand emporwachsen. Sie musste zugeben, dass es echt total cool aussah.

»Hey, Dämon!«, rief sie laut. »Ja, du da!«

Der Höllendiener wirbelte herum, die beiden glühenden Augen durchbohrten den Schneeschleier. Er heulte ihren Namen.

*Denk daran, was ich dich gelehrt habe*, flüsterte Ori in ihrem Kopf.

Der Dreier griff sofort an und bewegte sich in einem Tempo, mit dem sie nicht gerechnet hatte. Sie schlug zu und verwundete ihn am Arm, als er vorbeisauste. Wütend brüllte er auf, schlug mit seinen rasiermesserscharfen Klauen auf sie ein und fügte ihr eine klaffende Wunde an der Wange bei. Riley unterdrückte einen Schmerzensschrei und versuchte, auf dem rutschigen Straßenpflaster das Gleichgewicht zu behalten.

Mit lautem Gebrüll stürzte sich der Dämon erneut auf sie. Dieses Mal gelang es ihr, genau das zu tun, was Ori ihr beigebracht hatte: In letzter Minute beiseitezutreten und den Dämon direkt in der Brust zu erwischen.

Die blitzende Klinge ging glatt durch, der Dreier stürzte in den Schnee, und sein Blut dampfte wie ein Kessel auf dem Feuer. Als sie mühsam wieder zu Atem kam, rief der Junge ihr laut seinen Dank zu. Sie scheuchte ihn fort, und die beiden flüchteten in die Nacht.

»Haben sie dich gesehen?«, fragte sie und richtete sich auf.

»Nein. Und sie werden sich auch nicht daran erinnern, wie du ausgesehen hast, fall irgendjemand sie fragt«, erklärte Ori.

Er machte eine Handbewegung, und der Dämon ging in Flammen auf, ein grässliches Freudenfeuer in der bitterkalten Winternacht.

Sobald ihr Schwert verschwunden war, berührte Riley ihr Gesicht, wo der Dämon sie erwischt hatte. Es brannte, und ihr Kiefer tat weh.

»Halt still«, befahl ihr Herr. Er strich ihr mit der Hand übers Gesicht, und die Wunde heilte. Der Moment erinnerte sie an jene Nacht im Mausoleum, daran, wie er sie geliebt hatte.

»Was ist mit dir geschehen, Ori? Warum bist du so verändert?«

»Das spielt keine Rolle«, sagte er, doch der Blick des Engels wurde traurig, als würde er sich ebenfalls an jene Nacht erinnern und an das, was sie einst hatten.

*Für mich schon.*

Dann war sie wieder in ihrem Zimmer, aber die Kälte und

das Gefühl, etwas verloren zu haben, konnte sie nur schwer abschütteln.

Es war beinahe Mittag, und der Parkplatz vor dem ehemaligen Starbucks war überfüllt mit Schülern, die alle in ihren Cliquen zusammenstanden und quatschten. Riley unterdrückte ein Gähnen. Sie war noch nicht bereit, sich dem Lärm auszusetzen. Mit jedem dieser nächtlichen Jagdausflüge wuchs ihr schlechtes Gewissen. Sie musste Beck erzählen, was los war, aber was, wenn er ausflippte? Und beschloss, nicht mit ihr zum Abschlussball zu gehen?

*Ich warte bis nach dem Ball und erzähle es ihm dann. Genau, das ist gut.*

Vor ihr lagen vier Stunden Unterricht, um den Stoff aus der Zeit nachzuholen, als die Schulen wegen der Zombie-Dämonenkrise geschlossen waren. Niemand wollte hier sein, denn heute Abend fand der Abschlussball stattfand. Selbst diejenigen, die nicht hingehen würden, sprachen darüber.

Das ging auch Riley nicht anders, die den Kopf voll hatte mit den Sachen, die sie noch zu erledigen hatte, bis Beck sie um sieben Uhr abholen würde. Ihr Haar-und-Nägel-Termin war um halb sechs, anschließend musste sie nach Hause rasen und mit der Verwandlung von einer abgewetzten Dämonenfängerin in die Prinzessin beginnen, für die ihr Verehrer sie hielt. Sie hatte bereits alle Klamotten herausgelegt, trotzdem würde es knapp werden.

Um ihre tobenden Nerven zu beruhigen, drehte Riley eine Runde auf dem Parkplatz und verteilte die Autogramme, Fotos und sonstigen Kram vom *Dämonenland*-Team. Die Reaktionen folgten prompt: Sobald Brandy das persönlich unterschriebene Foto von Jess Storm in den Händen hielt, drehte sie durch und stieß einen ihrer Überschall-Freudenschreie aus. Als Riley die anderen Mitbringsel unter Brandys Freundinnen verteilte, konnten sie ihr Glück kaum fassen und verglichen die Fotos und Unterschriften.

»Du bist echt cool, Riley«, sagte eines der Mädchen.

*O ja.* Sie hatte sich wie versprochen für die anderen eingesetzt.

»Ist Blaze in echt genauso zum Dahinschmelzen wie im Fernsehen?«, fragte Peter und betrachtete das Hochglanzfoto in seiner Hand. Die Schauspielerin hatte noch einen Lippenstiftkuss unten links in die Ecke auf seinen Namen gedrückt.

»Mehr oder weniger. Sie ist ziemlich nett. Nicht so ein albernes Ding, wie ich gedacht hatte.«

»Das habe ich jetzt nicht gehört, dass du meine Lieblingsschauspielerin beleidigt hast.«

»Das ist vermutlich das Beste.«

»Alan ist wieder da«, sagte er. »Der Neandertaler hat mich belauscht, als ich mit Brandy geredet habe, also weiß er jetzt, dass du zum Abschlussball gehst.«

Ehe sie ihm sagen konnte, wie bescheuert das war, klingelte ihr Handy. Es war Beck, und es tat gut, seine Stimme zu hören. »Hi, alles klar für unseren gemeinsamen Abend?«

»Äh«, sagte er. Er klang angespannt. »Es ist nur …«

»Was ist los?«

»In Little Five Points, in der Nähe von Morts Haus, haben wir ein Rudel Dreier aufgespürt. Normalerweise treiben sie sich nicht dort rum, das ist neu. Jackson, Reynolds und ich werden sie uns vornehmen. Heute Nachmittag.«

*Wage es nicht, mich sitzenzulassen.* »Heute Nachmittag? Schaffen die beiden das nicht allein?«

»Nicht ohne Rückendeckung, und sonst hat niemand Zeit. Ich verspreche dir, ich komme zum Ball, aber unser schickes Abendessen müssen wir verschieben.«

Peter starrte sie an, wahrscheinlich, weil ihre Miene immer finsterer wurde.

»Sag ihnen, dass du ein Date hast«, sagte sie mit zusammengebissenen Zähnen.

»Keine Sorge, ich komme zum Ball. Ich lasse dich nicht hängen. Aber jetzt muss ich Schluss machen. Bis später. Ich kann es kaum erwarten.« Damit legte Beck auf, als wüsste er, dass jede weitere Sekunde am Telefon lebensgefährlich werden könnte.

»Äh, ich glaube, ich gehe schon mal rein«, sagte Peter und zog sich langsam zurück.

»Er will Dämonen fangen«, fauchte Riley. »An dem Abend, den wir zusammen verbringen wollten und …« Sie schleuderte ihr Telefon zurück in den Rucksack. »Er will mich beim Ball treffen. Wie bescheuert sieht das denn aus?«

»Brauchst du eine Mitfahrgelegenheit?«

Sie nickte. »Ich schwöre dir, ich bringe ihn um. Vor Gericht werde ich mein neues Kleid tragen, und keine Jury wird mich verurteilen. Wahrscheinlich werden sie mir sogar einen Orden verleihen oder so.«

Wie aus dem Nichts tauchte Alan auf. Sie wusste, was jetzt kommen würde, als sei es irgendwo festgeschrieben.

»Ich gehe mit dir zum Ball, Riley«, bot er an. »Ich werde dich nicht abservieren wie dieser Depp.«

Als sie sich zum Gehen wandte, ergriff er ihren Arm.

»Komm schon, wach auf!«, sagte Alan. »Hör auf, dich wie eine Idiotin zu benehmen. Er ist doch überhaupt nicht dein Typ.«

»Wie oft soll ich es dir noch sagen? Ich will nichts mit dir zu tun haben. Lass mich in Ruhe!«

»Riley …«

Sie hatte ihn aufgeregt, was immer gefährlich war. »Verpiss dich, Alan! Ich schwöre dir, ich werde dich in Stücke reißen, wenn du mir weiter so blöd kommst.«

Sie spürte das vertraute Kribbeln in der rechten Hand. Mit etwas Konzentration würde ein Flammenschwert daraus hervorlodern und diesen jämmerlichem Vertreter der Menschheit in Sushi verwandeln. Riley zwang sich, tief einzuatmen, damit sie sich wieder beruhigte. Das Zusammensein mit Ori begann, sie auf eine Weise zu verändern, die ihr nicht gefiel.

Peter pfiff leise vor sich hin und ging zur Tür, er spürte, dass Rückzug jetzt das Beste war. Riley murmelte ein paar Flüche in der Höllensprache und folgte ihm. Alan hielt sich glücklicherweise zurück, ihre Wut hatte ihn verblüfft verstummen lassen.

Ihr ganz besonderer Abend glich einem Schiff, das mitten in einem schweren Sturm auf ein Riff aufgelaufen war und langsam unterging.

*Warum überrascht mich das eigentlich?*

## 27. Kapitel

Nachdem seine Pläne für ein romantisches Dinner sich zerschlagen hatten, sank Becks Laune auf den Nullpunkt. Er hatte alles so sorgfältig geplant, und dann machte so ein verdammtes Dämonen-Trio ihm einen Strich durch die Rechnung. Er brauchte gar nicht erst auf die Uhr zu schauen, um zu wissen, dass er viel zu spät dran war und Riley fuchsteufelswild sein würde.

Er hatte keine andere Wahl gehabt. Das Rudel hatte sich auf ein paar ältere Mitbürger gestürzt, und nur mit viel Glück waren die drumherum gekommen, als Mahlzeit zu enden. Jetzt kauerten die tobenden Dämonen aufgereiht in ihren Stahlnetzen und heulten, als sei das Ende der Welt nah. Einer von ihnen blutete, und das ging auf Becks Konto.

»Verdammt, haltet eure beschissenen Schnauzen«, rief er.

»Mann, bist du bei dem da völlig ausgerastet oder was?«, fragte Reynolds und zeigte auf den Dreier mit dem kaputten Arm. »Hast du irgendwie Ärger, Den?«

Obwohl er wusste, dass die anderen keine Schuld traf, spuckte Beck seinen Frust über die verbockten Pläne für den Abend aus.

Reynolds und Jackson wechselten Blicke.

»Der Abschlussball? Das ist cool«, sagte Reynolds.

»Nein, ist es nicht. Ich bin zu spät dran, und sie wird total sauer sein.«

»Dann solltest du besser deinen Arsch von hier wegschaffen«, sagte Jackson. »Wir kümmern uns um die Dinger.«

»Seid ihr sicher?«, fragte Beck.

»Hau schon ab!«, sagte Reynolds und versetzte ihm einen spielerischen Stoß. »Lebe mal ein bisschen, Alter. Du kannst uns bei Gelegenheit ein Bier ausgeben für unsere Mühe.«

»Danke Jungs, ihr habt was gut bei mir.«

Obwohl sein Fuß weh tat, sah er zu, dass er wegkam.

Als sie sich anzog, kochten Rileys Gefühle wie ein See aus Lava. Es war albern, aber sie hatte davon geträumt, die lange Treppe in Stewarts Haus herabzuschweben, während ihr gutaussehender Verehrer sie unten erwartete. Sie hatte sogar schon einen Probeabstieg gemacht, um zu entscheiden, ob das Kleid zu einem Problem für die hohen Absätze werden würde. Als niemand in der Halle war, natürlich.

Und jetzt war kein Beck da.

»Verdammt«, fluchte sie und zerrte an ihrer Strumpfhose herum.

Das Dinner wäre echt cool gewesen, aber der Ball war das große Ereignis. Wie blöd würde sie dastehen, wenn er nicht auftauchte? Sie konnte wetten, dass Alan es bemerken und ihr deswegen die ganze Zeit auf die Nerven fallen würde. Er würde sich nicht verpissen, egal, was sie sagte.

Warum musste Beck heute unbedingt Dämonen fangen? Warum konnte er nicht einfach Nein sagen?

Sobald er zu Hause war, sprang Beck unter die Dusche, rasierte sich in Windeseile, warf sich in Schale, band hastig seine neue Krawatte und stürmte wieder zur Tür hinaus. Es war die reinste Folter, sich an die Geschwindigkeitsbegrenzung zu halten, aber bei seinem Glück würde ein Cop ihn rauswinken, und dann würde er glatt noch in einen Streit verwickelt werden und im Knast landen.

*Ich benehme mich wie ein kleiner Junge vor seinem ersten Date.*

Und genauso fühlte er sich auch. Mit Riley war alles neu und wunderbar, und er wollte, dass dieses Gefühl anhielt. Doch seine erste große Gelegenheit, einen guten Eindruck zu hinterlassen, löste sich vor seinen Augen in Wohlgefallen auf. Er hoffte, dass es kein Vorbote für ihre gemeinsame Zukunft war.

Riley war so eingenommen von ihrem eigenen Elend, dass sie gar nicht merkte, dass das Auto auf dem Hotelparkplatz angehalten hatte. Mit besorgten Mienen drehten Simi und Peter sich gleichzeitig auf den Vordersitzen um. Riley seufzte. *Du hast ein phantastisches Kleid und eine Karte für den Ball. Du wirst es überstehen.*

Sie folgte ihren Freunden zum Hoteleingang und bummelte neben ihnen her. Peter nahm ihre Hand und legte Simi den Arm um die Taille.

»Hey, seht mich an. Ich habe heute zwei total scharfe Mädchen an meiner Seite.«

Als Riley nicht lächelte, seufzte er. »Beck wird kommen. Dieser Typ würde durchs Feuer gehen, um bei dir zu sein.«

»Das hat er selbst gesagt«, fügte Simi hinzu.

»Ich hoffe, ihr habt recht«, erwiderte Riley. »Ich will nur sein Gesicht sehen und wissen, dass ihm nichts passiert ist. Ich bin wütend auf ihn, aber …«

*Gott, mich hat's echt erwischt.*

Riley schob sich mit der Warteschlange vor und zeigte ihre Karte, dann folgten ihre Freunde ihr in den Lichthof des Hotels. Es war ein offener Bereich mit Oberlichtern, die einen phantastischen Blick auf den klaren Nachthimmel boten. Echte Bäume wuchsen in riesigen Töpfen, geschmückt mit winzigen weißen Lampen. Große Steinplatten bildeten Pfade durch die Bäume, zwischen denen hier und dort Bänke verstreut standen. Pärchen schlenderten die Wege entlang, die Mädchen in allen Regenbogenfarben gekleidet, wie ein bewegter Blumengarten.

»Das ist ja nett hier«, sagte sie. »Wie ein Märchenland.«

*Komm schon, Den. Das darfst du nicht verpassen. Wir haben beide einen Abend für uns verdient.*

Ihr Blick wanderte von einem Paar zum nächsten. Manche passten gut zusammen, andere wiederum … nicht so gut. Als sie ihre Freunde mit demselben kritischen Blick musterte, wurde ihr klar, dass sie gut zueinander passten. Simi lachte über etwas, das Peter gesagt hatte, und es klang völlig ungezwungen. Sie genossen aufrichtig die Gesellschaft des anderen. Wenn Peters Mom noch in der Stadt leben würde, hätte es diesen Abend so vermutlich gar nicht gegeben.

Wie üblich war Simi bei der Kleiderwahl mal wieder sehr kreativ gewesen. Sie trug ein kurzes Kleid im Harlekinstil und knallpinke Strümpfe, in denen sie aussah, als sei sie aus einer Punk-Rock-Band geflohen. Ihr Haar war eine Mischung aus Schwarz, Silber und Pink, aber in dieser Kombination sah es einfach großartig aus. Peter trug einen schwarzen Anzug und eine zu Simis Strümpfen passende Krawatte. Seine Haare waren an den Spitzen zu Stacheln gegelt, und er sah echt stark aus, trotz des leichten blauen Auges von seiner Bekanntschaft mit Alans Faust.

Unversehens wurde Riley nervös und nestelte an den Blumen in ihrem Haar herum, zierliche rosafarbene Orchideen mit Schleierkraut, ein Geschenk von Beck, das heute Nachmittag geliefert worden war.

*Hör auf, dir Sorgen zu machen. Er hätte sie nicht geschickt, wenn er nicht hätte kommen wollen.*

Ihr Freunde beobachteten sie und wollten sie nur widerstrebend allein lasen.

»Geht schon. Ich warte hier. Mir geht's gut«, flunkerte sie.

»Du findest uns, wenn er auftaucht, oder?«, sagte Simi.

»Klar.«

Sie schlenderten davon, blieben hier und da stehen, um sich mit anderen Schülern zu unterhalten. Neben dem Korridor, der zum Festsaal führte, entdeckte sie Brandy mit ihrem Begleiter, einem ziemlich hochgewachsenen Typ. Er sah richtig gut aus, und Riley fragte sich, wo sie den wohl aufgegabelt hatte. Weiter hinten in der Halle stand der Möchtegernvampir aus ihrer Klasse, den Riley auf den Namen Vlad getauft hatte. Er trug einen klassischen Smoking, seine Begleiterin ein langes, schwarzes Abendkleid. Das blonde Haar fiel ihr in langen Wellen über den Rücken, und man sah kein einziges Tattoo oder Piercing. Als Vlad lächelte, fiel ihr auf, dass seine falschen Vampirzähne fehlten. Vielleicht hatte seine Balldame ein ernstes Wörtchen mit ihm geredet.

Als ihr Blick auf einen anderen Kerl fiel, drehte sich ihr der Magen um. Alan. Er starrte sie an. Ehe sie die Chance hatte, zu flüchten, hatte ihr Ex sich vor ihr aufgebaut.

»Sieh es doch ein, er hat dich sitzenlassen. Wie fühlt sich das an?«, höhnte er.

Jetzt war nicht der richtige Zeitpunkt, um sich mit diesem Typen anzulegen.

Riley wusste, dass es Zeitverschwendung war, mit ihm zu reden, und ging durch den Lichthof davon. Mittlerweile hatte sie weniger Angst vor Alans Fäusten als davor, was er ihren Freunden antun könnte. Je öfter sie ihn abwies, desto explosiver wurde er. Irgendwann demnächst würde es zum großen Showdown kommen, und er würde überrascht feststellen, dass sie nicht mehr dasselbe Mädchen war, das er vor zwei Jahren geschlagen hatte.

Begeistert stellte Riley fest, dass auch der Ballsaal wie ein Märchenland dekoriert war. Hauchdünne Flügel hingen von der Decke herab und glänzten im gedämpften Licht. Die Tische waren mit silbernen Bändern geschnürt, und an den Sesseln waren Luftballons befestigt. Eine schillernde Seifenblase schwebte vor ihrer Nase vorbei, erzeugt von einer Seifenblasenmaschine im vorderen Teil des Saals. Simis bizarre Haarfarben erwiesen sich als Segen, da Peter und sie im gedrängt vollen Ballsaal leicht zu finden waren.

Als Riley sich zu ihnen gesellte, tauschten sie untereinander kurze Blicke, und die Botschaft wurde übermittelt: kein Beck.

»Hat der Neandertaler dich entdeckt?«, fragte Peter.

»Hat er«, erklärte Riley. »Ehe ich mit ihm tanze, gehe ich.«

Was ihr vollends den Abend ruinieren würde.

»Hast du Vlad gesehen? Er sieht heute Abend richtig menschlich aus. Wer hätte das gedacht?«

Riley ließ den Blick über die Menge schweifen, auf der Suche nach einem ganz bestimmten Paar breiter Schultern.

Immer noch kein Beck.

Wenn sie ihn mitten im Einsatz anrufen würde, könnte die Ablenkung ihn in Gefahr bringen. Besonders, wenn er versuchte, ein Rudel Dreier zu fangen.

*Er hat gesagt, er kommt. Er hält, was er verspricht. Entspann dich einfach.*

Ein neues Lied begann, und Peter und Simi gingen zur Tanzfläche. Aus dem Augenwinkel sah Riley, wie Alan sich durch die Menge schob, mit der Absicht, den nächsten Zug zu machen. Er würde es nie kapieren.

Sie kehrte ihm den Rücken zu und wappnete sich. Als eine Hand sich auf ihren Ellenbogen legte, drehte sie sich um, bereit, eine Tirade vom Stapel zu lassen.

Die ätzenden Worte erstarben ihr in der Kehle. Es war ihr Held.

Becks Gesicht war gerötet, als sei er gerannt. »Hey«, sagt er und holte tief Luft, um sich zu beruhigen. »Ich habe es geschafft.« Er musterte sie von Kopf bis Fuß, und seine Augen weiteten sich anerkennend. »Sieh dich an. Dieses Kleid ist … so etwas habe ich noch nie zuvor gesehen. Du bist so wunderschön, Riley.«

*Er steht in einem ganzen Saal voll schöner Mädchen, und alles, was er sieht, bin ich? Wie abgefahren ist das denn!*

Riley würde diese Szene am liebsten für den Rest ihres Lebens wiederholen. Er. Sie. Alles davon.

»Tut mir leid, dass ich zu spät gekommen bin«, fügte er hinzu. »Wir haben alle drei erwischt, und niemand wurde verletzt.«

Das waren gute Neuigkeiten. »Dir ist vergeben«, sagte sie und berührte das Revers seiner Jacke. »Der Anzug ist neu. Richtig schick.« Er passte besser als der alte und betonte seine muskulöse Statur.

Er lächelte, erfreut über das Lob. »Ich fand, der andere hat schon zu viel Leid gesehen. Das hier ist ein Neuanfang für uns, und da wollte ich es richtig machen.«

Riley strich vorsichtig seine Krawatte glatt. »Die passt zu meinem Kleid. Wie kann das sein?«

»Ach, möglicherweise hatte ich dabei etwas Hilfe«, sagte Beck. »Also, wie sieht's aus, wollen wir tanzen, hübsche Lady?« Er bot ihr seinen Arm, und sie hakte sich ein.

»Ja …« *Für immer.*

Beck war so aufgedreht, dass er eine Weile brauchte, um sich zu entspannen. Am Ende des ersten Tanzes fühlte er sich besser. Es hatte alles geklappt, obwohl es von Anfang an eine verrückte Idee gewesen war.

Nach dem Tanz setzten sie sich zu Simi und Peter an einen Tisch, woraufhin die beiden Frauen prompt zu einem der geheimnisvollsten Orte des Universums verschwanden: der Damentoilette.

»Hey, Alter«, sagte Peter und boxte Beck gegen die geballte Faust. »Schön, dich zu sehen. Ich hab ihr immer wieder gesagt, dass du kommst.«

»Danke. Blöd, dass ich so spät dran bin, aber es ging nicht anders.«

»Weiß sie, dass Simi dir den Flyer gegeben hat?«

»Nein. Besser, wir belassen es dabei«, erwiderte Beck. »Hat perfekt funktioniert.«

Peter ließ den Blick durch den Ballsaal schweifen, und als Beck ihm folgte, blieb er an Alan hängen.

»Hat er sie heute Abend belästigt?«

»Ein bisschen, aber sie wird inzwischen mit ihm fertig. Sobald er versucht, sich an sie ranzumachen, wird sie ihm ordentlich eine verpassen.«

Beck nickte. »Wie ich hörte, hast du das genauso gemacht.«

»Ja, ich konnte einen Treffer landen, ehe er mich plattgemacht hat. Aber ich bereue es nicht.«

Beck feuerte einen warnenden Blick auf den Angreifer ab, der besagte, dass er ernsthafte Probleme bekommen würde, wenn er Riley weiterhin nachstellte. Alan zog ein finsteres Gesicht, doch dann verkrümelte er sich, wahrscheinlich auf der Jagd nach einem anderen armen Mädchen, dem er eine reinhauen konnte.

Peter senkte die Stimme. »Es geht mich wahrscheinlich nichts an, aber ist das jetzt eine einmalige Verabredung oder …?«

»Es hängt ganz von Riley ab«, sagte Beck und nippte an der Bowle. Für seinen Geschmack war sie zu fruchtig, und er stellte das Glas zurück auf den Tisch. »Ich hätte es gerne, wenn daraus etwas Langfristiges wird. Ich bin es leid, mich mit Frauen herumzuärgern, die die Mühe nicht wert sind.«

Peter nickte beifällig, begleitet von einem breiten Grinsen. »Gut! Lüg sie bloß nicht an oder behandle sie wie ein Kind, dann wird alles gut.«

»O ja, diese Lektionen habe ich bereits gelernt.« *Auf die harte Tour.*

Als die beiden Frauen zurückkamen, ertappte Beck sich dabei, dass er Riley ehrfürchtig anstarrte und sich fragte, was er angestellt hatte, um sich die Ehre zu verdienen, Paul Blackthornes Tochter zum Abschlussball begleiten zu dürfen. Er hatte gewusst, dass sie hübsch war, selbst wenn sie mit Dämonenpisse besudelt und ihre Jeans ruiniert war, aber dieses Kleid umschmeichelte jede Kurve und brachte sein Blut in Wallung. Ihr lockiges, braunes Haar fiel schimmernd über die Schultern, und er wünschte sich nichts sehnlicher, als diese Locken zu berühren.

Als *sie* zu berühren.

Beck riss sich zusammen, obwohl es ihm echt schwerfiel, vor allem während der langsamen Tänze, wenn sie sich so quälend nahe waren. Er kostete das Gefühl aus, ihren Körper an seinem zu spüren, den leichten Duft ihres Parfums, den Ausdruck in ihrem Blick, der ihm sagte, dass er der Mittelpunkt ihres Universums war. Es war eine neue und völlig überwältigende Erfahrung.

*Daran könnte ich mich gewöhnen.*

Während des letzten langsamen Tanzes kratzte Beck endlich seinen Mut zusammen. Er hielt seine Lippen dicht an ihr Ohr und flüsterte: »Danke, dass du an mich geglaubt hast.«

Lächelnd blickte sie zu ihm auf. »Ich wusste, dass du die Mühe wert bist, selbst als du dich in diesem blöden Sumpf verirrt hast.«

Er passte auf, dass ihr Kuss keine überstürzte Angelegenheit wurde. Wenn sie dabei aus dem Takt kämen, dann war es ihm egal. Als der Kuss endete, seufzte er verzaubert.

Er war sicher, dass irgendwo oben im Himmel Rileys Eltern beide Daumen in die Höhe streckten.

Die Fahrt zurück zu Stewarts Haus war für beide viel zu kurz. Riley spürte Becks Bedauern, dass der Abend schon zu Ende sein sollte, und ihr erging es genauso. Morgen warteten wieder Hausaufgaben, *Dämonenland* und Ori auf sie, aber heute Abend gab es nur sie beide.

Beck spielte den Gentleman und hielt ihr die Beifahrertür auf. Als sie auf das Haus zugingen, hielten sie alle paar Schritte an und küssten sich.

»Ich sollte gehen«, sagte er. »Muss ja nicht sein, dass jemand sich bei Stewart beschwert, weil wir auf seiner Veranda rumknutschen.«

Riley lachte leise. »Er liegt im Bett. Er hat gesagt, er würde ein Feuer für uns brennen lassen, falls wir noch eine Weile zusammensitzen wollen.«

Überrascht zog Beck eine Braue hoch. »Ich mag den alten Mann mit jedem Tag lieber.«

Während Beck ein Holzscheit auf die Glut legte, ließ Riley sich auf dem Sofa nieder, eine dicke Wolldecke über den Beinen. Das war nicht besonders sexy, aber sie war an dickere Kleidung gewöhnt.

»Kalt?«, fragte Beck, als er sich neben sie setzte.

»Ein wenig. Er hält es hier drin wie in Schottland. Kühl.«

»Dann mache ich meinen Job nicht richtig.«

»Was?«, fragte sie verwirrt.

Beim folgenden Kuss wurde ihr merklich wärmer.

»Besser?«, fragte er mit dem Grinsen eines Bad Boys.

»Etwas.«

Beim nächsten Kuss hatte sie das Gefühl, innerlich geröstet zu werden.

»Ist dir immer noch kalt?«, fragte er augenzwinkernd.

»Ein bisschen«, schwindelte sie.

Er beugte sich vor, und dieser Kuss war länger und intensiver als die vorigen. Ihre Zungen berührten sich sanft. Wie von allein wurde der Kuss immer inniger, während Beck eine Hand über eine Brust schob und sie umfasste. Er schien es nicht einmal bemerkt zu haben, bis sie sich voneinander lösten.

»Ach Mist, jetzt habe ich dich verärgert«, murmelte er.

»Du hast alles richtig gemacht, Den. Ich habe begriffen, warum es für uns beide so schwierig ist.«

»Ich hoffe es. Du hast anderen Kerlen vertraut und bist verletzt worden und …«

Sie legte ihm einen Finger auf die Lippen, um ihn zu stoppen. »Wir werden es schaffen. Wir werden wissen, wann es so weit ist.«

Sie schmusten wieder eine Weile. Dann rührte er sich erneut. »Hast du schon mal darüber nachgedacht, was du machen willst, wenn du mit der Highschool fertig bist?«

*Wieso will er das wissen?* »Ich würde gerne aufs College gehen, aber das ginge unmöglich in Vollzeit, wenn ich nebenbei weiter Dämonen fangen will. Was ist mit dir?«

»Ich will meinen Meister machen. Weiter nach vorn habe ich noch nicht gedacht. Na ja, zumindest, wenn es ums Dämonenfangen geht.«

Sie hielt den Atem an. Worüber hatte er sonst noch nachgedacht?

Als er nichts weiter sagte, legte sie ihren Kopf auf seine Brust, spürte seinen Atem in ihrem Haar und die sanfte Berührung seiner Finger an ihrer Schulter.

Wenn nur ein einziger Augenblick ihres Lebens für die Ewigkeit erhalten bleiben könnte, würde Riley diesen Moment wählen.

Es war beinahe Mitternacht, als sie ihn zur Tür brachte und sich dabei fragte, was wohl geschehen wäre, wenn sie noch ihre eigene Wohnung gehabt hätte. Hätte sie ihn gebeten, über Nacht zu bleiben? War es nicht zu früh, um daran zu denken?

Ihr letzter Kuss war unendlich zärtlich. »Danke, dass du meinen Traum hast wahr werden lassen«, flüsterte sie.

»Das gilt für uns beide.« Sanft berührte er ihre Wangen. »Schlaf gut. Ich werde von dir träumen, das garantiere ich dir.«

Nachdem er gegangen war, schwebte Riley die Treppe empor in ihr eigenes Bett. Ihr nahezu perfekter Abend mit Denver Beck war vorbei.

Egal, was der nächste Morgen für sie bereithielt, dieser eine Abend gehörte für immer ihnen.

## 28. Kapitel

Als wollte er sie für die romantischen Stunden mit ihrem Liebsten bestrafen, befahl Ori Riley eine Stunde, nachdem sie zu Bett gegangen war, aus ihren Träumen zu sich. Der erste Einsatz war irgendwo in Atlanta, dann waren sie in Las Vegas und zogen von dort weiter nach Seattle, wo ein kalter Regen in dunkler Nacht auf sie herabprasselte. Als alle Dämonen tot waren, war sie mit dampfendem, schwarzen Blut durchtränkt, die Todesschreie der Dämonen hallten noch in ihren Ohren nach.

»Ich kann das nicht mehr tun«, flehte sie. »Bitte …«

Ori starrte sie finster an, während der Himmel den Regen eimerweise über sie ausschüttete. »Mittlerweile solltest du in der Lage sein, alle ganz allein zu töten, aber du bist so damit beschäftigt, an diesen verfluchten Fänger zu denken und …«

»Warum tust du mir das an?«, wollte sie wissen und kam mühsam auf die Beine. »Bist du eifersüchtig auf Beck? Ist es das? Gott, wenn du mich so sehr hasst, dann bring mich doch einfach um!«

Etwas im unergründlichen Blick des Engels veränderte sich. Es war nicht Eifersucht, die sie dort sah, sondern kalte Rache. Riley wich ein paar Schritte zurück, plötzlich voller Angst.

»Du vergisst, wo dein Platz ist. Ich bin es, der deine Seele besitzt, nicht andersherum.«

»Wenn ich so erbärmlich bin, wieso gibst du dich dann überhaupt mit mir ab?«

»Weil es keine andere Möglichkeit gab.« Dann war seine Wut verflogen, genauso schnell, wie sie gekommen war. »Uns bleibt nur noch wenig Zeit. Ich möchte, dass du …« Er schüttelte den Kopf. »Es wird möglicherweise eine Zeit kommen, in der ich nicht in der Lage sein werde, dich zu beschützen. Du musst lernen zu kämpfen, um zu überleben, oder alles wäre umsonst gewesen.« Er machte eine wegwerfende Handbewegung. »Für heute Nacht sind wir fertig.«

Riley fand sich auf dem Fußboden ihres Zimmers wieder. Kein Dämonenblut klebte an ihr, und ihre Kleidung war so sauber, als hätte sie sie gerade aus dem Wäschetrockner gezogen. Doch die entsetzlichen Bilder in ihrem Kopf konnte sie nicht einfach beiseiteschieben. Keine Engelsmacht konnte das immer stärker werdende Gefühl von Gefahr tief in ihrem Herzen auslöschen.

Wie schon am Tag zuvor, redeten Rileys Mitschüler erregt über den Ball, wer mit wem dort gewesen war, wer was getragen hatte und wer betrunken gewesen und auf der Damen- (oder Herren-)Toilette umgekippt war. Denn ein oder zwei von dieser Sorte gab es immer.

Peter stupste sie mit dem Ellenbogen an. »Hallo? Ist jemand zu Hause?«

»Sorry. War eine lange Nacht.« Sie war nicht bereit, irgendetwas von ihrer Tortur mit dem Engel zu erzählen, und widmete sich lieber erfreulicheren Erinnerungen. »Beck und ich saßen bis Mitternacht vor dem Kamin, danach ist er nach Hause gefahren. Es war einfach … perfekt.«

»Bitte sag mir, dass ihr reichlich Liebesschwüre ausgetauscht habt.«

Das brachte sie zum Lächeln. »Natürlich. Und was ist mit dir und Simi?«

»Wir sind ins Café gefahren, damit sie ihre Koffeindosis bekommt, und dort haben wir geredet, bis sie dichtgemacht haben«, erklärte ihr Freund. »Sie hat echt ziemlich abgedrehte Ideen, aber das gefällt mir. Danach habe ich sie nach Hause gefahren. Und ja, es kam zum Austausch von Zuneigungsbekundungen.«

»Warte nur, bis dein Dad sie kennenlernen will.«

»Ist schon in Planung«, sagte er und klang nicht besonders glücklich darüber. »Er wird tierisch ausflippen, wenn er ihre Haare sieht.« Peter ließ ein paar Knöchel knacken und demonstrierte damit, wie sehr er sich wegen dieses Elternvorstellungsdings sorgte.

»Es wird schon klappen. Sie ist verrückt, aber sie ist cool. Ich wette, dein Dad merkt das.«

Riley spürte, dass jemand sie anstarrte. Es war Alan, und seinem Gesichtsausdruck nach zu urteilen, lechzte er nach Rache.

»Okay, Leute, wir gehen die Hausaufgaben durch«, rief Mrs Haggerty laut.

Riley zog den Zettel mit den Matheaufgaben hervor und lächelte in sich hinein, als ihr Becks letzter Kuss durch den Kopf ging. Als die Lehrerin ihren Namen aufrief, um Frage Nummer sieben zu beantworten, kehrte sie nur widerstrebend in die Wirklichkeit zurück.

Nach dem Unterricht ging Riley mit Mrs Haggerty noch eine Matheaufgabe durch, die sie nicht begriffen hatte. Als sie das Gebäude verließ, waren die restlichen Schüler bereits verschwunden.

»Hast du dich auf dem Abschlussball gut amüsiert?«, fragte die Lehrerin, als sie die Tür hinter ihnen abschloss.

»Auf jeden Fall. Es war großartig.«

»Ich sah den jungen Mann, mit dem du dort warst. Ein sehr hübscher Junge. Ist er auch Dämonenfänger?«

Riley nickte. »Ja, er hat früher mit meinem Dad zusammengearbeitet.«

»Ich bin froh, dass du jemanden gefunden hast. Nach Pauls Tod machte ich mir Sorgen, die sind jetzt weniger geworden. Du passt doch auf dich auf, nicht wahr?«

»Mach ich. Einen schönen Abend, Mrs Haggerty.«

Riley hatte gerade die Autotür aufgeschlossen, als ihr Handy aufleuchtete.

»Hey, Prinzessin. Wie geht's?«

»Gut. Bin gerade mit der Schule fertig. Wie sehen die Pläne für heute Abend aus?«

»Ich dachte, wir könnten vielleicht zusammen essen. Wie wär's mit Mama Zs Grill?«

»Klingt gut.«

Sie vereinbarten eine Zeit, und das Gespräch endete mit dem Versprechen von seiner Seite, dass er seine Verspätung von gestern wiedergutmachen würde. Als Riley gerade ausrechnete, wie viele Küsse für eine angemessene Entschuldigung nötig waren, hörte sie hinter sich ein Geräusch. Knirschende Schritte auf dem Kies. Sie drehte sich gerade noch rechtzeitig um, um Alan auf sich zukommen zu sehen.

Ehe sie reagieren konnte, packte er sie am Arm und riss sie vom Auto weg. Die Tür knallte zu, als er sich zwischen sie und das Fahrzeug stellte.

»Du hast mich sitzenlassen«, sagte er. »Du hast nicht auf meine Anrufe reagiert, und jetzt fährst du total auf diesen Deppen ab. Ich hab gesehen, wie du mit ihm beim Tanzen rumgemacht hast. Warum tust du mir das an?«

Riley schüttelte den Arm, damit er sie losließ. »Du hast mich geschlagen, schon vergessen? Du hast mir einen Kinnhaken verpasst, weil ich keinen Computer für dich klauen wollte, und jetzt bist du überrascht, weil ich nichts mehr mit dir zu tun haben will?«

»Du machst echt viel Wind um nichts. Ich weiß, was du treibst – du triffst dich mit diesem Deppen, nur um mich zurückzubekommen«, sagte er mit lauter werdender Stimme. Inzwischen hatte er beide Hände zu Fäusten geballt.

Beck erwartete Riley in wenigen Minuten in dem Grill-

Restaurant. Wenn sie dort mit blauen Flecken auftauchte … Sie wollte nicht, dass Beck wegen dieses Versagers
im Knast landete.

»Das ist alles deine Schuld«, fuhr Alan fort. »Ich wollte
dich nicht schlagen, aber du hast mich einfach wütend
gemacht. Wenn du einfach nur getan hättest, was ich dir
gesagt habe …«

Riley Zorn kochte hoch. »Es war nicht meine Schuld. Du.
Hast. Mich. Geschlagen.«

»Deinetwegen stand ich da wie ein Idiot. Ich wette, dein
Volldepp würde dich abservieren, wenn er glauben würde,
dass du ihn betrügst. Oder wenn du nicht mehr so hübsch
bist.«

Bei dieser Drohung gefror ihr das Blut in den Adern, da sie
genau wusste, welchen Schaden seine Fäuste anrichten
konnten. Sie ließ den Rucksack auf den Boden gleiten
und packte das Stahlrohr.

»Du wirst mir nie wieder weh tun. Versuch es lieber gar
nicht erst.«

»Du musst etwas Respekt lernen«, sagte Alan. Seine
Augen funkelten, und das Kinn war angespannt. »Dann
wirst du vielleicht wissen, wie es sich anfühlt, ich zu
sein.«

Als Riley sich innerlich wappnete und fieberhaft nach
einer Fluchtmöglichkeit suchte, erschlaffte Alan und regte sich nicht mehr, wie eine Statue.

Sie spürte die Gegenwart des Engels und stellte sich so
hin, dass sie beide sehen konnte.

»Du kannst ihn schlagen, aber er wird den Schmerz nicht

nachempfinden können«, sagte Ori. »Davon hatte er schon genug für ein Leben.«

»Was meinst du damit?«, fragte sie mit heftig pochendem Herzen.

»Was glaubst du, wo er gelernt hat, seine Fäuste einzusetzen? Sein Vater schlägt ihn und seine Mutter. Er tut nur das, was er gelernt hat.«

Das hatte Riley nie in Erwägung gezogen. Sie deutete auf ihren Ex. »Und jetzt? Du kannst ihn nicht für immer so stehen lassen.«

»Ich könnte ihn für dich töten«, bot der gefallene Engel an. »Und seinem Elend ein Ende setzen.«

Dieser Vorschlag rüttelte sie auf. »Nein! Ich meine, er ist böse und alles, aber …«

Die Antwort war ein Nicken, als hätte sie irgendeinen Test bestanden.

»Vielleicht muss er seine Zukunft etwas deutlicher sehen«, erwiderte Ori. Er schnippte mit den Fingern, und ihr Peiniger erwachte zum Leben.

»Was zur Hölle geht hier vor?«, verlangte Alan zu wissen und heftete den Blick auf Ori.

»Nun, wenn du es wirklich wissen willst …«

Die beiden verschwanden in einem einzigen grellen Lichtblitz.

»Angeber«, murmelte sie und blinzelte, um wieder einen klaren Blick zu bekommen. Zum Glück war der Parkplatz leer. Sie hatte gerade das Stahlrohr wieder in den Rucksack gestopft, als sie zurückkehrten. Dieses Mal war Alan nicht mehr voller Wut, sondern sank auf die Knie und schluchzte hysterisch. Seine Kleider rochen verdächtig nach Schwefel.

»Du hast ihn doch nicht etwa …«, begann sie.

»Mit in die Hölle genommen? Natürlich habe ich das. Wenn dieser wertlose Sterbliche so weitermachen möchte wie bisher, sollte er wissen, worauf er zusteuert. Ich staune, dass seine Seele immer noch ihm gehört, er ist überreif für die Ernte.«

Riley schluckte hart. Nach ihrem Tod würde sie an denselben Ort kommen, aber Ori hatte sie nie dieser Tortur ausgesetzt.

»Dein Tag wird kommen«, sagte ihr Herr.

Schließlich hob Alan den Kopf, doch als er den Engel sah, wich er wild um sich schlagend zurück und schrie vor blankem Entsetzen auf.

»Verstehst du jetzt?«, fragte Ori und bog seine Schwingen nach außen, so dass er noch bedrohlicher aussah.

Alans Antwort war ein panisches Nicken, während die Tränen in Sturzbächen über seine geröteten Wangen strömten.

»Dann verlass den Pfad des Bösen, Alan Benjamin Blazek. Du bist nicht dein Vater. Sei besser als dieses verabscheuungswürdige Stück Lehm.« Er deutete in die Ferne. »Fort mit dir!«

Alan kam auf die Beine und schwankte, immer noch weinend, davon. Aus kurzer Entfernung warf er einen Blick über die Schulter und sah zu, dass er wegkam.

»Wird er sich wieder erholen?«, fragte Riley, als sie der flüchtenden Gestalt nachsah.

Ori warf ihr einen Blick von der Seite zu. »Du machst dir Sorgen um deinen Peiniger?«

»Ja. Er ist ein gemeiner Fiesling, aber ... er ist vor Angst fast wahnsinnig.«

»Genau weil du solche Fragen stellst, hast du es nicht verdient, in die Hölle zu kommen«, sagte Ori. Mit einem weiteren Blitz war der gefallene Engel verschwunden.

Selbst wenn sie die ewige Verdammnis nicht verdient hatte, sie war ihr Schicksal. Nichts würde daran etwas ändern.

Jeden Abend, wenn Riley ins Bett kroch, sprach sie ein einfaches Gebet: *Lass nicht zu, dass der Engel mich heute Nacht holt*, und jedes Mal wurde ihr Gebet ignoriert. Trotz Oris früherem Erscheinen bei der Schule war das auch heute Nacht nicht anders.

Dieses Mal fand sie sich in einer dunklen Nebenstraße in der Dämonenhochburg wieder, allerdings ohne den Engel. Das war neu. Normalerweise war er dabei, um ihre Leistung zu kritisieren, während sie zusammen Luzifers Feinde töteten.

Allmählich wurde die Szene deutlicher: Drei Leute befanden sich auf der Straße, ein junger Mann in Jeans und Sweatshirt und zwei Frauen. Die kleinere der beiden trug einen Minirock und ein schwarzes Bustier und wirkte jünger als Riley. Die andere war größer, hatte unzählige Piercings am ganzen Körper und ein offenkundiges Faible für schwarzes Leder. Ihr schneeweißes Haar war kurz geschoren.

*Was mache ich hier?*

*Sieh genau hin,* sagte Ori in ihrem Kopf.

Erst jetzt fielen Riley die kleineren Details auf, dass der Mann zum Beispiel nicht ganz von dieser Welt zu sein schien. Seine Miene war ausdruckslos, und das Kinn hing schlaff herunter. Nach und nach wurde klar, was hier vor sich ging: Die beiden »Frauen« waren Hypnos, Dämonen vierten Grades, und der Mann war ihr Opfer. Wenn er in ihren Fängen blieb, wäre er sehr bald seine Seele los, zusammen mit seinem Leben.

*Der Mächtigere der beiden hätte einmal fast Becks Seele erwischt,* erklärte Ori.

Deswegen also war Riley hier. Damit sie Rache nehmen konnte.

Sie trat näher und zog damit die Aufmerksamkeit des kleineren Dämons auf sich.

»Blackthornes Tochter«, knurrte der Hypno-Dämon.

Jetzt wandte sich auch der größere Dämon zu ihr um und schnüffelte angewidert in der Luft.

»Wo ist dein Herr, du garstiges Kind? Warum ist das göttliche Wesen nicht hier, um dich zu beschützen? Hast du ihn verärgert? Schickt er dich jetzt in den Tod?«

Das waren alles sehr gute Fragen.

Als Riley keine Antwort gab, ließ der Dämon ihr Opfer los. »Ich werde dich in Stücke reißen«, sagte er mit kratzender Stimme. »Und wenn der Schoßhund des Höllenfürsten kommt, um dich zu retten, werde ich ihn vernichten.«

Diese beiden mussten zu Sartaels Mannschaft gehören.

»Ihr spielt wohl nicht in Luzifers Team, was?«, höhnte Riley.

Der jüngere Dämon schrie auf, als sie den Namen seines Gebieters aussprach. Der ältere zuckte lediglich zusammen, was bedeutete, dass er mächtiger war, als Riley zunächst gedacht hatte. Doch andererseits musste es so sein, wenn er beinahe Becks Seele erwischt hätte.

Mit fasziniertem Entsetzen sah sie zu, wie die Verkleidung des älteren Dämons dahinschmolz und der fratzenhafte Höllendiener darunter zum Vorschein kam. Er war einen Kopf größer als Riley, mit erdfarbener Haut und einem eindrucksvollen Paar Hörnern. Die funkelnden Augen loderten hellrot in der Nacht auf. Seltsamerweise waren zwischen dem Torso und den Armen Ansätze von Flügeln zu erkennen.

*Dieses Ding ist fast ein Erzdämon.*

*Genau aus diesem Grund muss er sterben,* erwiderte Ori. *Töte ihn.*

*Aber sie sind zu ZWEIT.*

*Na und?*

Der junge Mann schien gar nicht wahrzunehmen, dass eine der »Ladys« jetzt aussah wie ein Wesen aus einem Horrorfilm mit sehr kleinem Budget.

Riley spürte ein unbehagliches Kribbeln in der rechten Handfläche, als das Feuer sich Glied für Glied über ihre Finger ausbreitete, an den Spitzen aufflammte und das himmlische Schwert Gestalt annahm. Der jüngere Dämon zischte furchtsam auf und nahm ebenfalls seine natürliche Gestalt an.

»Au Scheiße.« Die Katze war endgültig aus dem Sack.

»Was soll das?«, fragte die ältere Abscheulichkeit. »Wieso kannst du das Göttliche Feuer heraufbeschwören?«

»Ich habe einfach Glück.«

*Töte zuerst den Stärkeren.*

»Meinst du?«, murmelte Riley.

Der ältere Dämon und sie nahmen Angriffspositionen ein und umkreisten einander in großem Abstand. Rileys Nerven waren zum Zerreißen gespannt. Ori warf sie den Wölfen zum Fraß vor. Oder, in diesem Fall, den Dämonen.

Glücklicherweise hielt sich der andere Hypno aus dem Kampf raus und kaute nur nervös an seinen Klauen.

*Vertrau ihm nicht,* warnte Ori. *Kehre ihm nicht den Rücken zu.*

Riley hatte die ständigen Kommentare in ihrem Kopf satt.

*Warum verlangst du von mir, dass ich das tue?*

*Es ist Zeit für dich, für dich selbst zu sorgen. Entweder du tötest ihn, oder du stirbst heute Nacht.*

»Nie im Leben«, sagte Riley, mehr zu sich als zu der Stimme in ihrem Kopf. Da war so viel, für das es sich zu leben lohnte, und sie weigerte sich aufzugeben, jetzt, wo Beck und sie ihre Herzen endlich synchronisiert hatten.

Der ältere Dämon deutete auf den ahnungslosen Typen.

»Töte ihn und weide dich an seiner Leiche.«

Der jüngere Dämon machte Anstalten, den Befehl seines Vorgesetzten auszuführen.

»Nein! Stopp!« Riley wusste, dass es eine Falle war, aber sie hatte keine Wahl. Als sie ihre Position aufgab, um den niederen Dämon abzufangen, griff sein Gefährte an. Der erste Krallenhieb hinterließ eine schmerzhafte Wunde an Rileys linker Schulter, und ihr Arm wurde umgehend taub.

*Beweg dich!*, schrie Ori.

Riley duckte sich unter einem weiteren Schwinger weg und konterte mit einem Gegenschlag. Das Schwert bohrte sich tief in den Brustmuskel des älteren Dämons, aber nicht tief genug, um ihn zu schwächen.

Der Vierer setzte ein listiges Lächeln auf. »Ich kenne einen Sterblichen, dem du sehr viel bedeutest. Der Fänger, den ich beinahe besessen hätte. Ich sah dich in seinen Gedanken.«

»Wie schön für dich«, sagte Riley und umkreiste ihn weiterhin. *Wie halte ich dieses Ding auf?*

Der Engel antwortete nicht. Sie war tatsächlich allein.

»Nachdem ich dich getötet habe, werde ich den Fänger suchen und vernichten«, höhnte der Dämon. »Ich werde mich an seinem Leichnam gütlich tun, und seine Seele wird mir gehören.«

Riley verlor die Beherrschung und stürmte los. Der Dämon reagierte sofort und stürzte sich mit gefletschten Zähnen und ausgefahrenen Krallen auf sie. Sie hob das Schwert, um den Angriff zurückzuschlagen, und die Kreatur versuchte, ihre Stoßrichtung zu ändern, doch sie bewegte sich zu schnell, und die Klinge durchbohrte sie, ehe die Klauen Riley erreichten. Ein ohrenbetäubender Schrei zerschnitt die Luft, als sie für eine Sekunde verharrten, wie im Kampf erstarrt. Dann explodierte der Dämon in einer wabernden Wolke aus emporschießenden Flammen und erstickender, schwarzer Asche.

Riley presste die Lippen aufeinander, um nichts von dem Zeug in die Lunge zu bekommen.

*Hinter dir!*

Sie wirbelte herum, wehrte den halbherzigen Angriff des kleineren Dämons ab und verwundete ihn. Er fiel auf die Knie, wehklagte jammernd in der Höllensprache und bettelte um Gnade, bot ihr seine Treue bis in alle Ewigkeit, wenn sie nur sein Leben verschonte.

Ori materialisierte sich neben ihr.

»Jetzt zeigst du dich«, sagte sie und beugte sich vor, um wieder zu Atem zu kommen.

»Du hast die Aufgabe wie gewünscht erledigt«, sagte er. »Obwohl du ziemlich schlampig gearbeitet hast.«

Er lobte sie nie. Nicht ein einziges Mal.

Mit einer Handbewegung brachte Ori den jungen Mann wieder zu Sinnen. »Geh, Sterblicher. Heute Nacht ist nicht die Nacht deines Todes.«

Der Mann stürzte durch die dunkle Gasse davon, ohne sich ein einziges Mal umzusehen.

Der kleinere Dämon winselte immer noch und presste zum Zeichen demütiger Ehrerbietung seinen Kopf auf den Boden.

»Wenn du ihn nicht tötest, musst du über ihn befehlen«, erklärte Ori. »Ist es das, was du willst? Möchtest du die Herrin eines Dämons sein?«

»Was? Nein!«, rief Riley. »Lass ihn gehen!«

»Das ist nicht möglich.« Er trat an den jammernden Dämon heran und hob das Schwert. Riley wandte den Blick ab, doch sie hörte das übelkeitserregende Zischen, als Oris Schwert durch das Dämonenfleisch schnitt und den Leib in zwei Hälften teilte.

Ihr Magen fühlte sich an, als müsste sie gleich kotzen, und der Adrenalinrausch war längst verflogen.

»Ich will nach Hause«, sagte sie schwach. »Ich will nicht mehr töten.«

Der Engel schüttelte den Kopf. »Es gibt noch mehr Ausgeburten der Hölle auf dieser Welt, die deines Schwertes bedürfen.«

Riley drehte sich zu ihm um. Sie fürchtete seinen Zorn nicht länger. »Ich bin kein herzloser Henker so wie du. Ich kann das nicht länger machen.«

»In diesem Punkt irrst du dich«, sagte er geduldig. »Seit dem Moment, in dem du mir deine Seele gabst, hast du in diesem Punkt keine Wahl mehr.«

Der Nachtschlaf wurde ihr durch wiederkehrende Albträume von mörderischen Dämonen geraubt, und Riley wusste, dass sie mit jemandem darüber reden musste, oder sie würde vollkommen den Verstand verlieren. Sie wagte nicht, Beck zu erzählen, was sie und der Engel nachts trieben, zumindest noch nicht, und sich den Meistern anzuvertrauen würde nur dazu führen, dass sowohl Stewart als auch sie die Auswirkungen aus Rom zu spüren bekämen.

Blieb also nur ihre Freundin Ayden: Die Hexe hatte ihr

stets vernünftige Ratschläge gegeben, und das konnte Riley gerade dringend gebrauchen.

Es dauerte eine Weile, bis sie einen Parkplatz in der Nähe des Centennial-Parks gefunden hatte, da ihr Peters Talent dafür fehlte. Sie stellte ihren Wagen gegenüber der Ruine des Tabernakels ab und suchte die Umgebung ab. Seit sie das letzte Mal hier gewesen war, hatte sich einiges verändert. Riesige Monolithen ragten in unregelmäßigen Abständen empor und zeugten vom eifrigen Treiben der Bulldozer. Es kam ihr wie ein Sakrileg vor, das Gebäude komplett abzureißen, aber das Grundstück würde irgendjemandem vermutlich eine ganze Menge Kohle einbringen.

*Hoffentlich bauen sie nicht irgendeinen Schwachsinn hierhin.*

Sobald sie das Auto abgeschlossen und den Rucksack aufgesetzt hatte, wurde sie von der Ruine auf der anderen Straßenseite regelrecht angezogen. Der Boden war uneben, so dass sie sich vorsichtig bewegte. Irgendwelche Orientierungspunkte in den Trümmern zu entdecken war unmöglich, also wanderte sie einfach ziellos umher, rief sich jene entsetzliche Nacht in Erinnerung und dachte an die Dämonen und die Männer, die gestorben waren. Am Fuße eines Steinhaufens hatte jemand Blumen niedergelegt und so eine Art Gedenkstätte geschaffen. Sie ging in die Knie und berührte den Blumenstrauß. Eine Karte steckte darin, die verriet, dass er für Ethan war, einen der Lehrlinge, die dem Feuer zum Opfer gefallen waren. Die Karte war unterschrieben mit *In Liebe, Janine*. Wahrscheinlich seine Verlobte.

Fast überwältigt von der Ungeheuerlichkeit des Verlusts, stand Riley auf. Plötzlich hatte sie es eilig, von diesem Ort wegzukommen. Als sie sich umdrehte, stieß sie mit dem Turnschuh gegen ein Stück Holz, das aus den Trümmern hervorlugte. Riley starrte auf das Lederband, das unter den Trümmern verschwand, und wusste, was es war, noch ehe sie es ausgegraben hatte. Obwohl es angekokelt war, waren Simons Initialen auf der Rückseite des Kreuzes noch gut zu erkennen. Irgendwie hatte das Symbol seines Glaubens die Katastrophe überlebt.

Riley wischte den Dreck ab, bis ihre Hände schwarz vom Ruß waren. Wenn sie es ihm jetzt wiedergäbe, würde er es vielleicht nicht annehmen, da er immer noch zu durcheinander war von dem, was er erlebt hatte. Trotzdem stopfte sie es in ihren Rucksack, um es sicher zu verwahren, in der Hoffnung, dass Simon Adler eines Tages wieder Trost in seinem Glauben fand und er sich freuen würde, das Kreuz wiederzusehen.

Im Zelt von *Beifuß, Buch und Besenstiel* drängten sich die Kunden und begutachteten die üppige Auswahl an Düften, Kristallen und diversen Zaubertränken. Ayden beriet gerade eine Frau, die darauf bestand, einen Liebeszauber zu erstehen. Geduldig warnte die Hexe sie, dass solche Magie häufig unbeabsichtigte Konsequenzen hatte, aber die Kundin hörte nicht zu.

»Ich verstehe nicht, wo das Problem liegt«, sagte die Frau. »Ich will doch nur, dass er sich in mich verliebt.«

»Und dann?«, fragte Ayden und hob verärgert eine Braue. »Was passiert, wenn Sie zu dem Schluss kommen, dass Sie ihn nicht mehr lieben? Sie haben ihn an sich gebunden.«

»Dann sage ich ihm, dass es vorbei ist. Das ist doch kein Drama.«

Glücklicherweise verschwand die Frau kurz darauf, ohne irgendetwas in der Hand, das einem Liebeszauber ähnelte. Sie behauptete, sie kenne einen anderen Laden, wo sie das Gewünschte bekäme.

»Der steht noch eine ungemütliche Lektion bevor«, stellte die Hexe fest. Ihr lockiges, rostrotes Haar war zu einem lockeren Knoten hochgesteckt, so dass ihr Tattoo gut zu sehen war, das am Hals und der Brust begann und unter ihrem Mieder verschwand. Zuletzt hatte es eine Reihe grimmig dreinblickender Elfen gezeigt, die in die Schlacht zogen, doch jetzt hatte es sich in das Drachentattoo zurückverwandelt.

»Veränderst du dein Tattoo oder macht es das von selbst?«, fragte Riley neugierig.

»Sobald ich die Magie freisetze, verwandelt sie es in etwas Passendes. Normalerweise nimmt es das auf, was gerade um mich herum geschieht.« Sie blickte an sich herunter. »Hmmm … ich frage mich, was das bedeutet.«

»Nichts Gutes.« Riley blickte sich rasch um. »Ich muss mit dir reden. Kannst du dir vielleicht kurz freinehmen?«

»Sicher. Ich brauche ohnehin eine Pause. Ich hole nur rasch meinen Mantel.«

Als sie zu dem Zelt gingen, in dem heißer Apfelsaft ausgeschenkt wurde, brachte Ayden sie kurz auf den neuesten Stand über die Zwietracht zwischen Hexen und Nekromanten und das, was Riley verpasst hatte, als sie in Sadlersville gewesen war.

»Wir haben einen Waffenstillstand ausgehandelt. Ozymandias hat ein paar hitzköpfigen Nekros die Leviten gelesen, und seitdem halten sie sich zurück.«

»Ozy? Der Dunkle Lord höchstselbst? Was hat der damit zu tun?«

»Mort glaubt, dass der Kerl versucht, Wiedergutmachung zu leisten für die Katastrophe, die er über uns gebracht hat. Ozymandias hat verlauten lassen, dass er persönlich jeden Beschwörer auf glühenden Kohlen rösten wird, der es wagt, Dämonen zu beschwören.«

»Das ist krass.«

»Es wirkt«, gab die Hexe zu. »Bei meinen Leuten hat es etwas länger gedauert, bis sie sich wieder beruhigt haben, aber im Moment sind alle brav. Ich hoffe, dieser Zustand hält eine Weile an.«

Ihre Freundin führte sie in dasselbe Zelt, das sie vor einer Weile schon einmal besucht hatten, und kaufte zwei Becher mit dampfendem Apfelsaft. Sie ließen sich im hinteren Bereich auf den riesigen Kissen nieder.

»Ich habe die Fernsehberichte über das gesehen, was im Sumpf passiert ist«, sagte Ayden. »Das muss eine ziemliche Schinderei gewesen sein.«

»Allerdings. Aber es ist nicht nur schlecht. Beck und ich waren gestern zusammen beim Abschlussball, und das war klasse.«

»Mit diesen Neuigkeiten kann ich leben«, lächelte die Hexe.

Riley drehte den Becher in ihren Händen. »Bei Ori habe ich einen Fehler gemacht, du weißt schon ... als ich mit ihm geschlafen habe. Wenn Den und ich ... Was, wenn es völlig falsch ist?«

»Fühlt sich die Liebe, die du für Beck empfindest, genauso an wie die, die du dem Engel entgegengebracht hast?«

Riley schüttelte den Kopf, noch ehe Ayden ihre Frage ganz ausgesprochen hatte. »Das hier fühlt sich ... richtig an, verstehst du? Wir haben so viel durchgemacht, und trotzdem fühle ich mich ganz, wenn ich mit ihm zusammen bin. Es ist, als würde er alle Teile von mir festhalten, die ich unterwegs verloren habe. Ori war cool, aber was zwischen uns war, war zu surreal. Zu perfekt.«

»Klingst so, als wärst du dieses Mal vernünftiger. Und was ist dein Problem?«

»Ich will es nicht vermasseln.«

»Liebe ohne Risiko?«, sagte Ayden. »Das gibt es nicht. Du kannst nie sicher sein, wie es ausgeht. Tu dein Bestes, hoffe, dass du nicht zu sehr verletzt wirst, und wenn du unbeschadet überlebst, hast du deine Sache gut gemacht.«

»Sprichst du aus Erfahrung?«, fragte Riley und musterte ihre Freundin aufs Neue.

»Könnte man so sagen.«

Es war Zeit, Farbe zu bekennen. »Ich habe noch ein anderes Problem.« Riley ließ ihren Blick zur roten Seide des Zelts wandern, während sie haarklein von sich und Ori erzählte. Dass der Engel am Leben war und dass Beck keine Ahnung von ihrem neuesten Job hatte: Dämonen-mörderlehrling.

Ayden runzelte die Stirn. »Du musst Beck alles erzählen. Du kannst das nicht vor ihm geheim halten. Er muss es wissen.«

»Aber was, wenn er nicht damit umgehen kann? Er ist eifersüchtig auf Ori, und wenn er herausfindet, dass ich fast jede Nacht mit dem Engel verbringe ...«

»Er muss es jetzt wissen, ehe du mehr als dein Herz in eure Beziehung einbringst.«

Es war ein vernünftiger Rat, obwohl es nicht das war, was Riley hören wollte. *Sie hat recht.* Riley hatte von Beck er-wartet, dass er all seine Geheimnisse mit ihr teilte. Sie musste es genauso halten, oder ihre Beziehung würde nie-mals überleben.

»Erzähl es auch den Meistern, vor allem Stewart«, riet Ayden. »Du kannst das nicht allein bewältigen.«

»Bis jetzt habe ich es ziemlich gut hinbekommen«, erwi-derte Riley verärgert.

»Das hast du, aber es wird Zeit, dass du dich absicherst. Vielleicht weiß Stewart, warum der Engel dir das antut. Er hat immer das große Ganze im Blick.«

Riley nickte widerstrebend. »Ich erzähle es Beck heute Abend. Dann ...«

Wenn er sie wirklich liebte, würde er für sie da sein. Wenn er nicht damit klarkam ...

*Dann kann die Hölle mich ruhig haben.*

## 29. Kapitel

Der Nachmittagsunterricht ging ereignislos vorbei, eine wohltuende Pause von dem ganzen Drama um Alan und Ori. Ihr Ex fehlte unentschuldigt, und das Gerücht ging um, dass er sich krankgemeldet hatte. Riley vermutete, dass sein Schulwechsel bereits in Planung war.

Sie empfand tatsächlich Mitleid für ihn. Er hatte nie gesagt, dass sein Dad ihn schlug, hatte immer nur verlangt, dass alle Welt sich seinem Willen beugte – wahrscheinlich, weil es zu Hause nicht so war. Vielleicht hatte der Ausflug in die Hölle mit Ori ihrem Ex doch ganz gutgetan. Falls nicht, dann hatten sie es zumindest versucht.

*Ich kann nicht jeden retten.* Bis jetzt hatte sie nicht einmal herausgefunden, wie sie sich selbst retten konnte.

Als Riley aus der Schule kam, fand sie eine Nachricht von Harper auf ihrer Mailbox. Es war keine gute Neuigkeit: Beide neuen Lehrlinge waren weg. Lambert war rausgeflogen, weil er Harper einmal zu oft zu besserwisserisch geantwortet hatte, und Fleming, weil er der Maulwurf war, den der Fernsehproduzent in die Zunft eingeschleust hatte. Eine zweite Nachricht auf der Mailbox stammte von

Beck, der Riley einlud, ihn zu Hause zu besuchen. Obwohl diese Einladung eigentlich einen Begeisterungssturm und heißeste Tagträume bei ihr hätte auslösen müssen, verwandelte Riley sich auf der Stelle in ein Nervenbündel.

*Ich muss es ihm sagen. Aber was, wenn er durchdreht?*

Leider gab es nur einen Weg, es herauszufinden.

Sobald Riley bei Beck angekommen war, ließ ihr Mut sie erneut im Stich, obwohl sie sich auf der ganzen Fahrt gut zugeredet hatte. Nach einem Begrüßungskuss setzten sie sich an den Küchentisch. Riley versuchte, ihre Hausaufgaben zu machen, während Beck ihr gegenübersaß und Lesen und Schreiben übte. Er trug ein sauberes Hemd, und sie fing den schwachen Duft von Aftershave auf – der Beweis, dass er sich auf den Abend gefreut hatte, den sie im Begriff war zu ruinieren.

*Sag es ihm einfach.* Sie öffnete den Mund und schloss ihn wieder, aus Angst, alles zu verlieren, was in ihrem Leben von Bedeutung war.

Er merkte, dass sie ihn ansah. »Du bist zu ruhig«, sagte er. »Was ist los?«

»Ich mache nur meine Hausaufgaben«, antwortete sie und hoffte, dass er diese Lüge akzeptierte.

»Nein, das ist es nicht.« Mit zusammengezogenen Brauen beugte er sich vor und stützte die Ellenbogen auf den Tisch. »Erzähl mir, was dich bedrückt. Das gehört doch zu diesem Wir-sind-jetzt-zusammen-Ding.«

»Männer reden nicht über Probleme«, versuchte sie ihn abzuwimmeln.

»Es ist dieser Engel, oder?«

Riley warf ihren Stift hin, verärgert, weil er sie so leicht durchschaute.

»Warum muss sich immer alles um Ori drehen?«

»Das tut es, solange er dein Herr ist«, erwiderte er mit angespannter Miene.

»Ich kann das nicht rückgängig machen, Beck«, sagte sie. »Ich kann nicht einfach sagen ›Mist, ich habe einen Fehler gemacht, kann ich bitte meine Seele zurückhaben?‹«

»Das weiß ich«, sagte er unwirsch. »Aber ich werde nicht zulassen, dass dieser gefallene Engel sich zwischen uns stellt.«

»Ich betrüge dich nicht.«

»Das habe ich auch nie gesagt«, erwiderte er mit ebenso scharfer Stimme. »Aber etwas macht dir Angst. Ich habe dir meine Probleme anvertraut, jetzt musst du mir vertrauen. Das funktioniert nicht nur in eine Richtung.«

Erschöpft bis ins Mark, rieb Riley sich über das Gesicht.

»Bitte, lass dir von mir helfen«, sagte er. Er klang jetzt sanfter, nicht mehr so streitlustig. Er machte sich wirklich Sorgen.

»Ich habe letzte Nacht einen Vierer umgebracht. Es war derjenige, der einmal fast deine Seele bekommen hätte.«

»Was?«, platzte Beck heraus. »Du solltest nicht einmal in die Nähe von dem Ding kommen. Wenn er in deinen Kopf eingedrungen wäre …«

»Was dann? Meine Seele ist ohnehin verloren, Beck. Er hätte mich höchstens noch umbringen können.«

»Warum warst du hinter ihm her?«

»Ich war mit Ori auf der Jagd.«

Beck holte tief und bedächtig Luft, ohne Zweifel, um seine Wut zu kontrollieren. Es funktionierte nicht ganz, denn er hatte die Hände zu Fäusten geballt.

»Also, was läuft da wirklich?«

»Er bringt mir bei, wie man Dämonen umbringt. Ich habe keine andere Wahl, als mitzumachen.«

»Warum?«

»Er sagt, weil ihm meine Seele gehört. Er sagt, ich muss lernen, sie zu töten, um am Leben zu bleiben.«

»Heilige Scheiße«, murmelte Beck.

Jetzt, wo die Wahrheit raus war, wollte Riley ihm alles erzählen.

»Er ruft mich nachts zu sich. In der einen Minute schlafe ich, und dann wache ich plötzlich ganz woanders auf. Meine Hand ...« Sie starrte hinunter auf ihre rechte Handfläche. »Erinnerst du dich an das Flammenschwert, mit dem er auf dem Friedhof gekämpft hat? Ich habe auch so eines, allerdings eher ... zu meiner Größe passend. Er sagte, es sei ein Ausläufer seiner Engelsmacht.«

Becks Mund klappte entsetzt auf.

»Normalerweise ist er immer dabei, um an mir rumzumeckern, weil ich nichts richtig mache, aber letzte Nacht ist er erst aufgetaucht, nachdem ich den Hypno getötet hatte. Er hat den schwächeren ausgeschaltet.«

»Bist du sicher, dass du das alles nicht nur träumst?«, fragte er skeptisch.

»Es ist real, Beck.« *Zu real.*

»Hat er diesen Mist auch mit Paul gemacht?«

»Nein, nur mit mir.«

»Dieser verdammte Scheißkerl«, brauste Beck auf und donnerte mit der Faust auf den Tisch, so dass er beinahe die Kaffeetasse umkippte.

Riley wusste, dass er ihr niemals weh tun würde, trotzdem brachte sie etwas Abstand zwischen sie und zog sich zum Panoramafenster zurück. Die Straße war inzwischen dunkel, die gelegentlichen Straßenlaternen betonten die Schwärze noch. Jemand rollte einen Mülleimer an den Bordstein.

Hinter sich hörte sie Beck leise fluchen. »Warum hast du mir nichts davon erzählt?«, wollte er wissen.

»Ich …« Sie unterdrückte ein Schluchzen. »Ich hatte … Angst, dich zu verlieren, ausgerechnet jetzt, wo … wir …« Es folgte ein langes Schweigen, dann wurde ein Stuhl zurückgeschoben, und Schritte näherten sich ihr.

Würde er die Tür öffnen und ihr sagen, sie solle verschwinden? Ihr sagen, dass sie nie wieder zurückkommen solle, wie er es beim letzten Mal getan hatte, aber es dieses Mal vollkommen ernst meinen?

Sie versteifte sich, als Becks starke Arme sich besitzergreifend um ihre Taille legten und er sie rückwärts an sich zog.

»Ach Mädel, ich gehe nirgendwo ohne dich hin. Und schon gar nicht wird irgendein verdammter Engel uns auseinanderbringen. Niemand, weder im Himmel noch in der Hölle, hat so viel Macht.«

Beck zog sie an sich, anstatt sie fortzustoßen. In diesem Moment wusste sie, wie dumm es von ihr gewesen war, etwas anderes zu denken.

»Egal was passiert, ich liebe dich«, flüsterte er.

Nie zuvor hatte er das L-Wort ausgesprochen.

Sie war noch nicht in der Hölle. Sie hatte noch Zeit zum Leben.

Riley drehte sich in seinen Armen um und blickte in seine dunklen, braunen Augen. Alles, was sie wollte, war, dass er sie küsste, sie berührte, sie liebte.

»Ich will heute Nacht nicht nach Hause«, sagte sie mit bebender Stimme. »Ich möchte hier bleiben ... bei dir.«

Beck hob sanft ihr Kinn in die Höhe. »Du meinst, du willst ... dass wir ...«

»Ja. Ich habe solche Angst, Den. Der einzige Ort, an dem ich mich sicher fühle, ist bei dir.«

Sie berührten einander an der Stirn. »Das geht mir genauso«, murmelte er. »Aber wenn wir ... es würde alles zwischen uns verändern. Es gäbe kein Zurück mehr.«

Sie lehnte sich zurück, bis sie ihm wieder in die Augen blicken konnte. »Ich will niemals wieder zurück zu dem, wie es vorher war. Ich liebe dich.« *Ich vertraue dir.*

Er schob ihr eine Locke hinters Ohr, sein Blick war ungewöhnlich zärtlich. »Ich möchte dich nur noch in die Arme nehmen und in mein Bett tragen.«

»Und dann ...«, flüsterte sie. Ihr Herz schlug schneller. Wie würde es sich anfühlen, seine Haut auf ihrer zu spüren?

»Dann werde ich dir zeigen, was es bedeutet, von einem Kerl aus dem Süden geliebt zu werden.« Ein sinnliches Grinsen erfüllte sein Gesicht. »Es wird nicht schnell gehen. Wahrscheinlich wird es eher die ganze Nacht dauern.«

Eine Sekunde lang vergaß Riley, zu atmen.

»Wenn du also sagst, dass es das ist, was du willst …«, begann er.

Sie schnitt ihm die letzten Worte mit einem Kuss ab, der beinahe ebenso leidenschaftlich und gierig war wie der, den sie ihm an der Busstation gegeben hatte. Er schlang seine Arme um sie und zog sie eng an sich. Riley spürte, wie sein Puls sich beschleunigte. Als sie sich voneinander lösten, loderte unverhülltes Verlangen in seinen Augen.

Schwungvoll hob Beck sie hoch. Als sie protestierte, sie könne ins Schlafzimmer laufen, weigerte er sich, sie wieder herunterzulassen.

»Was meinst du, warum ich Gewichte stemme?«, lachte er und trug sie durch den Flur.

Er legte sie aufs Bett, dann richtete er sich auf und streifte sein Hemd ab. Seine Muskeln bewegten sich geschmeidig, als das Kleidungsstück zu Boden und ihr Blick auf das wilde Muster aus verheilenden Flohbissen fiel. Dann erinnerte er sich an seine Stiefel und setzte sich auf die Bettkante, um sie aufzuschnüren, leise vor sich hinbrummend wegen dieser Verzögerung.

»Ich dachte, du hättest Übung«, neckte Riley ihn und versuchte, ihre plötzlich flatternden Nerven zu beruhigen.

»Habe ich auch. Aber nicht mit dir.« Die Stiefel landeten mit einem vernehmlichen Poltern auf dem Boden, während sie sich ihrer Turnschuhe entledigte.

Beck rollte übers Bett und fing sie mit den Armen ein. Der erste Kuss war zögerlich. Der zweite wurde mutiger und unbefangener. Als sie nicht so darauf einging, wie er erwartet hatte, zog er sich zurück. »Was ist los?«

Ganz überwältigt von den berauschenden Gefühlen, die über sie hereinbrachen, hatte Riley etwas Wesentliches vergessen.

»Äh, wir können nicht. Ich nehme keine … äh, Verhütungsmittel.«

»Schon geregelt«, erwiderte er. »Im Nachttisch ist eine Packung Gummis.«

Stirnrunzelnd blickte sie zu ihm auf. »Ich dachte, du nimmst keine Frauen mit hierher?«

»Habe ich auch nie, bis heute.« Er schenkte ihr sein bestes Bad-Boy-Lächeln. »Ich wusste schon immer, dass du am Ende hinter mir her sein würdest.«

»Du arroganter, kleiner …« Sein Kuss brachte sie zum Schweigen.

Beck kam sich nicht arrogant vor. Dazu war er viel zu nervös. Er hatte schon mit vielen Frauen geschlafen, aber keine von ihnen war Riley gewesen. Es war nicht so, als ob sie nichts über Sex wüsste, aber dies war ihr erstes Mal mit ihm, und er wollte nichts weniger als ihre Erinnerung an die Nacht mit dem Engel auslöschen. Er wollte, dass Riley ihm gehörte, ihm allein.

Als sie mit den Fingern durch sein Haar fuhr, beugte er sich näher, sog den leichten Duft ihres Parfums ein. Dies war seine Frau, die eine, die das Herz auf dem rechten Fleck hatte. Sie liebte ihn bedingungslos.

Er begann mit sanften Küssen auf ihre Stirn und Wangen und kostete es aus, dass er sie überall ungehindert berühren durfte. Das hatte er schon so lange gewollt, hatte sie oft verstohlen beobachtet, wenn sie nicht hinsah, und sich ausgemalt, wie es wohl wäre. Nach allem, was sie durchgemacht hatten, würde es mehr als eine körperliche Vereinigung werden. Beck hatte das Gefühl, sie würden ihre Seelen selbst aneinanderschmieden.

Als die letzten Kleidungsstücke fort waren, meldete Rileys Angst sich zu Wort. Beck hatte mit so vielen Frauen geschlafen. Was würde er von ihr denken? Fand er sie zu fett oder zu dünn oder …

Als wüsste er um ihre Sorgen, küsste Beck sie sanft auf die Stirn. »Du bist die schönste Frau, mit der ich jemals zusammen war«, sagte er.

»Echt?«

»Ganz bestimmt«, antwortete er.

Auf seine Anregung begann sie zaghaft, seinen Körper zu erforschen, ließ die Finger den Rücken hinabgleiten, berührte die Narben, die das Leben auf ihm hinterlassen hatte. Er war nicht perfekt, nicht so wie der Engel, aber jede Narbe erzählte von seiner Reise zu ihr, und dafür liebte sie ihn nur umso mehr.

Er dagegen schien genau zu wissen, wo er sie berühren musste, als hätten sie sich zuvor schon unzählige Male geliebt. Kuss um Kuss, Liebkosung um Liebkosung schürte er das ungezügelte Feuer in ihrem Inneren. Nie zuvor hatte sie sich so lebendig gefühlt, so wahrhaft sie selbst, wie in diesem Moment. Dies war der Mann, nach dem sie ihr ganzes Leben gesucht hatte, und jetzt hatte sie ihn gefunden.

Als Beck sich zum Nachttisch hinüberlehnte, schloss Riley die Augen. Egal, was ihnen nach dieser Nacht widerfuhr, sie würden für immer zusammen sein, ihre Herzen so ineinander verschlungen, wie ihre Körper es bald sein würden.

Als er sich ihr wieder zuwandte, küsste er sie innig. »Zweifle niemals daran, dass ich dich liebe«, sagte er und umfasste ihr Kinn mit seinen starken Händen. »Daran wird sich nie etwas ändern.«

Becks straffer Körper bedeckte ihren, lebend und lebendig, aufgeladen mit Verlangen.

Und dann wurden sie eins.

Riley lag da, den Kopf auf Becks nackter Brust, und lauschte seinem Herzschlag. Ihre Vereinigung war voller Entdeckungen gewesen, berauschend und leidenschaftlich, so wie es zwischen Liebenden sein sollte.

Ein paar seiner Brusthärchen kitzelten sie in der Nase, und sie strich sie mit einer Hand glatt. Beck brummte genüsslich.

»Du bleibst doch die ganze Nacht, oder?«, fragte er.

Riley nickte und kuschelte sich enger an ihn. Nichts auf

dieser Welt würde sie von hier fortkriegen, bis auf den Engel vielleicht. An diese Möglichkeit wollte sie lieber nicht denken.

Wenn sie sich nicht mehr aus Becks Bett bewegen wollte, sollte sie allerdings lieber Stewart anrufen. Als sie etwas in dieser Richtung andeutete, zog Beck sich eine Jogginghose über und verschwand im Flur. Kurz darauf kam er mit ihrem Handy zurück. Während sie wählte, zog er sich ins Badezimmer zurück.

*Feigling.* Nicht, dass der Schotte über diese Veränderung in ihrer Beziehung sauer sein würde, aber trotzdem …

»Meister Stewart. Dämonenfängerzunft Atlanta«, meldete sich die müde Stimme des Meisters.

Es brachte nichts, die Wahrheit zu beschönigen, da er jede noch so harmlose Lüge sofort durchschaute. »Hi, äh, hier ist Riley. Ich hoffe, Sie machen sich keine Sorgen um mich, aber ich bleibe heute Nacht bei Beck.«

»Viele Hausaufgaben zu erledigen, was?«, sagte er verschmitzt.

»Äh, ja.«

Er lachte leise ins Telefon. »Wenn du bei ihm bist, mache ich mir keine Sorgen. Benehmt euch nur wie erwachsene Menschen und lasst genügend Vorsicht walten. Für ein kleines Kind ist es noch zu früh für dich.«

Rileys Wangen brannten vor Verlegenheit. »Ich weiß.«

»Na dann, gute Nacht euch beiden.«

Als sie das Handy auf den Nachttisch legte, kam Beck zurück und setzte sich auf die Bettkante.

Er hielt eine flache, weiße Schachtel von vielleicht fünf

mal fünf Zentimetern in der Hand. Als sie ihn fragend anschaute, öffnete er sie, zog etwas heraus und legte die Schachtel beiseite. In seiner Hand lag ein silberner Ring mit verschlungenen Efeublättern.

Riley stockte der Atem.

Beck nahm den Ring zwischen Daumen und Zeigefinger und betrachtete ihn bewundernd.

»Es ist noch zu früh, um dich zu fragen … ob … äh …« Stöhnend schüttelte er den Kopf. »Ich mache es nicht richtig.« Die Hand, die den Ring hielt, zitterte. »Das ist der Ehering meiner Grandma. Sie und mein Granddad waren mehr als fünfundvierzig Jahre verheiratet.«

»Das ist eine lange Zeit, Den.«

»Ja, und sie haben nie aufgehört, sich zu lieben. Ich vermisse sie sehr.« Beck holte tief Luft. »Ein paar Tage vor ihrem Tod gab sie mir diesen Ring. Sie sagte, das Efeu stehe für Treue, und dass ich, wenn ich die richtige Frau gefunden hätte, ihn ihr geben sollte. Ich möchte, dass du weißt, dass das hier nicht nur ein One-Night-Stand für mich ist. Für mich ist es etwas Ernstes.«

»Für mich auch«, flüsterte sie.

Er nahm Rileys rechte Hand und zögerte dann, als gäbe es noch eine letzte Hürde zu überwinden. Er holte sehr tief Luft und stieß den Atem langsam wieder aus. »Wirst du den Ring tragen, so dass die ganze Welt weiß, dass du zu mir gehörst?«

Beck bat sie nicht, ihn zu heiraten, aber es war so nah dran wie nur irgend möglich. Riley war tief berührt und hatte Mühe, die richtigen Worte zu finden.

»Ja«, begann sie, »es würde mich sehr stolz machen.«

Mit einem glücklichen Lächeln schob Beck ihr den Ring über den rechten Ringfinger. Er war nicht neu und glänzte auch nicht, aber das machte ihr nichts aus. Dieses Symbol der Liebe hatte mehr als vier Dekaden überdauert. Dass Beck wollte, dass sie ihn trug, zeigte ihr, wie tief seine Zuneigung sein musste.

»Er steht dir«, sagte er mit einem breiten Lächeln. »Ich weiß, dass er nicht schick ist, aber vielleicht erweist du mir eines Tages die Ehre und … na ja, steckst ihn auf die andere Hand.«

Wieder einmal hatte er ihr Herz erobert.

»Könnte schon passieren«, sagte sie und berührte zärtlich sein Gesicht.

Er ergriff ihre Hand. »Ich habe diesen Ring nie einem anderen Mädchen gegeben.«

*Wow.* »Du haust mich echt um, Den.«

»Das war der Plan.« Er drückte sie sanft zurück aufs Bett und verflocht seine Finger mit ihren. »Ich weiß nicht, wie viel Zeit wir zusammen haben, aber ich möchte, dass jeder Tag zählt.«

Tränen schossen ihr in die Augen. »Du bist ein unglaublicher Mann, weißt du das eigentlich?«

»Nur, wenn ich mit dir zusammen bin.«

Zu Becks großer Erleichterung hatte der Engel Riley während ihrer ersten gemeinsamen Nacht nicht zu sich gerufen. Er wusste, dass aufgeschoben nicht aufgehoben war, und er war sich nicht sicher, wie er mit diesem Problem umgehen sollte. Dabei wusste er genau, was er wollte. Er wollte diesem Mistkerl die Flügel ausreißen und sein Stahlrohr tief in Oris Brust vergraben. Doch trotz dieses Bedürfnisses musste er wissen, was da vor sich ging.

Als Riley am nächsten Abend zu ihm kam, lud er sie in sein Bett ein und stellte ein paar Dinge klar.

»Ich werde heute Nacht auf dich aufpassen«, sagte er streng. »Ich werde nicht zulassen, dass er dich mir weg-nimmt.«

»Du kannst ihn nicht aufhalten.«

»Dann komme ich mit. Ich werde an deiner Seite kämpfen. Ich werde nicht zulassen, dass er dich umbringen lässt.«

Danach sprachen sie nicht mehr, da sie wussten, dass sie nur ihren Atem verschwenden würden. Alles fühlte sich jetzt drängender an, als könnte jede Stunde ihre letzte sein. Nachdem sie sich geliebt hatten, ruhten sie sich aus. Dann zog Riley sich an und kroch zu ihm zurück ins Bett, das ernüchternde Eingeständnis, dass ihr Leben nicht ihr gehörte. Beck zog sich ebenfalls an und drückte sie fest an sich, als sie in einen unruhigen Schlaf sank.

Als sein Nacken sich verkrampfte, drehte er sich auf den Rücken. Unwillig, sie loszulassen, suchte seine Hand die ihre. Sie murmelte seinen Namen im Schlaf, und das machte ihn glücklich.

*Dem Engel gehört vielleicht deine Seele, aber nicht dein Herz. Ich werde nicht zulassen, dass er dich je wieder ver-letzt. Vorher werde ich ihn umbringen oder bei dem Versuch sterben.*

Sosehr er sich auch bemühte, wach zu bleiben, am Ende fiel Beck doch an der Seite seiner Geliebten in den Schlaf. Als er ein paar Stunden später erwachte, drehte er sich zu Riley um, auf der Suche nach ihrer tröstlichen Wärme. Sie war verschwunden. Er stürzte aus dem Bett und rief ihren Namen, aber er erhielt keine Antwort. Eine rasche Durchsuchung des Hauses bewies, dass der Engel sie heimlich fortgeholt hatte.

Mit einem Schrei der Verzweiflung zog Beck sich in sein Schlafzimmer zurück, um auf ihre Rückkehr zu warten.

## 30. Kapitel

Riley hatte einen erneuten Ausflug in eine enge Gasse der Dämonenhochburg erwartet, doch hier kam ihr nichts bekannt vor. Es war sogar anders als jeder andere Ort, den sie je gesehen hatte. In der Ferne erkannte sie eine Flammenmauer aus wogendem Blutrot und Gelb, und in der Luft hing ein scharfer, ätzender Gestank. *Schwefel.*

Das war die Hölle.

»Warum sind wir hier?«, wollte sie wissen. Sie war nicht tot, oder zumindest ging sie nicht davon aus. Das Letzte, woran sie sich erinnerte, war, wie sie neben Beck eingeschlafen war.

»Wir sind vor meinen Gebieter gerufen worden«, lautete Oris kühle Antwort.

»Aber …«

»Los, weiter«, befahl er und schritt in einem Tempo voran, bei dem sie nur schwer mithalten konnte. »Wenn du zurückbleibst, bleibst du hier.«

Nachdem Riley einen Sprint eingelegt hatte, um zu ihm aufzuschließen, erreichten sie rasch die Flammenmauer. Zu schnell für die zurückgelegte Distanz. Zeit und Raum funktionierten hier anders als gewohnt.

Die Mauer bestand genaugenommen gar nicht aus Feuer:

Jede Flamme war in einer winzigen Glasscherbe gefangen, und Millionen davon bauschten sich zu einem dichten Schleier auf. »Was ist das?«

»Die Seelen der Verdammten«, erwiderte Ori. In seiner vollen Engelspracht stand er neben ihr. »Wie viele es sind?«, sagte er, als hätte sie diese Frage gestellt. »Selbst der Höllenfürst kommt beim Zählen durcheinander.«

»Ich kann da nicht durch. Es wird mich in Stücke schneiden.«

»Du stehst unter meinem Schutz. Dir wird nichts geschehen.«

»Was, wenn Luzifer sich anders entscheidet?«

Er runzelte die Stirn, bot ihr jedoch trotzdem seine Hand. Riley nahm sie und kniff die Augen zusammen, als sie den Schleier aus brennenden Seelen durchschritten. Sie rechnete damit, dass die Glasscherben sie häuten und ihr das Fleisch bis zu den Knochen abziehen würden, doch der Schmerz blieb aus.

»Und wenn es das Einzige ist, aber du solltest wissen, dass du mir vertrauen kannst«, sagte der Engel vorwurfsvoll. »Diesem Fänger vertraust du. Ich verstehe es nicht.«

»Ich liebe ihn.«

»Einst liebtest du auch mich, oder nicht?«

»Ja, aber das war anders«, erwiderte Riley. »Wir wissen beide, warum es nicht gehalten hat.«

»Wenn du glaubst, es hätte mir Spaß gebracht, zu tun, was ich tun musste, dann irrst du dich. Es war die einzige Möglichkeit, dich zu beschützen.«

»Wenn ich in Sicherheit bin, warum bin ich dann in der Hölle?«, fragte sie.

Oris Schultern verspannten sich. »Weil ich mich weigerte, deine Seele preiszugeben. Jetzt müssen wir beide den Preis für diesen offenen Ungehorsam zahlen.«

Danach verfiel er in Schweigen, drängte sie nur, schneller zu gehen, als wollte er die verlorene Zeit wettmachen. Die Umgebung veränderte sich und wurde mehr so, wie Riley sich die Hölle vorstellte, eine öde, trostlose Weite, mit Kratern übersät wie eine pockennarbige Mondlandschaft. Dichter Dampf stieg aus den Kratern auf, zusammen mit dem übelkeitserregenden Geruch nach faulen Eiern. Sie hielt sich die Hand vor die Nase und versuchte, nicht zu würgen.

Ori musterte sie. »Wie sieht es für dich aus?« Sie beschrieb es ihm. »Es ist für jeden anders. Dein Verstand schafft sich seine eigene Version von der Hölle. Meine Hölle ist anders.«

Sie wollte ihn fragen, wie es für ihn war, doch etwas sagte ihr, dass es besser war, diese Frage nicht zu stellen.

Bald erreichten sie ein breites Steintor, das von je einem Erzdämon an beiden Seiten des Portals bewacht wurde, jeder mit einem Krummsäbel bewaffnet. Sie musterten Riley aus ihren wie bei einer Ziege geschlitzten Augen.

Als Ori vorbeischritt, verbeugten sie sich, aber nicht besonders tief, als würde diese Ehrerbietung von ihnen verlangt, aber nur ungern gewährt. In ihrem Kopf hörte sie die Dämonen miteinander reden, sie sprachen über den Leckerbissen, den das göttliche Wesen sich aus der Welt der Sterblichen herausgepickt hatte, und dass er diesen Leckerbissen nicht an seinen Gebieter weitergegeben hatte. Dass er jetzt in den Augen des Höllenfürsten ein Verräter war.

»Hör nicht auf sie«, sagte Ori und führte sie einen feuchten Tunnel hinab, dessen Wände von einem grünen Moosteppich bedeckt waren. Kurz bevor der Tunnel endete, huschte eine bizarre, mausähnliche Kreatur mit winzigen Stacheln vor ihnen her. Als sie in einen offenen Bereich hinaustraten, wurden sie von einem dichten Nebel empfangen, als seien sie irgendwie an die Meeresküste befördert worden.

»Dies sind die Schatten der Verdammten«, sagte Ori. »Sie drängen sich hier ziemlich dicht. Ein paar erkennst du möglicherweise wieder.«

*Gott, ich hoffe nicht.*

»So viele«, flüsterte sie, als einzelne Gesichter an ihr vorbeischwammen und rasch durch ein neues und noch ein weiteres ersetzt wurden.

»Manche sind hier bis in alle Ewigkeit. Andere können passieren, sobald ihre Seelen von ihren Sünden gereinigt sind.«

»Du meinst, die Hölle ist gar keine Sache für immer und ewig?«, fragte sie überrascht.

»Es kommt auf die Taten der Verstorbenen an.«

»Und was ist mit … mir?«

Der Engel antwortete nicht.

Der Dämon saß an einem uralten Holzschreibtisch, auf dem sich Ablagekästen für die Ein- und Ausgänge stapelten, wie man sie in einem irdischen Büro erwarten würde.

Er – zumindest hielt Riley ihn für männlich – hatte sich einen Federkiel hinter sein fächerförmiges Ohr gesteckt. Ein Beamter. Ein höllischer. Wie viele von denen gab es wohl, um Luzifers infernalisches Geschäft zu verwalten?

»Nennen Sie Ihren Namen und den Zweck Ihres Besuchs«, sagte der Dämon.

»Du weißt, wer ich bin, Asbantarus«, erwiderte Ori barsch. »Der Fürst hat mich herbestellt. Ich habe eine lebende Sterbliche bei mir, Riley Anora Blackthorne.«

Die Ziegenaugen des Dämons musterten Riley von oben bis unten, dann nickte er. Mit einem Wink der schuppigen Hand tauchte eine Tür in der massiven Steinmauer hinter dem Tisch auf.

Sie waren im Begriff, Luzifers Gemächer zu betreten. Gewiss würde der Höllenfürst sie danach nicht wieder gehen lassen. Wer war jemals in der Hölle gewesen und zurückgekehrt, um davon zu berichten?

»Komm«, sagte Ori. »Wir sollten ihn nicht länger warten lassen.«

Als sie sich nicht rührte, ergriff er ihre Hand und zog sie vorwärts wie ein unartiges Kind. Sobald sie sich in Bewegung gesetzt hatte, ließ der gefallene Engel sie los.

Riley hatte gedacht, Thronsäle müssten groß und prächtig sein. Dieser Raum hier ähnelte eher einer Turnhalle in der Schule, nur die Basketballkörbe und die Tribüne fehlten. Aber es roch ungefähr genauso schlecht.

Außerdem hatte sie ein eher mittelalterliches Ambiente erwartet: reihenweise Festtafeln, beladen mit den Leibern der Verdammten, erhellt von flackernden Fackeln in Wandhaltern. Doch es gab weder Tische noch Leichen, und statt der Wandleuchter tanzte eine Art dezentes Licht über die Wände. Als sie genauer hinsah, stellte sie fest, dass es sich um Seelen handelte, die sich alle Mühe gaben, für eine angemessene Innenbeleuchtung in der Hölle zu sorgen.

*Das ist ja total makaber.*

Riley versuchte gar nicht erst, sie zu zählen, doch in dem Raum mussten sich mindestens hundert oder sogar noch mehr Dämonen befinden. *Kein Wunder, dass es hier so stinkt.* Es gab große und kleine, und alle waren sie abscheulich. Sie sah Trance-Dämonen und Gastro-Dämonen und eine ganze Reihe Erzdämonen. Manche der Ausgeburten der Hölle hatte sie nie zuvor gesehen – wie diejenigen, die in einer Welle aus rotem Dampf über den Boden waberten.

»Können die hören, was ich denke?«, flüsterte sie.

»Nein. Ich schirme deine Gedanken von den Dämonen ab. Andernfalls würden sie dich töten.«

Luzifer saß auf einem geschnitzten Ebenholzthron am anderen Ende des Raumes. Zwei gewaltige Geo-Dämonen fünften Grades standen als Wachposten neben ihm, die gehörnten Häupter reichten bis auf wenige Zentimeter an die gewölbte Decke heran.

Dämonisches Knurren erhob sich um sie herum, als Ori auf seinen Herrn und Gebieter zuging. Im Laufe der Äonen hatte er genügend von ihnen getötet, um von ihresgleichen gehasst zu werden.

Etwa fünf Meter vor Luzifer blieb der gefallene Engel stehen, aber er ging weder in die Knie, noch verbeugte er sich. In der Vergangenheit war Ori dem Höllenfürsten stets ehrerbietig gegenübergetreten.

*Was geht hier vor?*

Riley wusste nicht, was sie tun sollte, also blieb sie neben Ori stehen. Sie wünschte, das alles wäre nur ein böser Traum und dass Beck sie gleich aufwecken und sie festhalten und dass alles gut wäre. Vollkommen verängstigt faltete sie die Hände und drehte seinen Ring am Finger hin und her.

Als Luzifers Blick aus den mitternachtsblauen Augen auf sie fiel, erschauderte sie unwillkürlich. Der Blick hieß sie nicht willkommen, sondern verriet nichts als Boshaftigkeit.

Das war kein Traum.

Der Chef der gefallenen Engel trug eine Rüstung, genau wie bei der Schlacht auf dem Friedhof. Ein blankgezogenes Schwert lag über seinen Schenkeln. Fühlte er sich so bedroht, dass er in seinem eigenen Reich die volle Rüstung anlegen musste? Oder galt das allein Ori?

»Ihr habt nach mir verlangt, mein Fürst?«, sagte ihr Begleiter.

Luzifer lehnte sich auf seinem Thron zurück und strich sich nachdenklich übers Kinn. »Ich habe Gerüchte gehört, dass dir deine Aufgaben nicht gefallen.«

Seine Stimme klang anders als bei ihrer letzten Begegnung

auf den Friedhof, kehliger. Keine Spur mehr von dem charmanten Schwindler. War dies der echte Luzifer, oder war es nur eine weitere Rolle, in die er schlüpfte, wenn es erforderlich war?

»Nun? Entsprechen diese Gerüchte der Wahrheit?«

»Ihr wisst, wie ich in dieser Angelegenheit denke«, erwiderte Ori.

»In der Tat, du warst ausgesprochen freimütig in diesem Punkt. Wie ich sehe, hast du deine jüngste Eroberung dabei.« Mit funkelnden Augen richtete Luzifer sich auf.

»Wie kannst du es wagen, den Welpen eines Meisterfängers mitzubringen, wenn du mir gegenübertrittst?«

Stirnrunzelnd blickte sie zu Ori auf. »Du hast gesagt, er wollte mich sehen.«

Ihr Herr ignorierte sie. »Die Seele dieser Sterblichen obliegt meiner Obhut, und ich wagte es nicht, sie ohne meinen Schutz zu lassen. Jemand könnte auf die Idee kommen, ihr etwas anzutun.«

»Aus gutem Grund«, erwiderte Luzifer. »Vielleicht sollte ich die Verbindung zwischen euch lösen und sie einem meiner anderen, loyaleren Diener übergeben.«

*Die Verbindung lösen? Kann er das?* Natürlich konnte er.

Im Hintergrund der Halle lachten und johlten Dämonen, der Lärm brannte wie Säure in ihren Adern. Sie drehte erneut an Becks Ring und versuchte, Mut aus dem schlichten Stück Metall zu schöpfen.

Als Ori nicht nach dem Köder schnappte, ließ Luzifer sich wieder zurücksinken. »Lass deinen Bericht hören«, befahl er.

Ori begann, ausführlich die Hinrichtungen aufzuzählen, und listete lange Dämonennamen auf, einen nach dem anderen. Der Fürst zeigte keinerlei Regung, sein unergründlicher Blick blieb auf Riley geheftet. Sie brach in Schweiß aus, obwohl es gar nicht besonders heiß war, und ihre Haut begann zu jucken, als würde das Innerste nach außen gekehrt. Sie verspürte den heftigen Drang, sich zu kratzen, aber sie zwang sich, die Hände weiterhin gefaltet zu lassen.

Luzifer brachte Ori mit einer Handbewegung zum Schweigen. »Was ist mit dir, Blackthornes Tochter? Was war deine Rolle dabei?«

»Äh … ich habe ihm geholfen«, bot sie an. Hoffentlich war es das, was er hören wollte.

Ein zischender Chor der Dämonen verriet ihr, dass es nicht die richtige Antwort gewesen war.

Mit dem Schwert in der Hand schoss Luzifer vom Thron hoch.

»Wie kannst du es wagen, eine Sterbliche zu lehren, meine Diener niederzumetzeln?«, brüllte er. Dröhnend hallte seine Stimme von den Höhlenwänden wider.

»Ihr habt euch geweigert, mir Unterstützung zu gewähren. Ihr sagtet, ich solle meine Phantasie einsetzen, um Eure Feinde zu vernichten. Das habe ich getan. Mit einer Assistentin kann ich doppelt so viele verräterische Dämonen töten.«

»Das ist keine Entschuldigung! Du hast diese Sterbliche von der göttlichen Macht kosten lassen. Du hast sie bevorzugt, seit du sie zum ersten Mal gesehen hast.«

»Ihr wart derjenige, der mir befahl, Blackthornes Tochter zu beschützen«, parierte Ori.

»Ein Befehl, den du zu genau genommen hast. Als du im Sterben lagst, hättest du dein eigenes Leben retten können, doch du hast dich geweigert, ihres zu nehmen, um das zu erreichen. Warum?«

Fassungslos sah Riley den Engel an. »Stimmt das?«

»Ja«, gab Ori zu. Er antwortete ihr, nicht seinem Gebieter. »Da deine Seele mir gehört, hätte ich deine Lebensenergie anzapfen können, um mich zu heilen. Ich habe mich geweigert.«

*Mein Gott.*

»Ich war es, der dich geheilt hat«, fuhr Luzifer fort und schritt vor ihnen auf und ab und verwandelte seinen Zorn in Bewegungsenergie. »Gleichwohl sehe ich keinerlei Dankbarkeit für diese Geste, mein Diener.«

Ori versteifte sich. »Ich sehnte mich nach dem Nichts des Todes, und Ihr habt mir diese Ehre verweigert. Ich tue, was Ihr mir befiehlt, mein Fürst, aber ich liebe diese Aufgabe nicht.«

Luzifer blieb stehen und legte sein Schwert über die von der Rüstung bedeckte Schulter.

»Es wird gemunkelt, dass du nach meinem Thron strebst«, sagte er. Seine Worte durchschnitten die Luft wie Rasiermesser. »Dass du wünschst, den Tyrannen zu stürzen. Was sagst du dazu?«

Ori gab keine Antwort. Hinter ihnen wurden die Dämonen unruhig, als sie Blut witterten.

*Wir sind so gut wie tot.* Der Fürst konnte jetzt unmöglich

noch einen Rückzieher machen. Sie würde einfach verschwinden, und Beck würde nie erfahren, was mit ihr geschehen war.

*Nein, so nicht. Bitte. Ich möchte ihn noch ein einziges Mal sehen.*

Irgendwo aus dem riesigen Raum ertönte ein gepeinigtes Heulen. Luzifer erteilte einen Befehl, die Dämonen bildeten eine Gasse und gaben den Blick frei auf eine übel zugerichtete Gestalt, die im Inneren eines großen, auf die Steine gemalten Kreises kniete, einer Art magischem Gefängnis. Die Kleidung der Kreatur hing verschmutzt und zerfetzt an ihr herab, und dicke Metallketten waren um ihren Leib geschlungen. Diese Ketten waren nicht fest, sondern bewegten sich und rieben über das aufgescheuerte Fleisch.

*Sartael.*

Der wahnsinnige Blick des Erzengels fiel auf sie, und er heulte erneut auf und feuerte Flüche in Höllensprache auf sie ab.

»Dein Feind hat dich vermisst«, sagte Luzifer trocken. Er kehrte zu seinem Thron zurück und legte das Schwert erneut über die Beine. »Begreifst du, an welchem Abgrund du entlangtaumelst, mein Diener? Zweifelst du daran, dass du es sein könntest, der in diesen Ketten liegt?«

»Ich habe verstanden, Gebieter«, erwiderte Ori durch zusammengebissene Zähne.

Luzifer richtete seine Aufmerksamkeit auf Riley und lächelte grausam. »Glaube bloß nicht, dass nur Ori dieses Schicksal bestimmt ist …«

Riley begann, vor Entsetzen zu zittern, mit jedem schwefeldurchtränkten Atemzug wurden ihre Lungen enger. Sie riss den Blick von Sartaels endlosen Qualen fort und richtete ihn auf die Füße eines der gewaltigen Fünfer vor ihr, deren Klauen an den Zehen so lang waren wie ihr Arm.

Luzifer erhob sich von seinem schlichten Thron, die dunklen Schwingen waren jetzt in Gänze zu sehen. Blitze tanzten an den Wänden entlang, beschrieben einen Bogen über die gewölbte Decke und erdeten sich in dem Thron hinter dem Höllenfürsten.

Mit der Spitze seines Schwertes deutete er auf Ori. »Finde meine Feinde und vernichte sie. Verbünde dich mit ihnen, und deine Strafe wird ewig andauern. Dies ist die letzte Warnung. Und nun hinfort mit euch!«

## 31. KAPITEL

Ein hysterisches Schluchzen riss Beck aus seinen düsteren Gedanken. Er stürzte zu Riley, die auf schwankenden Beinen am Ende des Bettes stand. Als er sie in den Arm nahm, keuchte er auf, als ihm der überwältigende Schwefelgeruch in die Nase stieg.

Sie zitterte wie ein verängstigtes Kätzchen, schluchzte unkontrolliert, und jeder Atemzug war ein gequältes Wimmern.

»Ich bin hier, Riley.«

Ihre Augen verrieten nichts als riesige Angst, die Tränen strömten in Sturzbächen heraus.

»Hölle …«

Beck hob sie hoch und trug sie ins Badezimmer, wo er sie auf den Rand der Badewanne setzte. Instinktiv beugte sie sich vor und versuchte, so viel Sauerstoff wie möglich einzuatmen. Der nächste Atemzug wurde noch gepresster, und er spürte Panik in sich aufsteigen. Was, wenn sie aufhörte zu atmen? Was sollte er dann machen?

Er öffnete das Fenster und stellte die Dusche an, in der Hoffnung, die frische Luft und die Feuchtigkeit würden helfen. Erst jetzt sah er ihre rechte Hand, in der das Zeichen der Hölle in einem blassen Weiß glühte. *Mein Gott.*

Er kniete vor ihr und sah dem verängstigten Mädchen in die Augen.

»Hol ganz langsam Luft. Okay, und jetzt noch einmal. So ist es gut«, sagte er mit fester Stimme. Mit der Zeit und viel Überredungskunst wurde die Atmung der Patientin besser. Als er spürte, dass es ihr besserging, griff er nach dem obersten Knopf ihrer Bluse. »Du brauchst eine Dusche. Das wird dich aufwärmen. Und diesen … Geruch vertreiben.«

Riley nickte und ließ sich von ihm beim Ausziehen helfen. Als sie nur noch Unterwäsche trug, zog er sich zurück.

»Den Rest schaffst du allein, oder?«, sagte er. »Ich mache dir eine heiße Schokolade. Wenn du irgendetwas brauchst, ruf mich.«

Widerstrebend ließ Beck sie allein. Als er hörte, wie die Tür zur Duschkabine zugeschoben wurde, ließ er sich gegen die Wand draußen neben der Badezimmertür sinken.

Warum war sie in der Hölle gewesen? Was hatte Ori ihr angetan?

*Ich muss dafür sorgen, dass das aufhört. Aber wie?*

Riley ließ sich Zeit mit dem Duschen, wie er es gehofft hatte. Als sie herauskam, stand er mit einem vorgewärmten Handtuch bereit und wickelte sie darin ein, damit sie nicht das Gefühl hatte, nackt und ungeschützt vor ihm zu stehen. Er ließ sie sich vor das Waschbecken stellen, wo er sanft ihr Haar trockenrubbelte und kämmte. Diese einfachen Handlungen und der Becher heiße Schokolade schienen sie zu beruhigen.

Jedes Mal, wenn das Leben ihr einen unerwarteten Schlag versetzt hatte, hatte sie sich wieder aufgerappelt und weitergemacht. Es war eine der vielen Eigenschaften, die er an ihr bewunderte. Doch selbst Riley hatte irgendwann ihre Grenzen erreicht, und es schien so, als sei genau das gerade geschehen.

»So ist es besser«, sagte er und versuchte, aufmunternd zu klingen. »Jetzt riechst du wieder wie mein Mädel.«

Aus geröteten Augen starrte sie ihn im Spiegel an. Ihre Hand zitterte so heftig, dass sie kaum den Becher festhalten konnte.

»Luzifer hat uns zu sich gerufen«, sagte sie mit rauer Stimme. »Er war wütend. Er glaubt, Ori sei auf seinen Thron scharf.«

Beck zwang sich, keine Reaktion zu zeigen, um sie nicht noch weiter zu ängstigen. Stattdessen drängte er sie, noch mehr heiße Schokolade zu trinken. Danach stellte er den Becher ins Waschbecken. »Komm, ich bringe dich ins Bett. Dort ist es wärmer.«

Riley erhob keinen Protest, sondern erlaubte ihm, ihr eines seiner langen T-Shirts anzuziehen und die Decke um sie herum festzustopfen. Er legte sich neben sie ins Bett, und sie klammerte sich an ihn.

Wenn der Höllenfürst Ori für einen Verräter hielt, würde er Rileys Herrn töten und ihre Seele für sich beanspruchen. Wer weiß, welche Qualen dann auf sie zukämen, entweder durch Luzifer selbst oder ganz nach Lust und Laune seiner Dämonen?

»Erzähl mir, was passiert ist. Alles«, sagte er.

Stockend berichtete Riley ihm alles; dass sie die Dämonen gesehen hatte und die toten Seelen und Sartael in Ketten.

»Jetzt weiß ich, wie es ist«, sagte sie so leise, dass er sie kaum hören konnte. »Dorthin werde ich gehen, wenn ich sterbe.« Sie schluchzte an seiner Brust. »Gott, ich habe solche Angst. Ich weiß nicht mehr, was ich tun soll.«

Beck wusste es. »Morgen früh gehen wir zu den Meistern und erzählen ihnen alles. Sie werden wissen, was zu tun ist.«

»Nein«, widersprach sie kopfschüttelnd. »Dann muss Stewart Rom erzählen, dass ich mit Ori geschlafen habe. Sie werden mich … einsperren oder so. Ich werde dich nie wiedersehen.«

»Ich glaube, Rom hat inzwischen ein ziemlich klares Bild davon, was zwischen dir und dem Engel vorgefallen ist, und sie wollen die Sache nicht weiter verfolgen. Nicht, nachdem du verhindert hast, dass die Welt in Stücke gerissen wird.«

Erneut schüttelte sie den Kopf. »Die Meister können gar nichts machen. Ori wird untergehen, und ich mit ihm. Kennst du diese Ketten, in die Luzifer Sartael gelegt hat? Solche Dinger warten auch auf mich.«

Er spürte, wie Panik sich in ihm ausbreitete, wie vor jeder Schlacht. Die unablässigen Zweifel, die wütende Angst, die völlige Hilflosigkeit.

*Lass es nicht so weit kommen. Sie braucht mich. Ich muss für sie stark sein.*

Als ihr Tränen über die Wangen liefen, fing Riley an, mit

dem Ring an ihrem Finger herumzuspielen und zu versuchen, ihn abzunehmen. Beck wusste, dass er das nicht zulassen durfte. Er nahm ihre beiden Hände.

»Nein, mich fortzustoßen ist keine Lösung. Was zwischen uns ist, gilt nicht für die Tage, an denen es gut läuft, Riley. Es gilt für immer.«

Sie suchte seinen Blick. »Sie werden dich töten, Beck. Das kann ich nicht ertragen.«

»Ohne dich ist es mir vollkommen egal, ob ich lebe oder nicht. Ich liebe dich, und kein gefallener Engel wird dich mir wegnehmen. Hast du das gehört?«

»Aber …«

»Nein! Du bist nicht weggegangen, als ich sterbend im Sumpf lag, und jetzt werde ich dich nicht verlassen. Wir stehen das gemeinsam durch. Das ist der einzig mögliche Weg.«

In ihrem Blick erkannte er ihre Dankbarkeit. »Ich liebe dich«, flüsterte sie.

»Ich weiß. Wir werden diese Sache durchstehen«, beharrte er. »Du und ich, wir sind stärker als die Hölle. Liebe ist immer stärker als die Hölle.«

Riley zog ihre Hände aus seinen, aber sie versuchte nicht noch einmal, den Ring abzunehmen

»Glaubst du wirklich, die Meister können uns helfen?« Ihre Stimme klang jetzt kräftiger, als würde sie ihre letzten Mutreserven zusammenkratzen.

Beck unterdrückte einen Seufzer der Erleichterung. »Das werden wir morgen früh herausfinden«, erwiderte er. »Jetzt musst du dich ausruhen.«

»Nein. Ich will nicht schlafen.« Riley küsste ihn auf den Mund und zog ihn näher an sich. »Lass mich glauben, dass wir noch zusammen sind, wenn das hier vorbei ist.«

»Wir werden zusammen sein, Riley, so oder so. Ich verspreche es.«

Und wenn er jeden einzelnen Dämon der Hölle töten müsste, um das wahr werden zu lassen.

## 32. KAPITEL

Als es dämmerte, stand Beck auf. Er machte sich zu große Sorgen, als dass er hätte Ruhe finden können. Als er sich anzog, versuchte er, keinen Lärm zu machen, damit Riley weiterschlafen konnte. Sie hatte sich umgedreht, und ihr Haar lag ausgebreitet auf dem Kissen. Als er sie so weich und verletzlich dort liegen sah, tat ihm das Herz weh.

*Gott, ich liebe dich.*

Wenn er nicht herausfand, wie er sie vor den Intrigen der Hölle schützen konnte, würde sie nicht mehr sehr lange bei ihm sein. Und er wusste genau, wie sein Leben ohne sie aussehen würde: Es würde nur noch darum gehen, genug Alkohol zu organisieren und sich zu überlegen, in welcher Gosse er sterben wollte.

Beck zog die Tür hinter sich zu und machte einen kurzen Boxenstopp im Badezimmer. Nachdem er ihre Sachen in die Waschmaschine gestopft hatte, um den Schwefelgestank rauszubekommen, gestattete er sich einen kurzen Aufschub, in dem er Kaffee kochte. Danach führte kein Weg mehr daran vorbei, zum Telefon zu greifen und Stewart anzurufen. Er wählte die Nummer des Meisters, und irgendwie kam es ihm vor, als würde er die Frau, die er liebte, betrügen. Als Stewart sich meldete, hätte Beck sich beinahe verschluckt.

»Riley steckt in großen Schwierigkeiten, und wir brauchen dringend die Hilfe der Zunft, Sir.«

Es gab eine kurze Pause. »Hat das etwas mit dem gefallenen Engel zu tun?«, fragte der Meister.

*Woher wusste er das?* »Ja, allerdings.«

»Bring Riley um neun hierher. Ich rufe Harper an.« Dann war die Leitung tot.

Beck legte das Telefon auf den Tisch und ging das Gespräch in Gedanken noch einmal durch. Wie kam es, dass Stewart ihnen immer einen Schritt voraus zu sein schien?

Wahrscheinlich würde der Vatikan Riley zu ihrem eigenen Schutz nach Rom bringen lassen, obwohl Beck bezweifelte, dass die Kirche sie vor dem Zorn des Höllenfürsten würde beschützen können.

*Was, wenn ich sie nie wiedersehe?*

Zu diesem Zeitpunkt würde er alles tun, um sie am Leben zu erhalten, würde sie sogar der Obhut eines anderen übergeben.

Als er die Hand nach seiner Tasse ausstreckte, geriet sein Gleichgewicht außer Kontrolle, dann drehte sich alles in seinem Kopf. Er wollte sich an der Arbeitsplatte festhalten, um nicht umzufallen, doch die war verschwunden. Als Becks Sinne wieder funktionierten, befand er sich nicht länger in seiner Küche, sondern auf einer grünen Wiese. Der Himmel war strahlend blau, und es war warm und sonnig wie mitten im Sommer. Das war bestimmt nicht Atlanta Anfang März.

»Was, zum Teufel, soll das?«

Dann entdeckte er den Engel unter einer ausladenden Eiche, die Schwingen seines Feindes waren deutlich zu erkennen. Beck spie auf den Boden und marschierte auf ihn zu, mehr als bereit, seine Frustration und Wut an Rileys Verführer auszulassen.

Der Engel sah ihn ohne ein Anzeichen der Besorgnis näher kommen.

»Mich zu töten wird Riley Anora Blackthorne nicht helfen«, sagte Ori.

Beck blieb wie angewurzelt stehen, Liebe und Rachegelüste bekriegten sich in seinem Inneren. »Was für ein Spiel treibst du, verdammt nochmal? Wo sind wir hier?«

»An einem Ort, den ich selbst geschaffen habe. Ich wollte gerne irgendwo sein, wo uns niemand belauschen kann.«

Was bedeutete, dass niemand je etwas erfahren würde, falls dieser Mistkerl beschlossen hatte, Beck zu töten.

»Das auch«, erwiderte der Engel.

»Du kannst meine Gedanken lesen.«

»Manchmal. Im Moment bis du so emotionsgeladen, dass es ein Kinderspiel ist.«

Beck stöhnte, wich aber nicht von der Stelle. »Warum reißt du mir jede Nacht mein Mädel aus den Armen und versuchst, sie umbringen zu lassen?«

Statt einer Antwort ließ Ori sich unter dem Baum nieder, stellte ein Bein auf und stützte den Unterarm auf das Knie. Diese Geste wirkte so menschlich. Doch andererseits lebte dieses göttliche Wesen schon so lange unter den Sterblichen, dass es nur natürlich war, dass er ihr Benehmen nachahmte.

»Ich warte auf eine Antwort«, sagte Beck.

Der gefallene Engel richtete seine dunklen Augen auf ihn.

»In unserem Reich herrscht Aufruhr, weil mein Gebieter Sartael nicht getötet hat, als er die Gelegenheit dazu hatte.«

Beck runzelte die Stirn. »Luzifer ist kein Weichei. Wenn er einen seiner Engel für eine Bedrohung halten würde, wäre der Wichser jetzt tot.«

»Nur, wenn der Tod in seine Pläne passt.« Ori zupfte einen langen Grashalm aus und drehte ihn nachdenklich zwischen den Fingern hin und her.

Als der Engel nichts weiter sagte, setzte Beck sich ebenfalls unter den Baum, wobei er einigen Abstand zwischen sich und seinem Feind ließ. Der Wind kräuselte das Gras um ihn herum zu rollenden Wogen.

Er seufzte schwer. »Luzifer ist genau wie Stewart«, sinnierte er laut. »Er tut nichts, ohne dass irgendeine Strategie dahintersteckt. Was bedeutet …« Beck begann, andere Möglichkeiten zu sehen. »Irgendetwas muss die gefallenen Engel dazu gebracht haben, über ihren Gebieter ungehalten zu sein.« Er argwöhnte, dass dieses *Irgendetwas* neben ihm saß. »Warum bist du noch am Leben? Als ich dich das letzte Mal sah, ist überall Blut aus dir herausgetropft.«

Der plötzliche Zorn in Oris dunklen Augen ließ Beck sich versteifen. »Mein Gebieter hat mir das Recht zu sterben verweigert.«

»Was passiert, wenn einer wie du stirbt?«

»Wir werden in die Vergessenheit geschickt. Ins Nichts. Ihr Sterblichen nennt es Limbus. Es ist eine gewaltige Leere – keine Geräusche, kein Licht, nichts. Wenn wir unsere Schuld abbezahlt haben, werden wir vielleicht zu unserem Schöpfer gerufen. Wenn nicht ... dann sind wir bis in alle Ewigkeit allein.«

Was der Engel sagte, ergab nicht viel Sinn. »Warum wolltest du sterben, wenn es das ist, was dich erwartet?«, fragte Beck.

»Ich verdiene es, auf ewig im Nichts zu verweilen«, erwiderte Ori ruhiger. »Ich bin des Lebens ... überdrüssig.«

An diese Möglichkeit hatte Beck nicht einmal im Entferntesten gedacht. Aber wenn man beinahe unsterblich war, konnte man vielleicht tatsächlich jeden neuen Tag satt haben.

Er kam dem Kern der ganzen Sache näher, das spürte er. »Was halten die anderen Engel davon, dass Luzifer dich nicht hat sterben lassen?«

»Die meisten sind verärgert, weil mir nicht die Wahl gelassen wurde, mein Leben zu beenden.«

»Verärgert genug, um sich mit Sartael und seinen wahnsinnigen Dämonen zu verbünden?«

»Vielleicht.«

Beck schnaubte. »Ein gewagtes Spiel, Engel. Sowohl der Fürst als auch dieser bekloppte Erzengel-Arsch benutzen dich als Zündschnur für diesen Krieg.«

»Ich weiß.« Ori hob die Brauen, als er den Grashalm beiseitewarf. »Darum habe ich Riley so hart ausgebildet.

Es ist entscheidend, dass sie überlebt. Schon bald werden Sartaels Dämonen ihn befreien, und wenn das geschieht, wird er nicht in der Hölle bleiben. Er wird an den einzigen Ort in deiner Welt zurückkehren, an dem er eine Niederlage erlitten hat. Was meinst du, welcher Ort das sein wird?«

»Atlanta«, sagte Beck. Sein Mut sank.

»Muss ich dich extra warnen, was er mit jenen zu tun gedenkt, die ihn überwunden haben? Den Dämonenfängern? Den Nekromanten und Hexen? Oder der Tochter des Meisters, der ihm diese Ketten angelegt hat?«

Beck schüttelte den Kopf. Jetzt ergab alles einen Sinn.

»Weiß Riley irgendetwas davon?«

»Nein. Alles, was sie zu wissen braucht, ist, wie sie überlebt. Wenn Sartael erneut in den Krieg zieht, werde ich versuchen, ihn zu töten, aber er hat viele Dämonen, die ihm hörig sind und ihm Macht verleihen. Wenn er verletzt wird, kann er sich selbst heilen, indem er ihnen die Lebensenergie entzieht. Wahrscheinlich wird er mich vernichten.«

»Verdammt …«, murmelte Beck und strich sich mit der Hand durchs Haar. Die Luft war stickiger geworden, und sein Hemd klebte an seinem Rücken. »Was ist mit den anderen gefallenen Engeln? Was werden sie tun?«

»Das weiß niemand. Meine Aufgabe ist es, Sartael so schnell wie möglich zu töten, damit meinesgleichen nicht in den Krieg gegen ihren Gebieter zieht.«

»Warum erzählst du mir all das?«

Der Engel erhob sich, das Gesicht hart, das Kinn fest.

»Deine Aufgabe ist es, das Leben von Blackthornes Tochter zu schützen. Das ist alles, worum es mir geht.«

»Was? Wieso ist dir das wichtig?«, wollte Beck wissen und sprang auf. »Liebst du sie?«

»Nicht auf dieselbe Weise wie du, Fänger. Ich liebe das, was ich in ihrem Blick sehe, diesen flüchtigen Eindruck des Himmels. Ich habe es ihr einmal gesagt, aber sie glaubte, ich würde lügen, um sie zu verführen.« Traurig schüttelte Ori den Kopf. »Es war die Wahrheit.«

»Wenn du stirbst, bekommt der Höllenfürst trotzdem ihre Seele.«

Ori legte den Kopf schräg. »Nein. Wenn ich vor Riley Anora Blackthorne sterbe, ist ihre Seele frei und gehört nicht mehr der Hölle. Das gehörte zu unserer Vereinbarung. Wenn Sartael das erfährt, wird er dafür sorgen, dass ich nicht sterbe.«

»Wer weiß bisher davon?«

»Nur Luzifer. Riley hat hart verhandelt, aber das spielt keine Rolle, wenn Sartael nach Atlanta kommt. Er wird sie vernichten.«

»Da muss er erst an mir vorbei«, erwiderte Beck. »Ich weiß, dass ich kein großer und mächtiger Engel bin wie du, aber ich werde mein Bestes geben, um ihr Leben zu schützen.«

»Schwörst du es bei deiner Seele?«, sagte Ori.

Beck schwieg. *Das ist also der Haken.*

»Wenn es dir nicht gelingt, Rileys Leben zu schützen, gehört deine Seele der Hölle.«

»Und was bekomme ich dafür?«

Oris Mundwinkel hoben sich zu einem Lächeln. »Ich verstehe, warum ein Großmeister dich unter seine Fittiche genommen hat. Du zeigst nur wenig Furcht.«

»Beantworte einfach meine Frage.«

»Ich bin bereit, Wissen mit dir zu teilen, das nicht für die Sterblichen bestimmt ist. Ich werde dir sagen, wie man ein göttliches Wesen tötet.«

Beck zuckte überrascht zusammen. »Und was sollte mich dann davon abhalten, dieses Wissen an dir auszuprobieren?«

»Ich vertraue darauf, dass deine Liebe zu Riley stärker ist als dein Verlangen nach Rache.«

Ori schätzte ihn richtig ein.

»Zum Teufel mit dir«, murmelte Beck. Er wusste, dass er mit dem Rücken zur Wand stand. »Erzähl mir, was ich wissen muss. Wenn Riley stirbt, ist es ohnehin egal, wohin ich gehe. Mein Leben wäre dann sowieso die Hölle.«

Als sie hintereinander durch den Korridor zu Stewarts Arbeitszimmer gingen, verstärkte Riley den Griff um Becks Hand.

»Hast du Angst?«, fragte er.

»Und wie. Wenn du nicht hier bei mir wärst, würde ich durchdrehen.«

»Dann mache ich meinen Job ja richtig«, sagte er und drückte beruhigend ihre Hand.

Beide Meister erwarteten sie, wie Beck sie gewarnt hatte. Harper hielt eine Tasse Kaffee in der Hand, seine Narbe spannte über die ganze Seite seines Gesichts. Er nickte ihr zu, aber sie entdeckte nichts von der früheren Feindseligkeit in seiner Miene.

Stewart saß auf seinem Lieblingssessel, doch seine Haltung verriet seine gewaltige Anspannung.

»Riley«, sagte er. »Setz dich, und dann erzähl uns, was los ist. Lass nichts aus, verstanden? Dann werden wir sehen, ob wir irgendetwas für dich tun können.«

Als Riley sich auf die Couch setzte, faltete Beck eine Decke auseinander und hüllte sie darin ein, eine liebevolle Geste. Auf seine Weise gab er den Meistern zu verstehen, dass er sich, falls sie meinten, sie den Wölfen zum Fraß vorwerfen zu können, gegen sie stellen würde.

»Mach schon«, drängte Beck. »Du und ich schaffen das nicht allein.«

Sobald Riley angefangen hatte, quoll die Geschichte von ihr und dem gefallenen Engel aus ihr hervor wie ein vom Sturm angeschwollener Fluss. Sie ließ nichts aus: wie sie den Handel um ihre Seele auf dem Friedhof besiegelt hatte, damit Ori Sartael bekämpfen konnte, und die einzigartige Bedingung der Abmachung. Und was es bedeutete, für sie und für den Engel.

Während sie sprach, starrte Riley auf die Male in ihren Handflächen, nicht in die Gesichter der beiden Männer, die ihr Schicksal in den Händen hielten. Sie hatte Angst vor dem, was sie dort sehen würde.

»Ori tauchte nach meiner Rückkehr aus Sadlersville auf«, fuhr sie fort. »Er bringt mir bei, wie man Dämonen tötet. Letzte Nacht wurden wir … in die Hölle gerufen.«

Nachdem sie geendet hatte, herrschte tiefes Schweigen, und Riley zwang sich, den Blick zu heben und die Meister anzuschauen. Harper starrte hinunter in seine Tasse, Stewart machte ein nachdenkliches Gesicht.

»Ich weiß, dass Sie es dem Vatikan erzählen müssen«, sagte sie. »Ich will nicht, dass man Ihnen die Schuld gibt, Meister Stewart. Ich war es … ich habe die Fehler gemacht.«

»Du hattest niemals eine Chance«, sagte Harper und hob den Blick, um sie anzusehen. »Sobald dein Vater seine Seele verkauft hatte, waren sie hinter dir her.« Er seufzte. »Die Wahrheit ist, ich hätte dasselbe für meinen Sohn getan.«

Das war so nah dran an einer Entschuldigung, wie sie es je erleben würde.

Stewart regte sich. »Wir müssen das in Ruhe besprechen, Mädel. Geh und ruh dich aus. Wir werden dich wissen lassen, zu welcher Entscheidung wir gekommen sind.«

Beck gab ihr einen Kuss auf die Wange, und dann ging sie hinaus, jeder Schritt ein Beweis ihrer Niedergeschlagenheit.

»Seit wann weißt du das mit dem Engel?«, fragte Stewart.

Behutsam schloss Beck die Tür. »Erst seit ein paar Tagen. Und du?«

»Ich habe mit ihrem Herrn gesprochen, direkt, nachdem ihr beide nach Sadlersville aufgebrochen seid. Ich rief Harper noch am selben Tag an, um ihn zu informieren.«

Beck sah die beiden stirnrunzelnd an. »Warum habt ihr mir nichts gesagt?«

»Weil ihr beide erst noch ein paar andere Dinge klären

musstet, ehe ihr dieser gewaltigen Herausforderung ins Auge blicken konntet. Habe ich recht?«

Beck nickte müde und sank auf die Couch. »Ja, ich denke schon.«

»Hat der Engel schon mit dir gesprochen?«

Damit hatte er nicht gerechnet, und es ärgerte ihn. Fahrig zerwühlte er seine Haare mit den Fingern, dann ließ er sich erschöpft zurückfallen. *Sie wussten die ganze Zeit Bescheid und haben mir nie etwas gesagt.*

»Beck?«, drängte Stewart.

»Ja, heute Morgen hat der Engel mich aus meinem eigenen Haus geholt, als wäre ich irgendeine verdammte Marionette.«

»Dann weißt du also, dass wir in ernster Gefahr schweben. Die Engel sind momentan ausgesprochen wütend auf Luzifer. Vielen ist Ori völlig egal, aber dass Luzifer ihm das Recht zu sterben verweigert hat, zeigt ihnen, dass sie nur wenig mehr sind als Bauern in einem Schachspiel, nicht besser als die Dämonen, die sie verabscheuen. Das war Luzifers Fehler. Er war cleverer, als ihm guttut.«

»Ori glaubt, dass Sartael heute Nacht befreit wird, wenn dieser Reverend versucht, die Dämonen auszutreiben«, sagte Beck.

Keiner der Meister wirkte überrascht. »Unsere Leute sind bereit«, sagte Harper. »Die Nekromanten sind mit an Bord, und vielleicht auch eine oder zwei Hexen. Ihr Job ist es, sich um die Dämonen zu kümmern, während Ori versucht, Sartael zu töten.«

»Verstehst du, was deine Rolle dabei ist, Junge?«, fragte Stewart, den Blick auf ihn fixiert.

»Ja. Ich muss dafür sorgen, dass Riley am Leben bleibt und vielleicht sogar Sartael töten, wenn ich Glück habe.«

»Auf das Zweite würde ich nicht unbedingt zählen«, sagte Harper. Stewart sagte nichts, sondern musterte Beck weiterhin unbeirrt.

*Wie viel weiß er noch, das er uns nicht erzählt?*

Beck schnaubte. »Nur damit ich das richtig verstehe – wir verbünden uns also mit einem Teil der Hölle gegen die andere?«

»Es ist das geringere von zwei Übeln, mein Freund«, erwiderte Stewart.

*Wenigstens ist mein Testament auf dem neuesten Stand.*

Das Frühstück war so üppig wie üblich, doch Riley hatte keinen Appetit und starrte nur auf die Eier auf ihrem Teller, die langsam erkalteten. Mrs Ayers jammerte ein wenig herum, dann gab sie auf und ließ sie in Ruhe.

Kurz danach gesellte sich Meister Stewart zu ihr, zog einen Stuhl hervor und nahm ihr gegenüber Platz. Riley kannte ihn gut genug, um zu wissen, dass das, war er ihr zu sagen hatte, keine guten Neuigkeiten waren.

»Der Vatikan will, dass ich nach Rom komme, stimmt's?«

»Aye. Sie hoffen, dass sie dir einen sicheren Platz bieten können.«

»Das wird nicht funktionieren. Ori kann mich zu ihm

rufen, wann immer er will. Es ist egal, wo ich gerade bin.«
Sie schob ihren Teller weg. »Wie bald soll ich aufbrechen?«

»In ein paar Tagen«, sagte Stewart. »Sie müssen noch ein
paar Vorbereitungen treffen, und ich habe ihnen gesagt,
sie bräuchten sich nicht zu beeilen.«

Sein trauriger Tonfall ließ sie aufblicken. »Warum?«

Stewart legte die Hände mit gespreizten Fingern auf den
Tisch. »Was immer sich in der Hölle zusammenbraut, es
wird passieren, bevor du abfährst. Das weiß ich aus zuver-
lässiger Quelle.«

»Aber wer …« *Ori*. Er steckt total drin im Politklüngel der
Hölle. Oder war es der Fürst selbst, der Stewart auf dem
Laufenden hielt?

Hatte sie sich in dem Meister geirrt? Hatte er in Wirklichkeit die ganze Zeit für Luzifer gearbeitet?

»Ich stehe nicht auf der Lohnliste der Hölle«, sagte er, als
hätte er ihre Gedanken gelesen. »Aber als Großmeister ist
es meine Aufgabe, das Gleichgewicht zwischen Gut und
Böse aufrechtzuerhalten. Manchmal bedeutet das, dass
ich mit jenen zusammenarbeite, die ich für meine Feinde
halte.

»Wie Luzifer und Ori.«

Stewart nickte. »Wenn Sartael befreit wird, wird er in
diese Stadt zurückkehren, um Rache zu üben. Es wird ein
Blutbad geben.«

»Dann müssen die Jungs vom Vatikan zurück nach Atlanta
kommen.«

»Nay. Das ist unser Job, und, um die Wahrheit zu sagen,

die Dämonenjäger haben ohnehin nicht mehr genügend Zeit.«

Die Jäger waren ziemlich schnell, und das bedeutete …

»Wann geht es los?«

»Heute Nacht. Es ist besser so. Je länger der Krieg in der Hölle vor sich hin brodelt, desto schlimmer wird es. Viele der Dämonen und der gefallenen Engel haben sich noch nicht entschieden, auf wessen Seite sie stehen. Wir möchten, dass es so bleibt.«

»Für den Fall, dass sie sich für Sartaels Team entscheiden«, erwiderte Riley.

»Aye. Ich habe die ganze Zeit gewusst, dass Ori dich ausbildet, und ich habe widerwillig zugestimmt. Er versucht, dein Leben zu schützen.«

*Er wusste, was los war, und hat es nicht verhindert?*

Anscheinend hatte so ziemlich jeder sie für dumm verkauft.

Am frühen Nachmittag klopfte Beck an die Tür von Stewarts Haus. Zu seiner Erleichterung öffnete Riley ihm und winkte ihn herein.

»Ich dachte, na ja …«, begann er, dann geriet er ins Stocken, unsicher, wie er um das bitten sollte, was er von ihr brauchte.

Riley sagte nichts, sondern nahm seine Hand und zog ihn mit hinauf in ihr Zimmer. Als er seinen Rucksack auf den Boden stellte, zog sie die Tür hinter ihm zu. Und schloss ab.

Sie wollte dasselbe wie er – die Chance, ihre letzten verbleibenden Stunden gemeinsam zu verbringen, wie Liebende es tun würden.

Dieses Mal ergriff sie die Initiative und zog ihn langsam, Stück für Stück, aus. Jede Berührung zeugte von der Liebe und der Traurigkeit, die ihnen bevorstand, von der Möglichkeit des undenkbaren Verlusts.

Riley war nicht so erfahren wie die meisten Frauen, mit denen er zusammen gewesen war, eher verlegen und schüchtern, aber das machte ihm nichts aus. Sie beanspruchte ihn für sich, und das machte ihn schwach. Wenn dies ihr letzter Tag auf Erden war, konnte er sich keine bessere Art vorstellen, ihn zu verbringen, als mit der Frau, die er liebte.

»Warum haben wir so viel Zeit vergeudet?«, flüsterte er später. »Ich denke an all die Nächte, die wir hätten zusammen verbringen können. Warum war ich so stur?«

»Wir waren es beide«, sagte Riley. »Wir hatten zu große Angst davor, erneut verletzt zu werden.«

Er schwieg eine Weile und dachte über seinen bisherigen Lebensweg nach, der voller Kehrtwendungen und verschlungener Pfade gewesen war. »Bevor ich in Sadlersville abgefahren bin, habe ich Louisa und ihren Mann besucht. Während wir uns unterhielten, begann ihr Baby heftig herumzustrampeln.« Er legte eine Hand auf Rileys nackten Bauch. »Jetzt muss ich immer daran denken, dass ich in ein paar Jahren vielleicht unser Baby direkt hier unter meiner Hand spüren könnte. Das Leben spüren, das wir geschaffen haben.«

Rileys Augen wurden feucht. »Mädchen oder Junge?«

»Egal. Wenn es ein Mädchen wird, können wir sie nach meiner Grandma nennen. Sie hieß Emily Rose.«

»Mmh. Das gefällt mir. Einen Jungen könnten wir Paul Arthur nennen, wie meinen Dad.«

»Ja, das machen wir. Aber das alles liegt noch ziemlich in der Ferne, was?« *Und vielleicht wird es niemals dazu kommen.*

Sie hielt den Atem an, dann glitt sie in einer geschmeidigen Bewegung aus seinen Armen und aus dem Bett.

»Was ist los?«, fragte er.

»Nichts«, sagte sie leise und kramte in ihrem Rucksack herum. Sobald sie wieder im Bett war, zog Riley züchtig die Decke hoch, um ihre Brüste zu bedecken.

»Als ich vor Luzifer stand, habe ich mich an deinem Ring festgehalten. Es war, als wärst du bei mir, und ich fühlte mich nicht so allein.« Sie holte tief Luft, als wollte sie Mut schöpfen. »Uns stehen schwere Zeiten bevor, Den. Ich möchte, dass du auch ein bisschen Licht für dich hast.«

Sie hielt ihm eine kleine weiße Schachtel hin. In der Schachtel lag ein dickes Lederband, und an dem Band ein Silberring, den er so gut kannte.

»Das ist Pauls Ehering«, sagte er und schaute verblüfft zu ihr auf.

Riley berührte ihn liebevoll. »Deine Finger sind dicker als Dads, also dachte ich, dass du ihn stattdessen um den Hals tragen könntest.«

Sie bot ihm eines ihrer wertvollsten Besitztümer dar, genau, wie er ihr eines von seinen geschenkt hatte. Diese Geste berührte ihn so tief im Herzen, dass ihm die Worte fehlten.

Beck stellte die Schachtel beiseite und zog das Lederband über den Kopf. Jetzt ruhte der Ring auf seiner Brust, eine Erinnerung an einen lieben Freund und das Versprechen, dass er eines Tages mehr sein würde als Pauls Ring.

Er schloss Riley in die Arme und hielt sie fest, als die letzten Reste seines Schutzwalls in sich zusammenstürzten.

## 33. Kapitel

Kurz nach Einbruch der Dunkelheit begannen die Leute, sich im Herzen der Dämonenhochburg zu versammeln. In dieser Hinsicht unterschied sich Atlanta in nichts von jeder anderen Stadt: Seine Bürger liebten es, zuzusehen, wie andere Leute sich zu Idioten machten. Soweit Beck es beurteilen konnte, teilte sich die anschwellende Menge in drei verschiedene Lager auf: die Vorsichtigen, die Störenfriede und die wahren Gläubigen.

Er selbst gehörte zur ersten Gruppe, neugierig darauf, wie ein Typ allein, in diesem Fall Reverend Lopez, es schaffen wollte, jeden einzelnen Dämon in der gesamten Stadt zur selben Zeit zu exorzieren. Wie sollte das funktionieren? Und wohin sollten sie verschwinden?

»Was hältst du davon?«, fragte er und schaute zu Jackson hinüber.

Sein Kollege zuckte die Achseln. »Einerseits würde ich mich freuen, wenn's funktioniert. Andererseits denke ich an die Hypothekenzahlung, die in ein paar Wochen fällig wird.«

Beck wusste, was er meinte. Ohne Dämonen brauchte man auch keine Dämonenfänger mehr.

Sie standen auf einer der größten Freiflächen im Herzen

von Five Points. Wie üblich war der Platz mit Abfall, Müll-
containern und Altmetall übersät. Normalerweise versuchten die Leute nicht, es einzusammeln, solange die
Dreier auf Beute aus waren, aber heute Abend konnte es
anders sein. Zahlenmäßige Überlegenheit und überhaupt.
Man hatte leichte Absperrgitter als Straßensperre aufgestellt, um die Menge unter Kontrolle zu halten. Innerhalb der Umzäunung hielten sich die Promis auf – ein
paar örtliche Kirchenführer, jemand aus dem Büro des
Bürgermeisters und andere Würdenträger. Sie mochten
Reverend Lopez' Plan, die Dämonen zu exorzieren, vielleicht für puren Unsinn halten, aber falls es funktionierte,
wollten sie die Ersten sein, die vor laufenden Kameras ein
Loblied auf ihn anstimmten.

Beck hatte Justine bereits entdeckt, die wie immer mit-
tendrin war, sobald irgendeine Nachricht dabei heraus-
springen konnte. Sie nickten einander zu, aber mehr auch
nicht. Jetzt, als er sie musterte, begriff er, dass sie ihm
geholfen hatte, eine Zukunft mit Riley zu finden, auch
wenn sie die ganze Zeit nur ihre eigenen Interessen im
Sinn gehabt hatte. Nicht, dass er sich je dafür bei ihr
bedanken würde oder so.

Ein paar Cops außer Dienst liefen herum, um für Ruhe zu
sorgen, und in der Menge verteilt standen die meisten
Mitglieder der Dämonenfängerzunft von Atlanta, zumindest diejenigen, die sich schon von der Schlacht auf dem
Oakland-Friedhof erholt hatten. Beck bemerkte Simon,
Reynolds, McGuire, Remmers und ein paar andere. Jeder
trug eine Waffe, zumeist ein Stahlrohr oder Schwert, das

in irgendeiner Art Schutzhülle steckte, um die Leute nicht zu erschrecken.

Harper hatte ebenfalls schwere Geschütze aufgefahren. Neben Stewart und ihm waren die magischen Leute in großer Anzahl vertreten. Mort stand neben der größeren Ayden, und sie lachten über irgendetwas. Ganz in der Nähe stand niemand anders als Lord Ozymandias persönlich, gekleidet in seine schwarze Robe, und stützte sich auf seinen Stab. Obwohl Beck den Beschwörer für das, was er Paul angetan hatte, verachtete, war er froh über diese massive magische Unterstützung.

Er sah, wie Riley sich zu ihm durchschlängelte, und die schrankenlose Liebe, die sie heute Nachmittag füreinander empfunden hatten, hallte wie ein lebenssprühender Akkord zwischen ihnen nach. Er hatte seine Seele für sie in die Waagschale geworfen, aber sie hatte ja auch dasselbe für ihn und andere getan.

Als Riley näher kam, blieb sie neben jenen, die Magie einsetzten, stehen und ließ sich von Ayden und Mort umarmen. Beck merkte genau, in welchem Moment sie Ozymandias entdeckte – ihr Körper versteifte sich sichtlich. Der Beschwörer neigte den Kopf und wandte dann den Blick ab.

Kurz darauf war sie bei Beck. Nachdem sie Jackson begrüßt hatte, flüsterte sie: »Was hat Ozy hier zu suchen?«

»Hält uns den Rücken frei, für den Fall, dass die Hölle diese Einladung annimmt.«

Um sie abzulenken, schlang er einen Arm um ihre Taille und gab ihr einen Kuss auf die Wange. Ihre Haut war unnatürlich warm, obwohl sie es am Nachmittag nicht gewesen war.

»Alles in Ordnung mit dir?«, fragte er besorgt.

Ein leichtes Kopfschütteln. »Ich fühle mich, als hätte ich Fieber. Hat vor etwa einer Stunde angefangen.«

Jemand rief laut Rileys Namen, und sie drehte sich um. Peter kam auf sie zu, ein Hundert-Watt-Lächeln im Gesicht, als hätte er in der Lotterie gewonnen.

»Was machst du denn hier?«, fragte sie.

Er ignorierte ihren scharfen Ton. »Ich wollte mir das Filmset von *Dämonenland* ansehen und was immer dieser Exorzist hier vorhat. Ich dachte, das könnte ganz witzig werden. Ich habe Blaze kennengelernt, ist das nicht zu fassen? Sie ist un-glaub-lich.«

»Das ist alles ganz großartig, Peter, aber du solltest besser nach Hause fahren … jetzt.«

»Was? Wieso?«, fragte er verwirrt.

Ehe sie antworten konnte, brandete Beifall auf, und ein Mann im schwarzen Anzug überquerte die offene Fläche und kletterte auf eine improvisierte Bühne. Der Dämonenexorzist war eingetroffen.

Riley sah Reverend Lopez zum ersten Mal, und sie musste zugeben, dass er eine stattliche Erscheinung abgab. Er war etwa einen Meter fünfundachtzig groß, trug einen schwarzen Anzug und perfekt gestylte, dunkle Haare. In der Hand hielt er eine zerlesene Bibel. Allein seine Gegenwart verriet ihr, dass, wenn irgendjemand Dämonen austreiben konnte, er dann dieser Typ war.

»Atlanta!«, rief er laut. »Heute Abend werde ich euch vor

der ewigen Verdammnis bewahren. Ich bin nicht hier, um mit der Hölle zu verhandeln. Ich bin hier, um Luzifer und seine Handlanger aus dieser Stadt zu vertreiben.«

Hinter der Umzäunung stieg ein kehliges Jubelgeschrei auf.

»Klingt, als wäre der Typ mein Rivale«, sagte Beck.

Der Exorzist hob die Hände, um die begeisterte Menge zum Schweigen zu bringen.

»Ich habe gehört, dass einige von euch mich für verrückt halten, aber ich werde beweisen, dass der Himmel hier auf Erden existieren kann. Doch zunächst lasst uns beten.«

Riley senkte den Kopf, nicht, weil der Reverend darum gebeten hatte, sondern weil es sich richtig anfühlte. Wenn Sartael und seine Dämonen auf dem Weg waren, war dies hier möglicherweise die letzte Gelegenheit für sie, Gott eine persönliche Nachricht zukommen zu lassen. Sie bezweifelte, dass es möglich war, in der Hölle zu beten.

*Bitte, pass auf Beck auf. Lass ihn die Kinder haben, von denen er träumt, auch wenn er sie vielleicht nicht mit mir bekommt. Ich bin verloren, aber er hat ein gutes Leben verdient.*

Als wüsste er, was sie gerade dachte, zog Beck ihre Taille beschützend an sich.

Das Gebet endete, und Lopez machte ein paar Schritte näher an die Menge heran. »Seid ihr bereit, eure Stadt zurückzuerobern?«, schrie er.

Noch mehr Jubelgeschrei. Während er fortfuhr, die Begeisterung der Menge hochzuschrauben, bis sie fast in einen Fiebertaumel geriet, suchte Rileys Blick ihre Kollegen, einen Fänger nach dem anderen. Sie waren aufmerksam und ließen sich nicht von der Stimmung vereinnahmen. Simon mit seinen blonden Haaren war leicht zu entdecken, er stand neben Harper, ein Schwert in der Hand. Als er sie sah, nickte er ihr zu.

»Durch die mir vom Allmächtigen selbst verliehene Macht«, rief Lopez gedehnt, »rufe ich alle Höllenbrut dieser Stadt herbei. Kommt herbei, Diener der Dunkelheit. Kommt herbei und tretet vor den Heiligen Meister …«

Die Erde bebte, und obwohl Lopez erbleichte, forderte er weiterhin die Dämonen auf, sich zu zeigen. Das Beben ließ nach, was einen Großteil der Menge erleichtert aufseufzen ließ.

*Der Zeitpunkt rückt näher*, flüsterte Ori in ihrem Kopf.

Eine sengende Hitze wogte durch Rileys Körper und ließ sie aufkeuchen. Das Mal in ihrer rechten Hand begann zu pulsieren, der Aufruf zum Kampf. Schon bald würde das Schwert sich manifestieren, und dann würde die ganze Welt ihr Geheimnis kennen.

*Ich rufe dich an meine Seite, Riley Anora Blackthorne.*

Zitternd stellte sie sich auf die Zehenspitzen und hauchte einen zögernden Kuss auf Becks Lippen.

»Ich liebe dich, Den«, sagte sie und berührte sein Gesicht mit der Rückseite ihrer glühenden Hand. »Bleib am Leben, verstanden?«

»Du auch. Lass uns ein für alle Mal mit dem Scheiß aufräumen. Ich hab echt genug davon.« Als Beck die Hand ausstreckte, um sie zu berühren, schien ihre Seele zu erbeben. Höllische Stimmen dröhnten in ihren Ohren.

*Sartael wurde befreit.*

Ehe sie die Chance hatte, Peter zu warnen, hörte sie entsetzte Schreie um sie herum, als die Menge voller Panik auseinanderstob. Eine einsame Gestalt schritt mitten hindurch, die Schwingen ausgebreitet. Weißglühend flammte das Schwert in der Nachtluft auf.

*Ori.* Der Engel bekannte sich eindeutig zu dem, was er war.

Als das Kribbeln in ihren Fingern zu einem Inferno wurde, machte Riley sich nicht die Mühe, nach unten zu schauen. Ihr Schwert war jetzt vollkommen geformt.

»Was zum Teufel …«, begann Peter.

»Fahr nach Hause. Fahr zu deiner Familie.«

Er blinzelte. »Schon wieder dieser Weltuntergangsmist?«, stöhnte er.

»Ja. Ich liebe dich. Pass auf dich auf, hörst du?«

Ehe sie ihn aufhalten konnte, umarmte er sie, dann trat er einen Schritt zurück. »Das gilt auch für dich«, sagte er ernst.

Riley schritt durch die Menge, um ihren Platz an der Seite des Engels einzunehmen. Obwohl sie keine Flügel hatte, verriet das Flammenschwert allen, die Bescheid wussten, was los war: Ori war ihr Herr, und sie stand unter dem Joch der Hölle.

Als sie an Simon vorbeikam, fing sie seinen Blick auf, eine Mischung aus Ehrfurcht und unermesslicher Traurigkeit.

*Du hast dich nicht in mir geirrt, aber aus den falschen Gründen.*

Als Ori und sie sich vor der Bühne aufbauten, stammelte Lopez, bis er schließlich verstummte, ergriffen von dem Anblick des geflügelten Kriegers und seinem jungen, weiblichen Lehrling.

»Wer seid ihr?«, fragte er streng.

»Ich bin Ori, der oberste Henker des Höllenfürsten«, erwiderte Ori mit einer Stimme, die bis in den hintersten Winkel der Erde zu hören sein musste.

»Seid ihr gekommen, um mich zu töten?«

»Nein, du bist nicht mein Feind«, erwiderte Ori.

Die Luft um sie herum wurde unbeständig und explosiv. Als ein gezackter Lichtspeer in ein nahegelegenes Gebäude einschlug und die Funken hoch in den Nachthimmel stoben, reagierte die Menge mit Gekreische, und man hörte das Geräusch rennender Füße.

Ori hob den Blick zum Himmel. »Sartael ist nahe.« Er drehte sich um und sah über die Schulter, sein Blick erfasste Beck. »Denk an dein Versprechen, Fänger.«

Beck nickte grimmig.

»Was für ein Versprechen?«, fragte sie. »Was hast du …«

Ein ohrenbetäubendes Krachen ganz nah in der Luft über ihnen ließ sie überrascht und entsetzt zusammenzucken. Wie auf dem Friedhof stieg ihr Feind auf den Boden herab, gekleidet in seine schlichte, schwarze Mönchskutte, die grauen Schwingen bewegten sich geräuschlos. Es gab keine Spur mehr von den Wunden, die Sartael in der Hölle zugefügt worden waren, und seine Kleidung war unversehrt.

»Das ist der Teufel!«, schrie jemand.

*Nein, aber er ist genauso schlimm.*

Oris Schwertspitze wies auf den Boden, als würde er einen Höhergestellten begrüßen. Sartael bemerkte die Geste, in seinen Augen glühte ein unnatürliches Licht.

»So treffen wir uns wieder, alter Freund.« Leichtfüßig landete Sartael auf der Erde. Seine Aufmerksamkeit richtete sich auf Riley. »Was ist das? Wie kann sie das göttliche Feuer führen?«

»Was bietest du im Austausch für meine Gefolgschaft?«, fragte Ori.

»Was wünschst du dir?«

»Den Tod. Ich wünsche mir die Erholung, die das Nichts bringen wird. Und das Versprechen, dass der Seele in meiner Obhut nichts zustößt.«

Sartael hob eine Augenbraue. »Wenn du mir dienst, werde ich dir gestatten, zu sterben. Ich werde sogar sicherstellen, dass es so weit kommt.«

»Was ist mit Riley Anora Blackthorne?«, fragte Ori.

Sartaels Aufmerksamkeit wanderte erneut zu ihr, und Riley zitterte, als sie den Wahnsinn in den blauen Augen sah.

»Ich werde sie sicher verwahren«, versprach Luzifers Feind.

*Er lügt. Er wird uns beide in Ketten legen, und das weißt du auch.*

Sie hörte ein Seufzen in ihrem Kopf. *Ja, das wird er.*

»Ich verabscheue die endlosen Intrigen meines Gebieters«, sagte Ori mit lauter Stimme. »Aber er ist nicht du, Sartael.«

Einen Moment lang wirkte ihr Rivale verwirrt, als sei er nicht sicher, ob das ein Lob war oder nicht.

»Schwöre deine Gefolgschaft, Ori, und die der sterblichen Seele in deiner Obhut, und ich werde dich befreien. Luzifers Herrschaft neigt sich dem Ende zu. In diesem Moment metzeln meine Dämonen in der Hölle seine Streitkräfte nieder. Komm an meine Seite. Herrsche mit mir. Wir werden den Himmel herausfordern und uns zurückholen, was unser ist. Dann wirst du den Frieden finden, nach dem du so sehr verlangst.« Sartaels Blick ruhte immer noch auf Riley, und sie bekam eine Gänsehaut.

Ihr Engel warf ihr einen raschen Blick zu. »Ja, Sartael, ich sollte mich dir anschließen … *im Nichts*. Ich hasse Luzifer dafür, dass er mir den endgültigen Tod verwehrt, aber du hast unseren Gebieter verraten, und ich werde nicht zulassen, dass du diese Stadt oder jene, die unter meinem Schutz stehen, vernichtest.«

*Ich werde nicht gestatten, dass er dir etwas antut, Riley Anora Blackthorne. Seit ich ein gefallener Engel bin, war ich dem Himmel nie so nah wie mit dir.*

Sartael brauchte einen Moment, um zu begreifen, dass Ori nicht mitspielen würde.

Rasend vor Zorn wich er zurück. »Du warst schon immer bereit, Luzifers Stiefel zu lecken. Ich werde dein Herz verschlingen, nachdem ich es dir aus der Brust gerissen habe. Und der Seele in deinem Besitz steht noch Schlimmeres bevor, denn ihr Vater hat mich verraten.«

*Denk daran, was ich dich gelehrt habe, Riley.*

*Das werde ich. Viel Glück, Engel!*

»Sollen wir, alter Freund?«, sagte Ori und hob das Schwert.

Klirrend krachten die Schwerter der göttlichen Wesen gegeneinander, während sie sich für ihren letzten Kampf in die Lüfte erhoben. Riley zog sich zurück, wohl wissend, dass dies nicht ihr Kampf war. Angespannt suchte sie die Umgebung nach weiteren Bedrohungen ab: Der wahnsinnige Erzengel tat niemals irgendetwas, ohne sich abzusichern.

Beck und die anderen Fänger waren ebenfalls in Alarmbereitschaft. Er fing ihren Blick auf und nickte. Damit hatte er alles gesagt, worauf es ankam.

*Ich liebe dich auch.*

Der Reverend fuhr fort, Bibelverse zu zitieren, ohne recht zu begreifen, dass dieser Krieg wenig mit dem Himmel zu tun hatte. Neben ihm stand einer der Kameramänner von der *Dämonenland*-Crew und filmte, was das Zeug hielt.

*Genau das brauchen wir jetzt.*

»Achtung, Leute«, rief Stewart laut.

Wie eine gewaltige Flut ergossen sich Dämonen dritten Grades über die baufälligen Mauern. Riley erstarrte, dann zwang sie sich, ihre Angst abzuschütteln. Egal, wie sie die Sache betrachtete, sie war so oder so tot, und diese makabre Gewissheit gab ihr Mut. Einerseits war es ziemlich waghalsig, aber es fühlte sich richtig an, also akzeptierte sie diese Seite von sich. Entweder das, oder sie würde vollkommen durchdrehen. Als sie vortrat, um einen der

Dreier herauszufordern, begann der Boden neben Lopez sich in schlingernden Wogen zu heben. Nach einem letzten Gebet machte er, dass er wegkam, und zwar keinen Moment zu früh. Aus dem aufgebrochenen Boden stieg eine hochaufragende Gestalt empor, ein Geo-Dämon, zwei Meter ungezügelte Bedrohung, gekrönt vom Kopf eines Stieres. Die feurigen roten Augen schienen sie direkt zu durchbohren.

»Blackthornes Tochter!«, schrie er.

*Jetzt geht das schon wieder los ...*

Doch es waren die kleineren Gestalten, die sich um den Fünfer scharten, die ihr wirklich Sorgen machten. Riley zählte rasch durch: neun Erzdämonen in all ihrer bösartigen Pracht. Das waren dreimal so viele wie auf dem Friedhof, und dieses Mal hatten sie keine Dämonenjäger dabei, die ihnen halfen.

Eine Gestalt in einer wallenden, schwarzen Robe trat vor, während Magie aus der Spitze seines erhobenen Zauberstabes hervorschoss und den am nächsten stehenden Erzdämon umspannte. Der Dämon zerbarst in strahlend hellen Flammen.

»Los, Ozy«, schrie sie. *Total cool.*

Der Fünfer brüllte seine Wut heraus, rührte sich jedoch nicht. Er gestattete den Erzdämonen, die Formation aufzulösen und den Nekromanten zu flankieren. Ozymandias mochte zwar der mächtigste Beschwörer der Stadt sein, aber nicht einmal er konnte es mit acht von diesen Dämonen gleichzeitig aufnehmen.

Plötzlich war Beck mit gezücktem Schwert neben ihr.

»Sieht aus, als bräuchte Ozy unsere Hilfe«, sagte sie. Ausgerechnet der Nekro, der ihren Vater gestohlen hatte.

»Das nervt echt, was?«, erwiderte Beck.

»Allerdings.«

Dann rannten sie los.

## 34. Kapitel

Während Beck sich auf den Erzdämon am äußersten linken Ende stürzte, rannte Riley nach rechts und achtete darauf, dem Nekro und seiner Magie so viel Raum wie möglich zu lassen. Der Dämon, für den sie sich entschied, war kleiner, aber genauso bösartig wie alle anderen. Seine drei blutroten Augenpaare starrten sie von einem gewölbten Schädel aus an, und die vier sichelförmigen Zähne hatte er geschärft, bis sie spitz wie Nadeln waren. Mit einem zornigen Flügelschlag sprang er hoch in die Luft über sie, das rauchende Schwert erhoben, um sie zu köpfen.

Wie Ori es ihr beigebracht hatte, ließ sie sich fallen und rollte aus der Reichweite der Klinge, wirbelte herum und zielte auf den nächsten Flügel. Beim ersten Hieb verfehlte sie den Dämon völlig, und das Ungeheuer verhöhnte sie.

»Noch diese Nacht werde ich dein Blut trinken«, krächzte er.

Der zweite Sprung brachte ihn näher an sie heran, als hätte er beschlossen, dass sie keine ernsthafte Bedrohung darstellte. Eine der Klauen an der Flügelspitze erwischte sie hinten an der Jacke und zerriss sie.

Wütend schlug Riley nach dem Dämon, verfehlte ihn jedoch erneut. Sie machte ein paar stolpernde Schritte und versuchte, ihr Gleichgewicht wiederzuerlangen. Instinktiv drehte sie sich um und versenkte die flammende Klinge tief in der Brust des Dämons, als er im Sturzflug auf sie zukam. Er kreischte auf, taumelte unberechenbar durch die Luft, während schwarzes, dampfendes Blut aus der Wunde tropfte. Mit einem Todesschrei fiel er herab, und der Boden bebte von dem Aufprall.

»Riley!«, schrie Simon laut.

Sie duckte sich, als ein Schwert so dicht über sie hinwegfegte, dass sie spürte, wie das Feuer ihre Haut versengte. Ihr Ex stürzte sich auf einen viel größeren Erzdämon.

»Komm schon, ich bin derjenige, den du haben willst«, rief er laut und gab ihr genügend Zeit, wieder eine sichere Position einzunehmen.

Gemeinsam griffen sie das Ungeheuer an und trieben es zurück. Als es sich in die Lüfte erhob, um sie von oben zu attackieren, trennten sie sich wieder, und der Dämon konnte sich nicht entscheiden, wen von beiden er aufs Korn nehmen sollte. Leider lernte der Erzdämon den Trick ziemlich schnell. Als er erneut aufstieg, verfolgte er Simon und segelte dicht über dem Boden, die gekrümmte Klinge erhoben, um ihn in zwei Hälften zu schneiden.

Riley rannte unter die Flügel. Als der Dämon über ihr war, hob sie ihr Schwert und trennte eine der Hauptsehnen des Flügels durch. Auf einen Schlag flugunfähig, versuchte der Dämon, den Verlust eines Flügels auszugleichen, doch er krachte direkt in Simon hinein. Dem Fänger fiel das Schwert aus der Hand, als sie in einem Knäuel aus Flügeln und Beinen hin- und herrollten.

Als Riley losrannte, um ihm zu helfen, stellte sich ihr ein weiterer Erzdämon in den Weg. Sie hieb nach ihm und parierte seine Schläge, doch ihre Bewegungen waren nicht mehr so schnell wie zuvor.

»Dein Herr wird schwächer«, höhnte der Dämon.

Riley zielte auf seinen Flügel, schwenkte jedoch im letzten Moment um. Die Klinge erwischte den Erzdämon an der Kehle, und er taumelte zurück. Es war keine tödliche Wunde, aber es verschaffte ihr genügend Zeit, um zu Simon zu gelangen. Irgendwie war er wieder auf die Beine gekommen und kämpfte erneut gegen seinen eigenen Feind.

Mit einem Triumphschrei enthauptete er den Erzdämon, und der Kopf des Höllendieners rollte davon, verblüfftes Erstaunen war sein letzter Gesichtsausdruck. In der Nähe starb ein weiterer Dämon durch Jacksons Schwert, während dieser einen gebrochenen Arm eng an den Körper gepresst hielt.

Obwohl Beck blutüberströmt war, gewann er an Boden gegen einen weiteren Erzdämon. Die beiden Meister kümmerten sich mit den anderen Fängern um die Dreier und lichteten ihre Reihen, als befänden sie sich in einem Schlachthaus. Neben ihnen kämpfte Ayden und führte ihr Schwert mit tödlicher Präzision. Hier und da zuckten blaue Magieblitze auf wie überdimensionierte Glühwürmchen.

Als Riley einen Schrei hörte, drehte sie sich um und stellte fest, dass eine Gruppe Schaulustiger ohne eine Fluchtmöglichkeit in den Überresten eines Gebäudes in der

Falle saß. Ein Rudel Gastro-Dämonen näherte sich ihnen, angeführt von einem Erzdämon.

»Nein!«

Sie war erst ein paar Schritte weit gekommen, als eine geflügelte Gestalt zwischen den verängstigten Menschen und den gefräßigen Dämonen auftauchte. Es war ein gefallener Engel mit aschgrauen Flügelspitzen und strahlend blauen Augen.

*Bitte lass es keinen von Sartaels Leuten sein.*

Der Engel musterte sie kühl, dann schüttelte er den Kopf. In der Höllensprache blaffte er die Dreier und ihren Anführer, den Erzdämon, an. Der Anführer schnauzte zurück, und schon war der Krieg in vollem Gange. Es war kein fairer Kampf, da die Dämonen einer nach dem anderen unter dem blendend weißen Schwert des Engels fielen. Als sie alle tot waren, blieb er in Position und bewachte mit ernster Miene die Sterblichen. Hinter ihm schluchzten die Menschen, manche waren betend auf die Knie gesunken.

»Danke«, flüsterte sie. »Wer immer du bist.«

*Ich bin Gusion, und ich folgte dem Ruf eines alten Freundes.*

Ein Wutschrei veranlasste sie, ihre Aufmerksamkeit auf Ori und ihren gemeinsamen Feind zu richten. Sie waren nicht länger in der Luft, sondern kämpften in den Trümmern der Dämonenhochburg. Ihr Herr war im Begriff, den Kampf zu verlieren, mit jedem Schwerthieb wurde er langsamer. Sartael dagegen wirkte so stark wie eh und je. Die himmlische Flamme in Rileys Hand erlosch, der Beweis, dass Ori nicht mehr sehr viel länger durchhalten würde. Wenn er seine Macht mit ihr geteilt hatte, konnte der Erzengel dann Kraft aus seinen Dämonen ziehen? *Natürlich kann er das.*

Es war Zeit, auf die altmodische Art und Weise auf Dämonenfang zu gehen.

Als sie zu der Stelle sprintete, wo sie ihren Rucksack abgelegt hatte, entdeckte sie Peter, der sich neben dem improvisierten Zaun auf den Boden kauerte.

»Wieso bist du denn immer noch hier?«, fragte sie entsetzt.

»Weil du auch hier bist«, erwiderte Peter und schob trotzig das Kinn vor.

»Na klasse. Okay, wenn du schon mal hier bist, kannst du mir helfen.«

Sie zeigte auf die Tasche eines Fängers, die in der Nähe lag, obwohl sie keine Ahnung hatte, wem sie gehörte.

»Hol alle blauen Kugeln da raus. Schnell!«

Ihr Freund tat wie geheißen und durchwühlte die Reisetasche, während Riley in ihrem eigenen Rucksack kramte.

Peter hielt zwei Kugeln in die Höhe. »Und jetzt?« Als Riley ihm genau erklärte, was er zu tun hatte, nickte er.

Eine Frauenhand wurde ausgestreckt. Sie gehörte einer Blaze mit zerzaustem Haar und Schmutzflecken auf der Wange.

»Ich helfe mit«, sagte sie. »Diese Dinger müssen aufgehalten werden.«

Riley gaffte die Schauspielerin an. »Das hier ist kein Film.«

»Ach nee!«, sagte die Schauspielerin und wackelte mit den Fingern. »Gib schon her.«

Widerwillig ließ Riley die Kugeln in die Hände der Frau fallen. »Dann lasst uns mal ein paar Dämonen in den Arsch treten, Leute.«

Peter raste los, wich einem randalierenden Dreier aus und rannte am provisorischen Zaun auf der anderen Seite des Schlachtfelds entlang. Blaze machte dasselbe in die entgegensetzte Richtung. Sobald alle an ihren Plätzen waren, gab Riley das vereinbarte Signal.

Glaskugeln schlugen auf dem Boden auf und zerbrachen, kräftige blaue Magieblitze sprangen auf den Zaun über. Die Magie schien einmal tief Luft zu holen, dann sprang sie von Draht zu Draht am Metall entlang.

Jetzt war Riley an der Reihe. Sie sprintete zu ihrem Zaunabschnitt und warf im Laufen die magischen Kugeln. Sobald alle vier Seiten ineinandergriffen, wäre der Geo-Dämon geerdet und Sartael würde die Verbindung zu einer seiner Kraftquellen verlieren.

Das zumindest war der Plan.

Die letzte Portion Erdungszauber verband alle vier Metallabschnitte, und der Geo-Dämon wurde allmählich zurück in Richtung Erdboden gezogen. Der Fünfer reagierte so, wie sie es immer taten, er kreischte und versuchte, höher zu steigen, um den Kontakt mit dem Boden zu vermeiden.

Hagel prasselte herab, und unberechenbare Winde warfen die Fänger hin und her. Als ein Dreier sich auf Riley stürzen wollte, fiel er unter einem einzigen Hieb von Stewarts schottischem Zweihandschwert. Kurz darauf starb ein weiterer, als Ayden sich ihm in den Weg stellte.

Unvermittelt erstarb die Erdungsmagie, und der Dämon stieg erneut in die Höhe. Er richtete seine glühenden Augen auf die beiden Meister, Blitze schossen funkensprühend aus seinen Klauen.

Stewart schwang sein Schwert und lockerte seine Schultern. Er sang etwas auf Gälisch, wie sie glaubte. Harper stand neben ihm, die Stirn schweißbedeckt. Ein Fänger nach dem anderen reihte sich ein und trat dem Fünfer entgegen.

Sie spürte, wie Ori hinter ihr immer schwächer wurde und seine Lebenskraft dahinschwand.

Unerwartet trat Mort vor die Fänger, die Hände schienen vor Magie zu schäumen. Neben ihm stand Ozymandias, der ihm beizubringen schien, wie man die Beschwörung vollzog. Mit einem deutlich wahrnehmbaren Schnappen schoss die Magie aus den Fingern des jüngeren Nekromanten und hüllte den Geo-Dämon ein. Der Höllendiener kämpfte gegen den Zauberbann, doch allmählich legte sich der Sturm, und es hörte auf zu hageln.

Kurze Freudenschreie der Fänger waren zu hören, als der Fünfer auf den Boden stürzte und seine Macht dahinschwand. Er bellte und kämpfte, während ein weiteres Erdbeben eines der baufälligen Gebäude in der Nähe dem Erdboden gleichmachte.

Ohne Vorwarnung brachen zwei gewaltige Klauen aus dem Erdboden hervor und krallten sich um den Leib des Geo-Dämons. Er wehrte sich mit Händen und Füßen gegen seinen Häscher, die rubinroten Augen verrieten sein grenzenloses Entsetzen.

»Verräter bis zum Schluss«, rief eine laute Stimme, dann wurde der Dämon tief in das Loch hineingezerrt und stieß seinen heulenden Todesschrei aus.

Luzifer hatte begonnen, in der Hölle aufzuräumen.

*Riley ...*

Ori kniete auf dem Boden, das Gesicht fahl, die Brust eine einzige Masse blauen Blutes. Sein Flammenschwert schwächelte und erstarb ganz.

»Nein!«, rief sie und rannte auf ihn zu. Schleudernd kam sie zum Stehen und fiel neben ihm auf die Knie.

Während sie den Engel wiegte, stellte Beck sich in Verteidigungsstellung zwischen Sartael und die beiden, das Schwert kampfbereit in der Hand. Auf diese Weise gewährte er Riley Zeit, um sich von ihrem ersten Liebhaber zu verabschieden.

»Mein kühnes Licht«, flüsterte Ori und versuchte vergebens, ihr Gesicht zu berühren, doch er konnte seinen verletzten Arm nicht mehr hoch genug heben.

Sie merkte, dass ein Engel neben ihnen kniete. Es war Gusion, der gegen die Dämonen gekämpft hatte.

»Es tut mir leid, alter Freund, doch unser Fürst gestattet dir nicht zu sterben«, sagte der Engel.

Ori murmelte etwas in einer uralten Sprache, sein Gesicht war ein einziges Flehen. Seine Wunden begannen zu heilen, und er schrie voller Qual: »Nein! Gib mich frei! Ich flehe dich an!«

Rileys Blick traf Gusion.

»Das ist ein Wunsch, den ich nicht die Macht habe zu erfüllen, meine Freundin«, sagte der Engel.

*Wunsch?*

»Luzifer«, rief Riley, ohne sich die Mühe zu geben, ihre Stimme zu heben. Sie wusste, dass er sie hören konnte.

»Ich habe getan, worum Sie mich gebeten haben. Ich habe Ori befreit, und jetzt bin ich an der Reihe. Ich fordere meinen Gefallen von Ihnen ein, Herrscher der Hölle. Geben Sie Ihren Diener frei und lassen Sie Ori sterben. Lassen Sie ihn Frieden finden.«

Oris Augen weiteten sich, als er heftig hustete.

»Luzifer!«, rief sie erneut. »Lösen Sie Ihr Versprechen ein!«

In ihrem Kopf hörte sie den Höllenfürsten fluchen. Dann kamen die Worte, die sie gehofft hatte zu hören.

*Dein Wunsch sei dir erfüllt. Mein Diener wird sterben. Ich hoffe, jetzt bist du zufrieden.*

»Ja«, sagte sie ohne Zögern, »das bin ich.«

Oris Wunden begannen erneut zu bluten, sturzbachartig ergoss sich blaues Blut über ihre Hände und ihren Schoß. Er lächelte sie erschöpft an. »Danke.«

Riley liefen die Tränen über die Wangen. »Finde das Licht, Ori. Hör nie auf, danach zu suchen. Du warst nie dazu bestimmt, in der Hölle zu bleiben.«

Ein schwaches Nicken. *Ich gebe deine Seele frei, Riley Anora Blackthorne. Sieh den Sonnenaufgang … und denk an mich!*

Mit seinem letzten Atemzug kamen unablässig Worte in einer unbekannten Sprache über Oris bleiche Lippen. Ein Gebet um Vergebung?

Als Riley ihn festhielt, wusste sie, dass sie ihn auf gewisse

Weise immer noch liebte. Bisweilen hatte er die Wahrheit verheimlicht, aber er hatte sie niemals belogen. Er hatte ihr Leben gerettet und das von Beck.

Der Körper des Engels wurde immer leichter, bis nichts mehr übrig war als die reinen Flecken blauen Blutes auf ihren Armen und Händen. Sie blickte zu Gusion auf und sah eine einzelne Träne über sein Gesicht laufen.

»Er hat seinen Frieden. Ich beneide ihn«, sagte der Engel.

Dieses Mal war Ori für immer verschwunden.

Becks Widersacher grinste ihn an, doch Sartaels Atem ging ungewohnt mühsam. »Tritt beiseite, Denver Beck, und ich gewähre dir jeden Wunsch, den du willst. Der Welpe des Meisters ist es nicht wert, dass du dein Leben dafür gibst.«

»Du hast nichts, was ich haben wollte.«

»Ich kann deiner Mutter Seele aus der Hölle freigeben.«

Beck zögerte, dann schüttelte er den Kopf. »Vergiss es. Diese Geschichte endet hier, für uns beide.«

Als die Klinge seines Gegners ihm unangenehm nahe kam, wich Beck zurück. Er war erschöpft, doch überraschenderweise erging es seinem Gegner nicht anders. Nachdem seine dämonischen Helfer außer Gefecht gesetzt waren, sowohl hier als auch in der Hölle, blieb Sartael nur noch seine eigene Macht, auf die er zählen konnte. Trotzdem war das immer noch genug, um einen Fänger zehn Mal zu töten.

Sartaels nächster Schlag ließ Becks Schwert davonfliegen, und er zog sich zurück, verzweifelt nach einer Waffe Ausschau haltend. Ein Ruf, und Simon warf ihm sein Schwert zu.

»Danke!«

Er ging erneut zum Angriff über. »Was ist mir dir, Engel?«, rief Beck laut. »Dachtest wohl, du hättest die Stadt inzwischen schon längst plattgemacht, was?«

Sartael verdoppelte die Anzahl seiner Hiebe, schickte eine Schmerzwelle nach der nächsten durch Becks Arme und Schultern. Mit einem Gebet auf den Lippen ging Beck mit seinem eigenen Schwert auf den Erzengel los, doch Sartaels Klinge traf ihn zuerst und bohrte sich tief in seine linke, obere Brust.

Vor Schmerz schrie er auf, sein linker Arm wurde auf der Stelle taub. Er fiel nach hinten, und von der Wunde schienen winzige Eissplitter in jede einzelne Ader zu fließen, als würde er bei lebendigem Leib gefrieren.

Als der Erzengel näher kam, begierig, ihn aufzuspießen, ertönten Rufe von einigen der Fänger. Doch niemand war nah genug, um ihn zu retten.

Eine verdreckte Gestalt erhob sich, Becks Schwert in der Hand und Hass in den Augen. Riley stellte sich einem der tödlichsten Geschöpfe Gottes entgegen.

»Dummes Kind. Unterwirf dich mir, und ich werde dich verschonen«, befahl Sartael.

»Wie Beck sagte, es endet hier. Jetzt!«

Der Erzengel trat näher, um sie zu töten. Ohne Oris Schutz würde er sie niedermähen wie einen reifen Weizenhalm.

Mit allerletzter Kraft schaffte Beck es auf die Beine und nahm seinen Platz neben seiner Frau ein, obwohl er keine Waffe hatte.

»Junge!«, rief Stewart laut, und das Schwert des Meisters kam schlitternd neben Becks Stiefeln zu liegen. Er brauchte seine ganze Kraft, um es aufzuheben, und es fühlte sich schwerer an, als es tatsächlich war. Beck konnte es kaum mit der rechten Hand festhalten, und seine linke war so gut wie nutzlos. Er zwang die tauben Finger um den Griff und umklammerte sie mit der guten Hand.

»Alles oder nichts«, sagte Riley.

»Alles oder nichts«, wiederholte er. Seine Kehle war trocken, und sein Herz schien in der Brust zu zerspringen. *Bitte, Gott, gib uns eine Chance. Nur eine Chance.*

Der Schlag des Erzengels kam schneller, als Beck vorhergesehen hatte. Er erwischte ihn zuerst an der Klinge, glitt dann ab und brachte Riley aus dem Gleichgewicht. Sie schrie auf, als die Flammen zu nah an ihr Gesicht kamen, und taumelte geblendet zurück. Ein kurzer Flügelschlag wischte sie beiseite.

»Du verdammter Scheißkerl!«, schrie Beck und stürzte sich in einem letzten verzweifelten Versuch, ihn zu töten, auf ihren Feind. Stewarts mächtiges Schwert bohrte sich tief in die Brust des Erzengels, genau dort, wo Ori ihn angewiesen hatte, zuzustechen. Unter Einsatz all seiner verbliebenen Kraft riss Beck das Schwert nach rechts und zerschnitt das Herz des gefallenen Engels wie eine reife Frucht.

Fassungslos taumelte der Erzengel zurück, als Blut aus

seiner Brust sprudelte und seine Mönchskutte durchtränkte. Er streckte die Hand aus, um Lebenskraft von jenen zu bekommen, die in der Hölle unter seinem Kommando standen. Das Blut sickerte weiterhin aus ihm heraus, schneller als je zuvor.

Luzifer hatte seine Lebenslinien zerschnitten.

»Nein! Du kannst mich nicht zurückweisen!«, schrie er. Sein Blick suchte Riley, und ein grausames Lächeln bildete sich auf seinen Lippen. »Blackthornes Tochter wird mir ebenso gute Dienste leisten.« Er richtete seine Hand auf Riley, und sie begann, auf dem Boden wild um sich zu schlagen und vor Schmerzen zu schreien, als ein strahlend helles Licht von ihr zum verwundeten Engel floss.

Doch dann trat eine Gestalt dazwischen und trennte den heilenden Energiefluss von seiner Quelle.

»Gusion. Was soll das?«, fragte Sartael. »Ich kann nicht heilen ohne …« Er keuchte auf, jeder Atemzug fiel ihm schwerer als der vorige. »Warum?«

»Aus Gefälligkeit für einen alten Freund, der nicht mehr existiert«, erwiderte Gusion. Der Engel deutete auf Beck. »Er gehört dir, Sterblicher. Jetzt ist es eine Sache zwischen euch beiden. Möge der Bessere gewinnen.«

Sartael stürzte sich auf Beck, verfehlte ihn jedoch. Beck dagegen traf, sein Hieb war die perfekte Vereinigung von heiligem Stahl und rechtschaffener Wut. In dem Moment, in dem die Klinge seitlich auf den Hals seines Feindes traf und den Kopf vom Leib trennte, fielen der Körper und der Schädel in einem Haufen auf den dreckigen Boden. Sofort entzündete es sich zu einer Masse aus schwarzen, wogenden Flammen, doch es gab keinen Rauch, keinen beißenden Gestank brennenden Fleisches, nur die absolute Vernichtung. Luzifers Rivale existierte nicht mehr.

Beck hatte sein Versprechen gegenüber Rileys Engel gehalten.

Er konnte nicht mehr stehen und sackte vollkommen kraftlos zu Boden. Arme umschlangen und hielten ihn, und dann spürte er Feuchtigkeit auf seinen Wangen. Er fragte sich, ob es zu regnen begonnen hatte.

»Versprich mir, dass du leben wirst«, flehte Riley.

»Ich liebe … dich.« Mehr brachte er nicht heraus, denn es waren keine Versprechen mehr übrig.

Als Beck in vollkommene Dunkelheit abtauchte, bestürmten ihn grausame Stimmen, schnitten sich durch seine Seele, wie eine Peitsche sich in zartes Fleisch biss. Zahllose Dämonen riefen nach ihm und nannten ihm sein Schicksal.

*Engelsmörder.*

*Vernichter göttlicher Wesen.*

*Die Hölle ist jetzt dein Zuhause.*

## 35. Kapitel

Riley war alles egal außer dem Mann in ihren Armen, obwohl ihr Gesicht und die Augen so übel verbrannt waren, dass ihr die Tränen ohne Unterlass über die Wangen liefen. Warum half ihm denn niemand?

Es schien ewig zu dauern, bis jemand sie am Arm berührte. »Riley?«, sagte Harper. »Lass Beck los, damit wir ihn versorgen können.«

Sie wollte ihn nicht loslassen, aber sie tat es trotzdem, als sie das ungewöhnliche Mitgefühl in der Stimme ihres Meisters hörte. Als jemand ihre Hand ergriff, zwang sie sich, die Augen zu öffnen, obwohl es sich anfühlte, als wären sie mit Säure ausgewaschen worden. Peter kniete neben ihr, unverletzt.

»Er darf nicht sterben. Nicht nach alldem«, flehte sie. Die Antwort ihres Freundes bestand in einer festen Umarmung.

Durch den Tränenschleier sah sie, wie Harper Beck vorsichtig erst aus der Jacke und dann aus dem Hemd schälte. Die Wunde war hoch oben an der Brust, aber sie blutete nicht. Es sah sogar so aus, als sei sie bereits abgeheilt. Das war seltsam. Und sehr furchteinflößend.

Als Harper und ihre Blicke sich trafen, sah sie die Traurigkeit in seinen Augen. »Das ist nicht gut, Riley«, sagte er. Dann stand er auf und sprach mit gedämpfter Stimme mit Stewart.

»Aye«, antwortete der Schotte. »Der Junge wird in seinem eigenen Bett liegen wollen, wenn … Remmers, du bringst ihn zusammen mit Simon zu meinem Wagen und fährst ihn zu sich nach Hause.«

»Muss er nicht ins Krankenhaus?«, fragte Remmers.

»Das ist … nicht nötig«, erwiderte der alte Meister. Sein Blick traf Rileys.

In diesem Moment wusste sie, dass der Mann, den sie liebte, im Sterben lag.

Riley bekam nicht viel von der Fahrt mit, außer dass sie hinten im Wagen saß und Becks Kopf auf dem Schoß hielt. Je länger sie fuhren, desto mehr wandelte seine Gesichtsfarbe sich in aschfahl, während das Atmen ihm zunehmend schwerer fiel. Sie klammerte sich an jeden seiner Atemzüge, voller Furcht, es könnte der letzte sein.

*Er darf nicht sterben. Nicht jetzt.*

Nachdem Peter ihr geholfen hatte, den Alarm auszuschalten – sie hatte Schwierigkeiten, das Tastenfeld zu erkennen –, trugen die Fänger Beck in sein Bett. Simon zog ihm die Stiefel aus, und Remmers half, dem verletzten Mann die restliche Kleidung auszuziehen. Sobald Beck unter der Decke lag, setzte Riley sich neben ihn und nahm seine Hand.

Als sie sich vorbeugte, um ihn zu küssen, stieg ihr der Duft seines Aftershaves in die Nase. Es brachte die Erinnerung daran zurück, wie sie beide lachend in genau diesem Bett gelegen, sich geliebt und über ihre Zukunft gesprochen hatten.

Durch den Nebel der Trauer schnappte sie Bruchstücke der Unterhaltung im vorderen Teil des Hauses auf. Eine der Stimmen gehörte Carmela, der Ärztin der Zunft.

»Ich will ihn untersuche«, beharrte sie.

»Aye, das verstehe ich, aber es gibt nichts, das Sie für ihn tun könnten«, sagte Stewart. »Sterbliche sind nicht dazu bestimmt, einen Erzengel zu töten. Von Engeln zugefügte Wunden sind anders als alle anderen, und die Heilung muss von innen heraus erfolgen, nicht von außen. Sie können nichts für ihn tun.«

»Mein Gott«, murmelte die Ärztin. »Wie stehen seine Chancen?«

»Astronomisch schlecht«, erwiderte Stewart mit belegter Stimme. »In vierundzwanzig Stunden werden wir es wissen.«

Riley senkte ihr Gesicht an Becks Ohr. »Diese Gewinnquoten sind mir egal. Die bedeuten mir nichts. Alles, was ich weiß, ist, dass Rennie und ich dich brauchen, also wage es bloß nicht, zu sterben, hörst du? Du. Stirbst. Nicht.«

Dann schloss sie die Augen und begann zu beten.

Später, als Carmela darauf bestand, sie zu untersuchen, versuchte Riley die Frau wegzuschicken, bis Stewart sich einmischte und ihr in dieser Angelegenheit keine andere Wahl blieb.

Die Berührung der Ärztin war sanft. »Du hast schlimme

Verbrennungen im Gesicht vom Schwert des Engels. Ich gebe dir eine Salbe dagegen. Und für die Augen … ich habe Tropfen dabei. Nimm sie alle zwei Stunden. Eine kalte Kompresse kann ebenfalls nicht schaden. Wenn sich deine Sehkraft bis morgen nicht verbessert hat, musst du zu einem Spezialisten.«

Riley nickte, aber nichts davon war wichtig. Es gab nichts in der Welt, das sie sehen wollte, wenn der Mann, den sie liebte, nicht an ihrer Seite war.

Als die Zeit verrann, begann Beck in einer unsinnigen Sprache vor sich hin zu murmeln, ähnlich der, in der Ori kurz vor seinem Tod gesprochen hatte. Stewart sagte, es sei die Muttersprache der Engel, aber woher sollte er die kennen?

Irgendwann um Mitternacht herum kam Vater Harrison, um mit ihr zu wachen. Es fühlte sich gut an, ihn hier zu haben, auch wenn sie nicht katholisch war. Auf seine Art gelang es ihm, Hoffnung zu schenken, selbst wenn man von undurchdringlicher Finsternis umgeben war.

»Ich habe vor einer Stunde mit Vater Rosetti gesprochen«, sagte er. »Sie lesen am Morgen eine Heilungsmesse für Beck im Petersdom. Und überall in Atlanta haben sich Menschen zum Gebet versammelt.«

Vielleicht würde Gott auf all diese Menschen hören, wenn Er schon nicht auf sie hörte.

»Was ist mit diesem Dämonen-Exorzisten?«, fragte sie. »Lebt er noch?«

»Ja. Er sagt nicht viel. Ich glaube, er fürchtet sich genauso sehr wie alle anderen.«

»Das ist nicht nötig. Nicht mehr.« *Sartael ist tot.*

Die Stunden vergingen. Freunde kamen und gingen: Feuerwehr-Jack, Peter, Simi, dann Ayden und Mort. Selbst Justine rief an, um Beck alles Gute zu wünschen.

Hin und wieder brachte jemand Riley etwas zu trinken – Wasser oder Saft. Sie nahm, was man ihr anbot, weigerte sich jedoch, irgendetwas zu essen. Manchmal sprach sie mit Beck, als könne er sie hören. Dann wieder hielt sie einfach nur seine Hand und zwang ihn, zu leben.

Als der Morgen dämmerte, wurde er unruhiger und sprach laut im Delirium. Als er schrie, rührte Stewart sich in dem Sessel auf der anderen Seite des Bettes. Seit der Schlacht hatte der alte Meister das Haus nicht verlassen und trug immer noch dieselben blutverschmierten Sachen wie am Abend zuvor.

»Was geschieht mit ihm?«, fragte Riley.

»Er wird gefoltert … in der Hölle. Das ist das Schicksal derjenigen, die einen gefallenen Engel getötet haben.«

Sie fuhr überrascht zurück. »Er gehört dort nicht hin. Seine Seele gehört ihnen nicht.«

»Aye, trotzdem geschieht es.« Er schaute zum verletzten Fänger. »Egal, wie schlecht es aussieht, jetzt hat er etwas, für das er kämpfen kann. Du bist der Leuchtturm in seinem Sturm, Kind.«

»Wird das reichen?«

»Das liegt allein bei Gott.«

Sie hatte ihren Wunsch für Ori hergegeben, ohne zu bedenken, dass Beck ebenfalls dringend Hilfe benötigen könnte. Sie wusste, was der Engel getan hätte – er hätte darauf bestanden, dass sie ihren Wunsch für den Sterblichen aufsparte, den sie liebte.

*Und deshalb hast du es verdient, in den Himmel zu kommen, Ori.*

»Vielleicht, wenn ich mit Luzifer rede …«

»Ich weiß, dass du diesen Jungen mehr liebst als dein eigenes Leben«, erwiderte Stewart, »aber falls du überlegst, ein Geschäft mit dem Höllenfürsten abzuschließen, um ihn zu retten – das wäre ein Fehler. Beck muss das allein schaffen. Verstehst du?«

Ihr Blick verdüsterte sich. »Nein, ich verstehe nicht. Alle bekommen, was sie wollen. Warum kann es nicht einmal auch für mich so sein?«

»Es muss sein Kampf bleiben. Ich weiß, dass es wenig Sinn für dich ergibt, aber so ist es nun einmal.«

Sie wollte dem alten Meister eigentlich nicht glauben, aber im Grunde ihres Herzens wusste sie, dass er recht hatte. Wenn sie einen Deal mit der Hölle machte, um Becks Leben zu retten, wäre es zwischen ihnen nie wieder so wie vorher.

Riley beugte sich vor und legte den Kopf auf die Brust ihres Liebsten. Tränen benässten ihre Wangen.

»Komm schon, Dorftrottel«, sagte sie streng. »Lass nicht zu, dass sie gewinnen. Lass nicht zu, dass sie dich mir wegnehmen.«

Als sie schluchzte, legte Stewart ihr die Hand auf die Schulter. Sie bebte, als der alte Mann mit ihr weinte.

❖

Beck hörte, wie sie ihn rief. Obwohl Riley ihn drängte, weiterzuleben, fühlte er sich so allein an diesem trostlosen Ort. Er hätte es wissen müssen, dass er so oder so verdammt war – egal, ob er Sartael getötet hatte oder nicht. Die Hölle spielte niemals fair.

Als er ein Kind war, hatten die Prediger immer grausame Bilder heraufbeschworen von Feuergruben voll mit kochenden Sündern oder wahnsinnigen Dämonen, die Leute in Stücke schnitten und sie über offenem Feuer rösteten.

Diese Hölle war nicht so. Zumindest nicht der Teil, in dem er sich befand. Hier gab es zwar Dämonen, aber er spürte sie mehr, als dass er sie sah. Sie drängten sich um ihn, berührten ihn, verfluchten ihn, weil er es wagte, in ihr Reich vorzudringen. Es war, als würde er von unsichtbaren Ratten zu Tode gekratzt werden.

Das war schlecht, aber was ihm richtig Angst machte, waren die Gesichter der Verdammten in den Wänden und der Decke in dem langen Korridor vor ihm. Die gepeinigten Blicke folgten ihm, während ihre Münder ihn riefen. Manche bestanden darauf, dass sie nur aufgrund eines Missverständnisses hier waren. Andere, die raffinierter waren, boten ihm Hilfe an, wenn er sie befreien würde. Er bräuchte nur das begrabene Gesicht zu berühren, und sie würden ihm den Weg nach draußen zeigen. Beck wusste es besser. Er hörte die Lügen, also ging er weiter und betete, dass der Korridor irgendwann enden und er sich außerhalb des Fegefeuers wiederfinden möge.

Aus dem Nichts materialisierte sich der Höllenfürst. Große Flecken schwarzen Dämonenblutes bedeckten seine Rüstung, aber er trug kein Schwert.

»Denver Beck. Willkommen in meinem Reich«, sagte er großmütig. »Was hältst du davon?«

Beck ging weiter. Der Schmerz in seiner linken Schulter nahm zu, hundertfach verstärkt, und pochte mit jedem hektischen Herzschlag. Er fror erbärmlich, als läge er bereits im Grab, obwohl die Luft um ihn herum mit dampfendem Nebel erfüllt war.

»Ich kann dich zurückschicken«, fuhr der Fürst fort. »Binnen eines Augenblicks könntest du wieder bei Blackthornes Tochter sein. Sag einfach nur das eine Wort.«

Beck zwang sich, einen Fuß vor den anderen zu setzen. Der Höllenfürst machte sich nicht die Mühe, mit ihm Schritt zu halten, sondern tauchte einfach weiter vorn im Gang erneut vor ihm auf.

»Wie ich sehe, bietet dir kein Engel des Himmels seine Hilfe an«, sagte er verschlagen.

Beck blieb vor dem Herrscher der Hölle stehen. »Mir bleibt vielleicht keine Zeit mehr mit der Frau, die ich liebe, aber meine Seele gehört immer noch mir. Und daran wird sich auch nichts ändern. Also zieh ab und foltere irgendeinen anderen armen Mistkerl.«

»Was macht es schon aus? Du bist hier, egal, ob deine Seele dir gehört oder nicht.«

»Es ist eine Frage des Stolzes«, sagte Beck. »Und jetzt verpiss dich, Engel!«

»Na ja, ich hab's versucht«, sagte Luzifer unbekümmert. »Ist ja schließlich mein Job.«

Dann verschwand der Höllenfürst und ließ ihn zurück, mit den Stimmen der Verdammten als einzige Gesellschaft.

✛

Eine Ewigkeit später begann Beck, noch einmal über den Vorschlag nachzudenken. Er könnte von diesem Ort hier wegkommen, zu Riley, und niemand würde je erfahren, dass er seine Seele preisgegeben hatte, um sich selbst zu retten. Sie könnten heiraten und Kinder bekommen und …

Sie hatte ihre Seele hingegeben, um die Welt zu retten. Warum konnte er nicht dasselbe tun, um sich selbst zu retten?

Die Verdammten begannen, alle auf einmal zu schreien, ein brüllendes Tosen, das ihn wie eine massive Wand aus Stimmen zu erschlagen schien. Beck hielt sich die Ohren zu, versuchte, sie auszuschließen und zu verhindern, dass sie ihn in den Wahnsinn trieben.

»Gott, hilf mir!«, schrie er laut.

Jemand berührte ihn an der Schulter, und er fuhr erschrocken zusammen.

»Mom?«

Seine Mutter trug das Kleid, das Riley ihr für die Beerdigung herausgesucht hatte, und in ihren Augen brannte dasselbe unheimliche Feuer wie bei den in den Wänden Eingeschlossenen.

»Komm, Junge«, sagte sie und hielt ihm eine knochige Hand hin. »Du gehörst nicht hierher.«

»Ich werde meine Seele nicht preisgeben!«

»Das weiß ich. Komm schon!«

Er wagte nicht, ihr zu vertrauen. Sie hatte ihn ihr Leben lang belogen und verletzt, hatte ihn zum Sterben im Sumpf zurückgelassen. Und doch hatte er hier, in diesem Fegefeuer, niemand sonst, dem er vertrauen konnte.

»Komm schon, Denver. Sei kein Idiot«, sagte sie. »Das Mädchen wartet auf dich.«

In dem Moment, in dem er die Hand ausstreckte, riss Sadie ihn nach vorn. Sie bewegten sich mit einer unglaublichen Geschwindigkeit, ihre Füße berührten nie den Fußboden, und die Gesichter in den Wänden verschwammen zu einem grauen Schleier.

Abrupt blieb Sadie stehen. Vor ihnen war … nichts. Keine Gesichter, keine Wände, keine Decke. Absolute Vergessenheit. Sie deutete auf das endlose Nichts. »Geh dorthin.«

»Ich verstehe nicht«, sagte er.

»Du bist nicht tot, Junge. Wenn du hart genug kämpfst, schaffst du es vielleicht zurück ins Leben.«

Das war das Einzige, was er konnte: Gekämpft hatte er sein ganzes Leben lang.

»Komm mit mir«, sagte er und zog sie an der Hand.

Sie riss sich los. »Ich kann nicht, Denver. Ich gehöre hierher.«

Dies könnte das letzte Mal sein, dass er sie sah. »Ich liebe dich«, sagte er. »Ich weiß, dass du mich nie geliebt hast, aber das ist egal.«

Ihr Gesicht wurde hart. »Ich weiß. Jetzt verstehe ich, was das alles bedeutet. Es tut mir leid, Denver. Wirklich.«

Der Schatten, der Sadie Beck gewesen war, verblasste und verschwand.

»Lebwohl, Mom«, sagte er.

Es schien kälter geworden zu sein, und Beck zitterte am ganzen Leib. Mit unsicheren Schritten bewegte er sich vorwärts, seine Hände umklammerten Pauls Ring so fest, dass er sich tief ins Fleisch bohrte.

Er musste nur ein letztes Mal seiner Mutter vertrauen.

Vielleicht war es dieses Mal keine Lüge.

## 36. KAPITEL

Als Beck die Augen aufriss, erblickte er weiches Licht. Er blinzelte ein paar Mal, und die Umgebung wurde deutlicher. Es war Morgen, er lag in seinem eigenen Schlafzimmer, und jemand saß in einem Sessel neben dem Bett und las laut. Die Worte stammten aus der Bibel, glaubte er. Psalmen. Als er sich räusperte und versuchte zu sprechen, blickte der Mann auf.

»Junge?«, sagte Stewart. Er hatte dicke Tränensäcke unter den Augen. »Gott sei Dank.« Der Meister legte das Buch auf den Nachttisch und beugte sich zu ihm vor. »Wie fühlst du dich?«

»Alles tut höllisch weh«, sagte Beck. Vorsichtig hob er seinen linken Arm und stellte erleichtert fest, dass er nicht länger taub war.

Jemand fehlte. Voller Panik versuchte er, sich auf der Matratze aufzustemmen, vergeblich. »Riley? Wo ist sie? Ist sie verletzt?« *Wenn sie tot ist …*

»Ihre Freunde versuchen sie dazu zu bringen, etwas zu essen. Sie ist kaum von deiner Seite gewichen, seit du verwundet wurdest.«

*Sie lebt.* Beck holte tief Luft, um ruhiger zu werden. »Es war so schräg. Ich … war in der Hölle, ganz wirklich.«

»Aye, da warst du. Wir reden darüber, wenn du zu Kräften gekommen bist.« Behutsam legte Stewart die Hand auf Becks unverletzte Schulter. »Ich bin sehr stolz auf dich, Junge. Gut gemacht. Jetzt werde ich besser deiner Herzensdame die gute Nachricht überbringen, oder sie reißt mir den Kopf ab.«

Als der Meister die Küche betrat, hörte Beck Stimmen, eine davon gehörte Riley. Sie erklärte jemandem ganz genau, wo er sich das Sandwich hinstecken konnte, das er für sie gemacht hatte.

*Ja, das ist mein Mädel.*

Stewart verkündete die Neuigkeit, und einen Moment herrschte vollkommene Stille, dann ertönte ein Freudenschrei, gefolgt vom Geräusch rennender Füße im Flur. Riley warf sich nicht aufs Bett, wie er angenommen hatte, sondern setzte sich neben ihn. Sie sah ziemlich mitgenommen aus. Ihr Gesicht war fleckig, an manchen Stellen dunkelrot, und sie trug eine Sonnenbrille … im Haus.

Sie nahm die Brille ab und legte sie beiseite, so dass er die geschwollenen Augen und aufgedunsenen Wangen sehen konnte.

»Alles in Ordnung mit dir?«, fragte er. »Deine Augen …«

»Die erholen sich wieder«, erwiderte sie, ihre Stimme war heiserer als sonst. »Das wird mich lehren, einem Flammenschwert zu nahe zu kommen.«

Immer noch besorgt, bedeutete er ihr mit seinem gesunden Arm, den Kopf auf seine Brust zu legen. Es war nicht bequem, aber das war ihm egal. Er hörte sie seufzen, als er ihr Haar streichelte, und kostete dieses einfache Vergnügen aus.

*Sartael ist tot. Er wird uns nie wieder etwas antun. Und ich habe ihn getötet.*

Beck konnte sich ein wohlverdientes Grinsen nicht verkneifen.

Er hörte ein Rascheln an der Tür, und er blickte in vier lächelnde Gesichter, die sie beobachteten. Jackson, der den Arm in Gips hatte, Rileys Freunde Peter und Simi und schließlich Stewart selbst. Acht Daumen schossen gleichzeitig in die Höhe.

»Danke, Leute«, sagte er überwältigt.

Es gab Glückwünsche noch und nöcher, dann scheuchte Stewart sie weg. »Das reicht, raus mit euch! Die beiden wollen ihre Ruhe haben. Feiern können wir später.«

*Der alte Kerl weiß Bescheid.*

Kaum war die Haustür ins Schloss gefallen, hob Riley den Kopf und blinzelte heftig. »Ich dachte, ich hätte dich verloren«, sagte sie und strich mit den Fingern durch sein Haar.

»Wir Jungs aus Georgia sind … nicht so leicht totzukriegen.« Seine Gedanken sprangen zurück zu seiner Mutter. Dass sie ihm aus der Hölle herausgeholfen hatte und selbst zurückgeblieben war. »Sadie hat mir geholfen.«

»Was?«

Er schüttelte den Kopf. Das konnte er unmöglich erklären.

»Danke, dass du zu mir zurückgekommen bist«, flüsterte sie.

»Was anderes wäre gar nicht in die Tüte gekommen«, sagte er.

Beck hob den Blick zur Decke, als könnte er dort irgendwie den Himmel sehen.

*Du hast mir nie zuvor zugehört, aber dieses Mal schon. Das
werde ich niemals vergessen.*

Dann begannen die Tränen, die er zurückgehalten hatte,
über sein Gesicht zu laufen, und er weinte zusammen mit
der Frau, die er liebte.

Die nächsten drei Tage erwiesen sich als härter, als Riley
erwartet hatte. Obwohl er langsam wieder zu Kräften kam,
wechselte Becks Stimmung innerhalb von Sekunden von
unwirsch zu triumphierend und wieder zurück zu depres-
siv. In der einen Minute wollte er sie festhalten, in der
nächsten brauchte er Platz für sich. Diese Unvernunft
führte zu ein paar angespannten Szenen.

Stewart bestand darauf, dass das Benehmen des Patienten normal sei, doch nachdem die Liebe ihres Lebens sie
angefaucht hatte, weil ihm die Mahlzeit nicht schmeckte,
die sie liebevoll für ihn zubereitet hatte, riss Riley der
Geduldsfaden. Sie zog sich zurück und holte Verstär-
kung.

Der Meister übernahm das Kommando und schlug taktvoll vor, dass sie vielleicht ihre Hausaufgaben nachholen
könnte, während er versuchte, den Patienten wieder zur
Vernunft zu bringen. Riley brach ihr Lager in Becks Haus
ab und ließ den Griesgram ohne großes Bedauern zurück.

Beck war nicht in der Stimmung für Gesellschaft, seine Nerven waren so dünn wie eine zerbrechliche Eisschicht auf einem Tümpel im Frühjahr. Mittlerweile ruhte er auf der Couch, weil er es leid war, im Bett zu liegen, doch der Ortswechsel hatte seine Stimmung nicht verbessert.

»Ich brauche dich nicht hier«, knurrte er und starrte Stewart an, als der Meister sich in einem Sessel niederließ.

»Wir müssen über das reden, was in deinem Kopf vor sich geht. Du gehörst zu den Leuten, die alles in sich hineinfressen. Das ist nicht gesund.«

»Gibt keinen Grund, darüber zu reden«, erwiderte Beck. Wie sollte er jemals von der Begegnung mit seiner Mutter berichten können?

»Komm schon, Junge, erzähl mir, was du gesehen hast, als du krank warst.«

»Das waren nur Träume«, sagte Beck wegwerfend. »Albträume.«

»Von der Hölle, stimmt's?«

Vorsichtig richtete Beck sich auf und gab dabei auf seine verletzte Schulter acht. Die Schlinge brachte wenig, außer, dass sie unbequem war. »Warum bist du wirklich hier?«

Ein nachdenkliches Lächeln zeigte sich im Gesicht seines Gastes. »Ich bin hier, um mich zu vergewissern, dass du nach allem, was du durchgemacht hast, nicht durchdrehst. Es wäre eine verdammte Verschwendung, wenn du jetzt verrückt werden würdest.«

»Erzähl du mir, was passiert ist.« *Warum Sadie mich gerettet hat.*

»Durch deine Wunde warst du der Macht eines göttlichen Wesens ausgesetzt. Weil Sartael ein gefallener Engel war, wurdest du in die Hölle geschickt, um dafür zu büßen, dass du einen Engel getötet hast.«

»Aber ich bin nicht dort geblieben.«

»Aye. Also, wer hat dir den Weg nach draußen gezeigt?«

Fassungslos starrte Beck den Meister an. »Woher weißt du das?«

»Ich glaube, die beste Art, das zu beantworten, ist eine kleine Geschichte.« Stewart ließ sich tief in den Sessel sinken. »Vor ein paar Jahrzehnten tötete ein Meisterfänger einen Geo-Dämon. Er war verdammt stolz auf sich, bis ein gefallener Engel auftauchte. Es war der Herr des Fünfers, verstehst du, und er war wütend, weil er einen so mächtigen Diener verloren hatte. Der Engel und der Meister kämpften, und durch Gottes Gnade tötete dieser Bursche den gefallenen Engel, obgleich er selbst schwer verletzt war.«

»Also kam dieser Bursche in die Hölle, genau wie ich?«

»Aye. Er wanderte durch ein endloses Dornenlabyrinth, schwankte zwischen Leben und Tod. Als er laut um Hilfe schrie, kam eine der verdammten Seelen zu ihm. Es war ein alter Freund, der viele Jahre zuvor den falschen Weg eingeschlagen hatte. Dieser Freund half dem Fänger, den Weg aus dem Labyrinth und zurück zum Licht zu finden.«

*Mein Gott.*

»Es war … Sadie, meine Mom«, gab Beck zu. »Sie nahm meine Hand und zeigte mir den Weg hinaus. Es gab keine

Möglichkeit, wie ich sie hätte retten können. Sie ist dort, bis …«

»… Gott sich anders entscheidet.«

Forschend betrachtete Beck das Gesicht des Meisters. »Warum hat sie das getan? Sie hätte mich dort unten behalten können, damit ich mit ihr verbrenne.«

»Sie war in diesem Leben zwar nicht in der Lage, dir ihre Liebe zu zeigen, aber sobald wir auf der anderen Seite sind, sehen wir die Dinge klarer. Alle Lügen, in die wir uns einhüllen, werden fortgerissen.« Stewart schwieg einen Moment. »Deine Mutter war da, als es wirklich darauf ankam. Und wenn es sonst nichts gibt, behalte sie wenigstens deswegen in guter Erinnerung.«

»Das werde ich.« Stück für Stück stellte Beck den Zusammenhang her. »Deine Beinwunde. Die stammt nicht von einem Erzdämon, oder?« Der Meister schüttelte den Kopf. »Du hast den Engel getötet, und deshalb weißt du von der Hölle und wie es ist, dort herumzuirren.«

»Aye.«

Da war noch mehr, Beck spürte es. Das letzte Verbindungsstück schnappte ein.

»Um ein Dämonenfängermeister zu werden, verlangt die Zunft, dass man einen Erzdämon tötet oder fängt. Um ein Großmeister zu werden … muss man das mit einem Engel machen?«, fragte Beck.

»Du musst sie töten. Man kann sie nicht gefangen nehmen«, erwiderte Stewart. »Es gibt nur eine Handvoll Großmeister auf der Welt.« Der Schotte lächelte breit. »Und jetzt gibt es noch einen.«

Beck begriff kaum, was er gerade gehört hatte. »Du meinst, … ich …«

»Auf dich kommen jede Menge Training und ein Haufen Büffelei zu, aber du hast das Zeug dazu, einer von uns zu werden. Ich wusste, dass du das Talent dazu hast, ein verdammt feiner Meister zu werden. Aber jetzt, Junge … du bist viel mehr als das.«

»Ein Großmeister«, flüsterte Beck.

»Es ist allerdings kein einfaches Leben. Wir haben Pflichten, die manchmal … verdammt schmerzlich sind, aber wir tun, was wir können, um das Gleichgewicht zwischen dem Licht und der Dunkelheit zu bewahren. Das wird auch deine Aufgabe sein, falls du dich entscheidest, einer von uns zu werden.«

»Aber …« Er musste ihm reinen Wein einschenken. »Ich kann nicht richtig lesen und schreiben«, beichtete Beck.

»So etwas kann man lernen. Was zählt, ist, dass du weise bist für dein Alter. Du hast dem Tod ins Auge geblickt, du hast getötet und weißt, welchen Tribut du dafür zu zahlen hast. Du weißt, was wahre Liebe ist. Das gehört genauso zu der Aufgabe wie alles andere.«

»Ein Großmeister«, wiederholte Beck. Dann runzelte er die Stirn. »Wie geht es jetzt weiter?«

»Sobald du hier in den Staaten deine Meisterprüfung bestanden hast, wirst du für ein paar Monate zur Ausbildung nach Schottland gehen. Jedes Jahr wird deine weitere Ausbildung fortgesetzt, manchmal in Schottland, manchmal in anderen Teilen der Welt.«

Er würde Riley zurücklassen müssen und … »Wie lange werde ich fort sein?«

»Ich weiß, worauf du hinaus willst. Du willst dich nicht so lange von dem hübschen Mädel trennen, sie wird dich also jederzeit besuchen dürfen. Und ich versichere dir, es gibt nichts Romantischeres als ein Spaziergang durch die Berge meiner Heimat, besonders, wenn es da vielleicht eine gewisse Frage gibt, die du stellen möchtest.«

Beck hob den Blick und musste selbst über die Bemerkung lächeln. »Könnte schon sein, das mit der Frage. Weiß Riley irgendetwas davon?«

»Nay, aber ich werde es ihr bald erzählen. Ich denke, sie wird ebenso stolz auf dich sein wie ich.«

Beck schüttelte erstaunt den Kopf. »Ich fasse es nicht. Und das alles nur, weil ein durchgeknallter Erzengel beschlossen hat, dass er die Hölle beherrschen will.«

»Das spielte auch mit hinein, aber es war nicht der wichtigste Teil«, widersprach Stewart. »Das alles geschah nur, weil ein armer und misshandelter Junge sich weigerte, sein Los im Leben zu akzeptieren. Du hast dich nach etwas Besserem gesehnt. Jetzt wirst du es bekommen.«

# 37. KAPITEL

Während Stewart sich mit ihrem bärbeißigen Liebsten rumärgerte, suchte Riley Zuflucht im Paradies. Oder zumindest im Café. Ihre Lieblingsnische war leer, so dass sie sich dort mit ihren Hausaufgaben ausbreitete und sich an die Arbeit machte. Immer wieder platzten Erinnerungen dazwischen, besonders solche, in denen Ori vorkam. Sie stellte fest, dass sie ihn stärker vermisste als gedacht.

Ihre Augen machten schon wieder Ärger, also nahm sie ein paar Tropfen, die sogar zu helfen schienen. Sie vergrub sich in die heiße Schokolade und die Hausaufgaben, aber es fiel ihr schwer, sich zu konzentrieren. Wie ging es Beck? Würde der Meister ihn wieder geradebiegen?

Sie hatte gerade ihre Sozialkundeaufgabe über die Maori erledigt, als Stewart anrief.

»Riley? Beck geht es besser. Wir haben ein paar Dinge geklärt, und er weiß jetzt Bescheid. Er sagte, er würde dich anrufen, wenn er so weit ist.«

»Gut. Er war so bissig, ich wusste einfach nicht mehr, was ich machen sollte.«

»Eine Sache noch …«

Mit zunehmender Verblüffung hörte sie zu, als Stewart ihr

genau erklärte, wie Becks Zukunft aussah und dass ihr Freund sich qualifiziert hatte, um in den Rang eines Großmeisters aufzusteigen.

Rileys Gedanken überschlugen sich. »Weiß er das?«

»Aye. Und er versucht immer noch, die Neuigkeit zu verdauen. Ich dachte, du solltest Bescheid wissen.«

»Omeingott. Das ist … echt der Hammer.«

»Allerdings. Beck wird deine Hilfe brauchen, aber ich bezweifle nicht, dass er seine Sache gut machen wird. Er ist ein kluger Bursche, auch wenn er das abstreitet.«

»Das ist so unglaublich.« *Das muss Beck völlig umgehauen haben.*

»Was deine Situation angeht, da habe ich heute Morgen etwas mit Rom geplaudert«, fuhr Stewart fort. »Sie sind ganz zufrieden damit, wie sich alles entwickelt hat. Sie haben ihre Auflagen gelockert, so dass du jetzt wohnen kannst, wo immer du willst. Allerdings empfehlen sie dir, in Zukunft nicht mehr mit irgendwelchen gefallenen Engeln rumzumachen.«

»Damit kann ich leben.«

»Wenn ein bisschen Ruhe eingekehrt ist, würde ich gerne mit dir darüber reden, wie sich die Geschichte der Dämonenfänger Atlantas aufschreiben ließe. Wir haben keinen Historiker, und es wird Zeit, dass sich das ändert. Für den Job gäbe es ein kleines Gehalt, genug, damit du ein paar deiner Ausgaben davon bestreiten könntest.«

Rileys Dad, der Geschichtslehrer, hätte sich sofort auf dieses Angebot gestürzt. »Ich mache es. Vielen Dank, Sir.«

»Nenn mich Angus. Wir kennen uns inzwischen gut genug, um uns zu duzen.«

»Danke, Angus. Du bist echt cool. Das meine ich ganz ernst.«

Es kostete sie unglaubliche Mühe, nicht bei Beck anzurufen und die unfassbare Neuigkeit zu feiern, aber sie befolgte Stewarts Rat und hielt ihre Ungeduld im Zaum. Er würde sich schon melden, wenn er so weit war.

Sie widmete sich gerade ihrer Geschichtshausarbeit, unterbrochen von gelegentlichen Omeingott-ich-kann-es-nicht-fassen-Anfällen, als Simon das Café betrat. Als er sie sah, kam er auf ihre Nische zu.

»Hey«, sagte sie, unsicher, wie es zwischen ihnen stand.

»Ich würde gerne mit dir reden. Ist das okay?«, sagte er ernster als gewöhnlich.

»Klar.« Riley klappte ihr Buch zu und fragte sich, was er wollte.

»Möchtest du noch eine heiße Schokolade?«

Sie nickte, und sei es nur, um Zeit zu gewinnen und sich auf das vorzubereiten, was jetzt kam. Er wirkte nicht wütend oder feindselig, so dass es vielleicht ein gutes Gespräch werden würde, oder zumindest keines, das sie beide anschließend bedauern würden.

Riley beobachtete Simon, als er am Tresen wartete, um die Bestellung aufzugeben. Er wirkte so viel älter als damals, als sie sich zum ersten Mal im Tabernakel getroffen hatten, obwohl seitdem nur ein paar Monate vergangen waren. Älter, stärker, mit mehr Narben als zuvor. Sie fühlte sich genauso.

Ihr Exfreund schob sich auf die Bank, nachdem er ihr den Becher gereicht hatte. Als er nicht sofort anfing zu sprechen, naschte sie von den Schokoraspeln auf dem üppigen Haufen Schlagsahne.

Schließlich räusperte er sich, fragte sie, wie es ihren Augen gehe, und sie beide stimmten darin überein, dass sie aussah, als sei sie auf der Sonnenbank eingeschlafen. Dann erkundigte er sich nach Beck, und sie ließ ihn wissen, dass bei ihm auch alles in Ordnung war, ohne die letzte Neuigkeit über ihren Freund zu verraten. Das musste Beck selbst bekanntgeben.

Als die Höflichkeiten ausgetauscht waren, kam Simon endlich auf das zu sprechen, was ihn bewegte. »Ich habe meine Gesellenprüfung bestanden. Heute Morgen habe ich Bescheid bekommen.«

»Das ist ja großartig, Simon. Herzlichen Glückwunsch«, sagte sie vollkommen aufrichtig.

»Ja, das ist es.«

»Du klingst nicht sonderlich glücklich.«

»Alles hat sich geändert. Es ist ein Erfolg, aber nicht mehr so einer, wie es früher gewesen wäre.« Seine schlanken Finger umschlangen den Keramikbecher. »Ich … bin nur noch zwei Wochen hier, dann verlasse ich Atlanta. Ich muss eine Zeit hier weg. Ich muss den Kopf klar bekommen.«

»Oh«, erwiderte Riley überrascht. »Wo gehst du hin?«

»Ich möchte ein paar heilige Stätten aufsuchen. Rom

natürlich, Lourdes. Ich fahre nach Israel und dann …« Er zögerte, obwohl seine Augen jetzt strahlten. »Indien. Ich möchte mit einigen ihrer heiligen Männer sprechen. Und dann vielleicht nach Tibet. Die Mönche wissen vielleicht das ein oder andere.« Er schwieg, um einen Schluck Kaffee zu trinken. »Ayden schlug vor, ich könnte in Irland einige Steinkreise aufsuchen.«

Der alte Simon hätte der Hexe niemals zugehört oder wäre bereit gewesen, sich in die Nähe von Plätzen oder Menschen zu begeben, die nicht seinen Glauben teilten. Das war ein riesiger Fortschritt.

»Wenn du schon einmal dabei bist, könntest du auch einige Zeit mit einem Rabbi oder einem Imam verbringen«, schlug Riley vor. »Vielleicht kann einer dieser Leute dir helfen, einige Dinge in einem neuen Licht zu sehen. Wenn ich keinen Grund hätte, hierzubleiben, würde ich glatt mitkommen.«

»Der Grund ist Beck, nicht wahr?«, fragte Simon, und ihre Blicke trafen sich.

»Ja. Wir lieben uns. Es ist … gut.«

»Freut mich, das zu hören«, antwortete er. »Wir hatten nie eine Chance.«

»Nein, die hatten wir nie.«

Es dauerte eine Weile, doch schließlich kramte sie sein angekokeltes Kreuz vom Boden ihres Rucksacks hervor. »Ich habe es neulich im Tabernakel gefunden. Ich dachte, du wolltest es vielleicht haben.«

Simon streckte die Hand danach aus, doch dann zog er sie wieder zurück. »Bewahr es für mich auf, tust du das?

Wenn ... ich es eines Tages vielleicht zurücknehmen kann, wird es für mich wieder die Bedeutung haben, die es einst hatte.«

»Nein, wenn du es jemals wieder trägst, wird es für etwas völlig Neues stehen. Dann wirst du deine Prüfung bestanden haben.«

Als sie seine Hand ergriff, drehte er sie sanft um. »Das Mal der Hölle ist verschwunden«, stellte er fest. »Was ist mit deiner Seele?«

»Sie gehört wieder mir.« Riley drehte ihre linke Hand um. »Das Mal des Himmels ist noch dort. Vermutlich sind sie noch nicht fertig mit mir.« Sie verschränkten ihre Finger. »Schreib mir, wenn du unterwegs bist, ja? Ich will wissen, wie es bei dir läuft. Ich meine es ernst.«

»Mach ich. Du verstehst es besser als sonst irgendjemand.«

Sie hielten einander noch einen Moment an den Händen, ehe Simon sie allein ließ, nachdenklich wie eh und je.

*Wenn du deinen Glauben wiederfindest, wirst du eine wunderbare Waffe gegen die Finsternis sein. Du weißt jetzt, was für ein Spiel sie spielen. Sie werden dich nie wieder besiegen.*

Vielleicht hatte der Himmel die ganze Zeit genau das im Sinn gehabt.

Nachdem Stewart gegangen war, saß Beck lange Zeit reglos da und sortierte seine Gedanken. Als das Nachmittagslicht zum Zwielicht verblasste, machte er sich nicht die Mühe, eine Lampe einzuschalten. Nachdem er in der Hölle gewesen war und das Schlimmste gesehen hatte, fürchtete er die Dunkelheit nicht mehr.

Schließlich griff er zum Telefon und rief Riley an. »Hey, Prinzessin.« Er seufzte. »Ich vermisse dich.«

»Ich vermisse dich auch … Großmeister Beck.«

Nachdenklich schloss er die Augen. »Noch nicht ganz.«

»Aber eines Tages wirst du es sein, Den.«

»Sieht so aus. Jetzt komm nach Hause. Ich brauche dich hier.« *Alles ist besser, wenn du in meiner Nähe bist.*

»Ich bin gleich da.«

## 38. Kapitel

Fast zehn Tage vergingen, bis Beck fit genug war, um das Haus zu verlassen. Obwohl Riley vorgehabt hatte, allein zum Friedhof zu fahren, bestand er darauf, sie zu begleiten. Und dann wollte er unbedingt vom Westeingang aus laufen, anstatt direkt zum Mausoleum zu fahren.

»Ich muss zusehen, dass ich wieder fit werde«, sagte er. »Ich habe Pläne, und zu denen gehört es nicht, für den Rest meines Lebens im Bett zu liegen.«

»Du wirst zusammenklappen, wenn wir da sind.«

Er widersprach nicht, sondern ging weiter auf dem asphaltierten Weg, wenn auch etwas langsamer.

Es war direkt nach Sonnenaufgang – sie wollte nicht, dass Beck noch früher aufstand –, und auf dem Friedhof war es still. Die Morgenstunden waren inzwischen schon viel wärmer, und in den Blumenbeeten leuchteten in fröhlichen Farben die Narzissen und Krokusse. In der Ferne zogen Regenwolken auf, aber noch beschien die Sonne ihren Weg.

Sie hielten sich an den Händen und plauderten unbekümmert. Als sie ihr Familienmausoleum erreichten, sank Beck erschöpft auf die Treppe. Riley säuberte die Gräber ihrer Eltern und verteilte überall die Blumen, die sie mitgebracht hatte. Demnächst würde sie einen Grabstein für ihren Vater machen lassen müssen, der mit dem ihrer Mutter harmonierte. Seine Knochen waren natürlich nicht hier, aber das spielte keine Rolle. Sie wollte, dass die Menschen wussten, wer er war und dass er über den Tod hinaus geliebt wurde.

Sie kehrte zurück und setzte sich neben Beck. Er atmete wieder leichter, weniger erschöpft.

»Ich wünschte, es gäbe auch einen Gedenkstein für Ori.«

»Was meinst du, wo er ist?«

Sie zuckte die Achseln. »Wahrscheinlich irgendwo in der Dunkelheit, und das macht mich traurig. Er hat sich so sehr nach dem Licht gesehnt.«

Ein Rotkehlchen flatterte von einem Baum zum nächsten, während aus der Stadt westlich des Friedhofs Verkehrslärm zu ihnen wehte. Dann hörten alle Geräusche auf. Riley stand auf und sah sich um. Jemand beobachtete sie.

»Was ist los?«, fragte Beck.

Sie spürte eine bekannte Präsenz. »Es ist Luzifer.«

Der Höllenfürst stand ganz in der Nähe der Stelle, an der Ori einst als Statue gestanden hatte. Seine Rüstung war verschwunden, ersetzt durch schwarze Jeans und Hemd. Er wirkte eher so, wie sie ihn von ihrer ersten Begegnung in Erinnerung hatte, nicht wie der grausame Herrscher, den sie in der Hölle erlebt hatte. Wenn sie sich nicht irrte, war sein Haar silbriger geworden, als sei sogar der Fürst der Dämonen bei dieser Feuerprobe gealtert.

Riley stieg die Stufen herab, nervös, ihm erneut gegenüberzustehen.

»Danke, dass Sie Ihr Versprechen mir gegenüber gehalten haben«, sagte sie. Es konnte nie schaden, höflich zu sein, selbst zum Chef der gefallenen Engel.

»Ich hätte dir diese Gunst nie gewähren sollen«, erwiderte Luzifer säuerlich. »Ich wusste, dass Ori letzten Endes deine Seele bekommen würde, aber ich dachte, er würde sie umgehend mir überlassen. Stattdessen hat er deine anmaßende Bedingung akzeptiert, was bedeutet, dass deine Seele jetzt frei ist. Vorläufig nur, natürlich.«

Riley schnappte nach Luft. »Ori hat richtig gehandelt.«

»Er tat, was ich befohlen hatte, aber mit dem Herzen diente er bereits einem anderen Herrn«, sagte Luzifer kühl. »Er hätte den Himmel niemals verlassen dürfen. Ich wusste, dass es ein Fehler von ihm war, mich ins Exil zu begleiten.«

»Er wusste es auch«, sagte Beck.

Luzifer richtete seine Aufmerksamkeit auf ihn und betrachtete ihn mit neuem Interesse. »Ach, der Engelsmörder. Du bist jetzt eine Legende in der Hölle, Denver Beck. Macht es dir keine Angst, ein göttliches Wesen getötet zu haben, eines *Seiner* Geschöpfe?«

»Damit habe ich kein Problem«, sagte Beck frei heraus. »Sartael war ein bösartiger Mistkerl. Er hat unschuldige Menschen getötet, nur um seinen Wahnsinn zu stillen. Ich werde niemals bereuen, ihn besiegt zu haben.«

Ein wissendes Nicken war die Antwort, und Luzifer wandte seine Aufmerksamkeit wieder Riley zu. »Ich weiß, was du als Nächstes fragen wirst, Blackthornes Tochter: Ori befindet sich zur Zeit im Nichts, da ich nicht garantieren kann, dass er in den Himmel kommt. Das ist nicht mein Bereich.«

»Er muss irgendwo sein, wo er das Licht sehen kann«, sagte Riley. »Es bedeutet ihm so viel. Es würde ihm Hoffnung geben.«

»Was bist du bereit, im Gegenzug für diese Freiheit zu bezahlen?«

Riley hatte gewusst, dass es dazu kommen würde.

»Nichts. Wie ich es sehe, schulden Sie uns einen Gefallen. Wir haben Ihnen geholfen, einen gefährlichen Rivalen loszuwerden, der in Ihrem Reich nur für Ärger gesorgt hat.«

»Ich hätte Sartael am Ende vernichtet.«

»Klar«, erwiderte Beck, »aber wir waren schneller. Und Sie können wieder in aller Ruhe in der Hölle regieren.«

»Ihr seid also nicht bereit, eure Seelen für Oris Freiheit herzugeben?«, drängte der Fürst.

»Nein«, antworteten beide einstimmig.

»Wir haben genug gezahlt«, fügte Beck hinzu und deutete auf Pauls Grab.

Luzifer seufzte müde. »Ich fürchte, ich lasse nach.« Er winkte nachlässig mit der Hand. »Erledigt. Mein früherer Diener Ori ist frei, so dass er sich jeden Morgen den Sonnenaufgang anschauen kann, was immer ihm das auch bringen mag.«

»Danke«, flüsterte Riley.

»Denk daran, möglicherweise wird ihm eines Tages vergeben, und er kehrt in den Himmel zurück. Ich bezweifle allerdings, dass er dort Trost finden wird. Die anderen unserer Art haben keinen Anteil am endlosen Quell der Gnade.«

»Also müssen sie sich an die Regeln halten«, sagte Riley.

Luzifer hob eine Augenbraue, antwortete aber nicht.

Beck erhob sich müde. »Sie haben das die ganze Zeit geplant, oder? Seit Paul Ihnen seine Seele übergab.«

»Als Sartael begann, gegen mich zu intrigieren, sah ich gewisse Möglichkeiten«, erwiderte der Chef der gefallenen Engel. »Ich befürchtete, dass seine Diener versuchen würden, ihn zu befreien, also ließ ich sie gewähren. Auf diese Weise sah ich, wer sie waren, und konnte sie vernichten.«

»Aber Sie haben sie nicht vernichtet. Das haben Sie uns überlassen«, sagte Beck.

»Diejenigen, die Sartael begleitet hatten, ja. Aber die, die in meinem Reich geblieben waren?« Luzifers Augen funkelten. »Um die habe ich mich persönlich gekümmert. Die Frage, wer in der Hölle herrscht, wurde beantwortet … mit Blut.«

Ein Schauder kroch Riley über den Rücken.

»Was, wie ich fürchte, der Sinn der ganzen Übung war«, fuhr Luzifer fort. »Als ich rebellierte, bestand meine Strafe darin, ein eigenes Reich zu bekommen, mit meinen eigenen Untertanen, damit ich lernte, was es heißt, über andere zu herrschen. Dass es nicht einfach damit getan ist, Befehle zu erteilen und dafür im Gegenzug Loyalität zu erwarten, weil die Dienerschaft sich ganz leicht gegen dich wenden kann.«

»Würden Sie in den Himmel zurückgehen, wenn Sie könnten?«, fragte Beck.

Luzifers Kinn wurde fest. »Ach, diese uralte Frage: Ist es besser, in der Hölle zu regieren als im Himmel zu dienen? Ich kenne die Antwort nicht. Ich verabscheue die Dämonen und ihre ganzen korrupten Intrigen. Sie sind der wahre Abschaum. Gleichwohl bin ich der Herrscher in meiner Welt, im Guten wie im Bösen. Ich werde es bleiben, bis meine Aufgabe als vollendet erachtet wird.«

»Am Ende der Tage«, sagte Riley.

Die Miene des Höllenfürsten wurde ausdruckslos. »Wir sind fertig, Blackthornes Tochter. Dein Wunsch wurde dir erfüllt. Ruf mich in Zukunft besser nicht noch einmal an, sonst *wirst* du es bereuen.« Luzifer warf ihr einen letzten, langen Blick zu, dann verschwand er. Die Vögel begannen erneut zu zwitschern, als seien sie erleichtert, dass er wieder weg war.

»Er ist nicht fertig mit uns«, stellte Riley fest.

»Glaube ich auch nicht«, sagte Beck. »Aber immerhin haben wir jetzt eine gute Vorstellung davon, wie seine Strategie aussieht.«

»Wenn du es müsstest, könntest du ihn töten?«, fragte sie.

Beck schüttelte den Kopf. »Sartaels Schwäche war seine Arroganz. Luzifer ist berechnender, und er wäre nur schwer zu besiegen. Und selbst wenn ich es täte, wer sollte dann seinen Platz einnehmen? Ein anderer Sartael?«

»Stimmt.« Sie liebkoste seine Wange. »Du wirst Stewart mit jedem Tag ähnlicher.«

»Ist vielleicht gar nicht mal so schlecht«, gab Beck zu, »Aber ich werde garantiert nie einen von diesen Röcken anziehen, die er immer trägt.«

»Dabei würdest du in einem Kilt bestimmt echt scharf aussehen.«

»Vergiss es. Nie im Leben.« Beck drehte sich zum Mausoleum um. »Ruhe in Frieden, Paul«, sagte er. »Ich werde für dich auf dein Mädel aufpassen.«

»Mach dir keine Sorgen, Dad. Ich passe auf, dass Beck bei der Stange bleibt. So wie du.«

Er tat, als hätte er sie nicht gehört. Stattdessen starrte er gebannt zum Dach des Gebäudes hoch.

»Was machst du da?«

»Ich sehe mir den neuen Wasserspeier an«, sagte er.

»Ja, die sind ziemlich unheimlich.« Dann erst fiel ihr auf, dass er vom *neuen* Wasserspeier gesprochen hatte.

Sie folgte seinem Blick und schnappte nach Luft. Am Mausoleum hatte es schon immer vier löwenköpfige Fratzen gegeben, eine an jeder Ecke. Jetzt war eine fünfte hinzugekommen, etwas größer als die anderen, von Schwingen umgeben und mit einem Gesicht, das sie sehr gut kannte. Er war exakt an der Ostmauer angebracht, so dass er die Strahlen der Morgensonne auffing.

»O Gott, das ist Ori.« Luzifer hatte ihn in einen Wasserspeier verwandelt. Oder seine Seele in einen gelegt.

»Guter Blick auf den Sonnenaufgang«, sagte Beck. »Er hätte es schlimmer treffen können.«

»Er wird für Jahrhunderte dort sein, zumindest solange das Gebäude existiert. Dann werden sie ihn vielleicht wieder in den Himmel lassen.«

»Oder auch nicht«, erwiderte Beck. »Du hast doch Luzifers Warnung gehört.«

»Nun, zumindest hat er jetzt im Moment seinen Frieden.«
*Wie mein Dad.*

»Da frage ich mich doch, wie viele von diesen Dingern einmal Engel waren.«

»Kein Wunder, dass sie mir Angst machen.«

Als sie vom Friedhof zurückkamen, legte Beck sich schlafen, völlig erschöpft von der Anstrengung. Riley ergriff die Gelegenheit, um für die Semesterarbeit zu büffeln. Es war fast eins, als er aufwachte und sie einlud, zu ihm ins Bett zu kommen. Zur Melodie des Regens, der auf das Dach prasselte, liebten sie sich zum ersten Mal seit seiner Verletzung. Es war eine sanfte, behutsame Vereinigung, eine Neugeburt von ihnen beiden.

Als ihre Leidenschaft langsam abebbte, fühlte Beck, wie ein tiefes Gefühl des Friedens sich in seinem Inneren ausbreitete. Er wusste, dass es an der Frau lag, die neben ihm lag.

»Ich liebe dich, Prinzessin«, flüsterte er.

»Ich liebe dich, mein Held.«

»Ich bin kein …« Ihr Finger brachte ihn zum Schweigen.

»Du warst schon immer mein Held, Denver Beck. Akzeptiere es einfach, und die nächsten fünfundvierzig Jahre werden um einiges einfacher.«

Er war klug genug, nicht zu widersprechen.

## 39. Kapitel

*Vier Monate später*

Während Riley darauf wartete, dass die neuen Lehrlinge endlich in die Gänge kamen, bummelte sie draußen vor der Universitätsbibliothek herum, genau derjenigen, die sie vor ein paar Monaten in Schutt und Asche gelegt hatte. Die Bibliothekarin hatte wieder einen Biblio-Dämon zu Gast, und sie hatte darauf bestanden, dass Pauls Tochter ihn fangen sollte.

Das Universum hatte einen echt schrägen Sinn für Humor.

Dieses Mal würde sie nicht allein arbeiten: Als frischgebackene Fängergesellin war es ihr Job, den jüngsten Schwung Lehrlinge auszubilden. Es war ein gemischter Haufen: Der älteste war vierzig Jahre alt und ein ehemaliger Radiomoderator. Der nächstjüngere war Ende zwanzig und ein Computergenie, und Harper hatte bereits beschlossen, dass dieser Typ wie geschaffen war, um Techno-Dämonen zu fangen. Die Dritte im Bunde war ein rothaariges Mädchen Anfang zwanzig, die bewies, dass Rileys Zeit als einziges weibliche Wesen in der Dämonenfängerzunft von Atlanta sich dem Ende entgegenneigte. Sie hatte den Weg gebahnt, und jetzt war es an der Zeit, dass andere ebenfalls ihre Spuren hinterließen.

Die drei bauten sich in einer Reihe vor ihr auf, doch es gab kein Gefeixe und keinen Spott. Seit das Videomaterial, das sie im Kampf gegen einen Erzengel zeigte, ins Internet gelangt war, war sie jemand, den man besser ernst nahm. Es gab sogar schon Gerüchte, dass Hollywood eine Ablegerserie von *Dämonenland* plante, deren Hauptfigur sehr viel Ähnlichkeit mit Riley Blackthorne hatte.

*Das hat mir gerade noch gefehlt.*

Als sie gerade im Begriff war, ihre Schützlinge in die Bücherei zu führen, klingelte ihr Handy. Sie hatte diesen Anruf erwartet: Beck legte heute vor dem Bundesverband seine Prüfung zum Dämonenfängermeister ab.

»Wartet mal kurz, Leute«, sagte sie und trat ein Stück beiseite, um ungestört sprechen zu können.

»Hey, Lady«, rief Beck ins Telefon. »Lüg mich an und sag mir, dass alles gut werden wird.«

»Alles wird gut. Du hast die Examensfragen auswendig gelernt, du kennst die Antworten und sie werden dir massig Zeit geben, um sie zu liefern.« Sie hatten sogar zugelassen, dass er seine Antworten im Computer eintippte, da er immer noch so quälend langsam schrieb. »Du schaffst das, Beck. Das ist gar keine Frage.«

»Gott, ich hoffe es, Mädel. Ich war noch nie so nervös. Na ja, außer, als ich dich bat, meinen Ring zu tragen.«

Er war wirklich durcheinander, wenn er sie wieder »Mädel« nannte.

»Lass dir Zeit und frag nach, wenn du etwas nicht verstehst«, riet Riley ihm. »Die Meister wollen, dass du die Prüfung bestehst, also mach dir keine Sorgen.«

Ein tiefer Seufzer kam aus dem Telefon. »Ich wünsche, ich hätte dein Selbstvertrauen.«

»Mensch, du hast einen Erzengel plattgemacht. Dagegen ist eine Prüfung doch gar nichts!«

»Ich hoffe es.«

»Sobald du fertig bist, gehen wir schick essen und feiern.«

Beck wurde munter. »Ja, das wäre gut. Ich könnte vielleicht ein paar Bier trinken, und wir könnten ein paar Runden Billard spielen.«

*Armageddon Lounge, wir kommen.* Mit einem Georgia-Jungen auszugehen war nichts für Feiglinge.

»Klingt gut. Und jetzt zeig's ihnen.«

»Ich lieb dich, Riley.«

»Ich liebe dich auch, Den. Bis später.«

Weder die Bücherei noch die Bibliothekarin hatten sich verändert. Erstere war in guter Verfassung – die Bücherregale waren alle perfekt ausgerichtet –, und Letztere war genauso adrett gekleidet wie beim letzten Mal.

»Besteht die Chance, dass es zu ähnlichen Problemen kommt wie bei deinem letzten Besuch?«, fragte die Frau.

»Nein. Der Dämon fünften Grades ist tot, und von den anderen wird keiner diese Nummer wagen.«

Sobald der Papierkram erledigt war, beschwor Riley den Geist ihres Vaters, des Lehrers, herauf.

»Also Leute, passt gut auf, weil ich euch am Ende ein paar Fragen stellen werde.«

Riley ging mit ihnen zur Tür des Raums mit den seltenen

Büchern und zog eine doppelte Line Weihwasser, eine im Raum und eine außerhalb, weil man nie paranoid genug sein konnte.

Anschließend machte sie sich auf die Suche nach dem Dämon. Sobald sie Anzeichen seiner Zerstörungswut entdeckte, ließ sie ihre Schützlinge in einer ordentlichen Reihe Aufstellung nehmen. Die Plastiktasse tauchte aus ihrem Rucksack auf.

»Du fängst sie mit einer Lerntasse?«, fragte der ältere Typ verblüfft.

»Dämonenfänger haben ein knappes Budget, also nehmen wir, was wir finden. Ein Dämon ersten Grades passt hier gut rein, und wenn man den Deckel ordentlich zuschraubt, kann er nicht entkommen.«

»Und wenn man den Deckel nicht richtig zuschraubt?«

Wie gehofft hatte er nach dem Köder geschnappt. »Dann entwischt er, während du Auto fährst, und du könntest beinahe einem Cop hinten drauffahren. Ich hab's ausprobiert und aus meinem Fehler gelernt.«

Riley hörte ein leises Lachen von einem der Tische in der Nähe. Es kam von dem gutaussehenden Jungen, der sie nach der Katastrophe beim letzten Einsatz blöde angemacht hatte. Stirnrunzelnd starrte sie ihn an, bis er Ruhe gab, und widmete sich wieder der praktischen Ausbildung.

»Seht ihr dort, zwischen dem Buch zum Verfassungsrecht und dem über Zivilverfahren?«, sagte sie und deutete nach oben.

Alle drei Neulinge folgten ihrem Finger mit ihren Blicken

und starrten fasziniert auf den Biblio-Dämon, der gerade einen Wälzer zum Thema Seerecht zerfetzte.

»Der ist … ziemlich hässlich«, flüsterte die Fängerin.

Der Dämon zischte als Antwort, und Riley wusste, was jetzt kommen würde.

»Tretet besser ein Stück zurück«, warnte sie. Zwei Sturzbäche ergossen sich vom Regal: einer aus grüner Dämonenpisse, der andere aus höllischen Obszönitäten.

»Igitt. Das stinkt«, rief der jüngere Mann und hielt sich die Nase zu.

»Lektion Nummer zwei«, begann Riley. »Dämonen zu fangen ist nie so, wie ihr es aus dem Fernsehen kennt. Es ist ein schmutziger Job.«

»Aber irgendjemand muss es machen?«, meinte der jüngere Typ.

»Genau. Und jetzt ist es euer Job. Lasst uns diesen Quälgeist hier rausschaffen, ehe er noch mehr Schaden anrichtet.«

Es lief wie am Schnürchen. Sie fuhr Melvilles Dämonenbetäubende Prosa auf, sammelte den komatösen Bösling ein, ließ ihn in die Lerntasse fallen und schraubte den Deckel fest zu.

»Cool!«, rief die Fängerin. »Wann dürfen wir so was machen?«

»Nächste Woche. Lest bis dahin das Kapitel über Biblio-Dämonen in euren Handbüchern, dann beginnen wir damit, dass ihr diese Dinger selbst fangt.«

Der ältere Lehrling sah sie an. »Das war zu einfach. Es muss doch irgendeinen Haken geben.«

Riley fing an, den Kerl richtig zu mögen. Er hatte genug Lebenserfahrung, um zynisch zu sein.

»Ja, es gibt ein, zwei Haken. Lasst uns den Papierkram erledigen, dann erzähle ich euch genau, was passiert, wenn ihr es vermasselt.«

»Auch schon selbst ausprobiert?«, fragte er.

»Aber gründlich.«

Der Biblio-Dämon zeigte der Fängerin den Stinkefinger und fluchte laut, was ihm nicht mehr als Gelächter einbrachte. Dann starrte er zu Riley hoch.

»Blackthornes Tochter«, sagte er. Dieses Mal benutzte er beide Mittelfinger.

»Warum tut er das?«, fragte einer der Lehrlinge.

»Weil die Hölle nicht besonders gut auf mich zu sprechen ist.«

Was noch eine Untertreibung war.

Während die Lehrlinge sich munter unterhielten, folgte Riley ihnen aus der Bibliothek. Dieses Mal warteten draußen keine Rettungsfahrzeuge und TV-Übertragungswagen, kein wütender Dorftrottel oder besorgte Anrufe ihres Vaters. Nur ein ruhiger Campus an einem prachtvollen, warmen Morgen Ende Juli.

Der Kreis hatte sich geschlossen.

Riley musste darüber lächeln, wie sich die Dinge entwickelt hatten. In einem Monat schon würde Beck in Schottland sein, um die erste Phase seiner Ausbildung zum Großmeister zu absolvieren. Untypischerweise war er geradezu besessen von jedem winzigen Detail, abwechselnd total aufgekratzt und unsäglich furchtsam. Um ihn zu beruhigen, hatte sie versprochen, sein Haus zu hüten, während er fort war, und auf Rennie aufzupassen. Erleichtert hatte Beck angedeutet, dass daraus vielleicht ein dauerhaftes Arrangement werden könnte, wenn er zurückkam, und dann hatte er sie eingeladen, ihn während seiner Ausbildung zu besuchen. Sie wusste, was er plante.

*Er wird mich in Schottland an meinem Geburtstag bitten, ihn zu heiraten.*

Es bestand kein Zweifel daran, wie ihre Antwort lauten würde.

Als in Rileys Leben alles so furchtbar schieflief, die Probleme gar kein Ende zu nehmen schienen und ein Unglück nach dem anderen über sie hereinbrach, hatte ihr Vater ihr stets versichert, dass alles wieder gut werden würde. Eine lange Zeit war *gut* das Beste, was sie sich vorstellen konnte.

Jetzt hatten sich jene düsteren Tage und Nächte in eine vielversprechende Zukunft gewandelt, die wie frisch geschürftes Gold glänzte. Sie war Dämonenfängergesellin und hielt Denver Becks Herz in den Händen. Selbst die Hölle kannte ihren Namen.

Blackthornes Tochter würde sich nie wieder mit einem »gut« zufriedengeben.

*Ab jetzt gilt nur noch WOW.*

# Dank

Super! Ich fasse es nicht, dass dies der vierte und letzte Band der Serie ist. Die ganze Geschichte ist fertig, und ja, verehrte Leserinnen und Leser, ihr wisst jetzt, wie es für Riley und Beck ausgegangen ist. Ich hoffe, euch freut das Ende genauso wie mich.

Es gibt viele gute Leute, die mir geholfen haben, diesen Band in Rekordzeit fertigzustellen. Zuerst und vor allen anderen danke ich meiner Lektorin Jennifer Weis und besonders Mollie Traver, ihrer außergewöhnlichen Assistentin, die mir geholfen haben, die Ecken und Kanten zu glätten, und es geschickt geschafft haben, die beiden Geschichten in Atlanta und im Okefenokee-Sumpf zu verbinden. Und wie immer geht ein dickes Dankeschön an Meredith Bernstein, meine Literaturagentin.

Weil ich nur wenig Zeit hatte, um *Engelsfeuer* zu schreiben, brauchte ich viel Unterstützung, und die wurde mir reichlich gewährt von meinen lieben Freundinnen Jean Marie Ward und Michelle Roper. Sie haben sich besondere Mühe gegeben, mich bei geistiger Gesundheit zu erhalten, und haben es trotz ihres ausgefüllten Alltags geschafft, als Testleserinnen das Manuskript in Rekordzeit zu lesen. Eine große Umarmung geht an meinen Gatten, der nie aufhörte, mir zu erzählen, dass »alles gut wird«. Natürlich hatte er recht. Das hat er immer.

Mein besonderer Dank geht an Steve und Jo Knight von Okefenokee Pastimes (www.okefenokee.com) für die ungewöhnliche Tour durch die Schönheit und Majestät des Okefenokee-Sumpfes. Ich habe dieses überwältigende Naturwunder ebenso lieben gelernt, wie ihr beide es tut.

Manchmal braucht man einfach den Rat eines Leichenbestatters, und dieses Mal wurde er von Shane Burton gegeben, der dafür sorgte, dass ich den Teil mit der Beerdigung nicht vermurkste. Danke, Kumpel. Das nächste Bier geht auf mich, mein Freund.

Wieder einmal habe ich auf die schottische Expertise von William MacLeod zurückgegriffen. Danke, William. Deinetwegen war Stewart beim Schreiben einer meiner Lieblingscharaktere.

Und schließlich gilt mein Dank all meinen Lesern, die sich mit Riley und Beck auf ihre gefahrvolle Reise begeben und ihnen bei jedem Schritt die Daumen gedrückt haben. Ohne euch hätte sich die Serie nie so gut entwickelt. Ihr seid das wahre Dämonenfängerteam.

Jana Oliver
**Aller Anfang ist Hölle**
Riley Blackthorne – Die Dämonenfängerin 1
Roman
Aus dem Amerikanischen
von Maria Poets
Band 18859

Der 1. Band der aufregendsten Dämonenserie aller Zeiten!

Im Jahr 2018 nimmt die Zahl der Dämonen in allen größeren amerikanischen Städten zu, auch in Atlanta. Glücklicherweise gibt es Menschen, deren Job es ist, mit dieser Plage aufzuräumen: die Dämonenfängerin Riley Blackthorne ist eine von ihnen. Aber als ein Routineauftrag in einer Bibliothek sich zum lebensgefährlichen Einsatz entwickelt, erkennt sie, dass sie in einen Kampf zwischen Himmel und Hölle geraten ist.

»Teuflisch clever und ganz und gar einmalig!«
*P. C. Cast*

Fischer Taschenbuch Verlag

fi 18859 / 1

Jana Oliver
**Seelenraub**
Riley Blackthorne – Die Dämonenfängerin 2
Aus dem Amerikanischen von Maria Poets
Roman

Band 18860

Der Kampf gegen die Dämonen geht weiter!

Riley Blackthorne, Dämonenfängerin in Ausbildung, steht ihr Job sonst wo. Sie hat nichts als Stress, die Männer in ihrem Leben machen an allen Fronten Ärger. Und die Bedrohung durch den mächtigen Dämon, der sie verfolgt, wird immer größer. Sie wird ihm nicht ewig entkommen …

Band zwei der mitreißenden Serie – wer einmal anfängt, kann nicht mehr aufhören!

Das gesamte Programm gibt es unter
www.fischerverlage.de

# Der Tag der Abrechnung kommt – der dritte Band der mitreißenden Fantasy-Serie

Riley ist allein und auf der Flucht: Ihr Vater wurde von Dämonen getötet und als Reanimierter entführt. Ihr Exfreund Simon hat sie an die Jäger des Vatikans verraten. Jetzt muss sie auf eigene Faust klären, was zum Teufel in Atlanta eigentlich faul ist. Ihr Versuch, sich und die Welt zu retten, setzt Himmel und Hölle in Bewegung. Ein gefallener Engel will Riley helfen. Doch wem kann sie noch trauen?

Jana Oliver
**Höllenflüstern**
Riley Blackthorne –
Die Dämonenfängerin 3
Aus dem Amerikanischen
von Maria Poets
Roman
ca. 512 Seiten, Hardcover
mit Schutzumschlag

fi 6-2112 / 1

# Für alle Fans von ›House of Night‹

In Kylies Leben geht alles schief: Ihre Eltern lassen sich scheiden, ihr Freund hat Schluss gemacht, und ihre Mutter schickt sie auch noch in ein Sommercamp. Doch Shadow Falls ist anders: Hierher kommt nur, wer übernatürliche Kräfte hat – Feen, Hexen, Vampire, Gestaltwandler und Werwölfe. Auch Kylie soll besondere Fähigkeiten haben – wenn sie nur wüsste, welche … Doch plötzlich wird das Camp bedroht. Nur, wenn sie alle ihre besonderen Kräfte gemeinsam einsetzen, werden sie die übermächtigen Feinde besiegen können.

C.C. Hunter
**Geboren um Mitternacht**
**Shadow Falls Camp / Band 1**
Roman
Aus dem Amerikanischen
von Tanja Hamer
494 Seiten, Broschur

FJB

fi 1-2127 / 1

# Was ist Kylie wirklich?
# Die Suche geht weiter:
# im 2. Band der Erfolgsserie
# »Shadow Falls Camp«

Von dem Moment an, als Kylie im Shadow Falls Camp angekommen ist, wollte sie nur eines wissen: Was bin ich? Umgeben von Feen, Werwölfen, Vampiren, Hexen und Gestaltwandlern möchte Kylie endlich herausfinden, welche Art von Wesen sie ist. Auch ihre übernatürlichen Kräfte braucht sie jetzt mehr als je zuvor, denn Kylie wird verfolgt: von einer unsichtbaren, dunklen Macht, die sie alle in Gefahr bringt. Kann Kylie ihre Fähigkeiten einsetzen und die Menschen retten, die sie liebt?

C. C. Hunter
**Erwacht im Morgengrauen**
Shadow Falls Camp / Band 2
Roman
ca. 528 Seiten, Broschur

# Endlich wird Kylie herausfinden, was sie wirklich ist – im 3. Band der »Shadow Falls Camp«-Serie

Feen, Hexen, Vampire, Gestaltwandler und Werwölfe: Sie alle sind im Shadow Falls Camp. Nur Kylie weiß noch nicht, welche Art von Wesen sie ist – doch nun ist die Zeit dafür gekommen.

Kylie will endlich die Wahrheit wissen. Was ist sie? Wer ist ihre wahre Familie? Und was sollen ihre besonderen Fähigkeiten und mysteriösen Kräfte bedeuten?

Auf der Suche nach ihrer Identität lauern Gefahren, Todesengel, Geister und Geheimnisse, die Kylies Leben für immer verändern werden ...

C. C. Hunter
**Entführt in der Dämmerung**
Shadow Falls Camp / Band 3
Roman
Aus dem Amerikanischen
Von Tanja Hamer
ca. 496 Seiten, Broschur

# Endlich: der 4. Band der Bestseller-Serie »Shadow Falls Camp«

Feen, Hexen, Vampire, Gestaltwandler und Werwölfe: Sie alle sind im Shadow Falls Camp. Auch Kylie ist dort. Aber sie ist anders. Mächtig. Stark. Gefährlich?

Endlich weiß die sechzehnjährige Kylie welche Art von Wesen sie ist. Doch das bringt sie auch nicht viel weiter – denn es gibt kaum jemanden, der etwas über ihre Art weiß. Ihre Freunde im Camp versuchen, ihr zu helfen, aber Kylie wird bald klar, dass sie zu sich selbst finden muss. Etwas muss sich ändern. Ist die Zeit gekommen, Shadow Falls zu verlassen?

C. C. Hunter
**Verfolgt im Mondlicht**
Shadow Falls Camp / Band 4
Roman
Aus dem Amerikanischen
von Tanja Hamer
ca. 576 Seiten,
Klappenbroschur

Das gesamte Programm finden Sie unter
www.fischerverlage.de

fi 6-2156 / 1

# Der erste Band
# der großen Zeitreise-Trilogie

Jackson Meyer, Student in New York, hält sich für einen ganz
normalen Neunzehnjährigen, bis er zufällig feststellt: Er kann
für ein paar Stunden in der Zeit zurückreisen. Alles ist nur ein
harmloser Spaß, bis eines Tages die Katastrophe passiert:
Zwei Fremde überfallen ihn und seine Freundin Holly im
Studentenwohnheim – und erschießen Holly. In seiner Panik
stürzt Jackson in die Vergangenheit und landet plötzlich zwei
Jahre vor dem Ereignis. Von da an hat er nur eines im Sinn: zu-
rückzukommen und Holly zu retten. Er wird ALLES dafür
tun. ALLES – für seine große Liebe.

Julie Cross
**Sturz in die Zeit**
Aus dem Amerikanischen
von Birgit Schmitz
ca. 512 Seiten, gebunden

# Es gibt keine Ruhe
# vor dem Sturm

## Der zweite Band der großen Zeitreise-Trilogie

Schon einmal hat Jackson den Lauf der Geschichte geändert, um Holly zu retten. Doch er hat einen hohen Preis dafür gezahlt. Denn als er ihr jetzt begegnet, kann sich die Liebe seines Lebens nicht mehr an ihn erinnern. Und ohne sein Wissen ist sie zur Agentin ausgebildet worden. Für wen arbeitet sie?

Julie Cross
**Feinde der Zeit**
Roman
Aus dem Amerikanischen
von Birgit Schmitz
ca. 576 Seiten, Gebunden
mit Schutzumschlag

Das gesamte Programm gibt es unter
www.fischerverlage.de

fi 6-2210 / 1